# Nelle et l'attaque des démons
## Tome III

# Samantha Diaz

# Nelle et l'attaque des démons
## Tome III
*Roman*

**LE LYS BLEU**

ÉDITIONS

© Lys Bleu Éditions – Samantha Diaz

ISBN : 979-10-377-5066-2

Aidan est mort depuis deux mois. Sans sa présence auprès de moi ma vie n'a plus raison d'être. J'ai décidé de retourner chez mes parents avec Nelan.

Après avoir chargé mon coffre, je dis à ma façon adieu à tout le monde, ils sont là dans la salle de jeu à me regarder. Scarlett et Cécile sont en larmes, les hommes eux semblent être plus forts pour se retenir de pleurer.

Je fuis le campus, je fuis la magie, je ne veux plus et ne peux plus vivre dans un endroit qui me rappellera autant Aidan. Je n'ai plus le goût à rester et maintenant que j'ai Nelan je dois m'en occuper.

Dagon a insisté pour m'accompagner jusqu'à ma voiture. Comme Scarlett me l'a dit, il y a ce petit quelque chose entre Dagon et moi qui est fort, et incompréhensible même pour moi.

Il est assis à côté de Nelan quand je rejoins ma voiture. Je me penche légèrement pour les entendre.

— Il va falloir me promettre de bien veiller sur ta maman, mon bonhomme, tu as déjà beaucoup de poigne et je sais que tu ne vas pas laisser les hommes l'approcher de près.

Je souris en l'entendant parler.

Mon cœur s'accélère quand j'entends Nelan gazouiller et lui répondre :

— On est d'accord, bonhomme, il n'y a que moi qui aurais le droit de l'approcher ! Je compte sur toi hein.

De nouveau, il gazouille et je vois Dagon se pencher et embrasser le front de mon fils. Il sort de la voiture et me fait un magnifique sourire. Ce sourire cache des larmes au coin de ses yeux.

— C'est mal d'entendre la conversation de deux hommes en pleine discussion des plus sérieuses.

— Je te rassure, je n'ai rien entendu. À part que tu comptes dans 18 ans lui apprendre à être un tombeur des dames comme toi.

— Je ne te dis pas adieu, Nelle.

— Je ne suis pas contre avoir de tes nouvelles, mais j'ai besoin d'oublier tout ça, de fuir et de me retrouver.

— Ça fait deux mois qu'Aidan est mort, il te faut du temps, c'est normal.

— Je doute qu'un jour je puisse guérir de ce trou dans ma poitrine.

Il pose ses mains sur mes joues et son front contre le mien.

— Je t'aime, Nelle, depuis le premier jour et à jamais.

Je ferme les yeux et laisse les larmes sortir.

— Je t'aimerai toujours aussi.

Mes yeux sont toujours fermés quand je sens ses lèvres se poser sur les miennes. Ce baiser est tellement beau et doux. Je le laisse faire, car j'ai besoin de ça, j'ai besoin de son adieu, que tout se termine dans ma vie comme elle a commencé ; par un baiser de sa part. Mon Dagon, mon compagnon de cours de magie théoriques imbuvable, qui me faisait frissonner juste en sentant son odeur. Cet être qui a réussi à me rendre jalouse de blondes sulfureuses, ce blond qui a toujours été là pour m'aider et venir à mon secours. Prêt à mourir pour moi.

— Dagon.

— Oui ?

Je lui souris et relève la tête pour plonger une dernière fois mon regard dans le sien.

— Je suis un abruti, je sais.

Ça fait déjà quatre mois que je continue de respirer sans aucune envie de le faire. J'ai bien trop écouté : « avec le temps » ça passera, mais c'est faux, plus le temps passe et plus mon cœur se fragilise et souffre davantage. J'aurais préféré qu'il me quitte, mais pouvoir continuer à le voir. Il a disparu et même quand j'essaye de l'appeler, il refuse de venir.

Nelan est gardé par ma mère quand je suis au boulot, je travaille dans la boîte de nuit des parents de Léo et Clément pour gagner de quoi subvenir à ses besoins. Aidan avait bien mis une assurance à mon nom ; je le confirme et je refuse d'y toucher. Nelan pourra les utiliser à sa majorité et payer les trois ans de cours dans le campus qu'il aura choisi.

Mes parents sont très présents pour moi et m'ont beaucoup aidé avec Nelan. Ceux d'Aidan passent régulièrement aussi pour le voir et je fais en sorte de ne pas être présente. Je ne veux voir personne d'autre à part mes parents, je ne me sens pas prête à ça.

La seule personne que je laisse prendre de mes nouvelles c'est Dagon. Ce lien entre nous depuis le début ne semble pas disparaître. Il était présent pour l'enterrement d'Aidan et a été d'un énorme soutien pour moi. Il m'envoie régulièrement des messages. Il ne s'attarde jamais à aller au-delà de la politesse de base. Il a proposé de passer me voir une fois, mais j'ai refusé, il n'a jamais insisté.

Même si ma vie est affreusement triste ça me fait beaucoup de bien de pouvoir sortir et faire des choses sans me sentir en danger. Ici, personne ne me connaît moi et mes tares, c'est très bien comme ça.

À part les cheveux et la forme des yeux, mon fils me ressemble énormément. Ce n'est pas si mal d'une certaine façon, car si c'était le portrait de son père j'aurais du mal à regarder mon fils sans pleurer.

Les semaines et mois continuent d'avancer. Nelan a 3 ans maintenant. Il est très doux et calme comme moi. C'est un amour de petit gars. Mon amour pour Aidan ne m'a jamais quitté. En 3 ans, je n'ai jamais réussi à regarder un nouvel homme avec envie et désir. D'ailleurs, aucun homme n'a réussi à me donner envie d'aller plus loin qu'une commande au bar.

Quand je fais le bilan de ma vie, je vais avoir 24 ans, je travaille dans un bar la nuit et gagne très mal ma vie, je suis mère célibataire et chacune de mes relations s'est terminée par une rupture et à chaque fois brutale à mes yeux. Dagon m'a repoussée quand j'ai été libérée par Benjamin. Alex m'a fait comprendre qu'il ne m'aimait pas finalement après m'avoir fait violer et détruite de l'intérieur par un vampire, Benjamin m'a virée de sa vie et de sa chambre quand j'ai voulu être encore plus intime avec lui dans un lit et, en effet, enfin Aidan qui meurt, m'abandonnant seule dans ce monde où sans lui rien n'a plus aucun sens.

Les jours avancent et j'ai besoin de changement dans ma vie, je suis malheureuse ici.

Je m'apprête à aller bosser quand je reçois un appel, lorsque je vois l'identité, je souris.

— Bonjour Dagon.
— Bonjour, ma petite Nelle. Comment va Nelan ?
— Et moi je pue ?
— Oui, aussi.

— Hey !

— Je reformule, comment allez-vous ?

— Nous allons bien merci.

— Bon, tant mieux.

— Et toi ?

— Très bien.

— J'ai bien reçu le cadeau pour l'anniversaire de Nelan, et il a adoré, mais tu n'étais pas obligé.

— Je sais, mais à son âge il est un homme maintenant, il se doit d'avoir les baskets dernier cri.

— Ou pas, non.

— Il a eu combien de fiancées déjà ?

— Dagon.

— Je sais, je sais, je suis un abruti.

— Tu me manques, Dagon.

Ça a le mérite de mettre un froid, il ne s'y attendait pas, je pense, et moi non plus je ne m'attendais pas à dire ça, à oser le lui avouer.


— Tu as refusé que je vienne, je te rappelle, et je n'ai pas insisté.

— J'ai juste peur de ce que je vais pouvoir ressentir une fois devant toi.

— C'est si mal que ça ?

— Je ne sais pas trop de quoi je suis capable.

— On le découvrira ensemble quand je vais venir, OK ?

— D'accord.

— Tu veux vraiment que je vienne ?

— Oui.

— Quand ?

— Le week-end prochain, je ne travaille pas.

— C'est noté, je serais le blond.

— Et moi la rousse.

— Je te dis à très bientôt alors.

— Oui.

— Et même si tu annules je viendrais quand même, Nelle. Même si tu as une gastro, peu importe la raison.

— Et si c'est toi qui es malade ?

— Rien ne m'arrête quand ça te concerne et tu le sais non ?

Le coup dans mon cœur là est juste horrible… mais je ne dois pas fuir… je ne le dois pas.

— Je compte sur toi, car je vais fuir, c'est certain.

— Dans ce cas, jouons à cache-cache.

J'explose de rire à en pleurer.

— Merci Dagon, merci infiniment.

— À très vite, je t'embrasse, ma belle.

— Je t'embrasse aussi.

La semaine qui suit est une torture pour moi, je ne sais pas comment m'habiller, me coiffer ni même ce qu'on va pouvoir faire. Nelan est chez ses grands-parents paternels et j'ai ma journée et ma soirée tranquilles. Ma mère est adorable et vient me voir dans ma chambre pendant que je choisis minutieusement ma tenue. Elle m'a vue stressée au déjeuner.

— Tu m'expliques, ma chérie ?

— Je vais voir un vieil ami.

— Vraiment ? C'est une excellente chose ça, dis-moi.

— J'ai peur, dis-je en fermant les yeux histoire de réussir à respirer à peu près normalement.

— De quoi ?

— De le revoir.

— Il avait quelle importance à tes yeux ?

— Après Nelan et Aidan ?

— Oui après eux, me demande-t-elle en souriant.

Je lui fais un sourire timide et vu le sourire qui apparaît encore plus sur son visage, elle a compris. Elle approche et ouvre mon placard. Quand je la vois sortir un de mes shorts et un débardeur, je ne comprends pas du tout son choix.

— Un short ? Un débardeur ? Mais je…

— Il vient voir Nelle, la fille qu'il connaît depuis plusieurs années. Ne cherche pas à mettre une robe sexy ou autre, ça ne te ressemble pas, ma chérie.

Je prends ma mère dans mes bras et la remercie pour son aide. Et elle a raison, je mets ce qu'elle me conseille. Elle finit par me laisser seule face à ce miroir que je déteste, après un dernier « courage ma fille ».

Mon portable vibre sur mon bureau et je vais voir « Dagon : je passe te chercher chez toi dans 10 min, bisous ».

Ne tremble pas, Nelle, je t'en prie, ne tremble pas. Et pourtant mon corps est déjà en action. Je respire profondément quelques secondes et me force à sourire, des images joyeuses en compagnie de Dagon me gagnent l'esprit et j'avoue que ça m'aide beaucoup à me détendre.

Je retourne à ma tenue et à ce que je déteste depuis plusieurs années, moi !

Mes cheveux sont trop cours à présent pour les attacher, ils sont au niveau de mes épaules et sont raidis en permanence. Un peu de gloss et de mascara et je pense être prête.

J'enfile les sandales à l'entrée de ma maison et me montre à mes parents.

— Tu es parfaite, ma chérie, lance ma mère.

— Parfaite pour ? demande mon père surpris.

Il ne me voit plus du tout sortir, sauf pour aller travailler ou déposer et récupérer Nelan chez ses grands-parents.

— Voir un vieil ami, dis-je avec un gros manque de confiance en moi.

— Effectivement parfaite ! renchérit mon père avec un super sourire.

— Passe une excellente journée et soirée, ajoute ma mère toute contente.

— Ne m'attendez pas, je ne sais pas quand je vais rentrer.

Je les embrasse tous les deux et récupère mon sac pour m'apprêter à sortir de chez moi. Je ne sais pas si Dagon comptait venir sonner ou pas.

J'ouvre la porte et vois ma tête blonde préférée au bout de l'allée approcher à pied. Mains dans les poches, avec une magnifique chemise blanche et un jean bleu foncé. Baskets, tiens, les mêmes que Nelan pour adulte. Il me fait un magnifique sourire que je lui rends. Allez, fonce dans ses bras !

Je balance au sol ma veste, mon sac et cours dans ses bras. Je suis heureuse quand il me les ouvre et qu'il me serre fort contre lui. Des larmes de joie envahissent mes yeux puis mon visage.

— Bonjour, ma petite Nelle.

— Bonjour, Dagon.

Quand il me fait reculer et qu'il pose ses mains sur mon visage comme il l'a fait si souvent, j'ai un sourire puissance mille qui apparaît. Qu'est-ce qu'il est beau ! Il aurait pu mal vieillir, mais non, l'âge l'embellit encore plus c'est impressionnant. Je reste bloquée sur son visage qui me semble encore plus beau et plaisant qu'avant. Ses cheveux ont poussé aussi, ça lui fait ressortir les yeux.

Ses yeux verts brillent, en plus c'est magnifique à voir. Visiblement, je ne suis pas la seule à avoir versé quelques larmes.

— Désolé tu es encore mouillé par ma faute, dis-je en essuyant son col.

Il me fait un grand sourire et m'embrasse le front avec une douceur mélangée à une force qui me fait beaucoup de bien.

— Tu as coupé tes cheveux ? dit-il tout en passant sa main dedans.

— Oui, j'avais besoin de changer de tête.

— C'est très réussi en tout cas.

— Ce n'est pas la chemise que tu m'avais prêtée ?

— Oui, excellente mémoire, répond mon beau Dagon en souriant.

— Et je confirme que tu es très beau comme ça avec.

— D'après mes souvenirs, elle t'allait très bien également. Et je t'avoue avoir mis un moment à me décider à la laver, je savais que ton odeur aller y disparaître.

Ses mots me font tellement plaisir, au point où ça me gêne terriblement.

Nous restons là quelques instants à nous regarder, comme si on essayait de nous rappeler comment était l'autre avant.

— Tu as pensé un programme pour la journée ? demande Dagon.

— Non, je t'avoue que je pensais improviser avec toi.

— Ça me va, pas de soucis. J'ai ramené deux trois trucs.

— Deux trois trucs ? C'est-à-dire ?

Il me sourit, me prend par la main et m'emmène avec lui jusqu'à sa voiture.

— Très jolie voiture, dis-moi.

— Ce n'est pas la mienne, je l'ai empruntée à Jacob. La mienne est en révision.

— Jacob sait que tu viens me voir alors ?

— Non, rassure-toi.

— Comment va-t-il ?

— À merveille, fidèle à lui, droit, fiable et d'une amitié des plus sincère et authentique.

— Je le reconnais bien dans cette description, en effet.

Il ouvre son coffre et en sort plusieurs paquets.

— Dagon, il y a quoi dedans ?

— Tu verras.

— C'est pour qui ?

— Tes parents ne vont rien dire si je rentre chez toi ?

— Non du tout, mais tu ne réponds pas à ma question.

Il me sourit et me tend des paquets pour l'aider à porter.

— Allez, femme, avance !

Mes parents sont installés sur le canapé devant une série. En nous voyant entrer, ils se relèvent et approchent pour dire bonjour à Dagon. Bien évidemment, ils l'ont déjà vu.

— Bonjour M. et Mme Oksane, lance Dagon en tendant sa main.

— Bonjour, répondent mes parents.

— C'est mon ami Dagon.

— Oui, nous nous souvenons de lui, il était venu pour ton anniversaire, pour tes 20 ans, répond mon père.

Je suis censée faire quoi ? Proposer à Dagon de monter ?

— Nelan n'est pas là ? demande mon ami.

— Non, c'est le week-end chez ses grands-parents paternels.

— Je vois.

— C'est pour lui ?

— En partie.

— On va monter déposer les paquets dans sa chambre, il sera content de les découvrir en rentrant.

— Je te suis.

Je grimpe à l'étage et l'emmène jusqu'à la chambre de Nelan. Il va vite voir que mon fils ne manque de rien.

Il sourit en rentrant et en découvrant la décoration et la pièce bien garnie en jouets. Son lit est en hauteur, c'est un lit en forme d'arbre, ou il peut descendre avec une corde, un toboggan ou l'échelle en bois.

Je le vois approcher du circuit de voiture qu'il lui a offert pour Noël et se mettre à genou à côté. Je le vois alors poser deux paquets à côté.

— Ça va compléter ce qu'il a déjà.

— Tu n'aurais pas dû, Dagon.

— Bien sûr que si, j'aime ton fils, Nelle.

— Quoi ?

— Je l'ai vu naître, et un peu grandir. Il a une place dans mon cœur.

— Tu as envie de me voir pleurer, toi.

— Seulement si ce sont des larmes de joie.

Il approche et me pose un paquet dans les mains.

— Celui-là est pour toi.

— Tu n'aurais jamais dû.

— Ouvre-le déjà.

Je lui souris et l'ouvre. Je hausse les sourcils, c'est une invitation ? Quand je lis les noms je souris, Cécile et Greg se marient, oh trop mignon, c'est dans 18 mois et l'invitation est au nom de Dagon.

— Accompagne-moi, Nelle, s'il te plaît.

— Mais.

— S'il te plaît.

— Tu peux compter sur moi alors.

Il avance d'un coup vers moi et pose ses lèvres sur les miennes. Mince non je ne m'attendais pas à ça. Il n'aurait pas dû, il n'imagine pas à quel point ça s'accélère dans ma poitrine, à quel point mes sentiments pour lui refont surface comme si jamais ils n'étaient partis. Je suis censée faire quoi ? Le repousser ou lui montrer à quel point j'en ai envie aussi. Je recule légèrement et le regarde.

— Je suis désolé Nelle, tu n'imagines pas à quel point, j'en avais envie depuis que je t'ai vu me sourire dehors.

— Je serais une menteuse de dire que je n'en ai pas envie non plus.

— Dans ce cas, laisse-moi faire.

— Ce n'est pas sérieux.

— En quoi ?

Je pose ma tête dans son cou et le serre en mettant mes bras derrière sa tête.

— Pas encore, s'il te plaît, passons notre journée ensemble à discuter et rire.

— Allons nous balader alors.

Avec Dagon, nous rejoignons la voiture de Jacob et c'est parti pour une après-midi ensemble. Il me surprend en roulant plutôt normalement, au moins lui sa conduite ne me fait pas peur. C'est la première fois que je le vois conduire d'ailleurs. Il a l'air super à l'aise et maîtrise à merveille.

Et c'est exactement ce qu'on fera toute la journée. Il n'aura pas essayé de m'embrasser de nouveau, en revanche sa main sera restée en contact avec la mienne une bonne partie du temps. Nous nous sommes baladés, nous avons bu un verre et nous sommes allés faire quelques boutiques également. J'ai passé une super journée avec lui à rire et à bavarder, en discutant du passé. Nous terminons la journée par un dîner au restaurant et par une dernière balade de digestion dans la forêt à côté de chez moi là où j'avais pratiqué de l'escalade avec Aidan.

Quand il me raccompagne jusqu'à chez moi je sais très bien qu'il va vouloir reparler de notre baiser, de cet échange que j'ai arrêté.

Effectivement, ça ne loupe pas il joint de nouveau nos bouches et m'embrasse avec beaucoup de douceur.

Il m'embrasse qu'un court instant et me sourit tout en reculant.

— Je suis très content de t'avoir vu Nelle, laisse-moi revenir te voir avant 3 ans s'il te plaît dit-il tout en me caressant la joue.

— On se revoit très vite je te le promets.

Il m'embrasse le front et regagne sa voiture. Je suis tellement heureuse de le revoir. Cette journée m'a fait du bien de revoir un ami qui me manquait énormément. Je monte de suite dans ma chambre pour me laver puis pars me coucher.

Les jours qui suivent, nous nous écrivons un peu plus qu'en temps normal, mais ne parlons pas des baisers, comme d'habitude on parle plus de tout et de rien. Nous avons reprogrammé une autre journée et cette fois-ci il m'a demandé si Nelan pourrait être présent, cela serait plus sympa.

En découvrant les cadeaux, Nelan était aux anges et a sauté de joie partout, Dagon sait très bien comment faire plaisir à un petit garçon, c'est certain.

Ce soir, je suis seule au comptoir. Lidia est malade, pour un samedi de juillet je ne vais pas avoir le temps de m'ennuyer. La soirée bat son plein. Je suis surprise par une conversation de deux clients.

— Je t'assure avoir vu deux énormes personnes habillées bizarrement, affirme un client.

— Tu avais encore trop bu, répond le deuxième.

— Non, il faisait nuit et j'ai pu me cacher, mais j'étais terrifié.

— Tu penses que c'est lié avec tous les décès et disparition récemment non explicable ?

— Possible.

Il y a eu pas mal de décès et disparition récemment ? Je n'étais pas au courant.

— Mademoiselle, m'interpelle un troisième un peu plus loin au comptoir.

Je fais signe de patienter et reprends mon travail là où je l'avais laissé avant de surprendre la conversation qui semble me perturber plus que je ne le devrais.

Je finis de servir une table et retourne au comptoir, je m'approche du client sans le regarder et lui demande ce qu'il veut boire.

— Un verre de whisky s'il te plaît, Nelle.

Quoi il connaît mon nom ? Je relève la tête et mon cœur retient un battement en reconnaissant l'identité de la personne. Anderson !

— Je vous apporte ça.

Je me retourne pour préparer sa commande et lui pose son verre devant lui et m'éloigne.

— Nelle, il faut que l'on parle, me dit Anderson, le directeur de Nelune qui m'a rejoint derrière le bar.

— Vous n'avez rien à faire de ce côté du bar.

— Tant pis, mais je dois te parler, c'est important. Et ici, il faut gueuler pour se faire entendre.

— La Nelle que vous avez connue a disparu il y a longtemps.

— Nous avons besoin de toi.

— Non, je vous conseille de finir votre verre et de repartir.

— Tu finis à quelle heure ?

— Jamais.

— Nelan est en danger, me dit-il au moment où je m'éloigne.

Il est loin d'être stupide, et il a touché mon point sensible, mon fils, je refuse qu'il puisse être en danger. Il est tout ce qu'il me reste d'Aidan et je serais morte de l'intérieur, si je perdais mon enfant. Je finis par revenir vers lui. Mon regard se veut inquiet, j'aurais préféré qu'il soit en colère par ses mots d'avoir utilisé cette méthode pour m'amadouer.

— Je finis à 4 h, attendez-moi et nous discuterons.
— Je ne bouge pas de là.

La soirée passe rapidement, je finis par sortir et rejoins le directeur sur le parking. J'embrasse Clément au passage et lui dis à bientôt.

— Je vous écoute.
— On devrait aller dans un endroit plus tranquille pour discuter.
— Allons chez moi dans ce cas-là.
— Parfait.

Il monte avec moi en voiture et nous arrivons rapidement dans mon petit appartement en centre-ville.

— Il y a bien moins d'escaliers ici.
— C'est certain.

Une fois à l'intérieur je le débarrasse de sa veste et de son sac et lui propose à boire.

— Comment vas-tu, Nelle ?
— Je vous écoute.

Il me regarde en souriant, je ne pense pas qu'il soit là juste pour savoir si je vais bien et si je suis toujours vivante.

— Des démons ont réussi à rejoindre notre monde et détruisent tout sur leurs passages.

— C'est donc ça tous les meurtres ?

— Oui et ça empire au fil des semaines.

— Et le rapport avec moi ?

— Tu es forte et ton aide n'est pas négligeable.

— Les démons ne sont pas des morts, ma banshee n'aidera pas, et mes talents de médium n'ont plus.

— La force de tes ondes pourrait aider, bien qu'ils soient vraiment très forts.

— Je ne suis pas encore prête à affronter mon ancienne vie.

— On a besoin de toi pour convaincre les guerriers aussi de se joindre à nous, je suis allé les voir et ils ont refusé.

— Pourquoi ?

— Une envie de changer de vie également.

— Je peux les comprendre et vous aussi, je pense.

— Tu sais que ton sale caractère nous a manqué sur le campus la troisième année. Rien de méchant ou de dangereux ne s'est produit, nous nous sommes presque ennuyés.

Même s'il dit ça en souriant ça me fait vraiment très plaisir à entendre. L'absence de mes amis au fil des semaines est de plus en plus dure. À mesure ou mon cœur se soigne mon besoin d'être entouré se fait ressentir. C'est sûrement pour ça que j'ai besoin de revoir Dagon rapidement.


— Alors ? On peut compter sur toi ? Je peux compter sur toi ?

— Il va me falloir du temps pour réfléchir.

— Il y a eu déjà beaucoup de morts et de disparitions.

— Ce n'est pas mon problème, je ne veux plus me lancer dans ce genre de combat qui finira en drame dans ma vie.

— Et s'ils attaquent ici, et si les prochaines victimes étaient tes amis, tes proches, ton fils, tu le regretterais de ne rien avoir fait.

— J'ai besoin de temps.

— Sauf que du temps nous n'en avons pas Nelle, il faudrait partir cette nuit.

— Mais je ne peux pas tout abandonner comme ça, j'ai mon boulot, mon appartement aussi et surtout ma vie. Et Nelan ? Je fais comment avec lui ?

— Déjà, j'aimerais que tu finisses ton parcours, que tu valides ta troisième année. En parallèle, je vais te trouver un emploi au sein du campus pour que tu gagnes ta vie. Pour Nelan, il pourra bien évidemment venir avec toi. Que tu aies un enfant ne me pose aucun problème.

— Mais il vivra où ? Qui s'occupera de lui en journée ?

— Des anges, et il pourra avoir des cours avec Romain pour lui apprendre à utiliser ses dons.

— Romain ? Il enseigne toujours alors ?

— Oui, il est toujours là et je suis persuadé qu'il sera ravi d'apprendre tout un tas de choses à Nelan.

— Je veux qu'il grandisse sans magie.

— Il doit apprendre à s'en servir Nelle, il est fait pour ça.

— C'est non ! Aucune magie.

— Tu es sa maman, et c'est à toi d'en juger, je peux comprendre, mais il finira par le découvrir et rappelle-toi ce que tu as ressenti quand tu l'as découvert et que tu t'es sentie seule face à ce don que tu ne maîtrisais pas et qui te faisait peur.

Il a raison, mais je serais là pour l'aider et le protéger quand ils apparaîtront, je lui expliquerai et pourrai l'entraîner. Mais chaque chose en son temps. Pour l'instant, il doit avoir une enfance heureuse, comme un petit garçon de son âge doit avoir.

— Je n'ai aucune économie pour payer la troisième année, ce que vous me proposer comme boulot m'aidera seulement à garder mon appartement et subvenir au besoin de mon fils, pas plus.

— Je t'offre ta troisième année avec grand plaisir s'il n'y a que ça pour te faire dire oui Nelle.

— Je ne sais pas si je suis capable de vivre et voir les gens d'avant. Et puis j'ai 24 ans bientôt, être étudiante à mon âge ?

— Beaucoup d'étudiants ont ton âge, tu sais. En plus, tu reviens pile au bon moment sur le cursus d'une troisième année. Arrête d'essayer de trouver des excuses pour ne pas revenir. Je te ramène avec moi demain que tu le veuilles ou pas.

— J'ai peur, j'ai terriblement peur de cet inconnu qui arrive à grands pas.

— Tu vas principalement revoir tes professeurs Nelle, les étudiants sont nouveaux. Et à part en cours tu ne côtoies plus les élèves. Vous avez un dortoir et réfectoire séparé.

— Vous allez m'offrir quoi comme travail là-bas ?

— Tu vas enseigner.

— Vous êtes sérieux ?

— Oui très. Il y a deux médiums qui vont nous rejoindre et nous aurons besoin de toi.

— Même sans mon diplôme vous acceptez que j'enseigne ?

— Je te connais suffisamment pour savoir que tu es très douée et que ton don et toi ne faites qu'un. Et puis tu feras une excellente enseignante, j'en suis certain.

Je fais les cent pas dans mon appartement pour réfléchir. Cet appartement je l'ai pris en plus quand j'ai besoin de m'isoler, de me retrouver et ne pas être un poids supplémentaire à mes parents. Ce lieu n'a jamais été aussi petit et oppressant qu'aujourd'hui. Avant, mon 30 m² était suffisant, visiblement de faire des va-et-vient le rend minuscule.

Je suis vraiment perdu, mitiger entre l'envie de revoir d'anciennes connaissances, reprendre du poil de la bête et en même temps continuer à fuir cette vie qui à part emmener Nelan m'a apporté beaucoup de souffrance. Cette petite voix qui semblait m'avoir quitté à la mort d'Aidan revient, et me chuchote de prendre une fois encore mon courage à deux mains et de foncer, que mon aide doit être importante si le directeur c'est déplacé ici.

— Tu sembles prête à dire oui, mais quelque chose t'en empêche c'est bien ça ?

— J'ai peur, vraiment.

— Peur de quoi ?

— De plus être à ma place, de ne pas retrouver mes habitudes.

— Tu as mis du temps au début quand tu es arrivée à Nelune, et tu as fini par trouver tes marques, grâce à tes amis et surtout grâce à Aidan qui t'a touché en plein cœur.

— Aidan ne sera pas là.

— D'autres seront là crois moi.

— Mais ils ne seront pas lui.

— Ça ne rend pas les choses moins bien pour autant, ce sera juste différent.

Et il a raison, la différence est souvent très intéressante, la preuve mes amis sont tous différents, dans leurs dons et caractères. Et ça me donnera l'occasion de revoir un peu plus souvent Dagon aussi. Un léger sourire en repensant à ses baisers de la dernière fois apparaît sur mon visage.

— Je veux bien essayer, mais je ne promets rien. Si c'est trop pour moi et que je n'y arrive pas, je rentre.

— Si tu veux oui.

— Pour Nelan, je vais le confier quelque temps à mes parents. Ce n'est pas sa place là-bas.

Il me sourit et ne répond rien.

— On devrait dormir un peu avant de partir. Rouler de nuit n'est pas une bonne idée, surtout que je suis debout depuis un moment, dis-je en me stoppant dans mon marathon.

— Je vais aller trouver un hôtel et on se rejoint demain.

— Vous pouvez dormir ici, ce n'est pas très grand, et nous allons devoir partager la pièce, mais ça vous évitera de courir à cette heure.

— Je vais prendre le canapé dans ces cas. Je te laisse juste me donner de quoi dormir.

Je lui souris et lui sors tout le nécessaire.

Nous allons nous coucher et le lendemain à mon réveil je prépare mes valises en prenant le minimum pour l'instant. J'ai besoin de me rassurer en me disant que je peux revenir à tout moment.

Je n'oublie surtout pas mon pêle-mêle offert par Dagon. Finalement dans les places manquantes j'ai mis une photo de nous tous et une avec Aidan. La photo avec mes parents, je l'ai fait agrandir et je l'ai mise dans un cadre photo à part.

Quand je rejoins le directeur, je suis surprise de voir qu'il a tout rangé et qu'il est surtout sorti chercher à manger.

— Sans mon café le matin, je ne suis bon à rien, dit-il en me souriant.

Je lui rends son sourire, m'approche et m'installe en face de lui.

— Tu n'en bois pas toi, enfin il me semble.

— Non, je ne le digère pas très bien.

— Contente-toi du non, je ne veux pas avoir d'image bizarre te concernant.

Je lui fais un grand sourire et me sers une viennoiserie. Nous décollons une petite demi-heure après. Son geste est si banal et pourtant ça m'a un peu retiré de stress.

En rentrant dans la maison de mes parents, Nelan me fonce dans les bras.

— Maman, dit-il tout en me sautant au cou.

Mes parents approchent à leur tour et saluent Anderson.

— Bonjour, je m'appelle Quentin, lance le directeur à mes parents en leur tendant une main.

Mes parents lui tendent à leurs tours leurs mains et donnent leurs prénoms. Ils se tournent vers moi et je pense qu'ils attendent une explication.

— Je vais retourner sur le campus pendant un certain temps pour valider ma troisième année et enseigner un peu, dis-je sans grande conviction je dois l'avouer.

— Excellente idée ça Nelle, je suis content et fier de toi répond mon père avec un énorme sourire.

Je n'avais pas vu mon père aussi heureux depuis longtemps. Je pense que je n'ai vraiment pas du leur rendre la vie facile ses trois dernières années et je sais la chance que j'ai de les avoir.

Ça me confirme qu'il y a quelques années j'ai bien fait de venir ici avec l'idée de me sacrifier pour qu'ils puissent vivre.

— Tu vas rendre ton appartement du coup ? demande ma mère.

— Je vous laisse le double et pour l'instant je vais le conserver. Ça me rassure comme ça.

— Et Nelan ?

— Je vais avoir besoin que vous le gardiez quelque temps, je veux qu'il grandisse loin de mon monde.

— Il sera en sécurité avec nous, tu peux partir sereine et penser à toi quelque temps, dit mon père.

— Merci beaucoup.

— Mais Quentin vous êtes quoi au juste ? ou qui, on ne vous a jamais vu, demande mon père avec beaucoup de curiosité.

— Le directeur de Nelune.

— Ah ! répond mon père qui semble surpris que cet homme à responsabilité, même aussi jeune puisse venir en personne me chercher.

— Maman tu vas revenir quand ? Le monsieur t'emmène avec lui ? m'interroge mon fils.

Quentin se met à sa hauteur pour lui parler.

— J'ai besoin de ta maman dans mon travail, elle est la meilleure de toutes et va m'aider, mais promis, tu pourras venir la voir quand tu veux et surtout elle reviendra te voir aussi souvent qu'elle pourra.

— Promis ? demande mon fils en regardant avec beaucoup d'intensité Quentin.

— Tu as ma parole.

— Mon petit cœur c'est promis je reviens très souvent et je t'appelle aussi souvent que possible.

— On devrait se mettre en route Nelle maintenant m'annonce Anderson.

J'embrasse mes parents et Nelan et décolle. Je rejoins Quentin sur le campus.

À peine arrivé que mon cœur bat à tout rompre. Je revois les yeux et le visage d'Aidan le jour de la rentrée. Par réflexe, je regarde autour de moi et aucune belle voiture rouge de sport garé. Après tout ce temps, comment puis-je encore garder l'espoir que... ne pense pas à ça, Nelle, tu vas te rendre malade.

Nous remontons jusqu'au bâtiment principal. Nous sommes encore en vacances scolaires. Seuls les professeurs sont censés être là.

Nous passons devant mon ancien dortoir et nous dirigeons vers un bâtiment tout neuf récemment construit, je pense. Il est beaucoup plus beau et moderne que le reste. Quentin pose sa main sur un boîtier contre le mur et la porte se déverrouille.

— Après toi, Nelle.

Je respire un bon coup et entre. Je suis dans une immense entrée ou je vois au loin d'un côté le réfectoire et de l'autre une espèce de salon ou des personnes semblent installer et discutent entre eux.

— Les gens savent que je reviens ?

— Non, je ne voulais pas prendre le risque de revenir sans toi.

— La peur de l'échec ?

Il tourne la tête vers moi et me sourit. Il ne va vraiment pas répondre ?

— Il y a encore du monde que je connais ?

— Oui Nelle. Tout va bien se passer tu verras.

— C'est ce qu'on m'a dit il y a 4ans quand je suis revenu alors que je n'en avais pas envie.

Mon cœur commence à accélérer à mesure où je m'approche des professeurs installés. Je ne suis plus très loin quand je reconnais enfin les visages. Ou du moins une bonne partie. Théo est face à moi ainsi que Martin. J'ai le droit à un super sourire quand ils me voient approcher. Ou du moins quand ils me reconnaissent. Je pense que la blonde de dos c'est Scarlett et que Romain et Enzo sont à côté. Les autres têtes, en revanche, je ne les connais pas du tout. Ou certaines, peut-être rapidement de vue au réfectoire.

— Bonjour, lance Quentin en premier.

— Bonjour dis-je à mon tour, plus par politesse là j'avoue.

Je suis gênée d'être là, et je le savais très bien avant d'arriver. Je reviens un peu comme une voleuse après m'être barré sans jamais donner une seule fois de mes nouvelles.

Ils finissent par tous se lever et s'approchent de moi pour me dire bonjour. J'ai une certaine retenue qu'ils perçoivent rapidement. Je ne suis plus tactile et câline, pas que je n'en ai pas envie, j'ai juste mûri et beaucoup changé. Ou alors cette longue durée sans les voir me fait peur à présent. Ma jeunesse et mon innocence sont parties à la naissance de Nelan. J'ai vieilli et là je le vois bien dans leurs regards. Eux aussi ont beaucoup changé, même si je les reconnais toujours facilement.

Quentin me présente les autres professeurs, mais pour l'instant mon cerveau ne semble pas vouloir coopérer et retenir leurs prénoms.

Il continu par me présenter et faut croire que même trois ans après on se souvient de moi. Les professeurs semblent étonnés que je sois celle qui a tué la nécromancienne, ou du moins qui a renvoyé les morts qui avaient envahi un campus par millier.

— Je ne pensais pas te revoir un jour ici Nelle.

Enzo est le premier à oser parler ! étonnant, ou pas finalement.

— Je suis toujours vivante, désolée de te décevoir.

Il me répond par un très joli sourire qui me change de d'habitude où j'ai le droit à un regard méprisant et froid.

— Je suis allée la chercher, nous avons besoin d'elle avant que les attaques ne prennent des proportions trop importantes. Explique Anderson.

— Le professeur que vous avez fait venir à l'autre bout de l'état ne suffira pas ? demande Scarlett.

— Je suis convaincu qu'il va beaucoup aider avec sa magie, mais ça ne suffira pas. Le mélange des deux dons peut être épatant, répond le directeur.

— Le nouveau professeur est un sorcier ?

— Oui Mlle Oksane, si on veut. J'ai eu beaucoup de mal à le faire accepter de venir enseigner et nous aider.

Tiens, il me vouvoie et utilise mon nom de famille ici. Très étrange ! pourquoi ?

— J'aimerais bien déposer mes affaires dans une chambre si possible directeur.

— On y va alors.

Je fais un signe de main aux professeurs et suis Quentin dans les couloirs. Il m'emmène à l'étage et finit par nous arrêter devant une porte. Quand on rentre, c'est un grand appartement très lumineux. Trois portes, une à ma droite et deux à ma gauche. Il y a un bureau de suite sur ma droite, et un canapé gris en tissu à quelques pas devant.

— Je te laisse visiter et choisir ta chambre.
— Il n'y a que moi qui vais vivre ici ?
— Oui.

J'ouvre la première pièce à gauche, c'est une salle d'eau avec w.c. La pièce est de taille moyenne, double vasque et un énorme miroir mural. Tout est blanc et noir ici. J'aime beaucoup, mais ça ne me ressemble pas. Je referme la porte et pars voir la deuxième porte. C'est une chambre plutôt jolie, un mélange de couleur taupe et de blanc. Deux grandes fenêtres qui apportent beaucoup de lumière. Le lit est pour deux. Un bureau et une porte qui doivent être le dressing. Je ressors et vois Quentin sourire, il a les fesses posées sur le bureau, bras croisé et patiente. Le pauvre il perd vraiment son temps là !

La dernière pièce est une chambre bien plus grande, avec deux portes à l'intérieur. La première est un dressing et la deuxième une salle de bain immense. Dans la salle de bain, il y a une douche en plus de la baignoire, et ce côté blanc, gris foncé et vert me plaît bien plus, ça fait zen et détente. Même les couleurs de la chambre sont attirantes, blanche et grise, le lit a l'air super confortable. Le bureau à côté de la porte est immense. Bon ben, ça sera celle-ci. Ça n'a rien avoir avec les chambres que j'ai eu à Aurore et ici il y a trois ans, elle est bien plus sympa et majestueuse. Et le petit fauteuil gris près de la fenêtre me donne déjà envie de m'y installer pour bouquiner et contempler la vue sur la forêt.

Je retourne vers Quentin qui n'a pas bougé.

— On est d'accord ? Tu choisis celle-ci.

Je lui souris et fais une moue de mince je suis démasquée.

— Je l'ai fait refaire avant d'aller te chercher, je savais que tu aimais le côté nature et zen.

— Elle est parfaite merci.

— Tu seras bien ici, et Nelan aura sa chambre quand tu le feras venir.

— D'où l'appartement, dis-je en souriant.

— Je voulais que tu te sentes chez toi, plus que dans une simple chambre d'étudiante. Les appartements ne sont pas dotés de cuisine indépendante, mais ce n'est pas le but du campus.

— Je sais très bien que la bonne entente et la cohésion entre les professeurs sont primordiales.

— C'est exactement ça.

— Bienvenue chez toi, ou chez ton fils et toi. N'hésite pas à rapporter des jouets et des affaires pour lui ici pour qu'il s'y sente bien à son prochain passage.

Je sens une montée de larmes arriver. Il le voit et s'approche de moi et me prend la main.


— La dernière fois où je t'ai vu pleurer, c'est en me voyant, je suis désolée de la peine que tu as ressentie, Alex m'avait dit de ne pas me montrer tout de suite que tu allais en souffrir.

— Je ne vous en ai jamais voulu, rassurez-vous. Et d'avoir parlé avec vous à l'époque m'avait beaucoup aidé à reprendre confiance en moi.

— J'étais venue par curiosité surtout, voir ce qui avait fait craquer mon frère à ce point-là, au point où il était prêt à se sacrifier pour toi.

— Il m'a quitté je vous rappelle, car il s'est rendu compte qu'il ne ressentait rien.

— Tu l'as cru ? dit-il en rigolant.

— Bien sûr, je ne voyais pas comment ça aurait pu en être autrement.

— Je ne me déplace que rarement pour ma famille. Mais quand j'ai reçu son appel quand tu étais devant lui dans un coma profond je n'ai pas hésité à aller le voir.

Je suis surprise par ses aveux.

— Il t'aimait vraiment Nelle, il avait juste peur de te perdre et n'a pas su gérer, mais je t'invite à voir avec lui, et avoir des explications.

— Du coup quand vous êtes venue dans la chambre, vous n'aviez pas l'idée de m'exclure ? Concernant le sort que j'avais envoyé à Aidan ?

— Non, j'étais juste venue voir qui tu étais. De la simple curiosité.

— Tout était du vent ?

— J'avais besoin de savoir ce que le professeur ressentait pour toi, et surtout si c'était réciproque et si mon campus risqué d'être impacté par un-vous.

— Et ?

— J'avoue qu'à part la bagarre entre Benjamin et Aidan vous avez été irréprochable, ou du moins en public.

Je lui souris et préfère ne pas repenser à tous les moments avec Aidan qu'on a pu partager dans cette enceinte.

— Tu vas vite adorer ton nouveau rôle tu verras, et ta vie va prendre un tout autre tournant.

— J'aimerais tellement y croire.

— Je dois retourner dans mes quartiers maintenant. Merci d'avoir accepté de revenir Nelle.

— Je ne promets pas de rester.

— Je sais. Tu es chez toi ici. Ne l'oublie pas.

Il fait quelques pas puis se retourne et me sourit.

— Cette nouvelle coupe de cheveux te va à ravir.

Je lui réponds par un simple sourire. En 21 ans, je n'avais jamais coupé mes cheveux. Et changer d'apparence m'a aidé à oublier. J'ai les cheveux au carré avec une frange. Ça a le mérite de me vieillir et de faire ressortir mes yeux.

Il sort de mon nouvel appartement et je commence à ranger mes affaires. Les larmes ne semblent plus vouloir sortir pour l'instant. J'installe en tout premier mon pêle-mêle sur mon bureau et la photo de mes parents ainsi qu'une de Nelan.

— Allez Nelle courage, tout va bien se passer !

Je me motive comme je peux, mais j'avoue que c'est compliqué. Je décide d'aller rejoindre les professeurs, je n'arrive pas à ranger mes affaires, prendre possession des lieux est trop dure pour l'instant. Nous avons beaucoup de choses à nous dire. Et bizarrement, leur présence de tout à l'heure m'a fait du bien. Quand je redescends, ils sont toujours installés en train de discuter et rire. J'ignore depuis combien de temps je n'ai pas rigolé avec beaucoup de plaisir. Si peut être le week-end dernier avec Dagon, enfin il a réussi à me faire sourire à plusieurs reprises surtout. Peut-être pour ça que je suis rentrée d'aussi bonne humeur le soir. Quand j'approche, Théo se lève et vient dans ma direction.

— Je suis très content de te revoir ma petite Nelle.

— C'est gentil. Je t'avoue ne pas être du tout à l'aise à l'idée d'être ici. Je ne me sens plus à ma place.

— Viens vers nous déjà, et joins-toi à la discussion.

Je m'installe sur un fauteuil à côté d'eux.

— Tu es donc de retour parmi nous en tant qu'enseignante ? me demande Martin.

— En tant qu'étudiante aussi, le directeur veut que je valide ma dernière année.

— Tu vas enseigner quoi ? renchérit Scarlett.

— Il va y avoir deux nouveaux médiums ici et je dois les former.

— Ils vont être chanceux de tomber sur toi répond mon amie tout en me souriant.

— Je n'en suis pas aussi certaine que toi. J'ai promis à Anderson d'essayer en tout cas.

— Tu as fait quoi ses dernières années ? m'interroge Martin.

— Je me suis occupée de Nelan principalement et il n'est pas au courant qu'il est différent.

— Pourquoi ça ? Il est important pour un petit garçon d'apprendre dès le plus jeune âge pour être plus à l'aise plus tard et mieux contrôler cette magie qui est en nous. M'explique Scarlett.

— Scarlett, crois-moi c'est bien mieux pour lui de grandir dans un monde sans horreur. Je veux qu'il grandisse parmi des gens qui n'utilisent pas de magie. Il y sera bien plus en sécurité.

— Je comprends, et je ne voulais pas te blesser, juste te rappeler ce que toi tu as vécu.

— Le directeur m'a fait la même remarque, mais je ne changerai pas d'avis.

— Tu as une photo de lui ?

Je tends mon téléphone à Scarlett. Elle change de sujet volontairement voyant bien que je me braque, et même après tout ce temps elle me connaît toujours visiblement. J'aurais fini par me lever pour partir sinon.

— Il est beau comme un cœur, dit mon amie.

Je vois Romain regarder également, son visage se ferme, je suis certaine qu'il se dit qu'il voit Aidan à travers Nelan et il a raison, c'est son portrait.

— Il a l'air adorable en tout cas, ajoute Scarlett.

Elle aussi a vu le regard de Romain.

— Il l'est, heureusement qu'il a été là, j'ai un petit bout d'Aidan comme ça avec moi.

— En voyant Nelan, on a aucun doute sur l'identité de son père, dit Romain.

Je ne pensais pas qu'il oserait dire ça, mais je pense que ça devait sortir, que ça le rongé de le garder pour lui.

— Tu as raison, Romain, c'est le portrait d'Aidan, dis-je en récupérant mon téléphone.

De penser à lui ne me fait plus pleurer depuis presque un an. Ça me fend juste un peu plus le cœur.

— Toujours la meilleure au billard ? demande Théo.

— Je n'y ai plus rejoué depuis longtemps. Je pense que maintenant tu as toutes tes chances de me gagner.

— Je suis sûr du contraire, et j'ai déjà hâte de te mettre au défi.

— Une autre fois, pourquoi pas.

Il se contente de me sourire. Il doit être déçu, lui qui aime tant jouer et qui gagne tellement facilement contre les autres.

— Pourquoi ce lieu a été créé ? demandé-je par curiosité.

— Pour libérer de la place dans le dortoir d'à côté. Deux campus nous ont rejoints, et du coup ils ont construit deux dortoirs de plus et on agrandit les salles de cours, me répond Martin.

— Les professeurs seront tranquilles ici, plus de jeunes étudiantes en chaleur ne pourront nous rejoindre la nuit, ajoute Enzo.

— Attention j'ai presque envie de te plaindre là.

Il me regarde et me sourit.

— Ah bon des étudiantes venaient te rejoindre ? Ça m'étonnerait, sort Scarlett en rigolant.

— Qu'est-ce que tu en sais toi d'abord ?

Ils se marrent tous, et le pauvre Enzo vient de se faire rabaisser et humilier d'un certain côté. S'il reste toujours avec la même bande de professeurs, il doit avoir ses raisons.

— Mais du coup, les professeurs et les élèves doivent prendre leurs distances en dehors des cours ?

— Pas nécessairement, mais on doit être juste plus prudent qu'avant, répond Romain.

— Je vois. Est-ce qu'il y a des anciens élèves qui sont devenus enseignants aussi ?

J'aimerai tellement qu'il me dise Dagon. Je sais qu'il enseigne, mais je ne lui ai jamais demandé où. Avec un peu de chance, il sera ici. Même Jacob ou n'importe lequel de mes amis soient ici.

Scarlett me fait alors un sourire lourd de sens, il y a bel et bien des professeurs qui sont ici et qui étaient étudiants avec moi.

— Qui ? dis-je, impatiente.

— Tu n'auras pas à patienter bien longtemps avant de savoir ma poulette.

— C'est-à-dire ?

— Retourne-toi, répond Théo.

Je tourne alors la tête, Dagon Jacob Mattieu et Logan sont là, à quelques mètres de moi. Ils ne semblent pas m'avoir vu ou reconnu, je me lève et vais à leur rencontre. Ils sont en train de discuter et rire entre eux. Ils sont juste à l'entrée du dortoir et ne semblent plus vouloir avancer.

— Vous n'avez pas l'impression de bloquer le passage ? dis-je en souriant.

Ils tournent la tête vers moi tous en même temps. Mes yeux sont rivés sur Dagon. Son visage quand ses yeux se posent sur moi est magique. Un mélange entre de la surprise et de la joie de me voir ici.

— Nelle ! dit Dagon.

Bien que j'adore les quatre, et même si j'ai vu mon ami très récemment, Dagon reste le premier sur qui je saute au cou et rapidement il me serre contre lui en m'enlaçant. Son odeur que j'aime tellement m'envahit littéralement. C'est tellement bon d'être là, de nouveau dans ses bras chaud et réconfortant. Je sens son visage et son souffle dans mon cou. Mes larmes de joies coulent le long de mes joues puis dans mon cou. Je n'ai aucun besoin de prendre mes distances avec lui visiblement. Bien au contraire, si je pouvais je resterais près de lui et contre lui des heures durant.

— Nelle tu comptes mouiller tous mes nouveaux hauts ?

J'explose de rire en entendant ça, je finis par reculer pour leur faire face, Dagon me lâche et pose ses mains sur mon visage pour essuyer les larmes. C'est vrai que la dernière fois j'avais fondu en larmes aussi, bon après là c'est aussi de voir mes trois autres amis que j'adore. Je pense que c'est un ensemble de choses qui me rend heureuse comme tout.

— J'espère que ce sont des larmes de joies de me revoir moi avec ma beauté.

— Oui, c'est exactement ça. Mais aussi de revoir mes trois autres loulous.

Mattieu, Jacob et Logan finissent par s'avancer à leur tour pour me prendre également dans leurs bras et m'embrasser. Beaucoup de joie de les revoir eux également, mais ça n'est pas comparable avec celle que j'ai pu ressentir en posant mes yeux sur le beau blond pour la deuxième fois en quelques jours.

— Toi ici, c'est incroyable, me dit Mattieu avec son éternel sourire rassurant.

— Il paraît que vous aviez besoin d'une personne supplémentaire pour tuer quelques démons.

— Heureux de te revoir Nelle, ça fait tellement longtemps, ajoute Jacob.

— Ça faisait 3 ans, répond Dagon.

Je regarde alors Dagon avec plein de tendresse, il prend ma main et la caresse avec douceur.

— Faisait ? demande Mattieu.

— Ta voiture est très jolie et confortable Jacob, dis-je en lui souriant.

Ils passent tous de Dagon à moi.

— Tu as récupéré la tienne j'espère ? demandé-je à Dagon.

— Oui, elle est sagement sur le parking là.

— Et pour ma voiture ? Je peux avoir une explication, demande Jacob.

— Nous nous sommes venus le week-end dernier, dis-je.

— Sympa ça, dit Mattieu en souriant.

Je saute de nouveau au cou de Mattieu heureuse de le revoir. De nouveau, des larmes de joies de les voir coulent encore.

— Tu aurais pu prévenir et j'aurais préparé des mouchoirs, sort Logan.

Je lui fais un grand sourire et pose ma tête contre son bras bouillant. J'avais oublié à quel point il est chaud. Lui aussi a beaucoup changé niveau visage, il fait beaucoup plus mûr alors qu'il est toujours très jeune pourtant.

— Vous êtes professeurs ici depuis longtemps ?

— Depuis deux ans. Nous avons fait un cycle tous ensemble, répond Jacob.

— Je comprends mieux vos rides, dis-je en souriant.

Ils explosent tous de rire et je me sens déjà beaucoup plus à l'aise avec eux.

— Il y a eu une pénurie de professeurs loups, du coup je n'ai pas hésité à me proposer il y a deux ans. Même pas eu besoin de me venter de tous mes exploits ou de mes super notes pour être pris.

— Je vois dis-je en souriant.

— Et moi j'ai suivi Logan vu qu'on était dans le même campus pour nos études, ajoute Mattieu.

— Je travaille dans un autre campus en revanche, mais je viens souvent les week-ends voir les autres. Dans mon campus il y a comment dire, des professeurs pas aussi sympas qu'ici. Et les liens sont plus compliqués à se faire, m'explique Dagon.

— Et pourquoi tu n'es pas ici toi ? Si les trois loulous le sont ?

— Pour ma sœur, Amber voulait devenir enseignante, et ça la rassure que je sois là-bas avec elle.

— C'est très gentil de ta part., mais Amber enseignante ? C'est possible ça ?

— Comme quoi.

— Elle enseigne quoi ?

— La natation.

Je suis un peu déçu de me dire que je ne pourrais pas le voir chaque jour. Mon pauvre petit sourire qui avait commencé à apparaître disparaît d'un coup.


— Tu as le droit de venir me voir quand tu veux tu sais, me dit-il tout en caressant ma joue.

Ah ben, il a dû le voir à ma tête que je suis triste. Nelle sérieux !


— Vraiment ? Ça ne va pas déranger ?

— Déranger qui ?

— Tu travailles loin ?

— Non à 1 h 30 environ.

— Tu es sûr que je pourrai venir ?

— Évidemment.

Il me reprend dans ses bras et m'embrasse la tête.

— Et les filles sont où ?

Logan et Mattieu se regardent et je déteste voir ce regard triste dans les yeux de Logan.

— Cécile est partie vivre avec Grégoire, et Marie est morte.

J'ai une montée de larmes qui m'envahit en entendant ça.

— Je suis désolée Logan, vraiment, dis-je.

Je n'ose pas lui demander de quoi Marie est morte ! Je ne veux pas le replonger encore plus dans une tristesse.

La main de Dagon qui tient toujours la mienne la caresse de nouveau.

— Ne t'inquiète pas ça va mieux maintenant. Et de venir ici m'a beaucoup aidé.

— Et Claire, elle est où, Dagon ?

— Nous avons rompu il y a bien longtemps.

Je suis une amie épouvantable, je me rends compte que je ne lui ai jamais demandé une seule fois comment allez Claire quand lui prenais la peine de prendre de mes nouvelles. En même temps, il t'a embrassé l'autre fois, tu aurais pu te douter qu'il était plus avec elle. Quoiqu'il m'ait embrassé deux fois alors qu'il était avec elle quand je n'étais pas encore avec Aidan ou qu'il était mort.

— Ah, je me sens honteuse, je suis vraiment désolé. Visiblement, nous avons beaucoup de temps à rattraper, enfin, moi surtout.

— Nous aussi te concernant, ajoute Jacob.

— Il n'y a pas grand-chose à savoir sur moi, j'ai travaillé jusque-là dans une boîte de nuit afin de m'occuper de Nelan la journée et gagner de quoi subvenir à ses besoins.

— Et c'est tout à ton honneur répond Jacob.

— Et si on rejoignait les autres ? propose Mattieu.

— Vous êtes amis avec eux ? demandé-je surprise.

— Aussi étonnant que ça puisse paraître oui, répond Dagon.

— Je suis épatée, Dagon.

— Je sais, je sais, dit-il en me faisant un magnifique sourire.

— Allez en avant Nelle, me dit Mattieu en me faisant signe d'avancer.

Dagon me sourit toujours et me fait signe de passer devant lui, après m'avoir gentiment lâché la main. Je m'assois de nouveau sur le fauteuil. La présence de Dagon semble déjà me détendre, ça me fait du bien de le voir, mes vieux sentiments le concernant semblent vraiment être réapparus, vu la joie que j'ai une fois encore ressentie en le voyant. Je suis bloquée sur son visage que je n'entends pas qu'on m'appelle.

— Nelle, me dit Dagon.

— Oui ?

— Je crois que Logan te parle.

OK, là je vire au rouge.

— Oui ? Pardon Logan.

Dagon a bien vu que je le regardais, il me fixe tout en me souriant, je pense aussi que les autres l'ont vu.

— Tu bavais déjà comme ça devant lui il y a quelques années, sort Mattieu.

Ça ne m'aide pas à redevenir blanche, je pense que je n'ai jamais eu aussi honte de ma vie. Ils se marrent tous en plus. Enfin tous sauf Enzo qui n'a aucun humour et Dagon qui semble gêné pour moi.

— Tu es revenu pour transmettre tes dons de médium aux deux nouveaux ? me demande Logan.

— Oui, le directeur semble confiant, mais moi j'avoue que j'ignore comment m'y prendre pour enseigner. Ça m'embêtera d'échouer.

— C'est pour ça que je ne veux pas enseigner autre chose que du sport, je me connais et ça m'agace quand on ne m'écoute pas, sort Dagon.

— Ne t'inquiète pas, Nelle t'écoute toujours quand tu parles, répond Mattieu.

Décidément, il veut me faire honte, mon petit Mattieu.

— Heureusement qu'elle est là alors, en conclut Dagon en me souriant.

— Tu dois rendre les étudiantes folles, dis-je à Dagon.

— Tu n'as pas idée à quel point.

Bien évidemment, je lui pose cette question pour savoir s'il a quelqu'un dans sa vie, et même si je me doute de cette réponse, j'en espère une autre.

— C'est pour ça que je fuis le week-end, pour être sûr de ne pas les croiser.

— Ah ben bravo, dis-je en souriant.

Scarlett semble toujours avec Romain et c'est vraiment génial. Je suis contente pour eux deux.

— Ça fait combien de temps Nelle que tu n'as pas utilisé tes dons ? demande Enzo.

— Longtemps. Je n'avais pas l'occasion de le faire en même temps.

— Tu vas enseigner à des étudiants alors que tu ne sais peut-être plus utiliser les tiens, dit-il en se marrant.

— Ça me rassure de t'entendre, être toujours toi-même, cash et sans limites. Je commençais à croire que tu étais devenu sympa. Mais là tu n'imagines même la joie que j'ai de pouvoir me lever pour t'en coller une si je le souhaite.

— Réussis à me toucher déjà.

— Tu me mets aux défis ? Toi ?

Martin et Romain explosent de rire.

— Tu as raison Nelle, montre-lui qui est la meilleure, lance Théo.

— Quand tu veux Nelle, ajoute Enzo.

— Allons-y maintenant et tu vas regretter de m'avoir provoqué.

— Nelle si tu n'as vraiment pas utilisé tes dons depuis un moment ça peut être dangereux, me dit Scarlett en me lançant un regard inquiet.

— Ne t'inquiète pas pour moi.

En effet, ça fait longtemps que je n'ai pas combattu, bien que j'aie depuis fait beaucoup de boxe et de combat d'autodéfense pour continuer à apprendre à me défendre physiquement sans avoir besoin d'utiliser mes dons.

Nous nous dirigeons dans la salle de gym et les professeurs installent des tapis un peu partout. Une vingtaine de professeurs sont là à nous observer. Apparemment, nous sommes environ 50 à enseigner et seulement 6 femmes.

— Je vais essayer de ne pas te blesser. À peine revenu et déjà mal en point, lance Enzo avec un regard moqueur et méprisant.

Il pense toujours avec le temps que sa méchanceté et son manque d'humanité me touchent ? Il est encore bien plus crétin que je ne le pensais. Aidan me disait de l'ignorer et ça fonctionnait à merveille.

— Ce serait dommage que tu me casses un ongle en effet.

J'entends du monde rire autour de moi. Enzo me regarde et sourit.

— Je te laisse te mettre dans ta bulle je vais être sympa.
— Pas besoin d'avoir une fleur de ta part, tu serais capable de dire que tu m'as laissé une longueur d'avance sinon.
— Tu es trop faible, n'essaye pas de m'impressionner.

Il ne me laisse même pas la peine de répondre qu'il envoie une boule de feu dans ma direction, je me décale légèrement et l'esquive et me mets à rire.

— Il va falloir un peu plus d'énergie pour me toucher.

À sa tête, ma répartie l'agace.

Il m'en renvoie une deuxième et cette fois j'utilise un bouclier pour lui renvoyer le sort. Il l'esquive de justesse et enchaîne les sorts. Ma bulle apparaît autour de moi en une fraction de seconde et je lui lance une onde qu'il esquive à son tour. Je fais alors apparaître un bouclier près de lui pour le distraire et envois plusieurs ondes à la suite et certaines finissent par le toucher et le faire tomber à la renverse, mon bouclier apparaît en une fraction de seconde sur lui et le maintient au sol. Il essaye de la repousser, mais la force d'un sorcier n'est clairement pas égale à celle d'un guerrier, voire d'un vampire.

— Tu en as eu assez ou j'en rajoute encore un peu ?
Je lève une main pour lui faire comprendre que je ne plaisante pas une seule seconde.
— Ça devrait suffire pour aujourd'hui, répond cet être imbuvable.
— Je n'ai pas besoin de l'utiliser chaque jour, je la sens en moi et je sais la faire sortir quand j'en ai besoin.
Je lui tends ma main et l'aide à se redresser. Il la saisit et se positionne à quelques centimètres de moi. Il ne m'en faut pas plus pour me dégoûter quand il pose sa main sur mon menton.

— Impressionnant médium !
— Je n'aime toujours pas qu'on m'appelle comme ça.
— Je sais, dit-il en me souriant.
Je fais alors apparaître mon bouclier pour le pousser en arrière. Ça a le mérite de lui enlever se sourire qui me donne envie de lui en coller une.

— Bravo, Nelle, tu es toujours aussi forte, lance Mattieu.
— Je la trouve bien plus forte, elle n'utilise plus du tous ses mains pour faire apparaître ses bulles ou boucliers, ajoute Logan.
— Dommage que tu sois ici et pas avec moi dans l'autre campus, tu m'aurais aidé à entraîner des élèves, dit Dagon.
— Je sais me défendre en utilisant mes dons, mais je pourrais juste les aider en leur apprenant à esquiver les sorts que je lance, rien de plus.
— Ça aurait aidé déjà.

— Je pense que personne ne va avoir envie de te défier, ou du moins les témoins de ça, sort Mattieu en me frottant le dos.

— À part les suicidaires comme toi à la rigueur, dis-je en lui souriant.

— Voilà.

— Tu n'as pas du tout perdu la main en tout cas, lance Romain en regardant Enzo qui semble vexé ou alors il a mal et se retient de grimacer.

— Tu as vraiment le pouvoir d'invoquer une banshee ? demande un professeur qui m'a observé et que je ne connais pas.

— Oui.

— Tu nous montres ?

— Non, ce n'est pas un simple sort comme une boule de feu.

Il me lance un sourire pour me mettre aux défis de le faire.

— Tu peux me lancer tous les regards que tu veux la banshee restera là où elle est.

Un téléphone finit par sonner, celui de Théo.

— Très bien, j'arrive, dit ce dernier.

Quand il raccroche, il s'approche de moi en souriant.

— Nelle, tu m'accompagnes ? Je dois donner l'accès au nouveau professeur.

— Oui, si tu veux.

— Nelle, sois gentille, ne le fais pas fuir hein, lance Enzo.

Je préfère ne rien répondre, sinon il va voler contre un mur.

Théo me fait signe de passer devant lui et nous quittons le gymnase pour gagner le parking.

— Comment vas-tu Nelle ?

— Ça va merci et toi ?

— Très bien.

— Tout ton matériel est bien là cette année ?

— On ne se moque pas.

— Jamais voyons.

Il me pince la hanche ce qui me fait exploser de rire.

— Tu n'as pas perdu ton sens de l'humour, c'est bien.

— Je dirais qu'il est plus vite revenu que je ne le pensais.

J'essaye de discuter avec lui, mais j'ai du mal à trouver des sujets de conversations, je dois apprendre à le redécouvrir.

— Je suis vraiment très content que tu sois de retour Nelle, tu m'avais manqué. Ton sale caractère et ton magnifique sourire, bien que le sourire lui ne soit pas totalement de retour.

— Pour le sourire, il va encore falloir patienter, ça fait bien longtemps qu'il a disparu.

— Il y a un blond plutôt canon qui semble réussir.

— Dagon a un don avec moi.

— Ça, c'est indéniable, me dit-il avec un grand sourire.

— Aller avance, je ne veux pas connaître mon avenir.

— Venant de moi ? Impossible de me tirer les verres du nez.

— En tout cas, Mattieu m'a bien mis la honte tout à l'heure.

— Il a juste essayé de te faire avouer ce que tu sais déjà.

— Théo, tu ne vas pas t'y mettre.

— Quand est-ce que tu vas oser dire que Dagon tu l'as dans la peau.

— Ça se voit autant que ça ?

— Tu avais de la bave en le regardant.

Cette fois-ci, il mérite une vraie claque sur son bras. Il explose de rire et me pince de nouveau la hanche.

— Allez, je ne t'embête plus avec ça, tu es assez grande pour décider de la vie que tu as choisie.

— C'est trop aimable.

Nous finissons par arriver sur le parking. Théo utilise son badge pour permettre à la voiture qui stationne de rentrer sur le campus. Elle approche et se gare à quelques places de nous.

Trois personnes en descendent, un homme d'une petite trentaine d'années et deux qui me semblent plus jeunes que moi. Ils nous dévisagent, surtout moi d'ailleurs.

— Ça promet dis-je d'une voix pas très rassurée.

— Par chance, ils n'ont pas des revolvers à la place des yeux hein, répond Théo.

— Vas-y moque toi.

— Chacun son tour.

Par réflexe je me rapproche de Théo, ce qui le fait drôlement rire, il passe son bras dans mon dos pour me rapprocher un peu plus de lui.

— Il ne mord pas ce professeur normalement.

Je lui souris, mais ne m'éloigne pas pour autant. Ils sortent leurs valises du coffre et s'approchent de nous.

— Bonjour, lance Théo.

L'homme brun fait un signe de tête et regarde le bras de Théo qui m'enlace pendant que les deux jeunes répondent par un salut.

— Tu es donc le nouveau professeur qu'on attendait, sort Théo qui est sympa en voulant lancer la conversation.

— Je m'appelle Pierrick.

— Théo.

— Jeremy et Morgan. Ce sont mes deux frères.

Ils finissent par me regarder.

— Je suis Nelle.

— C'est toi alors notre prof ? demande Morgan.

— Canon, ajoute son frère Jeremy.

— Oui, je serais votre professeur.

— Toi ? Je ne m'attendais pas à ça, lance Pierrick.

— Désolé de ne pas correspondre à vos attentes.

Il me lance un petit sourire.

— Ne la sous-estime pas, elle pourrait te surprendre, sort Théo en essayant d'être sympa, enfin surtout envers moi.

— Ça m'étonnerait.

C'est quoi ce mec arrogant et prétentieux à souhait ? Je ne pensais pas que quelqu'un puisse être plus imbuvable qu'Enzo. Il me regarde de nouveau méchamment.

— On verra bien, si ça ne leur convient pas nous partirons.

— Si ça ne convient pas ?

Je m'avance de lui et le regarde méchamment.

— Tu me prends pour quoi là au juste ? Tu ne me connais pas et tu me juges ? C'est quoi ton problème ?

Il me regarde avec mépris et ne répond rien. Il me gonfle tellement que je préfère me casser. Je me retourne et lui envoie une onde. J'espère qu'il a bien eu mal.

J'entends alors Théo rire et me rejoindre.

— Quel abruti, ce mec, sérieux.

— Il changera quand il te connaîtra.

— Je suis sûre qu'il va bien s'entendre avec Enzo.

En disant ça, je me fais rire toute seule.

— À ben voilà tu souris de nouveau, parfait !

— Il m'a bien énervé.

— J'ai vu ça, et bravo pour le sort, il a bien grimacé.

— Je risque ma place en ayant fait ça.

— Personne n'a rien vu ne t'inquiète pas.

— Je suis là pour rendre service, pas pour me prendre ce genre de remarque.

— Si tu n'étais pas venu entraîner ses crétins de frères, il ne serait pas là. Il refusait de venir et les mettre en danger ici.

— Sérieux ? Le directeur est venu me chercher que pour ça ? Que par intérêt ?

— Non, on a vraiment besoin de toi ici aussi. Mais Pierrick est apparemment vraiment fort et pourra nous aider. Ils ont fui les combats jusque-là parce qu'ils ne se sentaient pas concernés par ces guerres.

— Tu es sérieux la ? Ils sont vraiment minables.

— Merci pour ce compliment dit Pierrick en passant à côté de Théo et moi.

Hey merde. Jeremy passe à son tour et me fait un grand sourire. Je sens que je vais avoir du boulot avec eux deux. Heureusement que Morgan a l'air bien plus simple et sympa.


Pierrick finit par s'arrêter à une vingtaine de mètres plus loin et se retourne.


— Théo, vu que tu es le moins imbuvable des deux, tu peux me montrer la chambre de mes frères puis mon appartement, lance Pierrick.

— Oui, c'était bien dans mes projets, répond mon ami. Imbuvable ?

— On se rejoint plus tard, Théo ?

— Ça marche à tout à l'heure.

Pourquoi il a utilisé ce mot ? Ce professeur m'intrigue. Quand j'arrive au dortoir, ils ne sont plus là, je suppose qu'ils ont eu l'idée d'aller au lac. En effet, ils y sont à barboter dans l'eau. Je m'approche et m'installe à côté de Martin qui a préféré rester au sec.

— J'aimerais bien voir à quoi ressemble Nelan.

Je lui tends alors mon téléphone.

— Il a ton sourire, enfin il a celui qui te va si bien et que tu ne sembles plus utiliser.

— Normal, il l'a pris.

— Ah oui, forcément ! Ça n'aide pas.

— Il ne me voit pas souvent heureuse, et je pense que ça va me faire du bien de m'éloigner quelque temps, en espérant que mon enthousiasme d'avant revienne.

— Je m'en doute. Mais déjà en l'espace de quelques heures tu parles davantage et un léger sourire apparaît sur ton visage. J'ai hâte de te revoir envoyer bouler Enzo et que tu le tacles.

— D'être de nouveau près de vous me fait énormément de bien, vous m'aviez plus manqué que je ne le pensais.

Des larmes trop longtemps retenues commencent à couler sur mes joues. Après Dagon, ce sera lui qui me verra en larmes. Martin se rapproche de moi et me prend dans ses bras.

— C'est dommage qu'il n'y ait pas de musique, la dernière fois que je t'ai prise dans mes bras c'était pour danser.

— Tu es bête.

Mais il aura le mérite de me faire sourire.

— Je sais que tu ne veux pas entendre ce que je vais te dire ni entendre son prénom, mais il aimerait te voir heureuse. Vous seriez mort Nelan et toi s'il n'avait pas fait ça.

— Je sais, mais ma vie se résume à perdre les gens que j'aime, je n'arrive jamais à les sauver et je dois continuer à vivre sans eux.

— Nelan est là lui.

— Il aurait été plus heureux si Aidan avait été à ma place.

— Sauf que là c'est toi qui es vivante.

— Je fais aussi peur que ça ?

— Tu es différente, froide et distante. Tu es toujours très jolie, mais tu as perdu ce charme et cette fragilité qui faisait de toi une personne attachante au premier regard. Tu fais plus mûre et femme, mais surtout tellement malheureuse.

— D'être mère célibataire, ça m'a endurcie.

— Tu n'as jamais remplacé Aidan ?

— Non jamais, pas la force et surtout pas l'envie.

— Ça aussi ça viendra.

— Je ne pense pas, non, que quelqu'un puisse prendre la place d'Aidan.

— Pas prendre sa place, Nelle, personne ne pourra, ce sera forcément différent, mais très fort aussi.

Scarlett me sauve de cette conversation et arrive vers moi et me prend dans ses bras.

— Quelle joie de te revoir ici, une présence féminine au milieu de tous ces hommes devenait compliquée.

— La Scarlett qui me détestait quand je suis arrivée il y a 4ans a complètement disparu hein.

— Oh que oui, et maintenant que tu es là je compte bien rattraper tout ce temps perdu. En commençant à te redonner envie de sourire.

— Ça me va, et bon courage pour réussir.

— Ce qui est sûr c'est que tu es encore plus belle qu'avant. Cette coupe de cheveux te rend magnifique.

— Merci.

Les autres finissent par revenir.


— Alors le nouveau ? demande Scarlett.

— Il va bien s'entendre avec Enzo.

Ils se mettent tous à rire.


— Je ne suis pas imbuvable Nelle, ou du moins seulement avec toi.

— Je n'avais pas remarqué ça. Tu devrais te trouver une copine, ça te détendrait un peu.

— La seule que j'avais envie dans ma vie à l'époque en a choisis un autre.

Il me regarde en me disant ça, j'espère qu'il ne parle pas de moi.


Nous restons là jusqu'à l'heure de manger. Il est déjà 20 h quand on gagne le réfectoire et Théo est installé à une table avec Pierrick. Je prends un plateau et m'installe le plus loin possible de cet être insupportable. Martin se remet alors à parler de mon fils, et me demande quand je vais l'emmener ici.


— Pas pour l'instant, je préfère qu'il reste en sécurité là où il est.

— Je ne pensais pas qu'on pouvait ramener nos rejetons ici, lance Pierrick.

Un froid s'installe à table et personne ne répond rien.

— Tu parles toujours comme un connard ?

Ma réponse semble le surprendre vu le regard mauvais qu'il me lance.

— Non, pas tout le temps. Les personnes intéressantes ont le droit à des phrases plus sympas.

— Je ne suis pas le seul que tu agaces faut croire, ajoute Enzo avec son sourire de connard fini.

— Il va falloir vous faire à l'idée qu'une femme peut être bien meilleure que vous.

Ils se mettent tous à rire. Je sens que mon retour ne va pas se passer au mieux. Avec Aidan au moins Enzo me foutait la paix sinon il se faisait rembarrer.

— Nelle n'oublie pas que tu es la meilleure pour rendre les gens imbuvables en mecs plus fréquentables, lance Dagon.

— Ah bon ? Je ne vois pas de qui tu parles.

Nous nous adressons un sourire rapide.

— Tu avais raison en tout cas Nelle, Enzo s'est trouvé un nouvel ami, se marre Scarlett en disant ça.

Je tourne la tête en direction de Scarlett et lui fais un léger sourire. Mes yeux se posent sur Romain et elle, ils sont super proches et visiblement toujours autant amoureux et mon cœur se brise.

— Faite comme si je n'étais pas là, surtout, répond Enzo qui visiblement le prend mal.

— Je vous laisse quelques minutes, j'ai un appel à passer.

Je quitte le réfectoire et me pose sur un banc à l'extérieur. Je discute quelques minutes avec mes parents puis avec Nelan. De l'entendre me soulage. Ils ont décidé d'aller avec lui à la mer pendant plusieurs jours.

Les professeurs sont dans le salon quand je reviens. Je m'installe juste à côté de Dagon, ça me va parfaitement qu'il y est une place de libre près de lui. Il ne faut pas longtemps à son odeur pour me chatouiller les narines.

— Il dort ? me demande Dagon.

— Oui, il a sombré juste après m'avoir dit que demain il va à la mer.

— Sympa.

— Oui.

— Montre une photo récente pour voir sa bouille.

Je lui tends mon téléphone. Je lui en ai déjà envoyé quelques-unes ses trois dernières années. Même une vidéo ou Nelan a fait ses premiers pas. J'ignore si c'était un hasard ou pas, mais mon fils portait un ensemble offert par Dagon.

— Mais il est de plus en plus canon ton petit loup et il a l'air vraiment sage.

— Il l'est.

— Tu es sûr que c'est ton fils ?

L'envie de lui coller une gifle est toujours présente et je ne me prive pas pour le faire.

— Toujours aussi violente à ce que je vois, Mlle Oksane.

— Encore plus, je suis Mme fessées dans le quartier.

Je vois une tête se pencher et sourire, Mattieu !

— Mme Fessée ? Après savoir aussi bien gérer les queues, plus rien ne m'étonne, ma petite Nelle.

— Mattieu, tu n'en perds pas une.

— Moi ? Jamais effectivement, mais c'est pour ça que tu m'aimes ?

— Non pas vraiment, c'est plutôt pour ton épaule quand je suis triste.

Il me la montre et me sourit et sa tête re disparaît.

— Si tu avais vu ses yeux pétiller en voyant les cadeaux que tu lui as apportés.

— Tant mieux, s'il a aimé.

— Je t'emmène avec moi à Noël choisir des cadeaux, tu sembles bien plus doué.

— Si tu veux.

— En revanche, tes cadeaux empoisonnés qui font autant de bruits, évite !

— Je veux juste lui développer la fibre musicale.

— Je te l'emmène quinze jours chez toi et je te laisse voir ce qu'on doit supporter quand il se met à jouer.

— Avec plaisir répond Dagon en se marrant.

— Tu feras moins le malin quant à 7 h il te réveillera pour l'entendre jouer.

Il se contente de me sourire.

— Il a déjà développé des dons ? reprend Dagon.

— Non pas encore.

— En même temps s'il tient de sa mère il ne doit pas en avoir beaucoup, sort Pierrick.

Il écoute la conversation ce connard ? Je me lève et l'ordonne de me suivre dehors. Il me fait un sourire en coin et obéis. À peine sortis que je m'avance vers lui et le pousse de toutes mes forces et l'insulte de tous les noms d'oiseaux que ma bouche est capable de débiter. Il reste là, les mains dans les poches, aucune réaction sur son visage.

— Il va falloir que tu te calmes de suite, dis-je sur un ton énervé et méprisant.
— Tu démarres au quart de tour, c'est tellement drôle.
— C'est quoi ton problème avec moi ?
— Pourquoi tu penses que j'ai un problème ?
— Tu as vu comment tu me parles ? Je t'ai fait quoi au juste ?
— Les prétentieuses dans ton genre m'agacent, et là tu me fais perdre mon temps.
— Et toi ma patience.
— Je te mets hors de toi hein ?
— Quoi ?

Il me sourit et ne répond rien d'autre.

— Tu devrais retourner vers tes amis, dit Pierrick avec toujours son sourire qui me donne envie de le cogner.
— Pourquoi ça ? Tu as peur que je te blesse ?
— Tu ne me fais pas peur.
— Oui, c'est vrai tu n'es pas un lâche à fuir les combats.

Je finis par m'éloigner de lui et il me rattrape par le poignet. À son contact, une montée de colère m'envahit et je le repousse avec méchanceté.

— Ne pose pas tes sales mains sur moi.

— Ne me parle pas comme ça.

— Va te faire voir.

— Je suis sérieux, tu ne sais rien de moi.

— Et toi non plus.

Je finis par le laisser planter la et retourne dans le dortoir puis après avoir dit bonne nuit à mes amis je file dans ma chambre. Une bonne douche s'impose là, je suis énervée et tendue. Demain, je dois accueillir des étudiants qui sont censés commencer à arriver, et cela pendant une semaine, je dois être au top de ma forme pour faire bonne impression. Et ensuite, ce sera le début des cours. Il va falloir que je trouve d'autres occupations, histoire que le temps passe bien plus vite. Quelqu'un est à ma porte. Et vu le petit toc la personne vérifie si je dors et ne souhaite pas me réveiller si c'est le cas. Je regarde ma montre puis vais accueillir mon visiteur tardif.


— Dagon ?

— Je te dérange ?

— J'allais dormir, mais vas-y entre.

Il me sourit puis entre. Je referme la porte et respire un bon coup avant que mon cœur ne s'emballe de trop.


— Je suis vraiment content de te voir.

— Je suis très contente d'être revenue, bien plus que je ne pouvais le penser.

— Finalement, on se revoit encore plus vite que prévu.

— Et là, je ne peux pas fuir, enfin normalement.

— Tu n'as pas fui la dernière fois, je m'attendais vraiment au message du je ne suis pas disponible, Nelan est malade, ou le chien du voisin a une grippe.

— J'avais vraiment envie de te revoir Dagon, je ne voulais pas annuler. Même si je stressais.

Il s'approche alors de moi et me prend dans ses bras. Je sens son visage contre le mien et son souffle dans mon cou. Je me souviens parfaitement la première fois au campus de l'aurore quand il m'avait plaqué contre un mur et que j'avais frissonné à cause de sa promiscuité.


— Je suis désolé pour Claire et toi, je suis l'amie la plus pitoyable du monde, je n'ai jamais pris la peine de te demander comment toi ça allait dans ta vie.

— Tu as des circonstances atténuantes. Je ne t'en veux pas.

— Tu avais quelque chose à me demander pour venir à cette heure-ci ?

— Tu es monté un peu rapidement après la conversation avec Pierrick tout à l'heure.

— Il m'agace énormément, et sa compagnie est encore plus déplaisante que celle d'Enzo.

— Il a l'air spécial je te le confirme, mais pas méchant.

— Imbuvable est le bon terme Dagon.

— Tu as raison de garder le mot abruti pour moi.

— Quand je pense à toi, c'est plus le mot abruti qui me vient en tête.

— Ah bon et c'est lesquels ?

— Le beau blond canon.

Il me fait un grand sourire et caresse mon visage. Sa main est si douce et chaude.


— Ça va mieux maintenant ?

— Oui merci, la douche m'a détendu.

Il me regarde alors de la tête aux pieds et me fait un super sourire.

— Mon tee-shirt te va toujours aussi bien, mais depuis le temps mon odeur a dû disparaître.
— Depuis bien longtemps en effet.
— Mais je suis content de voir que tu ne les as pas jetés, et il semble en très bon état.
— Jamais je ne pourrai le jeter, celui-ci c'est le premier que tu m'as prêté.
— Je me souviens, je venais de mettre une raclée à Nicolas quelques minutes avant.
— Je n'ai jamais compris pourquoi tu m'avais emmené dans ta chambre plutôt que la mienne.
— Parce que je n'aurais pas pu rester dans la tienne, en restant pas bien dans la mienne tu n'allais pas me mettre à la porte.
— J'aurais pu retourner dans la mienne aussi.
— Non, tu étais tétanisée, Nelle.
Il l'a fait exprès à l'époque alors, quel excellent manipulateur.

— Quel charmeur tu fais !
Son visage se ferme d'un coup, je pense qu'il a un truc en tête qui le contrarie.

— Je pars tôt demain matin, Nelle.
— Déjà ?
— Oui.
— On se revoit quand ?
De savoir que demain il sera reparti m'attriste énormément, je sens même des larmes sortir de mes yeux. Je le vois alors

s'avancer de moi et poser sa main sur mon menton. Nos visages ne sont plus qu'à quelques centimètres.

— Quelqu'un a le droit de goûter à tes lèvres ?
— Non.
— Avant moi la semaine dernière personne depuis Aidan ne t'avait embrassé ?
— Tu as été le seul depuis Aidan.

Il me sourit et avance sa bouche de la mienne. Je ne sais pas quoi faire, je le repousse ou le laisse faire cette fois-ci ? Je sais que j'en meurs d'envie, mais je ne suis pas encore prête à avoir quelqu'un dans ma vie. Il lie nos bouches, un frisson envahit mon corps entièrement. C'est tellement différent que la semaine dernière, pourquoi ? Cette fois-ci, je suis heureuse que Dagon le fasse. Nous restons là à nous embrasser pendant un bon moment. Un magnifique sourire apparaît sur son visage quand il s'éloigne légèrement.

— Il est tard nous devrions dormir maintenant, dis-je, sans vraiment savoir quoi dire d'autre.
— Je vais te laisser dormir alors.
— Reste avec moi cette nuit, Dagon, stp. Je suis tétanisée.

Il me regarde et semble hésiter. Un léger sourire apparaît sur son visage.

— Stp, dis-je en insistant un peu.
— Je vais récupérer mes affaires dans la chambre de Jacob et je reviens.
— D'accord.

Quelques minutes après, ça frappe de nouveau à ma porte, je l'ouvre et Dagon est là avec un sac à dos à la main. Il entre et me fait un super sourire.

— Je me douche rapidement et je te rejoins, si tu le veux bien.
— Je serais la rousse sous la couette.
— Ça marche, répond-il en souriant.

Je m'allonge sous la couette en l'attendant et laisse mon esprit commencer à rêver, à me rappeler de vieux souvenirs qui me font du bien au moral. Quand il revient, il est en tee-shirt et bas de pyjama. Je suis contente qu'il ne soit pas venu torse nu. Il me sourit et me montre qu'il pose quelque chose sur ma commode.

— Propre et avec mon odeur.
— Merci.

Il s'approche alors du lit et se glisse à son tour sous la couette. Il m'ouvre son bras pour que je me blottisse contre lui. Cette odeur que j'aime tant, ça me berce c'est impressionnant.

— C'est marrant, tu as toujours la même odeur depuis que je te connais.
— Tu as l'odorat fin.
— Je l'aime juste beaucoup, elle m'apaise.
— Je me souviens qu'elle avait déjà cet effet sur toi à l'époque.
— Merci d'être là avec moi.
— Je t'en prie.
— Tu as quelqu'un dans ta vie toi ?
— C'est compliqué, disons.

Je me redresse d'un coup et le fixe.

— Mais elle risque de ne pas apprécier si elle apprend que tu m'as embrassé.

Il me sourit et ne répond rien. Il pose sa main sur mon visage et le caresse avec douceur.

— On devrait dormir maintenant, tu es une grosse dormeuse et ton réveil va être compliqué demain.

— Tant pis, je ne veux pas te causer de problème.

— C'est moi qui t'ai embrassée, Nelle, pas l'inverse.

Pas faux en même temps. Il a toujours son bras d'ouvert. Je repose ma tête sur lui et je ferme les yeux et sombre rapidement. Un bras qui m'enlace me sortira de mon sommeil. J'ouvre les yeux et Dagon dort toujours, mais c'est tourné sur le ventre. Il est toujours aussi beau quand il dort. Je regarde ma montre, et il est déjà 7 h 30 ? J'ai dormi d'un trait et ça faisait longtemps. Je pose alors ma main sur son visage et lui caresse gentiment. Ses yeux s'ouvrent et un beau sourire s'affiche sur son visage.

— Bonjour, ma belle.

— Bonjour.

Il regarde sa montre puis enfonce sa tête dans l'oreiller.

— À ce point-là ?

— Oui, je vais devoir y aller et je n'en ai pas du tout envie.

S'il savait que je n'ai pas envie non plus de le voir se lever pour partir. Cette nuit près de lui m'a reboosté et m'a fait beaucoup de bien. Se réveiller près de quelqu'un et se sentir protégé et en sécurité.

— Je me doute oui.

— Je reviens au moins une fois par mois.

— D'accord.

— Et tu as le droit de venir aussi.

— Et je le ferais.

— On essaye de se téléphoner souvent ?

— Si tu veux.

— Tu veux quoi toi ?

Excellente question.

— Que tu restes allongé près de moi et que tu ne doives pas te lever pour partir.

— Ça, ce n'est pas possible.

— Malheureusement.

Il regarde ma bouche avec insistance et je vois son buste se gonfler plus rapidement.

— Donne-moi de tes nouvelles aussi souvent que possible, dis-je en caressant son bras.

— Tu en auras.

Il approche sa bouche et m'embrasse. Contrairement à hier, notre baiser est bien plus rempli de désir. Je sens mon corps se détendre et au fil des secondes j'ai envie de lui. Il ne me faut pas beaucoup de temps pour grimper sur lui à califourchon et commencer à onduler. J'ai envie qu'il me repousse, car ce n'est pas raisonnable et en même temps j'en ai terriblement envie. Quand il m'embrasse dans le cou c'est mort je ne pourrai pas faire marche arrière et visiblement lui non plus. J'ondule encore plusieurs minutes sur lui et après avoir retiré mon sous-vêtement, je le fais entrer en moi doucement.

— Doucement, tu vas nous faire mal si ça fait aussi longtemps que ça que tu n'as pas été touché.

— Chut ! dis-je en l'embrassant.

Je continue et un gémissement sort de ma bouche, plus de 3ans sans ressentir ça. Le regard de Dagon est empreint d'un désir qui ne fait qu'augmenter le mien, les sensations que je ressens sont géniales, mais je sens que juste après je vais regretter. Je me concentre sur notre échange pour profiter de chacun de mes mouvements. Il me retourne et se positionne au-dessus de moi et prend le relais. Il accélère et sa bouche ne quitte plus la mienne. Ce mec est vraiment fabuleux. Quand nous terminons, il s'effondre dans mes bras et dépose des baisers dans mon cou. Je sais que c'est mal ce qu'on a fait. Car je ne suis pas prête à me remettre en couple avec quelqu'un. Comme je n'étais pas prête à être embrassée par lui avant mon départ il y a quelques années et pourtant c'est arrivé.

Après plusieurs minutes à s'enlacer, il se redresse et plonge son regard dans le mien.

— Ce n'était pas raisonnable, tu en es consciente ?

— Il ne fallait pas m'embrasser, tu es coupable.

Il me sourit et m'embrasse de nouveau avec beaucoup de douceur.

— Je dois vraiment y aller maintenant.

Je le regarde avec une petite moue triste et je ne le regrette pas vu le sourire qu'il me fait. Il saisit mes lèvres et s'amuse avec ma langue.

— Si je ne te regarde pas à travers le réfectoire c'est normal Nelle, car je n'y serais pas, me dit Dagon en souriant.

J'explose de rire en me rappelant que j'avais eu très peur après notre première fois qu'il me fuit et me rejette après avoir eu ce qu'il voulait.

— Je ne te chercherai pas alors, dis-je avec une petite moue.

Je sais qu'il doit partir et j'arrête de faire ma chiante quand il s'éloigne.

Après m'avoir embrassé le front, il se lève, ramasse ses affaires et file.

Je me lève à mon tour pour m'occuper un peu de moi avant d'aller déjeuner. Lorsque j'arrive, personne n'est là, j'ignore s'ils ont déjà mangé ou si c'est juste qu'ils ont encore la chance de pouvoir dormir tard avant la rentrée. Quelques minutes après, Théo pointe le bout de son nez. Il s'installe en face de moi et me demande comment c'est passé ma nuit et surtout l'échange avec Pierrick.

— C'est simple, je préfère de loin Enzo.

— Je sens qu'il va t'agacer un moment, lui.

— Si je vois qu'il reste avec vous, je finirai par aller manger seule, désolée.

— Qu'est-ce qui se passe ?

— Il est imbuvable avec moi, ça se voit non ?

— Ne rentre pas dans son jeu, il te provoque.

— Je dois ignorer ses remarques permanentes ?

— Oui.

— Je vais essayer, mais c'est un abruti prétentieux, imbu de sa personne. Comment un mec comme lui peut enseigner ?

— Il n'est pas là pour enseigner.

— Ah, et pour faire quoi ?

— Combattre avec toi les démons.

— Ah non, mais jamais de la vie j'accepte de m'allier avec lui.

— À vous deux, on a toutes nos chances.

— Sans moi Théo, je ne peux pas me le farcir davantage.

— Et si tu ouvres les yeux, tu verras qu'il est sympa avec les autres.

— Ne me dis pas que comme Martin tu me trouves odieuse froide et prétentieuse ?

— Non je te trouve triste, terriblement triste, et tu caches sous un visage qui ne te ressemble pas. Tu fais sur de toi.

— Je ne m'en rends pas compte.

— Tu n'es pas comme ça avec moi, j'arrive encore à voir la Nelle que j'appréciai tant à l'époque. Et ton beau blond aussi voit toujours la Nelle qu'il a connue il y a quelques années.

— Ça, je m'en suis rendu compte dis-je en devenant toute rouge.

— Tu le revois quand ?

— Tu as vu quoi au juste ?

— Que tu allais passer un très bon moment ce matin, et vu tes yeux qui brillent c'est le cas non ?

— Oui, mais j'ai peur Théo, peur de ne plus pouvoir me passer de lui et en souffrir encore.

Je pose ma main sur celle de Théo et il s'avance pour me prendre dans ses bras.


— Le temps est ton ami et ton allié, vas-y en douceur.

— Et avec l'autre connard de Pierrick ?

— Rentre-lui dedans ! et montre-lui à qui il a à faire.

En parlant du loup, il finit par arriver et s'installe à notre table. Il m'ignore complètement ce qui me va parfaitement.

— Les premiers élèves arrivent en bus d'ici 1 h, je vais avoir besoin de toi Nelle pour les accueillir et les emmener dans leurs chambres.

— Depuis quand les étudiants doivent être accompagnés dans leurs chambres ?

— Depuis qu'ils sont très nombreux et qu'on va éviter la cohue dehors.

— Ah, ça commence bien si on doit leur tenir la main.

Théo et Pierrick se mettent alors à rire.

— Scarlett enseigne quoi au juste ? demandé-je.

— Herbologie.

— Ça lui va comme un gant, cette matière.

— C'est vrai, et elle est vraiment très douée pour enseigner.

Scarlett et Romain finissent par arriver main dans la main, bien que je sois heureuse pour eux mon cœur se resserre en repensant que j'avais il y a quelques années la chance d'être moi aussi avec quelqu'un de formidable. Je ne suis pas certaine de réussir à les voir ainsi, déjà hier ça m'avait fait de la peine. Ce n'est pas de la jalousie, enfin je n'espère pas.

— Salut dit Scarlett en prenant place à côté de moi.

— Bonjour, dit Romain à son tour.

— Ça va ma poulette ? me demande mon amie.

— Ça va oui merci et toi la professeure en herbologie ?

Elle explose de rire et pose sa tête sur mon épaule.

Ce matin, nous mangeons en silence. L'heure tourne et avec Théo nous allons sur le parking pour accueillir un car d'étudiant. Ça me fait bizarre de me retrouver à cette place, celle de professeur. Beaucoup de gars et pas beaucoup de filles dans ce bus.

— Ce matin, ce sont principalement des vampires, ils arrivent avant pour prendre leurs marques.

— Ils savent se contrôler ?

— Ils ne seraient pas pris le cas contraire. Et ils ont déjà fait deux ans dans un autre campus je te rappelle.

— Ah oui c'est vrai, je suis bête.

Mattieu nous rejoint devant le bus.

— Bonjour vous deux.

— Bonjour mon petit Mattieu.

Je m'avance vers lui et me blottis dans ses bras. Son contact est bien évidemment toujours aussi froid, mais il me fait du bien, ça me rappelle de vieux souvenirs que j'aimais énormément.

— Ma petite Nelle si fragile.

— Tes bras me font toujours autant de bien.

— Il y a intérêt.

Il me fait un grand sourire et caresse ma joue.

— Alors cette nuit ? me demande Mattieu tout en souriant.

— Chut !

— Quand il a rejoint la chambre où nous étions avec Logan et Jacob, il avait l'air anxieux à l'idée de ne pas assurer !

— Mattieu stp.

— Je suis allée fort hier et je m'en excuse, mais ça l'a motivé à prendre conscience qu'il ne doit plus perdre de temps à te récupérer dans sa vie, avant que quelqu'un d'autre ne le fasse.

— Je ne suis pas prête à sa Mattieu, j'ai encore trop peur.

— Tu as vu que tu étais prête à le laisser t'approcher ! Prends ton temps, et il en fera autant j'en suis sûr.

Quelques larmes d'entendre ça me glisse le long du visage.

— Allez souris ma belle et au boulot, les étudiants doivent voir la femme forte et géniale que tu es.

Je lui souris et pose ma tête contre son torse.

— Mais juste une question Nelle, il a assuré ou pas ?

Il explose de rire et s'éloigne, je pense que la réponse il s'en fiche, il voulait juste me faire rire et ça a très bien fonctionné.

Théo fait signe aux élèves de récupérer leurs affaires et de nous rejoindre. Je dois accompagner les filles jusqu'à leurs chambres respectives et leur montrer ou récupérer leurs rations de nourritures pour la journée. Elles ont plutôt l'air docile bien qu'elles soient plutôt froides, et c'est le cas de le dire d'ailleurs.

Deux bonnes heures après j'ai fini et je rejoins Théo pour lui donner un coup de main vu que lui à trois fois plus d'élèves.

— Elle est déjà plus canon elle, dit un vampire.

— Et je suis un professeur pas une nénette que tu vas pouvoir draguer.

— Dommage, la rentrée s'annonçait bien pourtant.

— Suivez-moi, je vous montre les choses importantes à savoir ici et ensuite vous pouvez faire votre vie.

De nouveau, je commence le même parcours et termine par le réfectoire.

— Dans le doute, je vous montre le réfectoire pour ceux qui voudront rejoindre des personnes qui mangent on va dire normalement.

— Les repas sont servis à quelle heure demande un vampire qui est resté discret depuis le début.

— 7 h le matin jusqu'à 10 h 30, 11 h 30 à 15 h 30 et 18 h 30 jusqu'à 22 h 30.

— D'accord merci, professeur.

— Mais en général, de la nourriture, genre fruit et biscuits, est laissée au besoin en journée.

Il se contente d'un sourire et d'un signe de tête en réponse.

Bizarre qu'il s'intéresse à ça.

— Vous avez des questions ?

Visiblement aucune, je les libère et rejoins Théo pour aller manger et bien évidement nous sommes seuls vu l'heure.

— Merci pour ton aide, ma belle.

— Je t'en prie. Ça me fait bizarre d'être vue comme un professeur et plus comme une étudiante. Et encore plus quand un étudiant m'a dit professeur.

— C'est sympa tu verras. Tu vas avoir plein de jeunes et beaux étudiants qui vont te tourner autour.

— Chouette.

Il explose de rire et me pousse gentiment.

— Mattieu est où du coup ? demandé-je.

— Il a dû finir avant, je pense, et il est parti courir les demoiselles.

— Le connaissant ce n'est pas son style.

— Tu n'as eu personne d'autre dans ta vie depuis Aidan ?

— Non.

— Pourquoi ?

— Parce que c'est lui et pas un autre qu'il me faut près de moi.

— Nelan a besoin d'un père.

— Personne ne remplacera le sien, personne ne pourra l'aimer comme lui aurait fait.

— Détrompe-toi, le lien est forcément différent, mais ça ne voudra pas dire qu'il ne pourra pas grandir près d'un homme qui tiendra réellement à lui.

— Je ne me sens pas encore prête de toute façon à tourner cette page-là.

— Ça te redonnerait le sourire pourtant.

— N'insiste pas stp Théo, j'ai eu la même conversation avec Martin, et d'entendre certaine chose me fait encore trop de mal.

Et en effet, j'ai la poitrine qui me brûle.

— Désolé.

— Le programme de la journée ?

— Les étudiants d'aujourd'hui sont bien arrivés et installer, donc tu as ton après-midi de libre a priori.

— Il faudrait que je me rende au manoir de Benjamin pour le convaincre de venir aider.

— Tu veux y aller quand ?

— Vendredi, je pense, comme ça je passe une nuit là-bas et je reviens le samedi.

— Je ne pourrais pas t'accompagner, j'ai une réunion avec certains élèves le samedi matin.

— Ne t'inquiète pas je vais gérer seule.

— Il y a bien quelqu'un qui acceptera de venir avec toi.

— Ce n'est pas nécessaire.

— Ce n'était pas une proposition.

Je lui souris et termine mon assiette.

— Tu as pris divination cette année ?

— Je dois passer au secrétariat pour choisir justement, et sincèrement je ne sais pas du tout quoi prendre. Vu que j'aurais des cours à donner, je n'aurais pas autant de temps qu'avant.

— Tu pourras donner les cours à partir de 17 h jusqu'à 19 h aussi au besoin.

— Oui aussi, je vais réfléchir, sûrement enlever les cours généraux vu que j'ai eu l'équivalent dans mon monde.

— Bonne idée, et tu peux demander à faire moins de cours de sport ou pas du tout aussi.

— Je pense que c'est la meilleure nouvelle que tu pouvais m'annoncer.

— Je vois que tu aimes toujours autant ça.

— Courir autour d'un stade ou faire mumuse avec un ballon peu pour moi.

— Je comprends et pense pareil.

— Et si on sortait prendre l'air et profiter de ce beau soleil ?

— Oui bonne idée aussi, les autres doivent être au lac.

En effet quand nous arrivons ils sont bien au lac en train de se baigner. Même à plus de 30ans ils aiment toujours autant barboter et s'amuser dans l'eau.

Je finis par m'installer dans l'herbe et sors un livre de mon sac pour bouquiner un peu pendant que Théo rejoint les autres. Je me retrouve seule et tranquille. J'en profite pour sortir mon téléphone et écrire à Dagon. « Moi : merci encore d'être resté avec moi », je repose le téléphone à côté de moi et commence à lire. Ma tête ne semble pas vouloir coopérer et le livre n'arrive pas à me donner envie de poursuivre. Mon téléphone se met alors à vibrer. « Dagon : ça m'a rappelé de bons souvenirs en ta compagnie. Je t'embrasse ma petite Nelle ». « Moi : plein de bons souvenirs en commun. Bisous » Les minutes passent et je reste là à regarder mes amis s'amuser dans l'eau. Je finis par recevoir un message du directeur qui me demande de le rejoindre pour signer mon contrat de travail et régler deux trois choses avec lui. Je décide d'y aller maintenant histoire de passer le temps. Je m'avance vers cet interminable escalier et me motive à le monter. Sans bébé dans le ventre, c'est bien plus simple. Je finis par frapper à la porte et j'entends le directeur m'inviter à rentrer.

— Bonjour, Nelle, entre.
— Bonjour et merci.
— Je t'ai préparé ton contrat et la liste de tes missions. Je te laisse lire et signer.

Je prends les papiers et m'attelle à la tâche, cours particulier avec tous les élèves médiums susceptible d'en avoir besoin. Surveiller et encadrer les élèves au besoin. Participer à certains cours si les autres professeurs me le demandent, passer mes examens de troisième année et les valider.

— Mon salaire n'est pas indiqué, ni le nombre d'heures minimum pour avoir ce salaire, et ce n'est pas marqué le montant de mon inscription pour l'année ni le temps que j'ai pour régler.
— Tu devrais faire avocate, Nelle.

Je souris et lui rends sa feuille. Il la jette et tapote sur son ordinateur.

— Ça paie combien serveuse en bar de nuit ?
— Au moins des millions.
— Je n'en doute pas, mais le montant au centime près ?
— Vu que je n'ai plus de courses pour manger à faire et que mes factures vont baisser, je pense que 1 000 euros suffiront largement.

— Pourquoi tu ne réponds pas à ma question ?

— Entre les pourboires, les heures supplémentaires et les remplacements réguliers, j'avoisine les 1 800 euros.

Quelques minutes après, une autre page s'imprime et il me la tend. Je lis et hausse les sourcils.

— Peu importe le nombre d'heures, je serais payé le même salaire ?

— Au minimum, tu auras chaque mois ce que tu touchais au bar, sachant que tu as 10 h de cours avec les deux médiums par semaine, 5 h chacun, au-delà de ça, tu auras un supplément.

— Vous êtes sérieux ?

— Très.

— Et pour l'inscription, vous ne voulez vraiment rien ?

— Non.

— Dans ce cas, les heures supplémentaires seront pour payer ici.

— Tu es dure en affaires.

— On est d'accord ?

— Si tu veux.

— Ça me va, mais j'aurais aimé qu'il soit précisé que je peux retourner chez moi aussi souvent que je le souhaite pour voir mon fils.

— Donne la feuille et je le rajoute.

Je le laisse faire pendant que j'avance vers la baie vitrée.

— Tu as vraiment beaucoup changé.

— Je sais oui, je vais faire des efforts pour être moins ce que je suis aujourd'hui.

— Je préfère cette Nelle-là.

— Pardon ? dis-je en me retournant d'un coup.

— Il te manque juste cette joie de vivre qui te donnait beaucoup de charme.

— Apparemment, les autres semblent vouloir me voir redevenir la Nelle fragile et perdue.

— Les gens sont attachés à cette vision de toi. Ils vont s'habituer tu verras, et le jour où tu seras de nouveau joyeuse ils te verront encore différemment.

— Espérons.

De nouveau, je regarde par la fenêtre et profite de cette magnifique vue.

— Et évite de le blesser physiquement la prochaine fois.

Est-ce qu'il parle de Pierrick là ? Vu le regard que je lui lance en me retournant une fois encore, j'espère qu'il me dira de qui il parle. Quand les secondes passent, une idée me vient en tête.

— C'est Enzo qui a voulu se battre, il ne me pensait pas capable de le mettre au sol.

— Nelle, pour Enzo, il méritait bien plus, tu as été trop gentil.

— Je note pour la prochaine fois alors.

— Je parlais de Pierrick.

— Il vous en a parlé ? Quelle sous merde, ce mec !

Quentin explose de rire, je ne me souviens pas l'avoir vu rire ainsi. En même temps, il n'est pas censé le faire en ma présence.

— Non, la sous merde comme tu dis ne m'as rien dit du tout. Il aurait pu, et aurait dû quand je suis allé le voir ce matin, mais sache que je sais tout Nelle.

— Et vous n'êtes même pas venue me voir pour me menacer de me virer ? dis-je sur le ton de la rigolade.

— J'ai failli, répond-il en souriant.

— Vous me connaissez déjà en même temps, pas besoin de faire votre curieux.

— C'est ça.

— Il est tellement insupportable avec moi, je me suis emportée.

— Essaye juste d'être un peu plus agréable avec lui.

— Super, il me parle comme de la merde et moi je dois être plus agréable ?

— Si tu prends sur toi et que tu ignores ce qu'il dit tu verras il se calmera.

— Vous me connaissez aussi mal que ça apparemment.

— Justement, je te connais bien plus que tu ne le penses, tu es une battante, Nelle, et les propos d'un idiot ne t'atteignent plus depuis quelque temps déjà.

— Je veux bien faire des efforts, mais il devra en faire aussi.

— On a besoin de lui.

— Dans ce cas, garder votre contrat et vous pouvez vous le garer ou je pense et je repars chez moi, je n'ai pas à subir ses remarques qui me rabaissent en permanence.

Il hausse un sourcil en entendant mes propos, juste pas très polis, je dois l'avouer. Il finit par me tendre le contrat après avoir rajouté les dernières indications.


— Signe-moi ça et reste.

— Non merci.

— Arrête d'être têtue et signe ce papier, et ne recommence pas à le blesser.

— Je ne recommencerai pas, mais je ne changerais pas de comportement. Du moins avec lui.

Je signe le contrat et lui rend.

— Merci, tu peux retourner au lac si tu le désires.

— Pourquoi il y a une autre alternative ?

Il me sourit.

— Tu peux aussi rester avec moi et me tenir compagnie. Enfin si je ne suis pas vu comme une sous merde moi.

Je me retiens de rire, bien évidemment je ne le vois pas ainsi. Je le vois plus comme un homme droit, honnête et très carré. Et ce métier est fait pour lui.

— Depuis quand les professeurs vous tiennent compagnie ?

— Seulement ceux qui sont intéressants.

Il me décroche un sourire.

— Vous avez dû mal regarder, car mes amis présents et qui sont devenus professeurs sont vraiment de bonne compagnie.

— Je n'en doute pas une seule seconde.

— Mais ?

— Mais ils ne sont pas agréables à regarder.

Il attend quoi comme réponse en fait là ?

— Je pense que là tu vas te lever et partir ?

— Non.

Il me sourit et s'avance pour me donner deux manuels.

— Je compte aller voir Benjamin et Call vendredi soir.

— Avec qui ?

— Seule pour l'instant.

— Je préfère qu'on t'accompagne.

— Ce n'est pas nécessaire, je ne risque rien avec eux.

— C'est plus le trajet qui m'inquiète.

— Pourquoi ?

— Tu as le don d'attirer les ennuis.

— Pourtant j'ai passé trois années dans le parfait anonymat et aucun danger ne m'est tombé dessus.

— Tu es bien sûr de toi ? me demande-t-il avait un léger sourire en coin.

Il m'a l'air bien au courant. Qu'est-ce qu'il a fait ?


— Oui, je suis sûr, pourquoi ?

— Mes hommes de main étaient donc bien cachés.

— Quoi ? Vous m'avez fait suivre ? dis-je ahuri.

— Oui.

— Pourquoi ça ?

— Pour te protéger Nelle, j'étais inquiet de te savoir seule dans la nature.

— Je n'avais pas besoin de protection, vous me décevez.

Je commence à partir lorsqu'il me rattrape par la main. Même si je suis terriblement vexé, j'ai une petite partie de moi qui est contente qu'il soit veillé sur moi.


— Vous devriez me lâcher et me laisser partir directeur.

— Quentin.

— Lâchez-moi svp.

— Et si je refuse ?

— Je devrais vous blesser.

— Tu as peur de quoi Nelle ? Tu penses que je vais t'embrasser ou plus peut être ?

Il est sérieux de me parler comme ça ?


— Vous ne devriez pas me parler comme ça, et vous le savez.

Ça me rappelle le culot monstre d'Alex.

— Réponds.

— Il n'y a rien à répondre, vous êtes mon directeur, et je ne suis même pas sûr que vous devriez me tutoyer.

— Tu es encore plus attirante quand tu t'énerves.

Le petit sourire qu'il me lance me donne envie de le cogner.

— Vous ne m'avez jamais vue violente.

— Ça pourrait être sympa à voir.

Il me sourit et me lâche.

— Demande à Pierrick de t'accompagner vendredi soir.

— Tout sauf lui.

— Il sera en mesure de te protéger.

Je quitte son bureau sans lui dire au revoir.

Quand je reviens, je préfère aller me détendre dans ma chambre et prendre un bon bain. J'en ressors seulement quand l'eau devient froide.

Il est déjà tard quand je pars à table. Les professeurs sont tous là et leurs plateaux à moitié vides.

— Tu avais disparu ? demande Jacob.

— J'ai signé mon contrat puis je suis allée me détendre un peu.

— On s'est dit elle est repartie, dit Martin.

— Non même pas, il va encore falloir me supporter un peu.

— On devrait pouvoir réussir, lance Théo tout en me souriant.

— Vendredi, je vais au manoir Agonis, s'il y a des motivés pour m'accompagner, le directeur ne veut pas que je m'y rende seule.

— Tu étais avec lui tout à l'heure ? demande Logan.

— Oui pour négocier mes conditions et signer mon contrat.

— Tu es bien la seule à avoir la chance de signer dans son bureau. Sors Romain en me regardant bizarrement.

— Ah bon ?

— Oui en général on le signe avec la secrétaire et aucune négociation n'est envisageable.

— Il doit bien avoir ses raisons, enfin peu importe.

— Je t'accompagne vendredi après mon dernier cours propose Scarlett.

Vu la tête de Romain et le regard qu'il nous lance, ça ne va pas lui plaire.


— Je ne pourrais pas venir Scarlett, donc je ne veux pas que tu prennes un seul risque, lui répond Romain.

— Nous savons nous défendre je te rappelle Namour.

— Je sais, mais c'est un non catégorique.

— Elle ne risque rien avec Benjamin et Call, tu sais.

— Et contre les autres guerriers ? demande Romain.

— Je ne les connais pas.

— Justement, donc Scarlett restera ici avec moi.

— Je ne serais pas disponible ce week-end Nelle désolé, tu ne peux pas attendre la semaine suivante ? propose Martin.

— Je ne suis pas disponible non plus Nelle désolé, Martin a raison décale d'une semaine, ajoute Jacob.

— Non, il faut qu'ils rallient notre cause au plus vite. Je vais y aller seule, ça ne sera pas la première fois que je vais désobéir.

— Tu es vraiment inconsciente, ma parole ! Il faut qu'il y ait combien de personnes qui meurent en venant te secourir ? lance Enzo.

Je lui envoie mon verre d'eau dans le visage et me lève pour partir.

J'entends Scarlett derrière lui gueuler dessus. Je sors du dortoir et marche en direction de ma voiture.

Je la déverrouille et m'installe à l'avant et pose ma tête contre le volant. Les larmes coulent et mon cœur me brûle de douleur. Je n'ai pas réussi à sauver Aidan et je m'en veux suffisamment depuis trois ans. Pourtant cette fois-ci justement je n'avais pas désobéi et j'avais fait ce qu'on m'a demandé. La portière côté passager s'ouvre et j'entends quelqu'un s'installer. Cette main bouillante qui se pose sur mon bras me permet de reconnaître l'identité de la personne. Logan ! il me tend un mouchoir et je lui lance un petit sourire. Les fameux mouchoirs au campus de l'aurore.

— J'ai pensé à en prendre, toujours être prêt à en dégainer avec toi.

— Merci.

— Il paraît qu'à l'époque ma tête te faisait rire, espérons que ça fonctionne toujours ma petite Nelle.

— Déjà, je confirme que tu es toujours brûlant.

Dès l'instant où j'ai posé ma tête sur son épaule, les larmes coulent davantage. Sa présence me fait énormément de bien et je suis heureuse qu'il soit venu me rejoindre. Même si c'est pour me voir pleurer, son amitié m'est précieuse.

— Enzo a vraiment été con sur ce coup-là, lance Logan.

— Il est toujours con avec moi.

— Parce qu'il tient à toi et que de te voir souffrir ou te mettre en danger l'énerve.

— Il est imbuvable depuis que je le connais. À me rabaisser ou me tacler en permanence.

— Enzo a été malheureux quand tu es parti il paraît. La troisième année de cours de Dagon et Jacob a été compliquée. Il était odieux avec tout le monde.

— Tu veux en venir où ?

— Ses sous-entendus et ses regards devraient te faire comprendre pourtant.

— Il ne m'a pas vu depuis trois ans, comment peut-il ressentir encore des choses ?

— Tu n'as pas vu Dagon depuis trois ans et pourtant.

— Ce n'est pas comparable, Logan.

— Et en quoi ?

— Parce que, parce que, c'est différent.

— Pas pour Enzo. Te revoir a réveillé ses sentiments et ses vieux démons, de se dire qu'une fois de plus tu es devant lui et qu'il ne pourra jamais t'avoir dans sa vie.

— Je dois faire quoi pour qu'il m'oublie ?

— Aucune idée, déjà ignore-le lui et ses propos de merde. Et redeviens la Nelle pétillante.

— Je vais le fuir déjà, ça va sûrement aider.

— J'accepte de changer de table avec toi si tu veux. Et aussi de t'accompagner au manoir vendredi.

— Tu n'as rien de prévu ?

— Non.

— Parfait merci beaucoup mon petit Logan.

— Prête pour y retourner ?

— Pas vraiment non. Attache-toi je t'emmène en balade.

Il me sourit et obéit.

— Ça s'appelle un kidnapping sa jeune fille.

— Tu aurais pu tomber sur une fille chiante, estime-toi heureux.

Il explose de rire et me pousse doucement.

— Tu ne vas pas me faire le coup de la panne j'espère ?

J'explose de rire et le frappe.

— On ne sait jamais avec les femmes en même temps.

— Je vais essayer de ne pas te violer promis.

— C'est très gentil de ta part et merci d'avance, bien que je sais que tu dois lutter désespérément pour ne pas tomber sous mon charme.

— J'avoue que je lutte là.

Nous nous mettons à rire de bon cœur. Nous roulons depuis un bon moment déjà. Et je sens la fatigue me gagner. De bâiller deux fois en moins d'une minute n'est pas très bon signe.

— Je vais prendre le relais, Nelle, arrête-toi.

— Tu es sur ?

— De vouloir rentrer vivant oui j'en suis sûr.

Je me gare à la prochaine aire de repos et lui laisse la place.

— Comment ça va se passer pour toi Logan maintenant ?

— À quel niveau ?

— Si la femme d'un loup meurt, il peut de nouveau tomber amoureux ?

— En théorie oui, une nouvelle femme sera censée me convenir, il faut juste que je la trouve. J'ai eu de la chance de tomber sur Marie à l'époque.

— Et dans l'autre sens ? J'étais amoureuse d'Aidan comme jamais, est-ce que je suis censée l'oublier aussi ?

— À sa mort, l'emprise qu'il avait sur toi a disparu aussi.

— Pourtant je l'aime toujours, et les deux premières années je pleurais chaque soir.

— L'emprise avait disparu, mais pas les sentiments.

— Tu veux dire quoi par emprise alors ?

— Tu n'aurais jamais pu le quitter ou aller voir ailleurs pour le plaisir.

En effet, quand j'étais avec Aidan jamais je n'aurais laissé qui que ce soit m'embrasser. Quand je repense à ce matin avec Dagon, je me sens devenir rouge.

Logan le voit et me sourit.


— OK, ça veut dire que je vais réussir à tomber profondément amoureuse alors.

— Oui et je te le souhaite.

— C'est gentil, mais je pense que c'est déjà en cours de toute façon.

— Je le connais ?

— Laisse tomber, ça n'aboutira à rien.

— Tu devrais lui laisser une deuxième chance.

— Tu parles de qui ?

— De la même personne que toi, la personne qui a réussi à te faire pleurer et rire en.

— L'espace d'une seconde, le blond ignoble qui a fait battre ton cœur il y a presque 5 ans et qui a réussi une fois de plus hier.

— Ça se voit autant que ça ?

— Comme il y a 5 ans. Ta façon de le regarder, et surtout la sienne.

— Je ne veux pas me faire des films, je veux être sûr de mes sentiments. Et par la même occasion des siens.

— Ce lien entre vous depuis le début est inexplicable, et je pense que tu n'as jamais vraiment cessé de l'aimer.

— Non jamais, quand il a appris que j'étais enceinte et qu'il a pleuré dans mes bras en pensant que je pouvais mourir m'a touché comme jamais. Je me suis rendu compte que je tenais à lui. Pas au point de quitter Aidan c'est certain, mais mon cœur réagissait encore devant lui. Aidan, je l'ai aimé à un point que je ne pensais pas pouvoir atteindre. Enfin, ça n'a jamais été comparable.

— C'était l'emprise du loup sur toi ça, mais il est parti. Et Dagon était ton premier pour tout je te rappelle. Alors tu le voyais plus comme le beau blond qui faisait rêver les filles. Les sentiments se sont développés dans ton inconscient pendant toutes ses années.

— Ça doit sûrement être ça oui.

— Tu te souviens de notre conversation il y a 5ans ?

— On en a eu tellement.

— Celle où les choses n'arrivent pas pour rien.

— Oui, tout ce qui m'arrive doit se passer pour une raison bien précise, mais le rapport avec Aidan et Dagon.

— Tu devais rencontrer Aidan pour qu'il t'apporte quelque chose de différent dans ta vie, de différent de l'amour que tu avais pour Dagon.

— C'était prévu qu'il meurt Aidan ? Tu penses ?

— J'en suis certain, et depuis toujours je n'ai jamais compris pourquoi tu t'es mise avec un mec comme Anderson qui était prétentieux à souhait et avec Benjamin qui n'avait aucune douceur et sensibilité.

— Benjamin est vraiment un amour. Il a un cœur énorme et une douceur incroyable pourtant.

— Mais pas fait pour être avec une fille aussi douce que toi, tu as besoin d'amour, de câlins de tendresse Nelle, pas de quelqu'un de distant et avec un caractère aussi fort et prononcé.

— Tu veux me mettre avec une femmelette ?

— Tu trouves que Dagon est une femmelette ? Ou Aidan ?

— Non pas du tout, bien au contraire, ils ont beaucoup de caractère.

— Ils ont dû caractères pour te tenir fermement si on peut dire ça comme ça, mais en même temps extrêmement tendre pour te soutenir et te réconforter quand tu en as besoin.

— Tu es flippant, Logan.

Il se met à rire et tourne la tête pour me regarder. Cet homme est impressionnant et même avec son jeune âge.


— On dirait que tu me connais très bien.

— Oui, j'ai appris à te connaître avec le temps. Et j'ai du flair. Tu empestes l'odeur de Dagon.

Je deviens de nouveau rouge ce qui fait sourire Logan.


— Vous avez passé la nuit ensemble c'est ça ?

— D'après Mattieu, tu le savais déjà petit cachottier.

— Je préférais l'entendre de ta bouche Nelle, mais si tu avais vu le stress que Dagon a eu hier en venant chercher ses affaires dans la chambre, son côté sûr de lui en général a fondu en l'espace d'un instant.

— Il avait peur de quoi au juste ?

— D'aller trop loin, ou trop vite, de te faire peur et fuir.

— Fuir ? Mais c'est moi qui l'ai inventé Logan.

— Justement, il n'a pas compris pourquoi, et n'a pas su l'interpréter.

— J'avais besoin de son soutien et de sa présence, je me sentais seule dans cette immense chambre.

— Qui a sauté sur l'autre ?

— Logan ce n'est pas un peu personnel ça ?

— C'est donc toi, pourquoi ?

— Parce qu'il m'a embrassé et que visiblement ses baisers je les aime toujours.

— Et maintenant, tu envisages quoi ?

— Juste ne pas souffrir, je ne me sens pas encore suffisamment prête à plus avec lui.

— Dis-le-lui, ne le laisse pas espérer, car contrairement à toi il a dû te voir avec d'autres hommes et en a souffert.

— Je ne veux pas qu'il pense que je m'en fiche et qu'il parte avec une autre femme.

— Tu ne veux pas te remettre avec lui, mais tu ne veux pas non plus qu'il trouve quelqu'un de son côté et qu'il soit heureux. Ce n'est pas un peu égoïste comme raisonnement ?

— Si, tu as raison il ne mérite pas ça, mais c'est de temps dont j'ai besoin.

— Dans ce cas, parle-lui de tout ça, dis-lui que c'est trop tôt encore pour envisager quoi que ce soit d'officiel entre vous, mais que tu ne supporteras pas de le voir avec quelqu'un. Sous-entendu que tu tiens à lui.

— Et s'il le prend mal ? Et s'il me rejette, et que notre amitié en prend un coup ?

— Ça fait 5 ans qu'il attend ça, il n'est plus à quelques semaines près, mais sois juste honnête avec lui.

— Tu es vraiment sûr de toi ?

— Autant que je sais que je suis un loup et que je m'appelle Logan.

— Logan garde ça pour toi, je n'aurais jamais dû en parler et lui sauter dessus.

— Je ne compte pas le répéter.

— Tu n'es pas aussi foufou et jeune dans ta tête finalement.

— Tu avais cette image de moi en tête ?

— Oui, je l'avoue, toujours là pour me faire rire et me changer les idées.

— Ça ne me dérange pas, je renvoie cette image c'est vrai. Mais je ne suis pas totalement ainsi dans ma vie privée.

— Tu es plus un Dagon ou un Benjamin ?

— As ton avis ?

Il tourne de nouveau la tête vers moi et me sourit. C'est la douceur et la gentillesse incarnées, avec un soupçon d'innocence et de jeunesse. Et pourtant d'une maturité rare.

— Je pense que tu n'es aucun des deux, tu es unique, tu es une crème, mon petit Logan.

Il explose de rire.

— Je vais prendre ça pour un compliment.

— Ça en est un, Marie devait être la plus heureuse des femmes en ta compagnie.

— Merci Nelle.

— Je sais que je ne devrais pas te demander ça, mais de quoi elle est morte ?

— Tuer par un démon il y a un an, au tout début quand ils attaquaient.

— Rho non je suis navrée.

— Tu es là pour nous aider à la venger maintenant.

— Tu as ma parole que je ferais tout pour retrouver celui qui a fait ça et le faire payer.

— Merci.

— Mais comment tu fais pour être toujours souriant, tu sembles aller bien.

— Parce que ça ne me ressemble pas de montrer ce que je ressens. Il n'y a que Mattieu qui m'a vu dans un état horrible, il a été très présent et ce n'est pas pour rien qu'on est inséparable, un loup et un vampire tu imagines.

— Deux amours amis ça n'est pas étonnant.

Je pose ma main sur la sienne et la serre aussi fort que je peux et l'observe conduire. Je devrais suivre son conseil, ne pas me lamenter sur mon sort.

— Tu nous as emmené drôlement loin Nelle là.

— Ça m'a fait du bien de conduire, je le faisais souvent avec Nelan quand il était tout petit, ça le berçait et moi ça m'empêchait de pleurer.

Logan pose alors sa main sur la mienne et je la serre pour le remercier de son élan de tendresse.

— Merci de m'avoir rejoint dans la voiture.

— C'était ça, soit j'étais viré pour avoir frappé Enzo.

— Tu as pris la bonne décision alors.

— Tu sais quoi ?

— Non quoi ?

— Même Pierrick a ouvert sa bouche !

— Pour me critiquer…

— Non, pour te défendre.

— Il est gentil lui ?

— Il lui a dit qu'il était allé un peu loin dans ses propos.

— Ah ! en même temps pas besoin d'être gentil pour le constater.

Nous finissons par retourner sur le campus. Quand on rentre dans le dortoir, il est 2 h du matin. Pierrick et Théo sont toujours réveillés et approchent dans notre direction.

— Tout va bien ? me demande Théo.

— Oui, je vais monter dormir maintenant.

Je lis de l'inquiétude dans son regard. Nelle tu abuses, tu oublies souvent de réfléchir en agissant sur un coup de tête, mais là, Enzo a dépassé les limites et même si je vais un peu mieux je suis encore très proche des sanglots.

— Tu étais où ? m'interroge Théo.

— J'avais besoin de me changer les idées, du coup on a roulé pendant plusieurs heures avec Logan.

— OK.

— Elle a voulu me faire le coup de la panne, dit Logan en se mêlant à la conversation.

Je le pousse tout en lui souriant.

— Et vous pourquoi vous ne dormez toujours pas ? demandé-je.

— On s'inquiétait.

— Il ne fallait pas, tu me connais depuis le temps, je fonce sans réfléchir.

Je lance un regard à Pierrick et comme toujours il tire la gueule. Je doute fort qu'il soit inquiet lui.

— Les autres sont montés ?

— Pas tous non, certains te cherchent, mais je vais les prévenir que tu es revenu. Il serait temps qu'on récupère ton nouveau numéro.

Je laisse Théo récupérer mon numéro et le communiquer aux autres. Ce sera plus simple et rapide.

— Merci, et plus de peur de ce genre à l'avenir. La prochaine fois tu m'emmènes avec toi à la rigueur histoire que moi je prévienne les autres explique Théo.

— Je n'y ai pas pensé, désolé, ajoute Logan.

Et pour le coup moi non plus. Je n'avais pas pensé une seule seconde qu'ils pouvaient s'inquiéter.

— Je monte dormir maintenant, dis-je.

— Demain matin, j'ai besoin de toi encore, à 10 h et 14 h, pour accueillir encore des étudiants.

— Compte sur moi.

— Bonne nuit, Nelle.

Je finis par dire bonne nuit et me dirige vers ma chambre. Je programme le réveil pour 9 h, ça me laissera le temps de me doucher et de déjeuner rapidement. Je regarde mon téléphone et j'ai des messages de Dagon. « Dagon : Jacob vient de m'appeler, tu es où ? ils sont inquiets et pour le coup moi aussi » « Dagon : juste un je vais bien me suffira » c'était 1 h après le premier « Dagon : préviens-moi à la seconde ou tu rentres » mince le pauvre. Je peux l'appeler maintenant ? Allez au pire, il dort. Je compose son numéro et il décroche à la première sonnerie.

— Nelle ! enfin.

— Bonsoir Dagon.

— J'étais mort d'inquiétude, si Jacob et Mattieu ne m'avaient pas dissuadé je serais venue te chercher.

— Je vais bien rassure toi, j'étais avec Logan, on s'est promené et ça m'a fait du bien.

— Enzo n'est qu'un connard ! attends que je remonte et je le démonte.

— Tu es mignon.

— Mignon ? Tu trouves toi ? tu ne diras plus ça quand tu me verras lui en coller une.

— Merci Dagon.

— Ça va mieux ?

— Je pense oui.

— Tu as envie de parler un peu ?

— Non, d'avoir entendu ta voix m'a fait du bien.

— J'aimerais être près de toi et te prendre dans mes bras pour te réconforter.

— Sauf que là ce n'est pas possible et comme tu l'as dit, ce n'est pas raisonnable.

Mince je viens de mettre un blanc là. Logan m'a dit d'être sincère avec lui.

— Il est tard, ma petite Nelle, tu devrais dormir maintenant.

— Toi aussi M. le Professeur.

— Je t'embrasse et je te dis à bientôt.

— Je t'embrasse aussi, bonne nuit.

La nuit sera courte, un peu trop lorsque le réveil sonne. Théo m'attend et je dois sortir du lit pour me préparer. Vu l'heure à laquelle j'arrive à m'y extirper, je dois faire l'impasse sur le petit déjeuner. Je finis de me préparer lorsqu'on frappe à ma porte.

— Enzo ?

— Je voulais te voir, il faut qu'on parle.

— Entre.

— Je suis désolé pour hier soir.

— OK.

En même temps, il veut que je réponde quoi à ça ? Je le déteste à un point que même des excuses chaque jour durant des années ne suffiraient pas.

— Vraiment Nelle.

Il s'approche de moi et pose ses mains sur mon visage.

— Tu ne devrais pas faire ça, Enzo.

— Je n'ai rien fait.

— Pas encore.

— Pourquoi c'est autant compliqué de te parler ?

— Parce que je t'agace.

— Oui. Aussi.

Il se met à me sourire. Je lui enlève gentiment ses mains.

— Théo va m'attendre, je dois accueillir des élèves avec lui ce matin.

— Tant pis il commencera sans toi.

— Tu attends quoi de moi ?

— De te plaire.

— Enzo, ça ne fonctionne pas comme ça.

Il va falloir que quelqu'un vienne m'aider la. Et de toute urgence !

— Je veux bien passer à autre chose sur tes propos d'hier, mais ne recommence pas être aussi blessant avec moi.

— J'aimerais que tu me laisses une chance de te montrer que je peux te rendre heureuse.

— J'ai besoin uniquement de ton amitié, je ne souhaite pas plus.

Une fois de plus, ça frappe à ma porte. Sauvé, enfin j'espère.

— Théo bonjour.

Je me pousse pour le laisser rentrer après lui avoir fait une tête de « au secours ».

— Tiens, bonjour Enzo, on s'est tous donné le mot ou quoi ? lance Théo en rigolant.

— Salut Théo.

— On y va, Nelle ?

— Oui, on avait terminé.

— Parfait, à plus tard, Enzo.

Théo vient de me sortir d'une mauvaise situation. Je ne pense pas qu'Enzo aurait tenté quoi que ce soit, mais dans le doute je préfère avoir eu l'occasion de fuir. Par réflexe, je me tourne en sortant du dortoir, je veux être sûre qu'il ne soit pas derrière nous et qu'il écoute…

— Il est venu pour s'excuser ? m'interroge Théo.

— Pas seulement, je me suis demandé comment j'allais me dépatouiller de lui.

— À ce point ?

— Oui.

— J'ai bien fait de venir alors.

— Oh que oui ! Merci infiniment, Théo.

— Heureusement que je vois l'avenir, mais ne le répète pas que je l'ai pour une fois modifié.

— Quoi ? Tu as vu quoi ?

— Qu'il allait s'en prendre une.

— Il aurait osé m'embrasser ?

— Parlons d'autres choses, Nelle, c'est mon ami et je ne veux pas.

— C'est bon ne finis pas ta phrase, merci Théo, je vais me contenter de ça.

Notre mission pendant trois jours est d'accueillir seulement les nouveaux des deux autres campus qui se joignent à nous pour cette dernière année. Les anciens de Nelune arriveront au dernier moment vu qu'ils connaissent parfaitement les lieux.

Il y a déjà un bus de présent quand on rejoint le parking. Tout un tas d'étudiants qui patientent tranquillement. De nouveau, Théo leur fait un signe et me donne une liste d'élève principalement de fille que je vais devoir emmener dans leurs chambres et les faire visiter rapidement. Je termine vers midi et je file au réfectoire où sont installés Martin et Enzo. Je me prends un plateau et m'installe avec eux.

— Bonjour Nelle, lance Martin.

— Alors les étudiants ?

— Ils ont l'air normaux en tout cas.

— Ah bon ? Étonnant, ce n'était pas un convoi de chauves-souris ?

— Non. Ça, c'était hier.

On se met alors à rire tous les deux. Enzo reste silencieux, et fuit mon regard.

— J'y retourne à 14 h.

— Grosse journée, dis-moi.

— Théo va me tuer à la tâche.

Logan finit par arriver et s'installe à côté de moi.

— Alors bien dormi ?

— Pas assez.

— Demain, j'accueille les nouveaux, c'est au tour des loups.

— Besoin de moi du coup ?

— Non ils ne sont pas assez nombreux pour avoir besoin d'être deux.

— Je vais pouvoir dormir alors, c'est chouette.

— Voilà.

Lorsque mes autres amis se joignent à nous, l'ambiance arrive et règne rapidement. En seulement trois jours, j'ai réussi à sourire de nouveau et me sentir bien et à l'aise. Je profite de deux minutes de tranquillité pour prendre des nouvelles de Dagon « Moi : bonjour toi, tu reviens à Nelune nous voir quand ? » Sa réponse ne se fait pas attendre « Dagon : je suis en route là ! » Mon cœur accélère d'un coup. Il vient vraiment ? Je regarde Jacob, pourquoi il ne me l'a pas dit ? Jacob tourne la tête vers moi en me voyant le regarder. Il me lance un petit sourire et continue de manger tout en discutant avec Romain.

— Allez, Nelle, encore à nous de jouer, me dit Théo.

Et c'est reparti pour deux bonnes heures à faire visiter des étudiants. Mon cœur bat à toute allure en voyant Jacob Logan et Dagon ensemble, posé sur un banc pas très loin de l'immense fontaine au centre du jardin. Dagon me voit et me fait un signe de tête. Mon Dieu, qu'il est beau ! Arrête de mater, Nelle. Dans quelques minutes, tu as fini et peut-être qu'il aura envie de passer un peu de temps avec toi.

La première chose que je fais après avoir libéré les élèves et de regarder mon téléphone. Mince pas de message, je suis déçu. Je vais vers eux et me tape l'incruste ? En temps normal, j'aurais choisi cette option, mais là j'avoue ne pas oser. Tu es nulle ma pauvre fille. Ce sont tes amis, ils ne diront rien, enfin, je suppose !

Bon ben, je suis seule devant le dortoir professeur et je ne sais pas quoi faire.

— Tu as fini ? demande cette voix que j'aime tant.

Je sursaute je l'avoue et me retourne. Il est tout sourire, mains dans les poches à me regarder.

— Bonjour, dis-je timidement.

Bonjour ? tu n'as rien trouvé d'autre à dire ? Tu es pitoyable, ma petite Nelle.

— Bonjour à toi aussi, répond Dagon en souriant.

— Vas-y moque toi !

— Moi ? Non jamais.

Je lui souris et croise les bras.

— Tu as envie de parler de la pluie et du beau temps avec moi ? propose Dagon.

— Pourquoi tu es là ?

— Parce que j'étais inquiet Nelle, pour toi.

— Rassure-moi, tu n'as pas croisé Enzo ?

— Non, pas encore. Ça ne m'étonnerait pas qu'il se cache, ce lâche.

— Tu penses qu'il a peur de toi ?

— Je lui ai déjà mis une raclée une fois.

— Pourquoi ?

— Il n'a pas utilisé les bons mots en parlant de toi.

Mince je ne sais plus ou me mettre là. Ça me touche tellement.

— Tu ne vas pas avoir d'ennui à être ici ?

— Non aucun.

— Mais elle est au courant que tu es là ?

— Qui ça ?

— Ta relation compliquée.

J'adore le sourire qu'il me fait.

— Oui, elle le sait.

— Elle ne va pas t'en vouloir ?

— Aucun risque.

— Bon tant mieux.

Pourquoi est-ce que je suis idiote quand je m'adresse à lui ? Je n'étais pas comme ça avant si ?

— Tu as envie de faire quoi, ma belle ?

— Tu veux passer ton temps avec moi ?

— Maintenant que je suis là, autant en profiter.

Pour le coup, le sourire qui se dessine sur mon visage confirme que j'en meurs d'envie. Mais je ne sais pas pour autant quoi faire.

— Tu veux faire quoi alors ? insiste Dagon.

— Aucune idée.

— Tu dois toujours m'apprendre à jouer au billard.

— Avec plaisir.

Il approche enfin de moi et me prend dans ses bras. Ça m'arrange qu'il ne fasse que ça, je n'étais pas prête à plus, et surtout en public.

Nous allons ensemble dans la salle de jeu et c'est parti pour un bon moment à rire à en pleurer. Les autres nous ont tous rejoints au fil du temps. J'ai été défié par tout le monde et je reste imbattable, comme quoi, même après 3 ans sans avoir tenu une queue entre les mains. Une soirée pizza devant l'écran géant du dortoir, le premier film est à mourir de rire. En revanche quand le deuxième commence et que c'est celui que j'avais regardé avec Aidan dans la chambre de Scarlett, mon visage se décompose. Des larmes ont envie de franchir la barrière de mes yeux.

— On va monter si tu veux bien, chuchote Dagon à mon oreille.

Je fais un oui de la tête et après un « bonne nuit » aux autres, je me relève et file dans ma chambre, suivi de près par Dagon. Il rentre avec moi dans mon appartement et ferme la porte derrière lui.

— Tu m'expliques ?

— Rien.

— Allez, je suis là pour toi.

— Ce film d'horreur.

Et voilà je fonds en larmes devant lui. Au moins, j'ai le droit à son câlin.

— En espérant que mon odeur te remotive un peu.

— Merci d'être là.

— J'ai passé une très bonne soirée près de toi.

— Moi aussi.

— Nelle ?

Je sens une question don je n'ai pas envie de répondre. Donc esquive là au plus vite.

— C'est le dernier film d'horreur que j'ai vu avec Aidan, dans la chambre de Scarlett. Et d'avoir revu le début m'a brisé le cœur.

Il recule et essuie les quelques dernières larmes qui ont réussi à sortir alors que beaucoup avez cessé de le faire.

Il me sourit et embrasse mon front.

— Tu as besoin d'être seule, je pense, ou du moins pas avec moi.

— Pourquoi tu dis ça ?

— Parce que tu es encore perdu dans ta tête n'est-ce pas ?

— Oui.

— Tu veux que je t'envoie Scarlett ?

— Mattieu plutôt.

— Tu vas passer ta nuit avec lui ?

— Ça n'était pas dans mes projets non.

— Très bien, je t'envoie le glaçon.

Je lui souris et le prends dans mes bras et pose ma tête dans son cou.

— Tu sens vraiment trop bon.

— Merci, mais ça veut dire part vite sinon je vais plus pouvoir te laisser partir ?

— C'est l'idée oui.

Il s'éloigne et après un bonne nuit et à bientôt, il quitte ma chambre. Je fais les cent pas en attendant que Mattieu arrive. Quand sa frappe à ma porte j'espère de tout cœur que c'est lui.

— Dagon !

— Il est parti vider une jeune vierge de son sang.

— Hein ?

Il me sourit et entre dans ma chambre. Je regarde sa main et il a un sac à dos.

— J'ai envie de passer ma nuit avec toi.

— Tu ne l'as pas cherché avoue ?

— Non, je suis allée me doucher pour y réfléchir.

— Réfléchir à quoi ?

— Au faite que je ne veux te voir avec aucun autre homme que moi.

— Dans ce cas, dors avec moi si ça te fait plaisir.

— Tu veux dormir avec moi dans quel but ? Juste pour mon plaisir personnel ? Ou parce que tu en as envie ?

— Je ne me sens pas prête à être en couple, à officialiser quoi que ce soit, à ouvrir mon cœur, et même si j'ai adoré ce qui s'est passé entre nous l'autre jour, ça ne change rien à mes craintes.

— Dans ce cas, continuons à nous apprivoiser et on verra avec le temps.

— Ça me va.

Il pose son sac et me prend dans ses bras. Mince ?

— Dagon ?

— Si tu oses dire que je pue je te bouffe.

J'explose de rire et le repousse.

— Tu ne sens pas toi, c'est quoi cette odeur ?

— Va dire ça à Jacob, son gel douche pu c'est infect.

— Celui pour tuer les puces ?

Je me retiens de rire pour le faire marcher, et ça semble fonctionner vu sa tête. Je ne tiens pas longtemps et j'explose de rire de nouveau à en pleurer cette fois. J'ai une douleur folle aux ovaires tellement je rigole.

— Tu m'as fait peur Nelle.

— Va te laver stp, cette odeur ne te va pas.

— Chef, oui, chef.

Je lui souris et le laisse aller se laver. J'en profite pour aller me laver de mon côté. J'enfile un de ses nouveaux tee-shirts laissé et pars le rejoindre sous la couette ou il m'attend déjà. Je m'endors en une fraction de seconde. De nouveau, il doit partir rapidement, cette fois-ci aucun échange physique, juste un énorme câlin et un bisou sur le front.

La semaine passe super vite par chance. J'ai eu des nouvelles de Dagon chaque jour, et à aucun moment il n'a parlé de notre dernière conversation. Je suis déçue forcément qu'il n'insiste pas, mais en même temps nous avons convenu d'y aller en douceur, je pouvais m'attendre à quoi ? Nous sommes vendredi et le dernier bus de la semaine est arrivé. Les élèves sont installés et pour l'instant ils profitent en grande partie du lac ou de la piscine.

Je suis posée dans l'herbe et bouquine.

— Bonjour professeur.
Je relève la tête et reconnais Morgan.

— Bonjour Morgan.
— J'aimerais que vous commenciez à m'entraîner rapidement svp professeur Oksane.
— On commence dès la semaine prochaine, c'est déjà prévu.
— Pourquoi pas maintenant ?
— Parce que ce n'est pas le moment.
— Et pourquoi ça ?
— Parce que la rentrée et la semaine prochaine et que j'ai envie de bouquiner un peu.
Il finit par s'asseoir à côté de moi.

— Vous êtes vraiment la Nelle dont tout le monde parle ?
— Je m'appelle bien Nelle en effet.
— Vous ne voulez pas répondre ?
— Tu veux savoir quoi au juste ?
— Si vous êtes aussi forte que tout le monde le dit. Si vous avez tué ceux qui sont morts il y a trois ans et des tas de guerriers il y a quatre ans.

— Je n'étais pas seule, beaucoup de personnes m'ont aidée et ont perdu la vie.

— Mais vous, vous êtes encore là, vous êtes tellement balèze.

— Non je ne suis pas très balèze, mes dons oui en revanche.

Il me sourit.

— Pierrick n'est pas aussi méchant que ça, il veut juste nous protéger, et se protéger. Être ainsi lui permet de ne pas s'attacher.

— Pourquoi me racontes-tu ça ?

— Parce que je vois bien que vous ne l'aimez pas.

— Je n'ai rien contre lui Morgan, je n'arrive juste pas à comprendre pourquoi il me parle comme ça. Il ne me connaît pas et me juge. Et avec ce genre d'attitude, je ne suis pas convaincue que quelqu'un puisse avoir envie de l'aimer.

— Non c'est certain.

Il se met à rire.


— Bon, je n'aurais pas d'entraînement aujourd'hui alors ?

— Au moins, tu as le mérite d'être coriace.

Une explosion dans la forêt retentit alors.


— Jeremy est là-bas, professeure.

— Quoi ? Mais pourquoi il est dans la forêt ?

— Il est parti roucouler avec une étudiante vampire.

— Reste là, je vais les chercher.

Quand je pars en courant en direction de l'explosion les professeurs sortent tous juste de l'eau. Je cours quelques minutes et arrive près de la fumée. J'ai besoin d'Alex pour trouver les deux étudiants. Il apparaît de suite et m'emmène là où ils sont cachés.

Ils sont complètement affolés et de là où ils sont, il y a de quoi l'être. Ils ont une vue directe sur des démons, un portail vient d'apparaître et une quantité importante en sort rapidement. Ils sont bien trop nombreux pour moi toute seule. Je m'agenouille vers Jeremy et la vampire et leur fais signe de se taire. Je n'aurais jamais imaginé qu'ils puissent ressembler à ça, je m'imaginais plein de diables avec des cornes partout, et pas du tout. Ils sont très grands, bien plus grands que Benjamin ou Call, et incroyablement costaud. Ils ont des yeux qui font flipper, ils sont injectés de rouges et leur peau est très foncée. Leurs visages semblent défigurés, couverts de taches et de cicatrices. Je ne sais pas si ce sont leurs carrures ou leurs visages qui me font le plus peur.

Un bruit pas loin de nous interpelle un démon, hey merde.

Je pose un doigt sur ma bouche pour faire comprendre à Jeremy et la fille de ne pas faire de bruit.

J'envoie alors une boule d'énergie à une cinquantaine de mètres plus loin et le démon semble changer de direction. Ils sont une bonne trentaine à être apparus quand le portail se ferme. À vue d'œil, seulement vingt bons mètres nous séparent. Ce sont les arbres qui nous cachent. Jeremy pousse un cri de surprise en voyant Alex apparaître. Je vois que je vais avoir du boulot avec lui si une simple apparition le fait crier.

Un démon semble l'avoir entendu, car il s'approche de nous.

— Fuyez ! ils sont bien trop nombreux, Nelle, me dit Alex en montant le ton de sa voix.
— C'est un esprit ? demande Jeremy.

— Levez-vous et partez rapidement, et en aucun cas vous ne devez vous retourner, dis-je en essayant d'être la plus autoritaire possible.

— Et vous, professeur ?

— Partez, bordel !

Ils me font un signe de la tête et filent. Les démons sont rapidement face à moi. Ils sont encore plus impressionnants d'aussi prêt. À côté, les guerriers sont des anges. Qu'est-ce que je ne donnerai pas pour être devant Louis Agonis là plutôt que devant eux ? Est-ce qu'ils parlent notre langue ? Je reste là quelques instants. Deux d'entre eux finissent par se regarder puis se mettent à parler dans une langue incompréhensible pour moi. Leurs yeux se tournent dans ma direction pour me regarder de la tête au pied. OK même dans ma langue je pense comprendre. L'un d'entre eux s'approche avec un regard de prédateur. Je me mets par réflexe dans ma bulle et recule légèrement et fais un non de la tête. Le démon reprend alors son mouvement vers moi et touche ma bulle. Son regard devient bien plus méprisant et dure quand il se prend une décharge. Il fait signe derrière lui et trois démons s'approchent à leur tour. Au moins eux ne me provoquent pas de tétanie. Je dois trouver une solution pour fuir et rapidement. J'envoie une onde suffisamment forte pour que ça les stoppe. Ça a le mérite de fonctionner quelques secondes. Je continue à reculer tout en envoyant d'autres boules d'énergie. Un arbre finit par me stopper. Bon je n'ai pas le choix je dois tous les faire tomber à terre et partir en courant. Je pose mes mains contre l'arbre et j'espère réussir à lui prendre un peu d'énergie.

« Stp, aide-moi, allez ! j'ai vraiment besoin de toi pour le coup. »

Une énergie semble alors m'envahir à une vitesse impressionnante ce qui me permet de canaliser une onde bien plus puissante. Elle part en avant et s'abat de plein fouet sur les démons. Ils tombent tous à terre et j'en profite pour partir à toute vitesse. Je cours quelques instants sans me retourner et une main m'agrippe et me tire derrière un arbre. Je commence à me battre quand je reconnais le visage de Pierrick. Il est là et me regarde, il met un doigt sur ma bouche et me colle contre l'arbre et se rapproche davantage de moi. Une aura autour de nous apparaît. Nos corps sont complètement collés et son visage est à quelques centimètres du mien. Son expression est indéchiffrable, je sais juste que je dois rester là sans bouger. J'aperçois les démons passer à côté de nous en courant et ne semble pas nous voir. En les voyant passer, Pierrick se colle davantage et pose ses bras à côté de ma tête contre l'arbre. Nous restons là je ne sais pas combien de temps. Je sens les battements de son cœur à travers mes habits. Nous sommes tout proche du campus et j'espère que les démons ne sont pas allés là-bas. Je ne voudrais pas que mes amis soient en danger. Pourvu que Jeremy et la vampire soient revenus sans soucis. Je n'arrive pas à me rassurer il faut qu'on bouge d'ici et vite. Il finit par me relâcher et me prendre par la main et me fait courir à travers la forêt. Quelques minutes après, nous sommes de nouveau sur le campus et aucune trace de démons ici.

— Tu vas bien, Nelle ?
Est-ce que j'ai bien compris sa question ?

— Nelle ? insiste Pierrick.
— Ça va oui, merci pour ton aide.
— Tu as pris des risques en y allant seule.

— Sache que c'est mon passe-temps préféré.

— Merci d'être allé aider mon frère.

— Je ne laisserai jamais qui que ce soit en danger sans avoir essayé de l'aider.

Pierrick me regarde bizarrement du coup, mince il me prend pour une suicidaire ?

Mes amis finissent par arriver vers nous ce qui m'arrange et pas qu'un peu. Ce tête-à-tête avec lui, même si là il a été sympa, ne me va pas.

— Tout va bien, Nelle ? demande Logan.

— Oui, mais une trentaine de démons sont dans la forêt.

— Autant que ça ? ajoute Jacob.

— Malheureusement oui.

— Nous ne sommes pas assez nombreux pour les vaincre enchérit Théo.

— J'ai vu Nelle en action et je pense que c'est largement faisable si elle obéit à mes ordres, répond Pierrick.

Je ne préfère rien répondre, il m'a aidée cette fois-ci.

— Nelle ? m'interroge Martin.

— Très bien. Je veux bien y retourner.

— Allons-y dans ce cas, propose Pierrick.

Martin, Romain, Scarlett, Enzo, Théo, Pierrick, Jacob, Mattieu, Logan et moi courons là où était le portail. Apparemment, mon onde a tué quelques démons. Une petite dizaine ne se sont pas relevés.

— C'est toi qui as fait ça Nelle ? me demande Enzo.

— Oui, c'est elle ! répond Pierrick.

Quand je vois et sens Logan s'énerver approcher et donner un énorme coup de pied à un démon au sol, je me demande ce qui lui prend. Il se transforme d'un coup et donne de grands coups de croc.

— Stop, stop, stop ! hurle Mattieu en essayant de retenir Logan.

Logan tourne la tête vers Mattieu et je vois de la noirceur dans ses yeux. Une colère que je n'avais jamais vue.

— Logan, c'est ce monstre qui a tué Marie c'est bien ça ? demande Mattieu en se mettant à genoux devant Logan.

Logan grogne un coup et moi je réalise que oui c'est forcément ça, sa colère et son changement brusque de comportement. Lui qui est en général tout gai et jovial. J'ai de la peine pour lui, et je ne peux que comprendre sa réaction.

— À ta façon, tu viens d'avoir ta vengeance, mon petit Logan, dis-je en lui souriant amicalement.

Je m'approche à mon tour et me mets à lui gratouiller le museau.

— Ce monstre ne fera plus de mal à personne, mais il en reste encore plein dans la forêt et je sais qu'ils vont continuer à détruire de merveilleux couples. Et là, on a besoin de toi et de ta force, dis-je sans jamais détourner mon regard du sien.

Les secondes passent et son attitude et sa colère dans les yeux disparaissent. Il se remet sur ses jambes et avec Mattieu nous nous remettons debout. Je ne suis même pas surprise quand Mattieu prend Logan dans ses bras.

Du mouvement derrière nous nous oblige à nous retourner. Pierrick se rapproche de moi.

— Dès que je te le dis, envoie une onde aussi forte que tu pourras et ensuite maintiens-les au sol avec ton bouclier, me chuchote Pierrick à l'oreille.

— OK.

Les démons finissent par apparaître et nous dévisagent. Le même que tout à l'heure qui m'a regardé de la tête aux pieds me montre du doigt et me fait signe d'aller vers lui.

— Nelle j'ai l'impression que tu as la touche avec ce démon, lance Enzo.

— Géniale ça fait rêver.

— Ils doivent tous crever, dit Logan avec une voix méprisante.

J'espère que sa colère va jouer en notre faveur.

Le démon recommence à faire des signes et semble perdre patience. Il finit par s'approcher de moi et les autres démons en font autant. D'un seul coup, ils se figent tous et Pierrick, me dit maintenant.

J'obéis et lance une onde aussi forte que possible et les fais tous tomber à différentes distances de moi. Certains se cognent contre des arbres au passage, d'autres tombent dans des buissons d'orties et les autres tout simplement à même le sol. Comme convenu avec Pierrick, j'utilise mon bouclier pour les maintenir au sol. La violence de mon onde semble les avoir ressorties de leur état et ils se débattent, je ressens leurs forces à travers mon bouclier. Les professeurs ont déjà foncé sur eux et en tuent autant que possible.

— Je ne vais pas réussir à les maintenir encore longtemps comme ça, dis-je aussi fort que possible.

— Fais ce que tu peux, Nelle, répond Théo en criant à son tour.

Leur chef réussit à se libérer, se relève et bondit devant moi. Il me fait lâcher prise et les quelques démons encore vivants se relèvent. Il commence à vouloir m'en coller une, j'arrive à esquiver quelques coups et une main finit par rattraper une frappe et le fais voler en arrière. Mattieu ! Je sens alors quelqu'un me mettre quelque chose dans la main. Je comprends rapidement qu'on vient de me donner des fleurs. Leurs énergies m'envahissent à une vitesse impressionnante ce qui me permet alors de relancer une onde encore plus puissante que la précédente. Cette fois à part le chef aucun ne se relève. Il me regarde alors avec mépris et lève une main pour faire apparaître le portail et il disparaît à l'intérieur. Les démons morts disparaissent à leur tour.

— Pas de ménage à faire au moins, dit Romain.

— Retournons sur le campus. Propose Martin.

Par chance, personne ne semble blessé. Sur le chemin du retour, je sens que mon corps fatigue. En moins d'une heure, j'ai dû utiliser plus d'énergie que les 4 dernières années réunies. Mes jambes commencent à me lâcher. J'ai beau essayé de lutter, mais rien à faire je n'ai plus aucune force.

— Nelle ça va ? me demande Pierrick.

Son attitude me fait peur, pourquoi il change comme ça ? Et non ça ne va pas, je vais tomber sous peu. Je finis par m'asseoir à même le sol. Et baisse la tête.

— Je vais te porter, propose Pierrick.
— Non ne me touche pas.
Je vois alors Logan se transformer et s'allonger à côté de moi. Je lui souris et grimpe sur son dos.
— Ça faisait longtemps, dis-je tout en frottant le sommet de sa tête.
Je l'entends pousser un petit grognement en guise de réponse. Il se redresse et part en courant jusqu'au dortoir. De nouveau, il se couche par terre et Jacob qui nous suivait de près en forme de félin m'aide à me redresser et à me maintenir debout.

— Je vais te raccompagner dans ta chambre, fais une petite sieste.
— Je ne dis pas non là, merci, Jacob.
Je me retourne et regarde Logan.

— Ça va aller Logan ? demandé-je inquiète.
— D'une certaine façon oui, merci Nelle.
— Ma voiture est à ta disposition pour rouler tous les deux et parler quand tu en auras besoin.
Il me sourit légèrement et me fait un signe de tête. Je fais un signe de main à Logan et disparais dans les couloirs. Jacob m'aide à m'allonger et me couvre. Avant de partir, il embrasse mon front. Il est trop choux. J'espère qu'il va réussir à aller remonter le moral de Logan.
En l'espace de quelques secondes, je me suis endormi. Mon corps avait perdu l'habitude de dépenser autant d'énergie en

aussi peu de temps. Quand je finis par ouvrir les yeux, Aidan est là, devant moi, dans la pièce en esprit. 3 Ans que je ne l'avais pas vu et qu'il refusait de venir.

— Bonjour chaton.
— Aidan ? dis-je dans un murmure.

Il s'approche de moi et s'installe sur mon lit. Je sens les larmes couler sur mon visage. Avec sa main, il commence à les essuyer avec douceur. Je pose ma main sur la sienne pour faire durer ce moment précieux. Mon cœur passe par-dessus ma raison et je lui saute au cou et le serre aussi fort que je peux. Il me rend mon câlin, mais il y a quelque chose de différent, je le sens et j'ignore quoi.

— Pourquoi es-tu là, mon cœur ? Après tout ce temps.
— Il est temps que ta vie prenne une autre direction.
— Tu veux dire quoi par là ?
— Que tu ne peux pas continuer à vivre sans penser à toi, Nelan a besoin d'un homme, d'un repère, d'un père.
— Je ne veux pas te remplacer, je ne suis pas prête.
— Pourtant il est temps.
— Non c'est faux.
— Si chaton. J'ignorais que tu ressentais quelque chose de fort pour Dagon.
— Tu nous as vus l'autre soir ?
— Oui, et ton cœur s'est enfin remis à battre.
— Je ne sais pas ce qui m'a prise de faire ça.
— Tu avais besoin d'affection, et pour la première fois depuis longtemps tu as bien dormi.
— Aidan, tu m'avais promis de ne jamais me quitter.

Je fonds en larmes sur mon lit.

— Je ne suis pas sûre de pouvoir aimer de nouveau quelqu'un, j'aurais toujours terriblement peur d'être quittée où qu'il meure.

— Fais-moi confiance, quelqu'un de bien va rentrer dans ta vie j'en suis certain. Il faut que tu sois heureuse.

Il s'avance davantage de moi et plonge son regard dans le mien.

— Je ne sens plus ton cœur battre comme avant. Tu m'aimes, mais c'est différent.

— Tu n'aurais jamais dû t'éloigner de moi, j'aurais pu te protéger dans mon bouclier.

— J'ai fait ça pour que Nelan vive. Et si je n'y étais pas allé, Dagon serait mort. Et sûrement toi et moi ensuite.

— Tu m'as abandonné.

— Non et tu le sais, tu étais ma vie.

— Et toi la mienne, sans toi c'est beaucoup trop dur.

Les larmes refusent de s'arrêter de couler.

Il me prend alors dans ses bras de nouveau, et je pense comprendre, je ne ressens plus sa chaleur et mon corps ne frissonne plus sous son contact.

— Tu es revenu pour me montrer que mon cœur avait lâché prise sur toi ?

— Oui, tu dois redevenir la Nelle souriante et perdue que j'ai tant aimée quand je t'ai rencontrée. Ce côté sévère et sûr d'elle ne te correspond pas.

— Je veux bien essayer de changer, mais je ne me rends pas compte de ce que je dégage aujourd'hui.

— Tu vas réussir, j'en suis certain.

Je reprends Aidan dans mes bras et le remercie d'être venu. Sa présence m'a fait du bien et commence à me retirer ce poids sur la poitrine. S'il refusait de venir, ce n'était pas parce qu'il m'en voulait, mais sûrement pour que je l'oublie, que sa présence ne soit pas une torture supplémentaire. Il finit par partir et je décide de me lever et de me préparer avant de prendre la route. J'ai un message de Logan qui me dit qu'il ne pourra pas m'accompagner, qu'il n'est pas en état pour ça. Il a raison, il vaut mieux qu'il reste dans le campus, avec ses amis, tranquille pour oublier ce qu'il a vu et du faire tout à l'heure. Je lui réponds qu'il n'y a aucun souci et que je suis de tout cœur avec lui.

Tant pis j'irais seule.

Je me prépare quelques affaires et sors de ma chambre. Je sursaute en voyant Dagon, adossé au mur. Il est tellement beau. Mais il est là depuis combien de temps ?

— Dagon ? Mais qu'est-ce que tu fais là ?

— Nous sommes le week-end et je t'ai dit que je passais te voir non ?

— Tu as quelques heures d'avance, on avait dit samedi à 11 h non ? Je devais t'inviter à mon tour au restaurant.

— À quelques heures près, qu'importe ?

Je lui fais un grand sourire et m'approche pour le prendre dans mes bras. Je le sens me serrer et déposer un baiser dans mon cou.

— Comment tu te sens, ma belle ?

— Ça va là merci.

— Jacob m'a expliqué, je suis fier de toi, dit-il tout en caressant mon visage.

— Merci. C'est Logan qui m'inquiète.

— Il est avec Mattieu là, il va le prendre en main comme il l'a fait il y a un an et dans une semaine notre Logan sera de retour rassure toi.

— Je l'espère en tout cas, je ne l'avais jamais vu dans une telle colère, dans une rage, j'ai cru qu'il allait déchiqueter le corps du démon.

— Mattieu et toi aviez réussi à le calmer suffisamment pour l'arrêter et qu'il soit une aide précieuse ensuite pour le combat.

— Bon allez je vais te faire confiance et me dire que ça ne peut qu'aller mieux pour lui maintenant.

Dagon me sourit puis m'embrasse le front.

— Allez, direction chez les guerriers maintenant, lance Dagon.

— Tu m'accompagnes vraiment ?

— Oui.

— Merci infiniment.

— Je m'attendais à un tu n'es pas obligé, ou un non c'est bon je peux gérer seule.

— Il faut toujours avec un blondinet avec soit, ça peut être utile, dis-je en souriant.

Dagon explose de rire puis nous quittons ensemble le dortoir. Pierrick et Enzo sont là, assis sur un banc, juste devant le bâtiment avec un sac. Ils me regardent et me sourient.

— Enfin réveillé ? demande Pierrick.

— Oui.

— Ben go alors, ajoute Enzo.

— Vous m'accompagnez, c'est ça ?

— Exactement, répond Pierrick.

— Et tu n'as pas le choix, ajoute Dagon qui a sa main dans mon dos.

— Ça aurait pu être pire, j'aurais pu tomber sur les deux professeurs les plus imbuvables du campus.

Ils explosent de rire et Pierrick me fait signe d'avancer vers le parking. Dagon souhaite prendre sa voiture.


— Cette voiture est bien à toi cette fois ? Ou alors tu empruntes encore celle de quelqu'un.

Il me fait un grand sourire et un signe de tête.


— Je ne pensais pas que…

— Tu pensais que je conduisais quel type de voiture ?

— Pas une voiture familiale en tout cas.

— Je n'aime pas les voitures qui tapent à l'œil, je préfère ce genre de voiture qui allie la sécurité et le confort.

— Ça n'attire pas les jeunes minettes pour ton information.

— Tant pis pour moi !

Il me sourit et m'invite à prendre place à côté de lui. Je connais la route donc je serais copilote dans ce sens déjà. Nous démarrons et c'est parti pour plusieurs heures de route.


— Pourquoi c'est toi qui vas voir les guerriers ? me demande Pierrick.

— Deux d'entre eux sont mes amis.

— Amis ? Avec des guerriers ?

— Oui, et c'est une très longue histoire.

— J'ai trois heures devant moi.

— Sérieux ?

— Oui.

— Quand j'ai commencé ma première année, il y avait une guerre contre les guerriers. Et après plusieurs échecs pour me détruire, ils sont allés chez mes parents pour, disons, m'inciter à me rendre.

Je vois alors Pierrick se mettre à sourire.

— Et tu t'es livrée…

— C'est ça.

— Ensuite.

— Ils m'ont ramenée dans leurs chalets et m'ont retenue prisonnière quelques semaines.

— Ils te forcent à rester et tu deviens leur amie ?

— J'aurais pu tomber sur des guerriers qui m'auraient violentée et maltraitée. Au lieu de ça, ils ont été plutôt sympas. Et rapidement, je me suis attachée à l'un d'eux, et il m'a libérée puis son geste s'est su et on l'a recueilli au campus.

— Tu t'es attachée comment à lui ?

Mince ça m'embête de devoir raconter ça devant Dagon, même s'il connaît un bout de l'histoire tout de même.

— Alors ? insiste Pierrick.

— Amicalement au départ. Mais des sentiments sont nés quand il a rejoint le campus.

— OK, et pour l'autre ?

— L'autre est devenu mon ami quand il a détruit une personne qui m'avait fait beaucoup de mal et qu'il a également sauvé mes parents.

Il se remet à rire.

— Tu comptes rire à chaque fois que j'ouvre la bouche ?

— Ne te plains pas, je pourrai être imbuvable aussi.

— Tu parles de Smith ? Pour la personne qui t'a fait du mal ? demande Enzo.

— Oui.

— Smith ? Le vampire ? m'interroge Pierrick.

— Tu le connais ?

— Oui, il m'a appris à me battre il y a 10ans de ça. Il était froid, mais très sympa et puissant.

— Ah.

— Qu'est-ce qu'il t'a fait ?

— Ce n'est pas le moment de parler de ça.

Je me vois mal lui dire qu'il m'a violée et détruite de l'intérieur. Surtout qu'il a l'air de l'apprécier. Je vois alors son visage se crisper et un silence règne plusieurs minutes dans l'habitacle. Ce n'est pas possible, lui aussi ?

— Tu es quoi au juste Pierrick ?

— Télékinésiste.

— C'est-à-dire ?

— Je m'amuse avec le cerveau et l'esprit des gens.

— Tu sais faire quoi avec l'esprit au juste ?

— Lui faire penser ce que je veux, lui effacer la mémoire, lui bloquer l'accès à son esprit, enfin plein de choses drôlement utiles. Plus la personne est faible et plus c'est simple.

— Tu essayes sur tout le monde ?

— Non, mais j'interviens souvent pour faire oublier aux civils des choses qu'ils ont vues et qu'ils n'auraient pas dû voir.

— Encore plus efficace qu'une gomme.

— C'est l'idée.

— Mais il y a des conséquences de faire ça ?

— Pas si je n'efface que quelques minutes. Ça devient plus compliqué quand je dois supprimer plusieurs heures ou jours. Là, les personnes s'inquiètent et se posent encore plus de questions.

— Ajoute leur de faux souvenirs.

— Compliqué, car ces faux souvenirs pourraient causer des préjudices.

— Ah, en même temps ça me paraît logique.

— Tu vas t'y prendre comment pour les convaincre ?

— Je ne vais pas laisser le choix à Benjamin et Call.

J'entends Enzo rigoler derrière. Je vois Pierrick regarder Enzo puis se mettre à rire.

— Pourquoi tu es télékinésiste et très frères médiums ?

— Je suis médium également, mais celui de télékinésie n'est pas explicable, j'ai un ancêtre qui l'avait et il semblait que le don ait disparu avec lui.

— Faut croire que tes ancêtres portés les gènes sans le développer.

— Possible, mais mon don pas maîtriser peut-être un danger aussi bien pour moi que pour les autres.

— Ça doit faire drôle la première fois quand tu le découvres.

— C'est certain, je suppose que toi aussi tu as dû avoir peur la première fois que tu as vu un esprit.

— Très, et d'ailleurs certains me terrorisent encore.

— Tu es médium fais les disparaître, ou détruit les en fonction de ton type de pouvoir.

— Je perdais tout contrôle avant face à un esprit, ça va beaucoup mieux maintenant.

— Faire face à sa peur il n'y a pas plus formateur.

— Tu as fini de t'inscrire à certains cours du coup Nelle ? me demande Enzo en changeant de sujet.

— Oui, je n'ai pas pris sport déjà, je me suis contenté de ceux que j'estimai vraiment utiles. Pourquoi pas continuer à enseigner ensuite plus de matière si je valide mes acquis ?

— Du coup, tu auras des cours avec moi ?

— Il paraît que tu es toujours le meilleur en sophrologie.

— Exact.

— Qui enseigne le cours d'astrologie ?

— Le professeur qui devait le faire a refusé au dernier moment donc j'ai proposé mon aide jusqu'à l'arrivée d'un nouveau. Mais ça ne court pas les rues, me répond Pierrick.

— Pourquoi ils sont si peu nombreux ? demandé-je.

— C'est une science que peu de personnes croient.

— Et toi tu y crois ?

— Oui, j'ai étudié trois ans à l'époque et j'ai suivi des programmes à la fac. Dans mon ancien campus, j'ai enseigné une année. Mais tu verras l'enseignement ce n'est pas mon truc, ou du moins les élèves que j'ai eus ne m'ont montré aucune motivation ou envie, donc ça lasse.

— Je peux comprendre.

— Tu assistes donc à mon cours ?

— Oui.

— Si je ne me trompe pas, tu reviens après trois ans d'absence, il va falloir que tu te remettes à niveau.

— Oui, je compte bien prendre possession de la bibliothèque aussi souvent que possible.

— Tu en es ou niveau scolaire ?

— J'ai validé trois années de cours du soir aussi, mais ça m'a fait bizarre de retourner dans un monde normal ou on ne parle pas de sorcellerie en cours, mais plutôt de psychologie ou d'économie.

— Tu m'étonnes.

— Mais mon statut m'inquiète, je suis quoi ? Professeur ou étudiante, je loge avec vous, mais je dois aussi aller en cours, les étudiants doivent me voir comment aussi ?

Je vois la première fois Dagon tourner la tête dans ma direction et sourire.

— Le directeur t'a dit quoi ? me demande Dagon.

— J'ai un contrat de travail donc je suis salariée, je suppose, avant tout.

— C'est comme ça que les élèves doivent te voir. Et avec nous, tu seras bien mieux que seule chez toi, répond Enzo.

Leurs changements d'attitude me sidèrent, comment est-on passé à des personnes imbuvables à deux professeurs sympas et à l'écoute. Je ne veux pas gâcher ce bon moment ou je me sens bien et en sécurité avec eux. J'ignore lequel des deux me fait ressentir ça, mais une aura sereine plane ici.

— C'est sympa en tout cas de m'accompagner, non pas que je risque quoi que ce soit là-bas.

— Une femme seule au milieu de tout un tas d'hommes ? lance Pierrick.

— Pour information, vous êtes trois hommes également, donc ça en rajoute seulement trois au final.

— Oui effectivement pas faux, je n'y avais pas pensé sous cet angle.

— Benjamin et Call ne me feront jamais rien.

— Comment peux-tu en être sur ? m'interroge Enzo.

— J'ai souvent dormi avec eux et ils n'ont jamais rien tenté.

— À l'époque peut-être, mais tu as changé là, ajoute Enzo.

— D'après tous les retours, pas en bien apparemment.

Ils se mettent alors tous à rire.

— Nelle sérieux, lance Dagon tout en souriant.

— Si tu le dis, renchérit Pierrick.

— Quand est-ce que tu vas apprendre à ne pas écouter les gens et à te regarder dans un miroir ? ajoute Enzo.

— Jamais. J'ai beau dégager un côté sur de moi et prétentieuse il n'empêche que c'est loin d'être le cas. Je suis bien au contraire pleine de doute et je déteste l'image que je vois dans un miroir.

— Martin Romain et Théo ont ressenti ce côté sur de toi. Mais moi j'ai vu ce côté encore plus perdu et malheureux. Tu étais pareille quand tu es arrivée il y a 4 ans sur le campus. Sur la défensive et hargneuse, répond Enzo.

— Je ne mords pas pourtant, hein.

— Dommage.

Je me mets alors à rire.

Ça doit faire plus d'une heure que nous roulons et nous nous arrêtons un peu pour manger et faire le plein. Une fois repartie j'en profite pour envoyer un message à mes parents pour prendre des nouvelles de Nelan. Ils me répondent rapidement et me disent qu'il va très bien, et ils en profitent pour m'envoyer des photos de lui.

Je vois Dagon tourner la tête vers mon téléphone.

— Il est vraiment craquant.

— Merci.

— Je peux voir ? demande Pierrick.

Je lui donne mon téléphone.

— Il a tes yeux, mais pas tes cheveux.

— Non par chance il a la couleur de ceux de son père.

— Par chance ? Être brun ça n'a aucun charme.

— Être roux c'est loin d'être beau.

— Je sens que tu t'es fait embêter avec ça.

— Énormément. Tiens d'ailleurs, comment va ta sœur ? demandé-je à Dagon en tournant la tête.

— Face de putois va bien merci, répond-il en souriant.

Il se souvient de ça ? En y repensant, ce n'était pas très gentil de ma part de l'appeler comme ça.

— Le rapport ? demande Enzo.

— Elle s'était bien moquée de moi et de mes cheveux en première année.

— C'est dommage, c'est joli et rare, renchérit Pierrick.

— Rare, oui je confirme.

— Et là, il est avec son père ?

— Non, son papa est décédé.

— Désolé.

— Tu ne pouvais pas le savoir.

— Au moins, il te reste un petit bout de lui.

— Oui, j'ai la chance que Nelan soit encore là.

Je vois régulièrement Dagon me lancer de petits regards. Je suis aux anges qu'il soit là avec moi. Je suis bloquée sur lui quand il tourne la tête et qu'il me sourit. Je lui rends, mais je n'ai pas envie de regarder ailleurs.

Nous nous arrêtons alors de parler jusqu'à l'arrivée. Je me souviens de la route et reconnais le manoir.

Ma poitrine se resserre en arrivant. Des images d'Agonis et de guerriers me reviennent en mémoire. Toute la violence et la haine qui se dégageaient de cet être. Deux guerriers sont postés devant l'entrée. Nous avançons, je prends alors le bras de Dagon, il tourne la tête puis pose sa main dans mon dos.

— Tu ne risques rien, Nelle.

— Je sais.

— Qu'est-ce que vous faites là ? demande un des deux guerriers.

— Je suis venue voir Call et Benjamin.

— Vous n'avez rien à faire ici, allez-vous-en ou on vous dégage de force, me menace le même guerrier.

— Benjamin est à l'intérieur, je vais t'emmener Nelle, ajoute le deuxième guerrier.

— Quoi ? Tu n'es pas sérieux là, j'espère, demande le premier.

— Elle m'a sauvé la vie il y a 5ans.

— Ah bon ? demandé-je.

— Je fais partie des trois guerriers que tu as laissé partir.

— Ravis de voir qu'Agonis ne t'a pas tué en te voyant revenir.

Il me sourit et ne répond rien. Je me souviens bien de cette histoire, ou j'étais tellement mal dans ma peau que j'ai refusé de tuer qui que ce soit. Quelques minutes avant, je m'étais pris un coup en plein visage par un guerrier et ça m'avait plus choqué qu'autre chose.

— Tu peux nous emmener voir Benjamin, stp ?

— Suivez-moi, je vous accompagne.

Je déteste cet endroit, j'ai l'impression de subir la même torture physique que la dernière fois, je le revois me mettre de force sous la douche, sous cette douche gelée. Mon corps se met à trembler de partout. Dagon le voit et m'arrête.

— Ça va ?

— Juste de très mauvais souvenir qui remonte.

— Tu veux attendre dehors ? Et je ramène Benjamin et Call à l'extérieur.

— Non ça va aller, il paraît que je suis forte non ?

— Tu es la meilleure de toutes, répond mon beau blond en m'embrassant le front.

Le guerrier nous fait traverser l'immense salle à manger et nous arrivons dans une cuisine. J'aperçois alors Benjamin de dos.

— Maître, dit le guerrier.

— Une seconde, Jeff.

Ben alors tu n'écoutes plus dans les esprits ?

— Nelle !

J'explose de rire, et il finit par se retourner. Il me fait un énorme sourire et se lève pour venir me prendre dans ses bras.

— Toi ici ? Je rêve ce n'est pas possible.

— Apparemment non ce n'est pas un rêve.

Quelle joie de le revoir, je regrette de ne pas être venue avant ; sa présence m'aurait fait beaucoup de bien et j'en prends conscience que maintenant. Moi et ma manie de fuir tout le monde en pensant que c'est mieux.

Il serre la main à tous les présents et je présente Pierrick.

— Ravis de te revoir Dagon, dit Benjamin.

— De même, répond Dagon.

— Tu m'expliques pourquoi tu es là, Nelle ?

— On a besoin de toi.

— Pour ?

— Tuer les démons.

— Nelle, j'ai déjà refusé que mes hommes partent se battre et risquer de mourir.

— Nous sommes tous en danger, et pas seulement les gens avec des dons, des civils innocents aussi risquent leurs vies.

— Il y a déjà beaucoup de guerriers qui ont perdu leurs vies en combattant des morts.

— Je le sais, mais sans vous et votre force on ne pourra pas les vaincre.

— Nelle… je suis désolé.

— Je veux un avenir meilleur pour Nelan, je sais ce que ça fait de vivre dans une peur quotidienne. De me dire que je suis menacée en permanence par quelqu'un. Guerriers, morts, maintenant démons. J'ai envie d'être tranquille. Stp Benjamin, je sais que je t'en demande encore une fois beaucoup, mais sans toi on aura aucune chance.

Je vois bien dans son regard qu'il est en train de réfléchir. Mais sans son aide, nous sommes perdus. Et j'ai besoin de lui et de son amitié près de moi pour m'aider à supporter les difficultés à venir.


— Je ne te promets rien, mais demain midi je convoque tout le monde et on fera un vote.

— Merci, dis-je en lui sautant au cou.

— Rien n'est fait Nelle.

Même si je le sais que trop bien tant pis, je recule et lui fait un grand sourire.


— L'espoir revient un peu au moins.

Il me reprend dans ses bras et m'embrasse la tête.

— Où est Call ?

— Dans sa chambre.

— Tu m'emmènes ? À moins qu'il soit avec une fille.

— Non je pense qu'il est seul. Aucune fille n'est assez folle pour venir ici, à part des guerrières, et il n'en reste pas beaucoup.

— Je dois être folle alors.

— Sauf que le premier qui ose te toucher je le tue et ils le savent.

— Tu es au courant que tu as un guerrier devant la porte qui était prêt à me dégager ?

— J'irais m'occuper de ça plus tard.

— Apprends-lui juste à être sympa.

— Je t'emmène voir Call, et ensuite je vous montre ou vous pourrez passer la nuit si vous souhaitez dormir ici.

— Ça me va.

— Nelle, tu ne préfères pas trouver un hôtel ? me demande Enzo.

— Nous serons très bien ici.

Pendant qu'Enzo Dagon et Pierrick patientent dans la salle à manger, je suis Benjamin dans les couloirs et arrive devant une porte. Il me fait un sourire et me demande de frapper. J'entends alors une voix qui m'invite à entrer. J'ouvre la porte et me faufile à l'intérieur.


— Nelle, ce n'est pas vrai !

Call se relève de son lit et arrive à grande vitesse vers moi et me prend dans ses bras et me fais tourner sur place.


— Je suis heureuse de te voir.

— Pas autant que moi.

Nous nous sourions puis il me demande le motif de ma venue, je lui explique la même chose qu'a Benjamin et conclus pareil, on va devoir attendre demain le vote.

— Qu'est-ce que tu es devenue belle, c'est impressionnant !
— J'étais moche avant ?
— Très, oui.
J'explose de rire et le frappe.

— Tu fais plus femme et, comment dire ?
— Contente-toi de dire qu'elle est encore plus belle qu'avant, ça suffira, ajoute Benjamin.
— Ce qui se passe dans sa tête était aussi ?
— Oui, mais il a raison tu es à tomber ma petite Nelle.
— Ce n'est qu'une coupe de cheveux, je suis la même chieuse qu'avant.
Benjamin reste là les mains dans les poches à me regarder. Nous finissons par aller nous poser dans le salon pour discuter. Je leur montre des photos de Nelan et on parle de ma nouvelle mission, enseigner mon don. Benjamin et Call me promettent que même si les guerriers ne viennent pas aider, eux deux viendront quoi qu'il arrive pour me voir aussi souvent que possible le week-end et aussi aider contre les démons. J'en suis ravie d'avance.

— Tu es vraiment devenu le maître des guerriers ?
— Oui.
— Benjamin le chef, ça claque.
— Ce n'est pas vraiment mon truc.
— Je me demande quelque chose, tu es un chef comment ? Sévère ?

— Ce n'est pas comparable avec Agonis, mais Benjamin sait très bien se faire respecter, répond Call.

— Je n'en doute pas une seule seconde.

Pierrick et Enzo n'auront quasiment pas parlé de la soirée. Dagon qui connaît bien mes deux guerriers préférés aura bien papoté et rigolé avec eux. Call et Benjamin finissent par nous raccompagner dans des chambres respectives.

Pierrick et Enzo sont dans deux chambres l'une à côté de l'autre. Et Dagon est dans une chambre à côté de celle de Call et apparemment de la mienne. Mais quand je rentre à l'intérieur, vu l'état de la pièce ça me fait peur de soulever les draps.

— Ça manque de femmes de ménage ici, dis-je en rigolant.

Ils explosent de rire, et Benjamin me propose de prendre son lit et qu'il dormira dans le salon.

— On t'attendait pour faire le ménage justement ma petite Nelle, dit Call en me frottant la tête.

— J'en ai pour trois mois pour tout nettoyer la. Et encore, je suis très optimiste.

— Quand même pas non.

— Pas loin si.

Call finit par rejoindre sa chambre et moi celle de Benjamin, et tout de suite c'est nettement plus propre.

— Ah ben voilà une chambre ou j'ai envie de dormir.

— Je vais te laisser dormir tranquillement.

— Tu peux rester tu sais, on a souvent dormi ensemble hein.

— Tu es sûr ?

— Ben oui, quelle idée ! Et puis je suis tellement contente de pouvoir discuter avec toi et te voir.

Nous nous allongeons après nous être changés.

— Tu as quelqu'un dans ta vie ? demandé-je curieuse.
— Non pas depuis peu.
— Ah ?
— J'ai fini par la quitter, je n'arrivais pas à m'attacher.
— La pauvre, c'était une guerrière ?
— Non.
— C'était une humaine ? demandé-je d'une voix curieuse.
— Oui.
— Mais je croyais que tu avais peur de…
— Faut croire que j'ai mûri.
Je lui souris et ne réponds rien.

— Et toi ?
— Non, je n'ai personne dans ma vie à part Nelan.
— Pourquoi ?
— Je n'étais pas prête à redonner mon amour et mon cœur.
— Maintenant si ?
— Je me rends compte que je commence à aller mieux, mais ça ne veut pas dire pour autant que j'ai envie de quelqu'un dans ma vie.
— Je comprends, tu as dû souffrir pas mal à la mort d'Aidan.
— Énormément. Je pense qu'aucune autre douleur n'est comparable à celle quand on perd la personne qu'on aime le plus au monde.
Il approche sa main et me caresse le visage. Je pose la mienne sur la sienne et lui souris.

— Vous repartez à quelle heure demain ? m'interroge Benjamin.
— Je ne sais pas, on n'en a pas encore discuté.

— Vous pouvez passer votre week-end ici sans problème.

— Vous êtes combien de guerriers maintenant ?

— Au total sous mon ordre je dirais 1 000, et qui habite ici 300. Grégoire s'occupe d'un autre territoire et en a environ 250 sous son ordre. Je pense qu'au total nous sommes encore 1 500 guerriers adultes.

— Ah oui quand même. Et les autres sont où ?

— Beaucoup sont partis en espérant se créer une nouvelle vie, mais ils doivent revenir si je les appelle. Ils ont un engagement depuis la naissance et ils ne pourront jamais le trahir.

Je sens mes yeux se fermer.

— Je suis désolée, mais je pense m'endormir bientôt. La route m'a plus fatiguée que je ne le pensais.

— Dors, ma belle, on discutera demain.

Il avance son visage et plonge son regard dans le mien. Nos bouches ne sont qu'à quelques centimètres l'une de l'autre.

— Nelle, repousse-moi si tu ne veux pas que je t'embrasse.

— À une époque, tu ne me le demandais pas.

Il saisit alors ma bouche avec désir, en l'espace d'une seconde mon corps entier réagit à son baiser. Je passe mes bras autour de sa nuque et le rapproche davantage de moi. Il se positionne entre mes jambes et continue à m'embrasser avec fougue. Tout un tas de vieux souvenirs de nos échanges me revient en mémoire et encore plus quand je le sens onduler contre moi.

— Arrête-moi Nelle, dis-moi que tu n'as pas envie de moi.

— Je meurs d'envie d'aller plus loin, mais je ne veux pas m'attacher à toi de nouveau, ce sera inévitable. Et si derrière tu n'assumes pas tes actes, je serais anéantie, j'ai Nelan maintenant, je ne suis plus seule.

Ça aura le mérite de le faire s'arrêter.

Il me sourit et rapproche sa bouche de la mienne et dépose un baiser beaucoup plus doux.

— J'aime toujours autant t'embrasser, me dit Benjamin en caressant ma bouche.

— Tu es capable d'avoir de la retenue alors ?

— Oui.

— Mais ça te comble tout de même totalement ?

— Bien sûr.

— Tant mieux.

Je me relève et m'apprête à sortir de la chambre.

— Tu vas où ?

— Dormir dans une autre chambre, c'est plus raisonnable.

— Je ne te toucherai pas, Nelle.

— Je sais.

Il n'essaye pas de me rattraper et j'avance dans le couloir, hésitante. Une montée de larmes me prend, je les retiens de toutes mes forces, Benjamin a clairement arrêté de m'embrasser quand j'ai parlé de Nelan, il était prêt à coucher avec moi, mais pas aller plus loin dans une relation, il m'a prise pour quoi au juste ? Je vais aller dormir avec Dagon. Si je dors avec Call il va se demander pourquoi j'apparais que maintenant et avec qui j'étais et pourquoi j'ai fui. Sans compter qu'il va ressentir mes émotions. Et je n'irais pas avec Enzo, je n'ai pas confiance en lui. Puis Pierrick et moi nous commençons tout juste à nous supporter. Le canapé du salon n'est clairement pas sécurisé. Je m'avance vers la porte de Dagon et toc. J'attends plusieurs secondes et il finit par l'ouvrir. Bien évidemment, il est en bas de pyjama, et uniquement en bas. Il semble surpris de me voir là.

— Désolé de te déranger.

Les larmes se mettent alors à couler sans m'en rendre vraiment compte, il se décale pour me laisser entrer et ferme la porte derrière moi.

— Qu'est-ce qu'il y a, ma belle ?
— Je ne peux pas.
— Il va falloir pourtant.

Il me prend par la main et me fait m'installer sur le lit puis se mets à accroupi devant moi. Ses mains sont posées sur les miennes et me les caressent avec douceur.

— La chambre où je dois dormir est dégueulasse.
— Je doute que tu pleures à cause de ça.
— Du coup, Benjamin a proposé que je dorme dans son lit.

Dagon se relève d'un coup et commence à s'énerver.

— Il t'a touché ?

Je me redresse à mon tour et pose mes mains sur son torse.

— Non, non, pas du tout.

Mon corps frissonne à se contact. Je sens le cœur de Dagon s'accélérer ainsi que son torse se bomber plus souvent. Il me regarde d'une façon que je ne peux décrire, c'est si profond et intense.

— Il m'a juste embrassé, et quand il a voulu aller plus loin je l'ai stoppé. J'ai parlé de Nelan et…

— Et ça l'a refroidi ?

— Oui.

— Nelle, je ne sais pas ce que je dois faire là ! me barrer, te crier dessus ou te détester.

— Quoi ?

— Nelle, pourquoi m'avoir laissé faire si une semaine après tu laisses faire Benjamin aussi ?

Il veut que je réponde quoi à ça ? Je l'ignore moi-même.

— Nelle, j'attends vraiment une réponse là.

Je vois bien dans son regard que là il a envie de me hurler dessus et qu'il se retient !

— Je n'ai pas de réponse à te donner.

— On n'est pas des jouets Benjamin et moi.

— Je n'ai jamais prétendu ça.

— Nelle tu ne peux pas faire ça, tu penses une seule seconde à ce qu'on peut ressentir nous ?

Il a raison et je m'en veux tout à coup.

— Tu comptes faire quoi maintenant ? Tenter ta chance avec Call ? Tiens essaye avec Jacob ou Logan aussi non ?

— Dagon !

— Quoi ? dit-il sur un ton énervé qui ne lui ressemble pas. Ou du moins pas contre moi d'habitude.

— Ne me dis pas ça, pas toi.

— Non moi je suis uniquement bon pour te réconforter et te combler tes envies de cul c'est bien ça ? Je n'ai pas eu le droit au test de Nelan pour me freiner moi ?

Ce qu'il vient de dire concernant Nelan, c'est vrai. Je ne l'ai pas stoppé en lui parlant de mon fils, et j'ignore pourquoi. Ce qui est sûr c'est qu'il vient de me faire énormément de peine dans ses paroles. Des larmes commencent à envahir mes yeux puis mon visage.

Je lui fais non de la tête et commence à rejoindre la porte.

— Nelle, attends, je suis désolé.

— Non tu ne l'es pas, malheureusement.

— Reste, je t'en prie.

Il approche de moi et me prend dans ses bras et pose sa tête dans mon cou.

— Tu es en couple Dagon, tu m'as embrassé et tout le reste alors que tu es avec quelqu'un, est-ce que tu imagines une seule seconde ce que moi j'ai pu penser ?

— Tu as toujours réponse à tout hein ?

Il me sourit en disant ça.

— Tu ressens quoi pour Benjamin ?

— Seulement une forte amitié, mais je sais que s'il essaye d'aller trop loin je pourrais de nouveau m'attacher et souffrir.

Par pitié, ne me demande pas pour toi, je t'aime, mais je suis incapable de te le dire.

— D'accord, c'était un accident de parcours alors.

— Si on veut oui.

— Ou alors une tentative de l'amadouer pour qu'il accepte de nous aider ?

— Non, je ne ferais jamais ça.

— On devrait dormir maintenant.

On reste encore là quelques instants à se regarder. Il est tellement beau. Je me force à ne pas baisser les yeux pour admirer son magnifique torse. Et puis merde, s'il ne voulait pas que je le regarde il aurait déjà mis un tee-shirt. Je le vois alors sourire quand je promène mes yeux sur lui.

— Nelle.
— Remets un tee-shirt si tu ne veux pas que je regarde.
— Mon corps te fait toujours de l'effet apparemment.
Je me sens devenir rouge de honte. Je perds mes mots et aucun son ne sort de ma bouche.

— Prends le lit, je vais aller sur le fauteuil.
— Non c'est bon.
Je pars m'installer sur le fauteuil. Dagon approche et me couvre. Après un baiser sur mon front, il retourne dans le lit et se met sous les couvertures. Je ferme les yeux et m'endors rapidement. Quand j'ouvre les yeux, je suis dans le lit avec Benjamin, et il est en train de me regarder, je suis nue et il semble écœuré par ce qu'il voit. Il se met alors à rire, et se moque de moi.

— Heureusement que je ne t'ai pas touché davantage, tu as vu ton corps ?
— Benjamin arrête, j'ai eu un enfant, c'est normal d'avoir changé.
— Ah oui c'est vrai que tu as un gamin maintenant, c'est dommage qu'Aidan soit mort, car plus personne ne voudra de toi maintenant.
— Je ne te reconnais plus, pourquoi tu es si dure avec moi ?

Je me mets alors à pleurer chaudes larmes, je ne comprends pas son attitude.

— Nelle, réveille-toi.

Je sens une main sur mon visage et j'ouvre les yeux. Les larmes coulent et mon corps entier tremble.

— Tu faisais un cauchemar, me dit Dagon tout en caressant ma joue d'un air inquiet.

Je m'agrippe alors à son cou et le serre fort contre moi. Il passe aussitôt ses mains dans mon dos et me serre un peu plus contre lui.

— Ça va aller ?

— Non.

Les larmes continuent de couler.

— Tu as envie de me le raconter ?

— Tu vas me prendre pour une folle.

— Ça s'est déjà fait.

— Ce n'est pas drôle.

— Allez, je t'écoute.

— C'était Benjamin qui se moquait de mon corps et du fait que je sois mère célibataire.

— Ça te travaille trop d'être rejetée.

— J'ai été rejetée toute ma vie, mais maintenant que Nelan est là je sens que c'est pire encore.

— Tu m'en veux toujours d'avoir rompu ?

Mince je ne peux pas lui répondre à ça, car bien sûr je lui en veux, bien sûr que j'ai ce blocage en moi qui m'empêche de lui sauter au cou et lui demander de m'accepter de nouveau dans sa vie et continuer là où nous nous étions arrêtés. Cet homme me plaît tant !

— Nelle, tu peux être sincère tu sais, je ne t'en voudrais pas.
— Oui, je t'en veux, mais plus autant qu'avant en tout cas.
Il me soulève et m'emmène sur le lit et pose la couette sur moi.

— Je vais prendre le fauteuil, tu seras mieux installé là.
— C'est trop te demander d'accepter de me prendre dans tes bras ? je sais que je ne le mérite pas.
Un sourire timide apparaît sur mon visage quand il se glisse avec moi sous la couette et qu'il m'ouvre son bras. Je finis par réussir à m'endormir blotti contre lui, contre sa peau chaude et son odeur propre à lui. Quand j'ouvre les yeux, je suis seule dans la chambre. Dagon n'est plus là mince. Je regarde ma montre et il est déjà 14 h, zut ! j'ai loupé la réunion et le vote. Je m'habille en vitesse et descends dans la salle à manger. Quand j'arrive il n'y a qu'une dizaine de guerriers d'installer ainsi qu'Enzo Dagon et Pierrick.

— Bonjour, dis-je timidement.
— Ça, c'est de la grasse matinée, lance Enzo tout en me souriant.
Je ne réponds rien et souris.

— Et encore heureusement, que tu n'as pas commencé le ménage dans le manoir, ajoute Call.
— Jamais de la vie ! tu peux te sortir cette idée de la tête de suite.

— Tu n'es pas très conciliante, moi qui te pensais gentille et serviable

— Je ne suis pas la petite main de ses messieurs.

— Et dire que j'allais te demander en mariage, c'est mort, tu n'es pas bonne à marier.

Pas de chance pour lui, mais il se prend un coup à l'arrière de la tête.

— Saloperie de guerrier sans cervelle, tiens.

— Moi aussi, je t'aime.

— Bon, vous avez fini tous les deux ou je vais réussir à en placer une ? sort Benjamin sur un ton moqueur.

— Allez, on t'écoute, dis-je en me retournant pour le regarder.

— Du coup, tu as loupé la réunion et le vote.

— Oui, c'est ce que je me suis dit en regardant l'heure.

Je regarde alors Dagon.

— Tu dormais vraiment bien, je n'ai pas eu le cœur de te sortir de ton sommeil.

Il est sympa de ne pas avoir ajouté que j'ai eu une nuit agitée et qu'il a dû me réveiller plusieurs fois et me réconforter. Le pauvre, il doit être épuisé là.

— Vous avez dormi dans la même chambre ? demande Enzo

— Oui.

— Vu la taille du manoir, il n'y avait pas assez de chambres pour tout le monde ?

— La chambre qui m'a été attribuée était… comment dire ?

Je regarde Call et Benjamin en disant ça.

— Dégueulasse, répond Benjamin en souriant.

— J'avoue que pour le coup elle l'était vraiment celle qu'on a voulu te laisser, renchérit Call.

— Mais du coup, le vote a donné quoi ?

— Tu ne préfères pas manger d'abord ? me propose Benjamin.

— Non, je veux la réponse.

Call et Benjamin se regardent, ils font express de ne rien dire ? Ou ils veulent juste m'enquiquiner ?

— Allez accouchez, depuis le temps vous avez dû comprendre que la patience ne fait pas partie de mes attributions.

Ils se marrent tous et au moins ça me détend très légèrement.

— Disons que j'ai réussi à être suffisamment convaincant pour que la majorité accepte d'aider, répond Benjamin en me souriant.

— Ça veut dire qu'on peut compter sur vous ?

— C'est l'idée, oui.

— Génial, je vais le dire au directeur à notre retour.

— Je l'ai déjà appelé il y a plusieurs heures. Pendant que toi tu ronflais.

— Il t'a dit comment ça va se passer maintenant ?

— Des guerriers devront rester ici pour s'occuper d'un périmètre autour du manoir, une autre partie va venir sur le campus pour protéger les étudiants. Et encore, une devra se rapprocher d'un autre campus qui a déjà été attaqué plusieurs fois.

Pourquoi il regarde Dagon en disant ça ? Il a été attaqué là-bas ? Vraiment. Je regarde mon beau blond en espérant qu'il me rassure.

— Je suis dans un campus avec beaucoup de vampires et guerriers Nelle, nous avons suffisamment de force pour réussir à les repousser à chaque fois rassure toi, m'explique Dagon.

— Call et toi vous faites partie de quel groupe ?

— À toi de nous dire ce que tu veux.

— Vous attendez quoi pour faire vos valises dis-je en faisant un grand sourire. Ça ne sera pas pareil mon année sans vous deux.

— Dans ce cas, on va faire nos valises, on remonte avec vous.

— Génial !

— J'ai appelé Greg et Cécile et ils nous rejoignent aussi.

— Cécile ? Je vais revoir Cécile ?

— Oui.

Je sautille de joie sur ma chaise, je sens mes yeux pétiller de bonheur. J'ai le droit au sourire de tous les présents à table.


— Ah, ton beau sourire de retour ! lance Enzo.

Le regard que lance Dagon à Enzo me fait rire intérieurement. Visiblement, il n'a pas digéré les propos d'Enzo mon beau blond.

— Si on m'annonce que je vais revoir mes amis, il y a de quoi être heureuse.

— Tu veux te mettre en route quand Nelle ? me demande Pierrick.

— N'importe, mais s'ils doivent s'installer, on devrait rentrer vite pour leur préparer des chambres. Et Dagon à de la route ensuite pour retourner sur son campus.

— Pour une fois, je suis d'accord avec toi, Nelle, me tacle Enzo en rigolant.

— Arrête de te préoccuper des autres Nelle, pense à toi, lance Dagon sans même me regarder.

Je pense que vu sa tête, la prochaine phrase d'Enzo qui m'est destiné risque de finir en bagarre.

— Il y a de la place pour tout le monde ?

— Largement, au pire il y a des chambres doubles, répond Enzo.

Je regarde discrètement Dagon et ce genre de réponse semble lui convenir.

— Ne t'inquiète pas pour nous ma petite Nelle, me répond à son tour Benjamin

— Vous venez aider, vous devez être bien.

— Nelle je viens de te dire quoi ? ajoute Dagon.

Je ne réponds rien et lui souris.

— Au pire, il y a encore de la place côté étudiants, beaucoup d'élèves sont en chambre double, ajoute Pierrick.

— Ah oui, aussi.

— Vous êtes sûr que nos étudiants ne risquent rien avec vos guerriers ?

— Non rien du tout répond Benjamin à Enzo.

— Ils n'iront pas voir les étudiantes pendant leurs sommeils ? ajoute Pierrick.

Ils me regardent en disant ça. Je vois Benjamin plisser les sourcils et lancer un regard d'étonnement à Pierrick. Pierrick finit par tourner la tête dans ma direction et me sourit.

— Viens, Nelle, je vais te donner ton assiette qu'on t'a mise de côté, propose Benjamin.

— Merci.

Nous nous levons et rentrons dans la cuisine. Il sort mon assiette du frigo et la met dans le four micro-ondes.

— Pas très bien dormi apparemment ?

— Pourquoi dans ton regard je vois que tu connais déjà la réponse ?

— Parce que j'ai entendu dans la tête de Dagon ce matin.

— Et sa tête pensait quoi ?

— Que tu avais passé ta nuit à faire des cauchemars et à pleurer.

— Il n'a pas eu la meilleure des nuits, ça, c'est sûr.

— Détrompe-toi, visiblement il est content de l'avoir partagé avec toi.

— Si tu le dis.

— En revanche, je suis désolée que tes cauchemars aient été provoqués par moi.

— À aucun moment, je ne t'en veux.

— Moi je m'en veux.

— Parlons d'autres choses, stp.

— Je pense que Pierrick lit dans nos pensées.

— Qu'est-ce qui te fait dire ça ?

— Je l'ai senti vouloir lire dans les miennes.

— Et elle disait quoi ?

— Que je m'en veux pour hier soir.

— Ah !

— Je n'ai pas su réagir à tes propos.

— J'ai vu ça, mais ce n'est pas grave, oublions.

— Non je ne veux pas oublier Nelle, je ne veux pas t'oublier toi.

— Tu as recommencé à me faire espérer, Benjamin. Tu en es conscient ? Et une fois de plus, au moindre obstacle tu fuis.

— Tu m'as pris au dépourvu Nelle là, je t'embrasse et tu me parles de ton fils.

— Il fallait bien en parler à un moment ou un autre.

— Laisse-moi te prouver que ton fils ne sera pas un obstacle.

148

— Ce n'est pas nécessaire, je ne prendrais pas le risque de souffrir une troisième fois par ta faute.

Je m'approche de lui et dépose un baiser sur sa joue.

L'assiette a fini de chauffer et je retourne dans la salle à manger. Benjamin et Call décident d'aller préparer leurs affaires pendant que je mange. Enzo et Dagon proposent de les aider et Pierrick reste avec moi.

— Tu es consciente qu'il ne va plus te lâcher maintenant ?

Je manque de m'étouffer en écoutant ça.

— Tu parles de quoi là ?

— De ce qu'il s'est passé cette nuit.

— Il ne s'est rien passé cette nuit.

— Il s'en veut apparemment de t'avoir fait de la peine.

— Il va falloir m'expliquer comment tu sais ça toi.

— Ça n'a aucune importance de savoir comment je sais.

— Tu entends dans son esprit ?

— Nelle.

— Réponds.

— Ça changera quoi ?

— À savoir si je vais pouvoir être amie avec toi.

— À ce point-là ?

— Si je sais que tu écoutes ce que je pense, je ne pourrais pas être moi-même avec toi.

— Je ne passe pas mon temps à écouter les pensées.

— Je ne veux pas que tu entendes les miennes, c'est mon jardin secret.

— Et Benjamin a le droit lui ?

— Il va falloir être plus clair.

— Il a un don de télékinésie aussi, je l'ai senti entrer dans mon esprit.

— Personne n'a le droit d'entendre mes pensées, et Aidan tant qu'il était vivant me brouillait l'esprit et plus personne n'avait accès.

— Je pourrais le faire également si tu le souhaites.

— Ça entraînera des conséquences ?

— Aucune.

— Dans ce cas, vas-y.

Il lève la main puis me sourit.


— Toi aussi tu n'arriveras plus à entendre ?

— Je n'essaye pas d'écouter Nelle je te l'ai dit, mais moi aussi ça reste compliqué du coup.

— Merci dans ce cas-là.

Je continue à manger un peu.


— Pourquoi tu dis qu'il ne me lâchera plus ?

— Il a adoré t'embrasser.

— Ah.

— Et toi ?

— Sa façon d'embrasser est sympa.

Il explose de rire et c'est presque contagieux.


— Sympa ? Le pauvre.

— Je n'ai pas l'habitude de parler de ça avec d'autres personnes.

— Je comprends, mais si la femme qui me plaît me dit que c'était sympa, je ne le prendrais pas très bien.

Je le regarde et souris.

— Les hommes et leur fierté.

— Et les femmes et leur caractère épouvantable.

Nous nous sourions et je termine mon repas. Je me lève pour aller nettoyer l'assiette. Quand je rentre dans la cuisine, il y a deux guerriers en train de discuter et boire un verre.

— Bonjour, dis-je en m'approchant.

— La médium, répond un des deux mecs.

— Mon prénom c'est Nelle !

Je passe à côté d'eux et commence ma vaisselle.

— Tu as de nouveaux projets suicidaires apparemment, jeune fille.

— Juste un projet de rendre notre monde meilleur. Et il y a du boulot.

— Et tu lui as fait quoi à Benjamin pour qu'il soit prêt à renoncer à tout pour pouvoir te suivre ?

— Sérieux il était prêt à ça ? demandé-je en faisant un grand sourire.

— Oui.

— Tu dois être un bon coup, ajoute l'autre guerrier.

Je les entends rire. Ils sont vraiment trop cons, et en même temps j'espère que Benjamin n'a pas changé d'avis juste parce que nous nous sommes embrassés hier soir, et qu'il espère plus à présent…

— Je vous laisse, dis-je sans même les regarder.

Je repasse à côté d'eux et l'un des deux agrippe mon bras.

— Lâche-moi.

— Nous sommes des guerriers, mais pas de faibles mecs qui craquent pour la première fille mignonne qui passe.

— Pourtant tu me retiens là non ?

Il me sourit, mais ne me lâche pas pour autant.

— Je ne voudrais pas te blesser, et cette fois je le regarde droit dans les yeux avec beaucoup de mépris.

— Ce serait dommage en effet. Nous serons amenés à nous recroiser tous les deux vu que je vais sur le campus. J'espère qu'il y aura plein de jeunes étudiantes sexy.

— Tu auras l'embarras du choix, et avec un peu de chance tu tomberas peut-être sur une assez sympa pour te supporter.

Il me sourit de nouveau et ne me lâche pas pour autant.

— Lâche mon bras, j'ai envie de rejoindre les gens civilisés.

Il me regarde avec un petit sourire en coin.

— Tu flippes, n'est-ce pas ? me demande le guerrier sans perdre son sourire.

— Lâche-la, dit Dagon.

Je vois le guerrier qui me tient lever la tête et fixer Dagon.

— Je n'ai pas envie de le répéter insiste mon ami.

— Ça va, on s'amuse juste un peu.

— Il va falloir revoir tes jeux.

— Tu n'as pas d'humour c'est tout.

— Bébé, viens, me dit Dagon en me tendant la main.

Je ne perds pas une seconde pour m'approcher de lui et le laisse me prendre dans ses bras. Le bisou qu'il pose sur ma tête veut clairement dire que je n'appartiens pas à cette saloperie de guerrier, et là la jalousie de Dagon ne me gêne absolument pas, bien au contraire. Il m'incite à retourner dans la salle à manger avec lui. Quand on arrive, plusieurs guerriers sont là à discuter avec Pierrick, je reste collée à Dagon. Il y en a un peu trop ici à mon goût. Et s'ils sont tous pareils, je ne suis pas sereine. Ma tête blonde préférée me sourit et passe son bras dans mon dos en signe d'affection.

Nous patientons ici un bon moment quand même et les autres finissent par arriver. Nous chargeons plusieurs voitures et décollons. Je suis seule avec Dagon pour le retour. Pierrick et Enzo sont avec Call et Benjamin.

— Merci pour ton aide de tout à l'heure. J'ai bien cru devoir me battre pour qu'il me relâche.

— Je t'en prie.

— Mon sauveur.

— Désolé pour hier soir, je pense que notre discussion ne t'a pas aidé à bien dormir.

— C'est oublié, passons à autre chose.

— Comment ça va se passer entre nous maintenant ?

— Comme avant Dagon, les gens vont continuer à me voir comme une fille complètement folle et suicidaire et toi tu seras mon ami super canon toujours là pour me consoler et qui fera preuve de beaucoup de patience avec moi.

— D'accord.

Ma réponse semble le contrarier, il plisse les sourcils et s'accroche un peu plus au volant.

— Tu attendais quoi comme réponse de ma part ?

— Laisse tomber.

— Tu es au courant que je ne lis pas dans tes pensées ? que je ne sais pas ce qu'il s'y passe ?

— Tu ne comprends pas quoi dans ma phrase ?

Sa voix est pour le coup méchante et autoritaire. Je déteste quand il s'adresse à moi ainsi, même s'il le faisait il y a quelques années quand on ne se connaissait pas, ça n'a plus rien à voir aujourd'hui nos relations.

— OK, c'est bon je me tais.

Pas les larmes, par pitié pas les larmes. Hey si ! elles sont là et coulent à flots. Je tourne la tête pour regarder dehors et pour cacher au mieux ma honte. Mais mes reniflements je ne peux difficilement les rendre muets. Je sens alors la voiture ralentir et un bruit de clignotant me montre qu'il est sur le point de s'arrêter. La voiture s'immobilise pour mon plus grand désespoir.

— Nelle, regarde-moi.

— Non, je laisse tomber, Dagon.

— Nelle dépêche-toi avant de m'énerver.

— Tu comptes m'en mettre une ?

— Non, mais si tu ne veux pas que je te raye de ma vie définitivement tourne ta tête.

Les larmes coulent encore plus à l'idée d'imaginer ça. OK, s'il la joue comme ça je rentre à pied. Je sors de la voiture en speed et surtout en mode bien énervée. Je n'ai pas le temps de faire beaucoup de pas qu'il m'a déjà rattrapée et enlacée. J'ai mon dos contre son torse et je sens très bien son cœur battre.

— Ce sont mes larmes que tu as envie de voir ?

— Non.

— Tu penses que tu ne m'as pas assez fait souffrir il y a quelques années en me repoussant ? Est-ce que tu sais à quel point je n'ai cessé de penser à toi quand j'étais parmi les guerriers, à quel point j'avais envie que tu m'embrasses, que tu me gardes contre toi toute la nuit après mon retour. Je m'en suis voulu de ne pas avoir été assez bien pour toi pour que tu puisses avoir envie de me garder dans ta vie.

— Nelle, je…

— Ne m'oblige pas à te regarder, à revivre ce que j'ai vécu par ta faute. Mon cœur va tellement mal, et ton amitié m'est tellement précieuse. J'ai besoin de toi, mais pas de la manière que tu attends.

Mon corps entier tremble là, tout un tas de vieux souvenirs refait surface.

— Nelle, ce n'était pas mon but de te mettre dans cet état.

— Pourtant tu as réussi haut la main.

Il me fait me retourner et plonge son regard dans le mien. Il prend ma main et ils nous emmènent nous poser sur le capot de la voiture.

— Ça me rappelle quelque chose, toi et moi assis, regardant devant nous sans vraiment regarder en fait.

— Moi aussi, quelques secondes après tu m'embrassais pour la toute première fois.

— Et dire que j'étais la première personne qui a eu la chance de poser ses lèvres sur les tiennes.

— Oui, et j'ai adoré ce moment, et toutes les sensations ressenties.

— J'ai toujours espéré être le dernier à avoir ce privilège.

— Tu pensais ça quand ?

— Depuis le jour où j'ai pris conscience que je n'aurais pas dû te quitter.

— Rassure-moi, tu ne souffres plus par ma faute ?

— On devrait y retourner maintenant, ils vont s'inquiéter.

— Réponds-moi, Dagon, s'il te plaît.

— Tu veux vraiment que je sois sincère.

— Oui.

— Quand tu m'as grimpé dessus dans ta chambre et qu'on a partagé ce magnifique moment, je t'avoue que j'y ai cru que tu me laissais une nouvelle chance. Je me voyais enfin heureux avec Nelan et toi. Qu'on pourrait reprendre là où j'ai merdé comme un lâche.

— N'en dis pas plus, je suis désolée.

Il n'imagine pas à quel point il me retourne le cerveau en parlant de Nelan et moi comme il le fait. Visiblement pour lui mon fils ne présente aucun obstacle.

— Rentrons maintenant.

— Allons-y oui.

Nous remettons en voiture et passons le reste du trajet sans aucune tension. La musique est à fond et elle a comme effet de nous faire chanter et danser. Quand nous arrivons sur le campus, les autres voitures sont déjà toutes arrivées.

— Je préfère repartir maintenant, Nelle.

— Tu ne vas pas me rayer de ta vie hein ?

— Nelle.

— Je sais que je suis égoïste de te demander ça après notre discussion, mais…

— Chut, Nelle, tu auras mon message dès que j'arrive, et je reviens te voir dès que possible.

— Promis ?

— Promis.

Je lui dépose un bisou sur la joue et quitte la voiture. Je déteste le sentiment que je ressens, j'ai l'impression de lui avoir dit adieu.

Il démarre sans me regarder et file. Quand je me retourne, Call arrive dans ma direction. Il tombe à merveille.

— Il va falloir qu'on parle tout à l'heure Nelle, me dit Call avec une voix un peu autoritaire.

Finalement, peut-être pas…

— Oui bien sûr, dis-je en me retenant de toutes mes forces de déverser une mare de larmes.

Il doit le sentir, car il approche et me prend dans ses bras.

— Je suis désolé si je viens de te brusquer un peu.

Je fonds en larmes et enfonce ma tête dans son tee-shirt.

— Je suis en train de perdre Dagon.
— Comment ça ?
— J'ai tout gâché et il va tirer un trait sur moi, sur notre amitié.
— Tu te rends compte à quel point il tient à toi ? Je ne suis pas certain qu'il réussira à ne plus te parler.
— Tu n'as pas assisté à notre discussion de tout à l'heure.
— Non, mais tu peux me raconter si tu le souhaites.

Je passe 10 minutes à tout lui dire et mon cœur ne fait que se briser un peu plus.

— Pourquoi tu ne l'as pas agrippé par la nuque et que tu ne lui as pas lavé les amygdales ?
— Pardon ?

— Nelle tu es folle amoureuse de lui, quand est-ce que tu vas l'avouer et agir ?

— Quand est-ce que tu vas comprendre que j'ai peur qu'il me fuie, qu'il me quitte et que je souffre encore une fois ?

— Je l'ai vu en larmes quand il a appris que tu pouvais mourir quand tu étais enceinte, je l'ai retenu avec Benjamin pour pas qu'il monte te rejoindre dans ta chambre et qu'il casse la gueule à Aidan pour qu'il te dise d'avorter. Je l'ai vu en larmes quand il t'a cru morte quand tu as tué Agonis. Je l'ai vu déprimer et me demander de l'entraîner des heures durant pour faire sortir sa rage plutôt que d'être odieux avec toi. Je lui donner de tes nouvelles régulièrement quand il voulait rester loin de toi, car il espérait que tu changes d'avis. Je l'ai vu malheureux de te voir malheureuse suite à la mort d'Aidan, et je l'ai vu dans un état pitoyable quand ton cœur a battu pour un loup et qu'il a pris conscience que lui et toi c'était mort. Que plus jamais il ne pourrait être celui qui te rendrait heureuse. Et enfin, j'ai redécouvert un Dagon qui a les yeux qui pétillent de nouveau. Et ça quand tu es près de lui.

— Pourquoi tu me dis tout ça ?

— Parce que je veux que tu comprennes bien que Dagon t'a dans la peau, ma petite Nelle, et que tu dois te faire une raison.

— Tu me trouves stupide de ne pas lui foncer dans les bras.

— Non, je peux comprendre tes motivations, mais passe à autre chose. Il est temps non ?

— Passe me voir ce soir pour parler de ton truc de tout à l'heure.

— Mon truc oui voilà, et tu es dans quelle chambre ? À quel numéro ?

Je lui donne puis file ranger mes affaires et me rafraîchir le visage avant de rejoindre mes amis au lac. Ils verront sinon que j'ai pleuré.

Jacob Logan et Mattieu sont installés à même le sol et papotent entre eux. Logan semble aller bien mieux, me voilà rassuré.

— Cool tu es vivante, me dit Jacob avec un grand sourire.

— C'est dommage hein.

— Trop en effet, répond Mattieu.

Pierrick et Enzo finissent par nous rejoindre à leurs tours.

— Quelle ambiance dans la voiture ! lance Pierrick en s'installant dans l'herbe.

— Je n'ai pas eu le courage de parler perso, ajoute Enzo.

— À ce point-là ? dis-je.

— Oui, j'espère qu'avec Dagon c'était plus sympa, me demande Pierrick.

— On a chanté et dansé. Le temps est passé beaucoup plus vite en tout cas.

On va éviter de dire qu'il m'a fait pleurer aussi.

Ils explosent tous de rire et Logan me bouscule.

— Ce n'est pas drôle.

— J'imagine juste la scène.

— Oui vu comme ça il y a de quoi rire, mais quand même.

Call et Benjamin finissent par arriver à leur tour. Call se couche dans l'herbe et pose sa tête sur mes jambes.

— Ça va tu es toujours confortable.

Je lui souris et pose ma main sur son bras pour lui faire des papouilles amicales.

Nous restons là au calme à discuter un peu. Théo et Martin finissent par nous rejoindre puis Romain et Scarlett.

Scarlett propose d'aller manger vers 20 h. En arrivant à table, on voit plusieurs tables remplies par des guerriers. L'ambiance est toujours bien triste. Heureusement, les professeurs redonnent un petit coup de dynamisme. J'ignore totalement Call et Benjamin et me focalise sur Scarlett et Théo qui me font rire.

— Nelle je peux passer te voir juste après le repas je voudrais voir avec toi où tu en es en divination et te donner quelques documents de remises à niveau, me propose Théo.

— Bien sûr.

Il va me sauver pour la soirée, je le sens bien. Une partie de billard après le repas, puis un aller direct dans ma chambre avec Théo.

— C'est quoi cette tension entre les guerriers ?

— Aucune idée.

— Nelle ?

— Oui ?

— N'oublie pas que je vois beaucoup de choses.

— Va au bout de tes pensées.

— Tu as couché avec Benjamin ?

— Non.

— Tu es sûr ?

— Oui merci j'en suis certaine. Nous nous sommes juste embrassés.

— Je croyais qu'il n'y avait rien entre vous.

— C'est le cas.

— Tu m'expliques ?

— Je ne préfère pas.

— Nelle tu peux avoir confiance en moi.

— Oui, je sais, mais je ne veux pas que ça sorte de ta tête ensuite.

— Comment ça ?

— Je me comprends, mais dis-toi juste que Benjamin m'a toujours plu énormément et que je tiens à lui, j'en avais envie. Mais que ça ne se reproduira pas.

— Tu ne l'as pas fait juste pour qu'il accepte de venir j'espère ?

— Non et ça ne m'étais même pas venu en tête. C'est plutôt que…

— Que quoi ?

— Je sais qu'il tient énormément à moi, et j'avais espéré qu'il pouvait avoir envie de m'avoir de nouveau dans sa vie, même si je suis maman. Et je me suis trompée, il ne me voulait que pour la nuit.

— Nelle, sérieux.

— Tu es là pour les cours, il me semble non ? Pas pour une leçon de morale.

Il finit par sortir des papiers de son sac et me les donne.

— Essaye de les remplir pour demain matin, je les corrige et je vois ton niveau.

— D'accord.

— Tu n'as pas à te soucier de ça, crois-moi, tu trouveras quelqu'un qui vous prendra tous les deux.

— Je ne pense pas, non.

À part Dagon, je ne pense que quelqu'un pourra le vouloir, et ce n'est pas valable ce motif pour me remettre avec lui.

— Arrête de penser à ça, tu es jolie, drôle, intelligente, adorable, forte, tu plais.

— Tu ne m'as pas vu sans vêtements.

Il explose de rire et moi je regrette d'avoir dit ça.


— Non, en effet.

— Oublie, désolé.

— Je vois parfaitement où tu veux en venir, mais je suis certain que tu exagères.

— Non.

— Je ne préfère pas que tu me montres, pas que j'ai peur d'être déçu.

Il aura au moins réussi à me faire rire.


— Je vais te laisser bosser maintenant.

Il finit par m'embrasser sur la tête et sort de ma chambre. J'en profite pour remplir les documents laissés. Il me faudra deux bonnes heures pour tout terminer. Je prends mon téléphone avant de dormir et j'ai deux messages, un de Dagon et un de Call. « Dagon : je suis bien rentré », message froid et distant « Moi : merci pour ton message, bonne soirée et nuit, bisous » « Call : il faut qu'on parle » « Moi : je suis disponible si tu veux » « Call : j'arrive », deux minutes après on frappe à ma porte. Je laisse entrer Call et j'attends sa remontrance.


Je le regarde faire les cent pas dans ma chambre.


— Il s'est passé quelque chose avec Benjamin la nuit derrière ?

— Du genre ?

— Du genre à le motiver autant à revenir ici alors qu'il avait tiré un trait sur tout ça.

— Me revoir a dû le motiver.

— Je ne pense pas non que c'était suffisant pour prendre le risque de revenir ici.

— Faut croire que si.

— Nelle ne me prend pas pour un con, pas moi, je connais Benjamin depuis toujours.

— Il m'a embrassé.

— Nelle sérieux.

— Quoi ?

— Mais pourquoi tu as fait ça ? Pour le plaisir ?

— C'était juste un baiser.

— Mais tu le fais espérer là.

— Pour ton information, il m'a repoussée quand je lui dis que s'il allait plus loin il devrait faire face à ses actes et adopter aussi Nelan dans sa vie. Que je ne voudrais pas souffrir une fois de plus par sa faute.

— Désolé.

— Désolé de quoi ? Que je sois de nouveau déçue par Benjamin ? Ou de te rendre compte que toi aussi tu aurais fait la même chose que lui ?

— Je ne sais pas comment je pourrais réagir à ça.

— Je crains terriblement de finir ma vie seule, de ne jamais trouver quelqu'un qui me corresponde et qui accepte Nelan aussi.

— Je ne sais pas quoi te répondre là, Nelle. Je t'avoue que c'est compliqué.

— Je n'attends pas de toi une demande en mariage.

— Ouf ! je suis sauvé alors.

Je lui donne un coup et il se met à rire.

— Je peux comprendre les hommes, un enfant c'est déjà compliqué, alors quand ce n'est pas le sien.

— Je le sais bien ça, ça aurait été tellement plus simple si Aidan était toujours là.

— Je sais, Nelle.

— On peut changer de sujet s'il te plaît ?

— Oui, désolé.

— Finalement, tu as une chambre sympa ?

Il sort la clé et me la tend.

— La 15 ? Tu es juste à côté alors.

— Je vais pouvoir venir t'embêter comme ça.

— Avec plaisir.

— Je vais aller dormir maintenant.

— Moi aussi.

Il me serre dans ses bras et file. Je prends un bon bain puis me blottis sous les draps. Je m'endors rapidement et me réveille dans l'après-midi. Je traîne de longues minutes dans le lit avant d'avoir la motivation de me lever. Un appel à Nelan et à mes parents pour me booster un peu.

Quand je rejoins le réfectoire, il est 13 h et il n'y a aucun de mes amis. Je m'installe à table et me fais dévisager par la plupart des guerriers présents. Je mets mes écouteurs et me plonge dans mes pensées. Même avec la musique à fond j'entends des ricanements à côtés. Nelle ignore les gens, si ça se trouve tu ne fais même pas partie de leurs moqueries. Je suis par chance rapidement rejointe.

Pierrick s'installe en face de moi et me sourit. J'enlève mes écouteurs et lui rends son sourire.

— Bonjour.

— Tu t'isoles ?

— J'étais seule à table, et je t'avoue l'ambiance guerrier ne me rassure pas tellement là.

— Finalement, on a bien fait de t'accompagner.

— Oui. Mais si tu le répètes aux autres, je vais devoir te tuer.

Il me fait un grand sourire et fait semblant de réfléchir.

— Espérons qu'avec tous ces gros bras nous arrivons à tous les rendre ko.

— Ça devrait aider déjà, je pense.

On n'a pas le temps de finir de manger qu'on entend un cri à l'extérieur du bâtiment.

On se relève et on fonce pour voir.

Une cinquantaine de démons sont là, en plein milieu du campus, l'un d'eux tiens une élève dans ses bras.

— Pierrick, on doit l'aider.

— Attends, à nous deux ça va être trop juste, ils sont trop nombreux pour réussir.

— On fait quoi alors ?

Je reconnais alors leur chef.

— Toi contre elle, dit le démon en me fixant droit dans les yeux.

Depuis quand il parle notre langue lui ?

— Non répond Pierrick.

— D'accord ! dis-je.

Je commence à avancer et Pierrick me retient par la main. Je me retourne pour lui faire face, et essaye de comprendre. Tous les guerriers du réfectoire finissent par sortir et nos amis arrivent en courant.

— On ne peut pas la laisser avec eux.
— Personne ne va rester avec eux.
— Quoi ?
— Maintenant Nelle.

Je tourne la tête vers les démons qui sembles inconscients, la fille est relâchée et viens se cacher derrière Pierrick. Je canalise une onde puissante et l'envoie en avant, tous les démons sont éjectés au sol avec mon bouclier sur eux. Ils sont vraiment trop nombreux-là, je ne tiens que quelques instants, mais suffisamment pour laisser aux guerriers le temps d'en tuer une bonne partie. Le chef finit par se relever et bondit devant moi.

— Moi vouloir toi !

Je me mets dans ma bulle et recule. Il avance à mesure où je m'éloigne. Quand il réussit à toucher ma bulle, il se prend une sacrée décharge, mais ça n'a pas l'air de le démotiver. Après quelques secondes, il réussit à rentrer à l'intérieur. Je canalise une nouvelle onde pour le repousser, mais elle ne sera pas assez forte pour qu'il atterrisse loin. Il m'attrape alors le bras avec violence. Les autres semblent bien trop occupés pour venir à mon aide. J'entends alors une voix qui m'appelle. Je tourne la tête et c'est Enzo qui a crié. Ça alerte alors tout le monde, car je sens beaucoup de regards sur moi. Le démon commence à lever un bras en l'air, oh non pas ça, il va invoquer son portail. Une boule de feu passe devant mes yeux et atterrit sur le bras de ce monstre. Une deuxième puis une troisième s'écrasent sur lui et il ne lâche pas prise. Ce sont deux grosses qui arrivent en même temps qui le feront gémir et bondir vers Enzo. Au corps à corps,

Enzo n'est pas fort. Je sais que ma bulle ne l'aidera pas longtemps, mais je ne trouve pas mieux pour l'instant.

Je n'ai pas le choix je n'ai jamais réussi à reprendre la vie à quelqu'un seulement par la pensée, mais il faut que je réussisse maintenant, Enzo m'a aidé et je dois lui rendre la pareille. J'ignore complètement comment faire. Les secondes passent et le démon se rapproche de lui. Quand Call se positionne devant moi et voit ma détresse dans mes yeux il se retourne et suit mon regard.

— Call, aide-le s'il te plaît ! Vite.

Il fonce sur le chef et aide Enzo. Ils sont à deux contre lui et ne semblent pas réussir à prendre le dessus. Le démon se tourne alors vers mon ami et commence à vouloir le frapper. Call est très rapide et esquive pas mal de coups, mais n'a pas le temps d'en donner un seul, impossible pour lui de prendre le dessus. Il finit par recevoir un coup dans le ventre et tombe au sol. Le chef le saisit alors par la gorge et commence à le serrer. J'essaye de me concentrer sur le démon afin de visualiser son esprit et sa vie. Une aura autour de lui finit enfin par apparaître. D'un mouvement de main, je l'éloigne du démon et ce dernier s'écroule par terre. Je me précipite vers Call et appelle Romain en hurlant. Il me rejoint en une fraction de seconde.

— Vite, soigne-le, je t'en prie.

Romain pose alors sa main dans le cou de Call, je sens une colère folle m'envahir. Je ne veux pas qu'elle me quitte avant de l'avoir utilisé pour détruire les autres démons. Je me redresse et recommence à fixer les monstres qui essayent de nous envahir. J'arrive rapidement à débarrasser celui vers Pierrick puis ceux sur Benjamin. Les guerriers terminent de tuer ceux qui restent.

Je me tourne et Call est toujours inconscient. Je m'installe à côté de lui et soulève sa tête pour la poser sur mes cuisses.

— Il n'est pas mort, Nelle, m'informe Romain avec un regard triste.

— Tu vas réussir à le soigner ?

— Je fais de mon mieux.

Quand je vois Jacob arriver en courant et aider à son tour mon cœur se soulage très légèrement. Jacob avait sauvé Dagon il y a quelques années et j'ai confiance en ses dons.

Logan s'installe près de moi et me prends dans ses bras.

Je reste là à l'observer et quelques minutes après il reprend enfin connaissance. Je me sens revivre en voyant ses yeux. Je ne peux m'empêcher de le serrer dans mes bras et de lui embrasser le front.

— Merci les garçons.

— Reste allongé quelques minutes Call, tu as failli y passer lui explique Romain.

Call semble obéir et ne bouge pas. Nous restons tous là quelques minutes à regarder Call reprendre quelques forces.

Benjamin s'accroupit à côté de nous et propose de l'aider à regagner sa chambre pour qu'il se repose. Call accepte et ils se mettent à trois guerriers pour le soulever pour l'emmener jusqu'à son lit. Les larmes coulent et je m'en rends vraiment compte quand Logan me prend dans ses bras et me les essuient.

— Il est fort ne t'inquiète pas, demain il sera sur pied.

— J'espère.

Mattieu vient me prendre par la main et m'entraîne jusqu'au lac. Je m'installe à même le sol et patiente. J'attends que

Benjamin revienne pour me dire que Call va bien et qu'il dort. Je n'arrive pas à tenir en place, c'est plus fort que moi j'ai envie de me lever et d'aller m'assurer que mon ami est toujours vivant et en sécurité.

— Nelle, calme toi, me dit Théo en caressant mon dos.
— Hein quoi ?
— Je pense que le campus entier ressent ton stress là.
— Je suis inquiète.
— Il va bien, Romain l'a soigné à temps, ajoute Martin.
— Il faut que je m'en assure.

Je commence à me relever et Pierrick me saisit la main pour me retenir.

— Il a besoin de se reposer, m'explique Pierrick.

Je sais qu'il a raison, mais c'est plus fort que moi, je ne peux pas rester ici impuissante. Je retire sa main et file en direction du dortoir. Quand j'arrive devant sa chambre, Benjamin et un guerrier patientent devant la porte.

— Comment va-t-il ?
— L'ange s'occupe de lui.
— OK.
— Je me demandais combien de temps tu allais mettre avant d'arriver.
— J'étais trop inquiète, je ne peux pas rester sans rien faire et attendre alors que mon ami a besoin de moi.
— Allez, viens par là.

Il me tend son bras et je me blottis contre lui. Une dizaine de longues minutes après l'ange apparaît et nous explique qu'il a de la chance d'être vivant et qu'il est sorti d'affaire. Je ne peux m'empêcher de sauter au cou de l'ange, ça le fait sourire et il disparaît. Quand nous rentrons, Call est toujours réveillé, j'en profite pour m'approcher et m'installer près de lui. Il me tend sa main que je prends entre les miennes.

— Tu es entre de bonnes mains. On va te laisser te reposer, dit Benjamin en posant sa main sur mon épaule.

Il fait un signe de tête et nous laisse.

— J'aimerais rester près de toi pendant que tu te reposes, si tu veux bien.

— Oui, tu peux.

Il ferme les yeux et s'endort rapidement. Je sors un livre de mon sac et me mets à le lire. Les heures passent et Call dort profondément. Quelqu'un qui frappe tout doucement à la porte me sort de ma lecture. C'est Théo qui nous apporte à manger. Je me relève pour le rejoindre et prends une part de pizza qu'il a apportée.

— Merci Théo.

— Comment va-t-il ?

— Il a dormi tout l'après-midi.

— OK, demain tu as cours tu devrais aller dormir, Nelle.

— Non, je veux rester avec lui.

— Il ne s'envolera pas.

— Laisse-moi rester ici, je ne veux pas qu'il reste sans surveillance.

— Je peux rester, si tu le souhaites.

— Non.

Je retourne m'asseoir et ne réponds plus rien. Il me fait un sourire et part.

Des mains posées sur moi me sortiront de mon sommeil, j'ouvre les yeux et c'est Pierrick.

— Pourquoi es-tu là ?
— Il est 3 h du matin, Nelle. Il faudrait que tu regagnes ta chambre et que tu te reposes un peu.

Je lui fais non de la tête.

— Nelle, il a raison tu as cours demain et tu dois te reposer, lance Call.

Je me redresse et avance vers mon ami qui visiblement est bien réveillé.

— On t'a réveillé ?
— Non, ne t'inquiète pas.
— Tu as besoin de quelque chose ?
— Juste que tu retournes dans ta chambre.
— Je préfère te surveiller.
— Je ne vais pas bouger d'ici, et si je commence à me sentir mal j'appellerai l'ange, rassure-toi.
— Non, je reste.
— Nelle sérieusement.
— Je ne veux pas que tu meures.

Je sens une colère m'envahir mélangée à une peur.

— Nelle je vais bien, je ne vais pas mourir.
— On ne sait jamais.

Je sens alors la main de Pierrick se poser dans mon dos.

— Nelle, tout va bien je te le promets, dit Pierrick en me regardant.

— Aidan est mort par ma faute, je ne veux pas que Call meure aussi.

— Tu lui as sauvé la vie à Call tout à l'heure.

— C'est moi qui l'ai envoyé aider Enzo.

La peur augmente davantage, je me déteste tellement que mon corps commence à trembler.

— Nelle, approche par-là, me demande Call.

Je m'allonge dans les bras de mon ami et continue à trembler pendant quelques minutes.

— Reste si ça peut te rassurer, mais demain tu dois aller en cours, OK ?

— Promis.

— Je vous laisse, dit Pierrick avant de quitter la chambre.

— Je suis tellement désolée Call, par ma faute tu as failli mourir.

— Non, mais Nelle, en venant ici je savais exactement les risques que je prenais. Je n'ai pas voté oui pour rien.

— S'il venait à t'arriver quelque chose.

— S'il m'arrive quelque chose, ça sera ainsi, mon destin l'aura décidé. Et là le tien c'est de t'endormir pour prendre des forces pour demain.

Je ferme les yeux après lui avoir souri et m'endors sans m'en rendre compte. C'est Call qui finira par me réveiller.

— Allez, ma belle, c'est le jour de la reprise et je compte sur toi pour montrer à tous que tu es la meilleure.

— Ça va être compliqué de trouver mes repères maintenant que j'ai une double casquette.

— Ça va le faire ne t'inquiète pas.

Je finis par me lever et regagne ma chambre après avoir fait promettre à Call de ne faire aucun effort et être sage et prudent.

Je prends une douche rapide et m'habille décontracter. Chemise, jeans et bottines à talons. Quand je descends au réfectoire, ils sont déjà tous installés.

— Prêtes pour la rentrée ? me demande Théo.
— Non, d'ailleurs je dois récupérer mon emploi du temps.
— Ça va le faire ne t'inquiète pas. On évitera juste de te montrer que tu es notre chouchoute, sort Martin, ce qui fait rire tout le monde.
— Quoi ? Je n'aurais aucun favoritisme ? Quelle déception !
Ils rigolent encore plus et partent sur des délires de gosses sans cervelle. À coup de on va « l'obliger à nous vouvoyer et nous appeler grands maîtres », etc.

— Vous êtes bien débile, je vous laisse dans vos délires et je file rejoindre des gens civilisés.
Ils ne semblent pas décidés à arrêter de rire, et en même temps ce n'est pas plus mal. Cela me donne un peu de motivation pour aller affronter cette nouvelle année. Ils me disent à plus tard et surtout un courage ça va le faire. Je récupère mon emploi du temps et à peu de choses près c'est exactement le même qu'il y a trois ans. Avec les matières générales et sport en moins mais les cours que je dois enseigner en plus. Donc ce matin, on commence par magie théorique avec Romain. J'arrive une des premières ce qui me laisse l'avantage de pouvoir me choisir une place. Cette année, je préfère rester derrière et dans un coin histoire de ne pas me faire trop remarquer. Mais vu qu'il y a pas mal de nouveau dû à la fermeture d'autres campus on risque de

devoir se présenter. Les élèves arrivent au fur et à mesure. Pas de Dagon pour me tenir compagnie. Je profite de mon avance pour sortir mon téléphone et pour lui écrire ainsi qu'à Call « Moi : ta présence à mes côtés en cours me manque terriblement » « Moi : je suis sagement assise et j'attends que le cours commence, il y a intérêt que toi de ton côté tu te reposes, bisous à plus tard » Je regarde mon téléphone en espérant une réponse de Dagon qui n'arrivera pas. Une voix proche de moi me fait alors sursauter.

— Désolé.
— Je ne t'ai pas entendu arriver, tout va bien, dis-je en souriant gentiment.

Son visage m'est familier, ce n'est pas l'un des étudiants que j'ai accueillis la semaine dernière ?

— Je m'appelle Virgile.
— Nelle.

Il fait de gros yeux en attendant ça.

— La Nelle ?

Je lui souris. Il souhaite quoi comme réponse ?

Romain arrive à son tour et nous commençons à faire silence. Il se présente en donnant son prénom puis nous informe avoir 30 ans. Beaucoup d'étudiantes sont ravies de connaître son âge et ne se privent pas de le lui dire. Il aime toujours autant se faire draguer apparemment, au plus grand drame de Scarlett, j'en suis sûre. Comme il y a quelques années, il a une posture et une tenue vestimentaire qui mettent son côté beau mec sûr de lui en avant. Il finit par nous dire qu'il donne des devoirs notés régulièrement et un contrôle chaque semaine. Il n'a donc pas changé sur ça. Il enchaîne en nous demandant de nous présenter. Il commence par moi cette fois-ci.

— Nelle, 23 ans, médium et sorcière.
Je vois alors tous les étudiants se tourner vers moi.

— Tu es donc la Nelle, deux Nelle médiums j'ai un gros doute quand même, me dit Virgile en souriant.
Je lui souris une fois encore et ne réponds rien.

— Ça fait trop plaisir de te savoir ici avec nous, on peut venir te parler en dehors des cours pour que tu nous donnes des conseils pour nous battre ? me demande un étudiant.
— Oui bien sûr, avec plaisir.
Cette année, personne pour m'insulter, que des bravos et des mercis.

— Justement, Mlle Nelle Oksane est aussi enseignante en parallèle.
De nouveau, les étudiants semblent contents. Romain finit par stopper ce quart d'heure d'éloge et demande à Virgile de se présenter.
— Virgile 26 ans, vampire, et je n'ai pas eu l'occasion de participer à une guerre ou à de vrais combats, mais je prêterai main forte à Nelle si elle en a besoin.
C'était bien le vampire qui m'avait posé plusieurs questions il y a quelques jours, lors de la journée d'intégration.

Le reste de l'amphithéâtre se présente à tour de rôle, et ils sont tous prêts à aider. Il va falloir que je participe à quelques cours de sport pour en former certains, ou des cours du soir supplémentaires. Je ne m'attendais vraiment pas à ça, mais je suis ravie.

Les 4 h sont passées super vite au moins.

— On déjeune ensemble ? me propose Virgile.

— Oui pourquoi pas ?

Nous sortons de l'amphithéâtre pour rejoindre le réfectoire étudiant. Ça me fait bizarre de revenir ici. Je me prends un plateau et me pose à la table de Virgile ou il est déjà installé avec d'autres élèves. Ils sont 6 vampires ensemble, je me sens un peu trop vivante à côté d'eux.

— Tu nous ramènes de la chair fraîche ? demande un de ses amis vampires.

— Exactement !

— Tu n'as pas peur de te retrouver seule avec nous ?

— Il paraît que je suis suicidaire.

Ils rigolent puis se présentent. Ils ont tous entre 22 et 26 ans et sont vampires pour la plupart depuis tellement longtemps qu'ils ne savent même plus quel goût ont les aliments dans mon assiette. À peu de choses près, ils ont presque tous été créés en même temps.

— Tu es là pour valider ta troisième année ? me demande Nathan.

— Oui, il serait temps.

— À part Virgile on recommence le même cursus pour la troisième fois, ajoute Dilan.

— Dans quel but ?

— Tu veux qu'on fasse quoi d'autre ? Ça se voit relativement vite qu'on ne vieillit pas dans le monde des civils, me répond Dilan.

— Au moins ici on ne se cache pas et nous pouvons être nous, renchérit Nathan.

— Et pourtant vous restez qu'entre vous.

Virgile me regarde et me sourit.

— Nous ne sommes pas très aimés, les gens nous redoutent et ne nous font pas confiance m'explique Nathan.

Et au vu de son visage, il est triste en m'expliquant ça.

— Ils ont tort, Mattieu que vous allez avoir comme professeur fait partie des personnes en qui j'ai une confiance aveugle.

— Il t'a déjà touché ? me demande Nathan.

— Touché ? Tu veux dire prise dans ses bras ?

— Oui par exemple.

— Très souvent oui.

— Et sa fraîcheur ne te fait pas reculer ?

— Non, enfin la première fois j'ai été surprise, mais maintenant ça ne me fait plus rien.

— Tu ne crains pas qu'il te fasse mal ? me demande Elena, la seule fille dans la petite bande d'amis de Virgile.

— Il a beaucoup de retenue, et n'a jamais été brusque, il est toujours très doux, voire plus doux que certains de mes autres amis, aussi étonnant que ça puisse paraître.

— Tu permets ? me demande Virgile en tendant sa main.

J'avance alors ma main de la sienne en guise de oui. Il me la prend avec beaucoup de douceur, il est très froid, mais pas autant que Mattieu, mes bonnes vieilles grimaces sont très loin.

— Tu n'as pas froid Nelle ? me demande Virgile d'une manière très curieuse.

— Tu es froid si, mais ce n'est pas insupportable.

Un nouveau jeu est lancé et chacun à leur tour me touche la main.

— J'ai une question, Virgile ?

— Vas-y.

— Je rêve ou tu es beaucoup moins froid que les autres.

— Je ne suis pas un vampire mordu.

— Quoi ?

Mais oui, il est en train de manger comme moi. Tu es bête, ma pauvre Nelle, je te jure.

— Ma mère était humaine.

— Était ? Elle est morte alors.

— Non c'est une vampire maintenant, par chance mon père a été rapide pour la transformer.

— Je ne pensais pas que ça puisse être possible ça.

— Je suis la preuve que oui.

— Excellent ça, et ça change quoi ?

— Le sang ne m'attire pas autant que les autres vampires, je mange comme toi aussi. Même si le goût de la nourriture est souvent fade. Je dois rajouter pas mal d'assaisonnement pour relever le tout.

— Et niveau pulsion ?

— J'ai bien plus de retenue que les autres.

— Tu vieillis ?

— Non.

— Comment tu sais que tu as 26 ans ?

— Je fais cet âge non ?

— Moui, tu as cet âge depuis quand ?

— 80 ans.

Mais est-ce que son cœur bat ou pas ? je ne peux pas lui demander ça si ? Il va me prendre une idiote et se moquer.

Je les vois tous me regarder et ma curiosité prend le dessus.


— Tu as un cœur, Virgile ?

Ils explosent bien tous de rire comme je l'avais prévu. Quand il prend ma main et qu'il la passe sous son tee-shirt, je deviens toute rouge. Il la pose sur sa poitrine et me sourit. Il le fait exprès je suis sûr de me mettre mal à l'aise. Je fais des yeux énormes quand je sens son cœur battre.


— Oh sérieux ? Il bat.

J'approche d'un coup ma tête et retire ma main. Par curiosité je pose mon oreille contre sa poitrine, et de nouveau il en rigole.


— Chut, je veux entendre stp.

— Oui maman.

Je relève les yeux pour lui sourire et ferme les yeux pour me concentrer. Effectivement, il bat, mais vraiment tout doucement, c'est fantastique.


— C'est exceptionnel, je suis impressionnée.

Il me sourit et ne répond rien.

— Allons en cours, tu as toute l'année pour me harceler de questions.

— Désolé d'être aussi curieuse.

Par chance, Virgile et moi avons de très nombreux cours en commun, moi qui ne pensais pas réussir à faire de connaissance rapidement. Après avoir dit à plus tard aux autres avec Virgile nous nous dirigeons en cours d'alchimie. Martin est déjà là quand nous arrivons. Nous nous installons derrière un pupitre et sortons nos affaires.

Martin reprend le rituel de se présenter et de nous annoncer son âge. Il a 31 ans et nous explique enseigner depuis pas mal d'années maintenant. Il veut être tutoyé comme la majorité des professeurs. Ici aucune fille qui glousse. Mais je pense que Martin préfère de loin ça. On passe deux heures à remplir un devoir noté pour voir notre niveau. Trois ans que je n'ai pas bossé mes cours… super. Quand il ramasse nos copies, il me sourit.

— Ne perds pas de temps à corriger ma copie, Martin, c'est une vraie cata.

— Ne t'inquiète pas pour ça. Je vais passer te voir dans ta chambre dès que tu en as envie pour te faire bosser.

— Avec un grand plaisir oui.

Il termine par un au revoir et à la semaine prochaine. Nous arrivons en cours d'astrologie avec Pierrick comme enseignant. On va bien voir s'il n'est vraiment pas doué pour ça.

Avec Virgile, on s'installe de nouveau ensemble, je pense que j'arriverai bien à m'entendre avec lui, il est simple et sympa. Avant que Pierrick ne rentre, il me parle un peu de lui de nouveau.

— Tu étais ou ces trois dernières années Nelle ?

— Tu ne le sais vraiment pas ou alors tu veux juste me l'entendre dire ?

— Je ne suis pas du genre fouineur, donc non je ne sais pas pourquoi tu as arrêté.

— Mon fiancé est mort.

— Je suis désolé.

— Ça va un peu mieux maintenant.

— Je sais ce que ça fait de perdre quelqu'un dans sa vie même si moi ce n'est pas suite à un décès. J'étais amoureux d'une civile, et elle acceptait qui j'étais, mais j'ai eu tellement peur de lui faire du mal que je l'ai quitté.

— Je suis désolée.

Je pose ma main sur la sienne et la serre.


— C'est agréable cette chaleur, me dit Virgile avec un sourire très simple.

— En été, tu dois être pratique aussi pour rafraîchir.

— Possible oui.


Pierrick arrive et nous demande de nous taire.


— Le professeur a l'air imbuvable, me chuchote Virgile.

J'explose de rire en entendant ça.

— Nelle merci de ne pas encourager ton camarade.

— Désolée, professeur.

Je me retiens de toutes mes forces de rire. Il se présente très rapidement. Ne prend pas la peine de dire son âge et nous fait bien comprendre qu'il n'est pas notre ami. Je regarde autour de moi et tombe sur le visage d'une fille en pleine fascination sur lui. Elle le dévore du regard, au moins il a une fan. D'ailleurs, ce n'est pas la fille d'hier qui a été attrapée par les démons ?

Les deux heures passent très vite, car lui aussi à la bonne idée de nous donner un devoir pour voir notre niveau. Comme en alchimie j'ai perdu, mais nettement moins. Il va falloir que j'ouvre mes livres et que je révise, et vite. Le cours se termine et avec Virgile on décide d'aller s'installer près du Lac.

— Tu vas aller te baigner ? Ou tu restes vers moi pour me tenir compagnie ? demandé-je à Virgile.

— Non ce n'est pas mon truc, je préfère rester là et me moquer.

— Tu es bête.

— Je le sais déjà ça, pauvre de moi.

On s'allonge dans l'herbe et on profite du soleil tant qu'il est présent.

— Il y a une fête qui s'organise vendredi soir, tu y vas ? m'interroge Virgile.

— Je n'étais pas au courant, mais je verrais.

— Tu n'aimes pas t'amuser et danser ?

— Si bien sûr que si, mais je vais avoir pas mal de boulot pour rattraper les trois dernières années.

— Tu as l'année entière pour ça.

— Ou pas non.

— Nelle ne part pas négative.

— Suicidaire, négative, n'écoute jamais rien, en fait qu'à sa tête.

— Bon je crois que je vais vous laisser Mlle, vous me faites drôlement peur. Quelle idée j'ai eu de me mettre près de toi.

Nous nous mettons alors à rire de bon cœur.

— Il y a un mini spectacle de danse que j'organise.

— Quoi sérieux ?

— Oui, je donne des cours de danse avec mon ami Nathan, une trentaine d'élèves assistent au cours. Et une minorité sait enchaîner deux pas de danse.

— J'ai hâte de voir ça et hâte et de te voir danser.

— Tous les soirs dans le gymnase principal. Enfin si les étudiants de l'ancien campus continuent ici également.

— Je passerai voir ça à l'occasion.

— Avec plaisir.

Nous restons là, posés au lac à discuter et rire. Je me rends compte qu'au fil des minutes nous sommes de plus en plus proches à tel point que nos bras se touchent.

Visiblement, il s'en rend compte aussi, ou c'est juste parce que je viens de regarder notre proximité et qu'il l'a vu.


— Nelle tu ne devrais pas être aussi proche de moi, tu devrais me repousser.

— Tu ne me fais rien de mal là.

— Non, mais je ne veux pas prendre le risque.

— Tu disais avoir de la retenue.

— J'en ai, mais je ne veux pas voir qu'elles sont mes limites.

— Très bien.

Je me décale d'un bon mètre et il explose de rire et se rapproche, mais laisse quand même un peu d'espace.


— Moi, à ta place je serais allé me poser dans la bibliothèque pour être sûr de ne pas être trop près.

— Faut savoir M. le vampire né.

— M. le vampire né ?

— Oui, ça te va bien, dis-je en lui faisant un énorme sourire.

— Tu es une peste en fait.

— Mais non, juste que tu arrives à me redonner le sourire et je t'en remercie, ça fait du bien de se sentir vivante et légère comme ça.

— Dans ce cas, je veux bien être M. le vampire né.

J'explose de rire et le pousse. Quand il mime le mec qui s'effondre par terre je pleure de rire. Il est trop con, mais très drôle.

Call sera finalement resté au lit pendant deux jours complets. À peine sortie que je peux de nouveau l'embêter et passer du temps avec lui à parler de nos vieux souvenirs.

Les jours de la semaine passent, et Virgile et moi sommes inséparables au moins la journée en cours et le midi. Le soir, je passe souvent 2 à 3 h à la bibliothèque et quand il a du courage il m'accompagne. Ce mec me plaît beaucoup, surtout son caractère. C'est tellement simple de discuter avec lui, et il arrive à me faire oublier que Dagon me manque et que je commence à regretter de l'avoir repoussé. Je pourrai peut-être essayer de lui écrire de nouveau pour essayer de me faire pardonner. Enlève-toi ça de la tête, Nelle. Dagon et toi ce n'est pas possible, il doit penser que je m'en fiche de lui maintenant. La preuve, il n'a jamais répondu à mon dernier message et ne m'écrit plus du tout.

Je n'ai pas eu le temps d'aller voir encore Virgile et Nathan danser, mais là j'ai une petite heure devant moi avant le cours particulier de Morgan.

Virgile Nathan et trois autres personnes que je ne connais pas sont dans le gymnase en train de danser. Je ne peux m'empêcher de regarder principalement mon ami, il danse tellement bien, je suis impressionnée. Il remarque ma présence, mais n'est pas le moins du monde perturbé. Je finis par rentrer doucement dans la salle et m'installe à même le sol dans un coin de la pièce, là où je ne risque pas de déranger. Ça se voit qu'il danse ensemble depuis longtemps, ils sont synchros, ça donne envie de se lever et de danser avec eux. Trois danses qu'ils enchaînent à la perfection et s'arrêtent pour faire une pause. Virgile s'approche de moi et me tend sa main. Je le regarde, intriguée, et finis par lui tendre la mienne. Il tire dessus pour que je me redresse. Un frisson envahit mon corps, pas un frisson de froid, mais plutôt un frisson d'avoir ma peau en contact avec la sienne.

— Tu ne comptes pas me faire danser là j'espère ?
Il me sourit et ne répond rien. OK, ça veut dire oui ! il fait un signe à Nathan et la musique redémarre.

— Non, non Virgile, je danse très mal.
Il est sympa et me guide tout le long. La musique prend fin ce qui m'arrange bien, car je suis très mal à l'aise.

Quand je regarde en direction des quatre, l'une des deux nénettes me regarde méchamment, en même temps il faut avouer que Virgile était collé serrer à moi. Je regarde de nouveau Virgile et lui fais un sourire de remerciement puis me dirige vers mes affaires pour aller travailler. Je ne me retourne pas et en sortant je me colle au mur dans le couloir, j'ai besoin de reprendre mes esprits. Quelques instants après la musique reprend. Je ferme les yeux et essaye de respirer calmement. Je sens alors une présence près de moi, quand j'ouvre les yeux je sursaute. Virgile est juste devant et me regarde en souriant.

— Tu m'as fait peur là.
Il se met à rire.

— Décidément désolé.

— Tu ne danses plus ?

— Très bonne analyse.

— Ce n'était pas une affirmation, mais une question.

— Dans ce cas, non je ne danse plus, enfin pour le moment.

— Tu danses vraiment très bien.

— Après quelques cours, je pense que tu pourrais pas mal te défendre aussi.

— Quand je danse, on dirait que j'ai un balai dans le cul.

— Je t'aiderai à l'enlever promis.

— Ha ! ha ! très drôle.

Il s'avance vers moi en ne quittant pas mon regard une seule seconde.

— Qu'est-ce que tu fais, Virgile ?

— J'avance vers toi.

— Merci j'avais vu, mais pourquoi faire ?

— Parce que j'en ai envie, Nelle.

— Tu m'expliques ?

Il caresse mon visage puis ma bouche, ses yeux sont bloqués sur elle, je le vois alors mordre sa lèvre inférieure. Gentiment je lui enlève la main et il relève les yeux et me regarde, mais ne prononce rien.

— Tu m'as dit de te repousser.

— C'était il y a pas mal de jours.

— Et ? Ça change quelque chose peut-être ?

— C'était il y a déjà longtemps pour moi.

Il repose sa main sur mon visage puis avance le sien. Mon cœur s'affole, mais j'aime ce sentiment, j'ai envie qu'il m'embrasse, sentir ses lèvres sur les miennes. Nos bouches ne sont plus qu'à quelques millimètres, il me fait alors un magnifique sourire.

— Virgile ! dit une voix féminine.

Il recule d'un seul coup et tourne la tête vers la fille qui nous regarde dans le couloir. Oh non pas ça. Ou du moins super ! la nénette qui m'a regardé méchamment tout à l'heure.

— J'arrive Marine, une minute.
— On t'attend pour reprendre.
— J'ai compris, et je te demande une minute stp.
— Comme tu veux.

Elle me lance un regard froid et retourne dans la salle. Ah ben voilà, ça faisait longtemps que je ne m'étais pas fait une ennemie.

— Désolé, je dois y retourner.
— À plus tard.

Je ramasse mes affaires et pars rejoindre Morgan que je dois entraîner pour la première fois, Jeremy avait eu une retenue mercredi et n'avait pas pu venir. Pour l'entraînement, j'ai une salle de sport privatisé et un bureau à mon nom.

Il me rejoint dans mon bureau et rapidement j'invoque un esprit. Je veux être certaine qu'il le voit bien avant de faire quoi que ce soit d'autre.

— Il est méchant lui ?
— Ça dépend.

Je fais un signe à l'esprit de ne pas bouger, j'ai demandé à Alex de venir m'aider.

— Il ne bougera pas sans mon ordre, donc pour l'instant tu ne risques rien.

— Pour l'instant chouette, et si je ne suis jamais près ?

— Dans ce cas, il te tuera.

— Quoi ? Mais vous êtes folle.

— Ça te fait quoi de le voir ?

— J'ai envie de partir.

— Au moins, il ne te tétanise pas.

Je demande alors à Alex d'avancer vers Morgan, je veux voir sa réaction. Il se met naturellement à reculer, mais ne tremble pas. Je dois découvrir rapidement son élément déclencheur pour utiliser son don, Alex continue à avancer tout doucement. Morgan ne peut pas reculer plus maintenant.

— Allez, Morgan, fais-le disparaître.

— Impossible, dépêchez-vous de l'enlever de là.

— Bon allez, je vous laisse tous les deux, je vais faire une petite promenade.

— Non non pas ça par pitié pas ça.

Morgan finit par lever la main pour le repousser et Alex disparaît.

— La peur, j'en étais sûre dis-je contente de moi.

— Quoi ?

— Tu dois utiliser la peur pour les repousser.

— C'était fait exprès ? vous ne vouliez pas partir ?

— Non Morgan, je ne serais pas partie rassure toi.

— Vous êtes une folle dit-il en essayant de reprendre son souffle.

Je fais réapparaître Alex.

— Pourquoi l'esprit est-il revenu ? demande Morgan qui recommence à avoir peur le pauvre.

— Je l'ai appelé Morgan. Mais là, il ne fera rien, tu peux te détendre.

— La peur, bravo, Nelle, me dit Alex.

— J'en étais sûr que ce n'était pas la colère qui te ferait disparaître.

— La peur c'est plus compliqué et plus simple à la fois. Si la colère prend le dessus, il sera impuissant tant qu'il ne réussira pas à gérer ses dons.

— Pense à quelque chose qui te fait peur, Morgan, et cela t'aidera.

— Vous, professeur, vous me faites terriblement peur.

— Sympa pour moi, mais OK pense à ça alors.

— J'espère qu'on ne vous a pas appris à utiliser vos dons de cette façon.

— J'ai été bien pire avec elle, répond Alex en rigolant.

— File Alex et merci de ton aide, je ne veux pas prendre le risque qu'il te fasse vraiment disparaître.

Il me sourit et disparaît.


— La prochaine fois, je ferai apparaître un esprit néfaste.

— Non.

— Tu es là pour apprendre, si je ne t'apprends rien tu partiras et tu ne seras pas te défendre.

— Je sais.

— Assis toi et ferme les yeux maintenant.

Il s'exécute. Je m'installe à côté de lui et lui demande de se concentrer en se vidant la tête.

— J'aimerais que tu arrives à trouver l'énergie qui est en toi et qui sommeille, que tu la ressentes se déplacer dans ton corps.

Il reste silencieux de longues minutes et rien ne se passe.

— Morgan, rappelle-toi de ce qu'Alex aurait pu te faire si tu n'avais pas eu peur.

Je le sens se crisper.

— Si tu t'énerves, tu n'y arriveras pas. Respire et laisse la peur t'envahir en pensant à moi invoquant un esprit.

Une aura autour de lui commence à apparaître très légèrement.

— C'est ça Morgan c'est génial.

Je vois alors la porte s'ouvrir et Pierrick entre et me fixe. Je lui fais un signe de faire doucement.

— Tu penses pouvoir accroître le sentiment que tu ressens maintenant ?

J'enveloppe Pierrick dans une bulle.

— Imagine si au moment d'ouvrir les yeux il n'y est pas un, mais plusieurs esprits qui t'attendent et qui t'observent.

Son aura devient encore plus forte et plus brillante.

— Laisse-la sortir maintenant.

— Je ne sais pas faire professeur.

Je fais alors apparaître un esprit d'un guerrier que j'ai tué il y a bien longtemps.

— Ouvre les yeux alors.

En ouvrant les yeux, Morgan a un mouvement de recul et toute l'énergie autour de lui fonce en avant et atterrit sur l'esprit ce qui le fait disparaître.

— Bravo Morgan ! lance Pierrick à son petit frère.
— Qu'est-ce que tu fous là toi ?
— Je voulais voir ce que vous faites.
— On bosse Pierrick, dis-je sur un ton agacé.
— Je préfère vérifier.
— Tu as aussi peu confiance en mon potentiel ?
Il ne répond rien et s'approche de son frère.

— Ça suffira pour aujourd'hui, viens on va à la soirée.
— C'est à moi d'en juger Pierrick, merci de partir de ma salle.
— Non.
— Pardon ? dis-je en sentant une colère m'envahir.
— C'est mon frère et je connais ses limites.
— Je sais ce que je fais.
— OK ! ben, viens, on va se battre tous les deux pour savoir lequel de nous est le plus doué.
— Tu es ridicule, ou alors pitoyable, j'ai du mal à faire mon choix.
— Et toi désespérante.
— Tu sais quoi, entraîne ton frère tout seul et barre-toi de ce campus, ça m'évitera d'avoir envie de te cogner dessus en permanence.
— Ce n'est pas l'envie qui me manque de repartir d'ici.
— Plus le temps passe et plus tu te comportes comme un connard confirmé avec moi.
— Doucement avec tes propos.
— Tu ne mérites pas de mots gentils de ma part crois moi.

— Ne me parle pas comme ça.

— Tu es très beau, mais vraiment con.

Je me relève, prends mes affaires et pars. Il faut que je me défoule. Il faut que je trouve Benjamin ou un autre guerrier.

Parfait Benjamin est dehors en train de discuter avec des étudiants et étudiantes.

— Bonjour. Excusez-moi, je vous l'emprunte, dis-je en m'adressant aux personnes présentes.

Je le prends par le bras et l'emmène avec moi dans une salle de sport.

— Tu m'expliques ?

— J'ai envie de me battre pour me défouler.

— Ah !

Et il se met à rire.

— Ravie que ça te fasse rire.

— Tu devrais aller taper sur un guerrier que tu n'aimes pas, je ne suis pas le meilleur des sacs de frappe.

— Tu n'es pas très coopératif.

— Je connais une super méthode pour te détendre si tu veux.

— Benjamin, tu te transformes en homme fait attention. Retourne avec tes nouveaux amis, je vais me défouler sur quelqu'un d'autre.

Je commence à m'éloigner de lui, il me rattrape par le bras et m'embrasse. Je le repousse et lui lance un regard froid.

— Tu as de la chance d'avoir une grande place dans ma vie sinon tu te serais pris une baffe.

— Nelle, désolé.

— Trop tard.

Je sors du gymnase et marche plusieurs minutes en espérant tomber sur des visages amicaux. Quand mes yeux aperçoivent Virgile et ses amis, je suis d'un certain côté soulagé. Même si au final je suis seulement proche de Virgile les autres semblent m'intégrer tout de même à leur façon. J'avance vers eux, et m'assois un peu en mode furie.

— À ce point-là ? me demande Elena.

— Oui, et encore là je me retiens d'exploser.

— Tu veux nous en parler ? propose Nathan.

— Je crois qu'ils ont décidé de me pousser à bout.

— Je me demande de qui tu parles. Vu le sarcasme dans sa voix Virgile sait très bien de qui je suis en train de parler.

— Il vient me déranger pendant mon cours et l'arrête parce que lui estime que c'est mieux. Il se prend pour qui au juste ?

— Tu l'as envoyé chier ? Enfin, je l'espère.

— Bien sûr que oui.

— Donc là tu es bien énervée.

— Voilà, j'aurais dû le cogner tiens.

— Tu veux que je t'aide à te défouler ?

— Quoi ?

— Je suis aussi dur qu'un mur je te rappelle, donc ce n'est pas avec tes petites mains que tu vas me faire mal.

— Fou toi de ma gueule.

— Allez, viens.

Il me prend par la main et m'emmène dans un gymnase. Les autres nous suivent, car ils ne veulent pas louper ça.

— Mais je ne veux pas te taper.

— Je peux esquiver tes coups si tu veux.

— Je n'ai pas envie de te faire mal.

— Aucun risque.

Il s'avance vers moi et me pousse doucement.

— Tu essayes de m'énerver là ?

— Oui.

Il recommence jusqu'à ce que je me décide à le frapper. Et en effet, il aura réussi à m'énerver encore plus et il se prend une énorme gifle.

— Désolé, dis-je en me mordant la lèvre et en plissant les sourcils.

— Tu vas mieux ?

— Oui bien mieux, merci.

— J'ai mal pour toi, Virgile, sort Nathan en se marrant.

— Non, mais Virgile ! Tu ressens la douleur ?

— Oui.

Je m'approche de lui et pose ma main sur son visage.

— Je suis vraiment désolée !

— Quelle force en tout cas ! Je vais éviter de trop t'énerver, ajoute Dilan.

— Allez, on va à la soirée maintenant. Il y a plein de jolies vampires là-bas, propose Nathan.

Ils sortent tous de la salle, sauf Virgile et moi.

— Ça va ?

— Oui, ça va. Ne t'inquiète pas, je t'ai poussé à me frapper.

— Mais pourquoi tu as fait ça ? Tu savais que j'allais te faire mal.

— Parce que tu en avais besoin. Et je ne ressens déjà plus la douleur.

Je lui souris et n'ose pas bouger. Il s'avance de moi et me prend dans ses bras.

— Je suis censée te repousser là ?
— Seulement si tu n'es pas suicidaire.
— Dans ce cas, je reste là.
— Tu es si chaude.
— Toi tu es tout froid.
— Je te lâche si tu veux.
— Non, non, ça ne me gêne pas. Et ça me fait du bien d'être dans tes bras.
— Bon ben dans ce cas, restes-y un peu.
— Un peu ? Dans quelques secondes, tu vas me repousser ?
— Non. Mais c'est dommage que tu ne sois pas une vampire.
— Tu as l'intention de me mordre M. le vampire né ?

Il explose de rire.

— Hum… très tentant, mais non.
— Et non je ne suis pas une vampire.
— Je rencontre enfin une fille sympa et elle a son cœur qui bat.

Je me recule et lui souris. Je ne veux pas qu'il puisse s'imaginer quoi que ce soit sur mon besoin de câlin. C'est vrai qu'il a un caractère qui me plaît énormément, que je suis bien près de lui, mais il reste un vampire.

— On devrait aller vers les autres, il paraît qu'il y a de jolies vampires dit-il en me souriant.

— Une minute, s'il te plaît, j'aimerais que tu me dises le fond de ta pensée. J'ai l'impression que tu me caches quelque chose. Pourquoi c'est dommage que je ne sois pas une vampire ? Tu attends quoi de moi ?

— Pour rien, Nelle.

— Je t'écoute parle, je ne veux pas de secret entre nous. J'ai besoin de ton amitié et d'avoir 100 % confiance en toi.

Il me sourit et pose sa main sur mon visage puis caresse ma joue puis ma bouche.


— Au mieux, j'arriverai sûrement à t'embrasser sans te faire mal, mais pour le reste se sera impossible.

— Tu veux dire que je te plais ?

— Énormément.

— C'est aussi compliquer que ça d'être avec une humaine ?

— Oui, rien que de te toucher là ce n'est pas simple, je dois tout faire au ralenti pour ne pas risquer de te faire mal.

— Je suis désolée.

— De quoi ?

— Je ne sais pas trop, de te plaire alors que je ne fais rien pour. Je ne veux pas que tu souffres par ma faute.

Il me sourit et approche son visage du mien et lie nos bouches. Sa fraîcheur me fait frissonner tout le corps, il le ressent, car il me sourit. Je me rends compte qu'il se retient, car il est incroyablement doux. Ça doit être frustrant pour lui, et ça me chagrine.


— Ne te fais pas de mal pour rien, ça n'a aucun intérêt.

— Laisse-moi m'entraîner stp.

— Dans quel but, Virgile ? Ce n'est pas du tout sérieux.

Il ne répond rien et pose ses mains sur mon visage et augmente l'intensité de son baiser. Je n'ose pas bouger de peur de provoquer une envie ou un désir chez lui qu'il n'arriverait pas à contrôler. Il me provoque des choses dans le corps, et ça devient compliqué aussi pour moi de résister à ne pas poser mes mains sur lui et le faire se rapprocher davantage de moi. Tant pis j'essaye, j'avance mes mains et les mets dans ses cheveux. Son baiser change alors radicalement je ressens son désir m'envahir. Il recule d'un seul coup à quelques mètres de moi.

— Non, Nelle !
Son mouvement de recul si soudain m'a fait froid dans le dos et m'a paralysé. Je n'arrive plus à bouger n'y a réfléchir. Je regrette d'avoir accepté qu'il m'embrasse, bien que j'aie adoré cet échange. Il m'avait prévenu. Comme je lui avais dit, ça n'a aucun intérêt de faire ça en plus. Et je suis un très mauvais pantin à utiliser.

— Toi et ta façon d'embrasser. Je ne peux pas résister.
Il a la tête baissée et regarde le sol.

— Regarde-moi, s'il te plaît Virgile !
— Pas maintenant.
— S'il te plaît, regarde-moi.
Il finit par relever la tête, ses yeux sont rouges. Il l'a senti et c'est pour ça qu'il s'est éloigné.

— Tu as réussi à t'éloigner, cela montre que tu es bien plus fort que tu ne le penses.
— Pas suffisamment, je n'arrive pas à sortir d'ici, j'ai toujours autant envie de te sauter dessus.

— Tu veux que je sorte ?

— Ne me tourne pas le dos non.

— Tu veux me sauter dessus pour me mordre ?

— Non, ton sang ne m'attire pas je te l'ai dit.

— Tu comptes me faire quoi alors ?

— Ne me force pas à le dire.

— OK, ne dis rien alors, je ne préfère pas savoir.

Je prends mon téléphone et envoie un message à Mattieu pour qu'il vienne avec Jacob ou Logan pour faire sortir Virgile. J'ai une réponse aussitôt. En seulement quelques secondes, Mattieu est devant Virgile.

— Tu ne lui feras rien viens. Je suis là et je vais t'aider.

— Professeur, je suis désolé.

— Et moi je suis très fier de toi d'avoir autant de retenue.

— Faites-moi sortir, s'il vous plaît.

Virgile continue à me regarder, et ses yeux ne changent pas de couleur. Logan arrive à son tour et aide Mattieu à faire sortir Virgile. Il ne semble pas résister. Je m'en veux terriblement de ne pas l'avoir repoussé depuis le départ alors qu'il me l'avait dit qu'il ne pourrait pas. Je me déteste de lui imposer cette situation, on dirait un enfant de 5 ans qu'on tire de force pour l'éloigner d'une vitrine remplie de douceur alléchante. Je m'installe sur le sol et patiente. Quand la porte du gymnase s'ouvre à nouveau et que je vois Mattieu entrer, je sens que je vais prendre cher. Au lieu de ça, il me prend dans ses bras et m'embrasse la tête.

— Ça va ? me demande Mattieu.

— Il aurait pu m'attaquer tu penses ?

— Il a réussi à s'éloigner de toi suffisamment pour que l'emprise soit moins forte.

— Tu ne réponds pas à ma question.

— Il en a eu très envie en tout cas.

— Mais mon sang ne l'attire pas pourtant.

— Ça va au-delà de ça, il a des pulsions et des envies de vampire.

Les larmes finissent par couler.


— Il s'est passé quoi pour qu'il soit dans cet état ?

— Il m'a embrassé et rapidement j'ai ressenti son désir pour moi m'envahir. Il a fait un bond en arrière et ses yeux étaient rouges.

— OK.

— Il est où là ?

— Dans le parc avec ses amis.

— Ils doivent me haïr.

— Non du tout, au contraire, ils sont contents que tu n'aies pas fui et que tu m'aies appelé.

— Pourquoi je pense tout l'inverse ?

— Parce que tu es chiante. Dis-toi que lui s'en veut bien plus que toi. Toutes ces années de retenues pour finir par craquer sous les baisers d'une belle et jeune demoiselle.

— Je dois faire quoi ? Le fuir maintenant ?

— Laisse-lui juste un peu de temps pour reprendre confiance en lui.

— Je devrais retourner dans ma chambre.

— Non, tu devrais aller t'amuser et danser et lui montrer que tu vas bien et que tu ne lui en veux pas.

— Tu crois vraiment qu'il va le prendre comme ça ? Et pas plutôt que je n'en ai rien à faire de lui.

— Mais non, arrête de te poser trop de questions. Lance-lui un ou deux regards de désolé et il oubliera vite.

— Allons-y alors.

— Attends, d'abord j'aimerais comprendre pourquoi tu l'as laissé t'embrasser ?

— Je l'ignore, ce besoin de plaire inconsciemment.

— Et Dagon dans tout ça ?

— Il ne me parle plus, comme il me l'a dit, il m'a supprimé de sa vie.

— Quoi ? Explique-moi.

Nous nous installons blottis l'un contre l'autre un petit moment sur un banc du gymnase et je lui raconte absolument tout, depuis le baiser d'au revoir deux mois après la mort d'Aidan.

— Nelle, je ne suis pas toi, mais si je l'étais, je foncerais dans ses bras, je l'embrasserais et le collerais contre un mur.

— Pour le voir me quitter ?

— Pour le voir te rendre heureuse, il n'attend que ça.

— Je n'y arrive pas, je vois encore son regard à mon retour, il était soulagé, mais pas pour autant prêt à m'embrasser, et à fêter nos retrouvailles. Comme s'il s'en fichait.

— Nelle j'étais là moi quand tu as disparu, et crois moi il a été dans un état pathétique.

— Vraiment ?

— Vraiment, et encore plus quand il a cru que tu étais morte. Il a refusé de te savoir morte, il voulait aller te chercher et te ramener près de lui, on a dû l'arrêter et le surveiller plusieurs jours et je pense que pendant ses journées, il s'est fait une raison, qu'il s'est dit que plus jamais il ne veut être amoureux. Et en te revoyant, la peur de te perdre de nouveau l'a fait agir comme un lâche.

— Merci pour cette vision.

— Allez, debout ! on va aller s'amuser, et se changer les idées.

— Garde tout ça pour toi hein.

— Oui bien sûr.

On file ensemble dans le parc, là où une fête de rentrée est organisée. Je cherche Virgile du regard et il est avec ses amis, il ne semble pas m'avoir vu. On rejoint finalement Scarlett et Romain qui discutent.


— Ah, te voilà enfin, je me demandais si j'allais devoir passer ma soirée une fois de plus seule parmi tous ces hommes.

— Je suis là maintenant et je compte bien t'emmener avec moi danser.

— Enfin quelque chose que j'aime entendre.

Elle me prend par la main et m'emmène au centre de la zone réservée à la danse. Rapidement, la musique et l'ambiance s'emparent de nous, on danse comme des petites folles et cela me fait beaucoup de bien. Nous sommes rejointes par Mattieu et les autres. Mattieu m'enlace et me fait danser.


— Depuis quand tu aimes danser toi ?

— Depuis que j'ai un de mes élèves tristes, ça va l'aider de me voir proche de toi sans avoir pour autant envie de te mordre.

— Merci.

Nous dansons tous avec beaucoup d'énergie et de plaisir. Quand je tourne légèrement la tête en direction de Virgile, il me regarde, son visage est fermé et triste. Je lui lance un petit sourire rapide qu'il me rend. Nous restons là encore un moment à danser et faire les idiots. Une odeur de nourriture nous donne envie d'aller grignoter un peu au buffet.

— Nelle vient il faut qu'on parle, me propose Pierrick.

Je ne l'avais pas vu arriver, ce crétin. Et pour une fois, j'espère qu'il écoute dans ma tête.

— Nelle arrête d'être têtue et viens avec moi s'il te plaît.

— Je n'ai rien à te dire.

— Je suis convaincu du contraire.

— Fou moi la paix et retourne dans ton monde ou les femmes sont traitées comme des sous merde.

— Tu es chiante.

— Oui, je sais, donc ne perds pas ton temps et casse-toi !

Je repose l'assiette que j'étais en train de me remplir et m'éloigne de lui pour aller m'installer au bord du lac. Je préfère fuir plutôt que de le frapper ou dire quelque chose de vraiment méchant et qui ne ferait qu'empirer notre relation.

Je suis tranquillement installé dans l'herbe depuis plusieurs minutes quand je sens alors une fraîcheur s'installer à côté de moi. Je tourne la tête et souris à Virgile.

— Ne meurs pas de faim, me dit-il en me tendant une assiette avec plein de bonnes choses à manger.

— Tu as entendu ma conversation avec Pierrick ?

— Vite fait, j'ai surtout vu que tu as abandonné lâchement cette pauvre assiette, qui avait l'espoir d'être mangée par toi.

— Merci, dis-je en prenant l'assiette.

— Désolé, Nelle.

— De quoi ? D'embrasser aussi bien ?

Il me sourit et me pousse gentiment.

— D'avoir eu envie de te mordre.

— Tu n'as rien fait et je vais très bien.

— Tu aurais fait quoi si je n'avais pas pu me contrôler ?

— J'aurais utilisé ma magie pour te repousser.

— Je doute qu'elle soit suffisante.

— J'ai déjà mis Mattieu au tapis plusieurs fois sans aucune difficulté.

— Parce que tu n'étais pas charmée.

— Tu n'as pas essayé de le faire ?

— Non j'avais encore de la retenue sur ça.

— Passons à autre chose, oublions ça, tu vas te rendre malade pour rien et te faire douter de toi.

— Je vais te laisser tranquille, m'informe Virgile en commençant à se lever.

— Non, restes ! tu ne me déranges pas du tout.

— Tu es sûre ?

— Certaine.

— Dans ce cas, je t'emmène danser avec moi dès que ton assiette est vide.

— C'est une excellente idée.

Nous passons une bonne partie du reste de la soirée à danser ensemble, à rire et s'amuser. Le drame d'il y a quelques heures ne semble pas avoir eu d'impact sur notre amitié ce qui me rassure énormément.


— Je vais te raccompagner jusqu'à ta chambre je te vois fatiguer.

— Si tu veux.

Je dis bonne nuit au dernier courageux et file jusqu'à ma chambre. Nous sommes devant le dortoir à nous regarder et nous sourire. Mon sourire s'efface quand je vois Dagon avec une petite blondinette un peu plus loin tout sourire. Il ne semble pas m'avoir vu ce qui n'est pas plus mal. J'ignorai qu'il était ici, et ça doit être elle sa relation compliquée. Quand je la vois poser sa main sur son visage, j'avoue avoir une légère douleur dans la poitrine. Et encore plus quand il lui sourit et qu'il ne la repousse pas.

— Tu sembles ailleurs tout d'un coup ? me demande Virgile.

— Après une nuit de repos ça ira mieux ne t'inquiète pas.

— Tu veux m'en parler ?

— Non.

— Allez, je vais monter avec toi et on va papoter un peu.

— Je n'ai pas envie de te déranger avec ça Virgile.

— Ouvre la porte.

Je lui souris et m'exécute. Après une douche rapide, je m'allonge à côté de Virgile qui est déjà installé et m'attend avec son téléphone à la main.

— À qui appartient ce tee-shirt ?

— Un ex.

— Tu ne m'as jamais parlé de tes ex. À part ton fiancé décédé.

— Parce qu'il n'y a rien à savoir vu que ce sont des ex.

— C'est vrai qu'un pyjama coûte tellement cher.

— Très drôle.

— Allez parle-moi de cet ex qui t'a filé son tee-shirt qui sens encore son odeur.

— Tu sens encore une odeur dessus ?

Je le renifle par réflexe.

— Oui, ça pue le parfum pour homme.

— Je ne sens rien du tout.

— Pourquoi tu continues à le mettre ?

— Je le mets depuis plus de 5 ans tu sais, même avec le père de mon fils je le mettais. Il a bien tenté de les jeter, mais je n'ai jamais pu.

— Je connais cet ex ?

— Non, et tu ne risques pas de le connaître, il ne me répond plus à mes messages, il me fait la gueule.

— Un parfum qui tient 5 ans, tu pourras lui demander où je peux me le procurer, s'il te plaît ?

— Virgile !

— Ne me prends pas pour un âne hein.

— Celui-ci il me l'a donné un peu plus récemment c'est vrai.

— Donc il te fait la gueule depuis peu, et la raison ?

— On devrait dormir, enfin je en tout cas.

Je me rapproche de Virgile et pose ma tête sur son torse.


— Si ça devient compliqué pour toi ma proximité, dis-le-moi et je m'éloigne.

— Non là ça ne me pose aucun problème.

Je m'endors rapidement sans vraiment m'en rendre compte et c'est quelqu'un qui frappe à ma porte qui me réveille. Virgile est toujours là, en même temps il était un peu bloqué le pauvre. Quand j'ouvre la porte, c'est Dagon. Mon cœur accélère en le voyant.

— Il y a une attaque, m'annonce mon ami.

Je me pousse pour le laisser entrer. Vu le regard que Dagon lance à Virgile, il n'est vraiment pas content. Il ne me laisse pas lui expliquer que Virgile n'est qu'un ami qu'il a déjà quitté ma chambre.


— Non pas ça, dis-je sur un ton désespéré.

— Désolé, Nelle.

— Laisse-moi une minute que je me change et on fonce.

— Je t'attends à ta voiture.

Je gagne rapidement le parking et je ne vois pas Virgile vers ma voiture n'y aucun de mes amis. Quand mon regard croise celui de Dagon, mon cœur accélère une fois encore. Je décide de prendre ma voiture et conduire quand j'entends la voix de Dagon m'appeler. Bon je fais comme si je ne l'avais pas entendu ? Je ne veux pas me retrouver avec lui en voiture, et en même temps j'en ai tellement envie.

— Nelle monte avec moi.

Je fais demi-tour et pars dans sa direction.

— Où est mon ami ?

— Le buveur de sang ?

— Un vampire à moitié vivant.

— Déjà partie.

— OK.

Je monte en voiture et attends qu'il démarre. Il roule comme la dernière fois plutôt lentement.

— Tu ne pourrais pas accélérer un peu ?

— Non.

— Laisse-moi le volant dans ce cas-là.

Il tourne la tête vers moi et me dit non.

— Il faisait quoi dans ta chambre le buveur de sang ?

— Il s'appelle Virgile et c'est une personne avec le cœur sur la main.

— Il n'a pas de cœur !

— Et pourtant.

— Ça ne répond pas du tout à ma question.

— Je me suis endormie dans ses bras.

Je vois à sa mâchoire qu'il serre les dents et que ma réponse ne lui plaît pas.

— Putain Nelle.

— Quoi ?

— C'est un putain de vampire.

— Et toi tu es un abruti, tu t'imagines quoi au juste ?

— Je ne veux même pas savoir, tu me dégoûtes.

— Arrête-toi immédiatement.

— Tais-toi.

— Arrête cette voiture, Dagon, comment tu peux me dire ça.

— Parce que je suis jaloux et que ça me tue de savoir qu'un homme est dans ton lit.

— Arrête-toi de suite je veux descendre.

Il fait un dérapage sur le bas-côté et je quitte sa voiture en courant. Il me rattrape et me maintient contre lui.

— Je te déteste, Dagon.

Je me mets à le frapper de colère et il se laisse faire. Je m'effondre par terre de chagrin après plusieurs coups donnés.

— Il ne s'est rien passé, nous sommes juste amis, lui et moi. Il était en train de me consoler, car j'étais malheureuse de voir une jolie blondinette en ta compagnie en train de te caresser le visage.

Le visage de ce magnifique beau blond qui se tient face à moi change radicalement, il semble s'attrister et s'adoucir.

— Tu me le promets ?

— Évidemment.

— Je suis désolé, bébé.

— Ne m'appelle comme ça, tu as quelqu'un dans ta vie, Dagon, et moi tu connais mon point de vue.

— Tant pis.

Il relève ma tête et m'embrasse avec tellement de douceur que les larmes ont du mal à s'arrêter.

Je reste blottie dans ses bras quelques instants, du moins suffisamment pour que les larmes s'arrêtent de couler.

— Ils vont avoir besoin de nous là-bas.

Je dis oui de la tête et commence à me redresser. Une petite vingtaine de minutes après on arrive sur les lieux. Une cinquantaine de démons sont déjà présents et en train d'attaquer mes amis présents. Des civils sont également encerclés par de nombreux démons. Je les enveloppe aussi vite que possible dans une bulle ce qui fait détourner la tête des démons vers nous. Ils s'éloignent des civils, ou du moins ceux encore en vie, et s'approchent de nous. Je les repousse avec autant de force que possible et j'en tue certains avant même qu'ils ne touchent le sol. Deux démons s'avancent alors de moi avec du mépris dans le regard. Je m'enveloppe dans ma bulle même si je sais qu'elle ne sert à rien. L'un d'eux commence à vouloir la détruire et la main de Dagon le repousse avec force. Le démon n'apprécie pas beaucoup et assène de coup mon ami. Il esquive énormément de frappes, l'autre démon prend le relais en voulant me faire du mal à son tour. Il détruit rapidement ma bulle et me lance un coup que j'évite, j'arrive à en esquiver deux trois, mais le suivant je le prends dans le ventre, par chance il n'est pas suffisamment fort pour me faire tomber, juste assez pour me faire grimacer. Il s'apprête alors à me frapper de nouveau quand un bras se positionne devant mon visage et le repousse.

— Protège-toi Nelle, me dit Virgile en me regardant avec de la colère.

Je me remets un simple bouclier devant moi pour économiser mes forces. Les démons continuent à apparaître, ils sont de plus en plus nombreux, et beaucoup trop de civils présents à nous observer et à nous filmer. Pierrick attend quoi pour les stupéfier ? Je sens alors quelqu'un me mettre quelque chose dans la main, je baisse les yeux, oh des fleurs, je tourne la tête et vois Jacob, il me fait un grand sourire puis me fais signe de regarder un peu plus loin. Je vois alors le regard de Pierrick sur moi, je comprends que c'est maintenant.

Les démons sont immobilisés et les fleurs m'ont complètement envahi, suffisamment pour pouvoir en achever encore une bonne partie, principalement ceux déjà bien fragilisés. Je canalise mon onde et l'envoie de toutes mes forces sur mes ennemis. Très peu d'entre eux réussiront à supporter le choc et resteront encore debout. Ceux au sol seront rapidement achevés et une grande minorité de démons seront encore présents, l'un d'entre eux invoque un portail et ils s'y engouffrent tous.

Jacob revient vers moi et me prend dans ses bras.

— Ça va aller, ma belle ?
— J'ai mal au ventre.
— Montre-moi.

Je ne peux pas soulever mon haut, c'est juste impossible.

— Ça va aller. C'est bon.
— Je peux te soigner, Nelle, tu le sais.
— Je ne préfère pas.

Sauf que la douleur dans le bas du ventre prend une tout autre ampleur et me plie en deux.

J'entends du mouvement autour de moi.

— Nelle, je vais avoir besoin d'aide avec les civils, il faut les empêcher de partir, me dit Pierrick.

— Elle est blessée, il va falloir te débrouiller seul, répond Jacob tout en frottant mon dos.

— Je vais les mettre dans un bouclier c'est bon. Ça va aller, dis-je.

Je me redresse en prenant appui sur le bras de Jacob. Quelques instants après, ils sont tous emprisonnés dans mon bouclier et semblent complètement perdus. Tous les professeurs et élèves regagnent les voitures sauf Jacob Pierrick et moi. Je vois alors s'approcher Dagon.

Il mettra quelques minutes pour effacer la mémoire de tout le monde ainsi que les données des mobiles. Ils ont beau être que des civils ils ont de la force et essaye de sortir du bouclier ce qui me fatigue énormément.

— Ça va Nelle ? me demande Dagon.

— Je commence à fatiguer, je ne tiendrais plus longtemps avec mon bouclier.

— Pierrick dépêche-toi, lance Dagon.

— Tu ne devrais par forcer si tu as mal au ventre m'informe Jacob.

— Quoi ? Elle est blessée ? s'inquiète Dagon.

— C'est bon partons à présent nous invite Pierrick.

— Dagon ! dis-je en m'affolant un peu.

— Oui ?

— Je vais tomber.

— Je vais te porter ne bouge pas.

Je passe mes bras autour de sa nuque et pose ma tête dans son cou. Son odeur est tellement douce et plaisante.

Il m'allonge à l'arrière de sa voiture et me sourit.

— C'est bien, tu t'es lavé avec tes propres produits.

— Plus jamais les produits contre les puces.

J'explose de rire, mais gémis en même temps de douleur.

— Jacob approche s'il te plaît, Nelle a vraiment mal dit Dagon.

— Nelle montre-moi ou tu as mal.

— Non Jacob je ne peux pas.

— Ton haut est collé à ta peau peut-être ?

Il va me prendre pour une folle si je lui dis que j'ai honte de montrer mon corps à un homme maintenant. Ma grossesse m'a laissé des marques dont j'ai terriblement honte. Et même si la douleur est intense elle reste supportable.

— Conduis ma voiture Jacob, je monte à l'arrière avec elle, lance Dagon.

Pierrick et Jacob montent à l'avant et nous partons rapidement. La douleur augmente au fil des minutes, les secousses n'aident en rien.

— Pourquoi tu refuses que Jacob te soigne ?

— Je veux que ce soit l'ange et uniquement lui.

— Pourquoi ?

Je me sens m'endormir ce qui m'arrange, car je n'ai aucune envie de me justifier.

Quand j'ouvre les yeux, je suis allongée dans mon lit. J'entends Pierrick et Virgile discuter. Je suis dos à eux, et en profite pour les écouter.

— Elle va rester endormie longtemps encore ? demande Virgile.

— Je ne sais pas, elle utilise beaucoup de magie, trop, je pense, et son corps lâche prise.

— Ça ne vous inquiète pas là ?

— Si, mais ça change quoi ?

— Appeler l'ange non ?

— Il a déjà fait tout ce qu'il pouvait. Et Jacob avait fait le nécessaire avant de revenir.

Oh non il m'a donc touchée ? Et surtout vu sans mon tee-shirt. Il n'aurait jamais dû, je le lui avais interdit. J'entends Virgile faire des va-et-vient dans la chambre, le pauvre.

— Tu t'es attaché à elle n'est-ce pas ? demande Pierrick.

— Oui.

— Tu ne devrais pas.

— Je sais bien ça, merci.

— Dans ce cas, arrête de suite.

— Et pourquoi ça ?

— Tu vas la faire souffrir, tu es un vampire.

— Ça, je le sais également.

— Tu t'imagines quoi ? Elle est mortelle, elle va vieillir puis finira par mourir.

— Je le sais que trop bien.

— Et surtout est-ce que tu es assez fort pour ne pas la blesser physiquement ? Ta retenue est suffisante ?

— Non.

— Elle a déjà suffisamment souffert jusque-là.

— Vous l'aimez, c'est ça ?

— Quoi ? répond Pierrick sur un ton surpris.

— Dans votre façon de la regarder et de lui parler, vous faites tout pour qu'elle vous déteste, c'est votre façon de ne pas craquer davantage pour elle ?

— Tu te trompes.

— Je ne pense pas non.

— Écoute Virgile je n'ai aucune envie de discuter avec toi.

— Il n'empêche que vous êtes doux et protecteur avec elle.

— Tu devrais changer de sujet de conversation.

— Vous devriez lui dire.

— Je t'ai demandé de te taire.

Les minutes passent et ils ne semblent plus vouloir parler. Bon aller il est temps de montrer que tu te réveilles. Je bouge un peu et finis par me retourner.


— Nelle enfin ! dit Virgile en approchant rapidement de mon lit.

— Bonjour.

Pierrick s'approche à son tour et touche mon front.


— La température est redescendue, tu te sens comment ?

— Vidée.

— Tu nous as fait une peur bleue, me dit Virgile.

— Tu vas t'y faire, je m'évanouis souvent.

— Pendant quatre jours ?

— Non d'habitude ça dure moins longtemps.

— Ton corps est épuisé, et tu dois rester au lit quelques jours encore, m'explique Pierrick.

— Et pour les cours ?

— On passera tous te voir pour te faire un résumé des cours que tu as loupé, rassure-toi.

— Ça ne sera pas nécessaire.

— Je vais aller te chercher à manger maintenant, me dit Pierrick.

— Je n'ai pas très faim pour l'instant.

— Ce n'était pas une proposition.

Il se lève et quitte ma chambre. Virgile s'approche et m'embrasse le front.

— Heureux de revoir tes beaux yeux grands ouverts.

— Désolée de vous avoir fait peur à tous.

— Je t'ai veillé, je suis devenu ton garde du corps.

— Et les cours ?

— Tant pis, je les rattraperais la nuit.

— Au moins toi tu ne t'évanouis pas

— Non, c'est certain.

— Tu penses que je peux me lever ?

— Seulement si tu es assez forte pour affronter Pierrick ensuite.

J'explose de rire.

— Depuis quand il se préoccupe de moi lui ?

— Depuis qu'il s'est rendu compte que tu étais une fille géniale.

— Tu parles, tu as vu comment il me parle en permanence ? Il me fait passer pour une gamine et une idiote.

— Il ne sait pas s'y prendre avec toi.

— Ben, qu'il me laisse tranquille !

Je me lève pour aller prendre une douche rapide. Quand je ressors Pierrick est assis sur mon bureau les bras croisés et avec une tête de toi tu vas prendre cher.

— Vas-y, crache ton venin. Au point où j'en suis avec toi.

— Tu tiens aussi peu que ça à ta vie ?

— Je ne suis pas partie faire un marathon non plus, juste enlever les odeurs sur moi qui me dérange.

Virgile explose de rire et je me retourne pour le regarder et lui sourire. Même si l'envie de rire est bien présente, je me retiens par principe et politesse envers Pierrick.

— Je me demande comment Virgile fait pour te supporter.

— Il a juste plus d'humour que toi.

— C'est un vampire !

— Et pourtant lui semble avoir un cœur contrairement à toi.

Outch, je crois que je l'ai vexé car il se lève et quitte ma chambre.

— Tu es dure avec lui le pauvre.

— Écoute tant pis.

— Il est venu te voir chaque jour et c'est occupé de me ramener à manger.

— Tu veux que je lui donne une médaille de gentillesse ponctuelle ?

— Non, maintenant mange et ensuite on fera ce que tu veux.

— À vos ordres, M. le vampire né.

Je dévore mon assiette puis décide d'aller voir les professeurs qui sont au lac pour qu'ils me donnent les cours que j'ai loupés afin de réviser. Avec Virgile, on s'installe dans l'herbe et on travaille ensemble.

— Je vais finir par devenir intelligent par ta faute.

— Ce serait tellement dommage en effet.

— Je vais faire seulement semblant de bosser alors.

— Ben, voilà une excellente idée.

Martin s'installe à côté de nous et nous propose son aide que j'accepte de suite. Il me surligne les choses les plus importantes qu'il a dites lundi dernier et me conseille rapidement d'aller me mettre au frais et de me reposer.

— Je vais très bien, Martin, rassure-toi.

— L'ange ne comprend pas comment tu fais pour rester vivante alors que ton cœur est presque à l'arrêt à chaque fois.

— On ne veut pas de moi là-haut c'est tout. Ou alors je mets juste mon corps en hors service pour qu'il se régénère plus vite.

— Ne force pas Nelle, on est inquiet pour toi.

— Il va falloir apprendre à me connaître et à savoir que je m'écroule souvent après un énorme effort et que je me relève après.

— Plusieurs jours, il t'a fallu cette fois ci.

— Je devais être juste très fatiguée.

— Nelle.

— J'ai utilisé un peu trop de magie, d'accord. Je ferai plus attention la prochaine fois.

— Un démon t'avait blessé surtout, tu avais un début d'hémorragie.

— Sérieux ?

— Oui sérieux, Jacob t'a soigné, heureusement qu'il était là.

— Change de sujet s'il te plaît.

Il me regarde bizarrement, mais accepte. Théo nous rejoint à son tour et me fait une leçon de morale lui aussi.

— Vous êtes chiant, les mecs, là en fait.

— Parce qu'on tient à toi, nounouille, répond Théo en frottant mes cheveux.

216

— Nounouille ?

— Oui, nounouille, ça te va à merveille, crois-moi.

J'explose de rire et le pousse.

Call et Benjamin arrivent à leurs tours. Notre moment de calme et de révision est terminé. Call s'allonge de tout son corps et pose sa tête sur mes jambes.

— Heureux de te voir les yeux grands ouverts, me dit Call en me souriant.

— Avoue que je t'ai manqué.

— Seulement le confort de tes jambes.

J'explose de rire et lui en colle une.

— Comment tu te sens ? me demande Benjamin.

— Vivante.

Benjamin est vraiment la dernière personne avec qui j'ai envie de parler, il m'a déçu en m'embrassant la dernière fois.

— En fait, tu voulais juste louper une semaine de cours ? lance Romain.

— Chut, c'était censé rester secret.

Quand Jacob arrive à son tour accompagné de Logan et Mattieu, j'ai terriblement honte. Je regarde mes mains et essaye d'ignorer son regard sur moi.

— Ma petite Nelle, je suis heureux de te revoir parmi nous, me dit Mattieu en embrassant ma tête.

— Je suis heureuse de voir vos bouilles aussi, même si pour moi j'ai l'impression de vous avoir vu hier.

— Tes petites joues qui deviennent rouges et toujours drôles à voir, ajoute Logan.

— Vas-y moque toi encore et je t'en colle une.

Ils explosent tous de rire et je me sens encore plus rouge.

— Comment tu te sens Nelle ? m'interroge Jacob.

— Mieux merci.

— Pourtant on ne dirait pas là.

— Si, si, ça va.

Je me lève et après m'être excusé je m'éloigne d'eux. Quand j'entends cette voix qui m'appelle, mon corps tremble. Je ne peux pas faire semblant de ne rien avoir entendu bien évidemment. Je me stop et patiente.

— Qu'est-ce qu'il y a ? me demande Jacob avec son air inquiet.

— Je ne vois pas ce que tu veux dire.

Allez Nelle arrête de regarder tes mains et regarde-le dans les yeux, il va encore plus vite comprendre.

— Nelle ? Pourquoi quand moi je t'ai parlé, tu as changé radicalement d'attitude ?

— Je vais très bien, merci de m'avoir soigné.

— J'ai l'impression qu'il y a une suite à ta phrase.

— Je t'avais interdit de le faire, Jacob.

— Tu as perdu connaissance et nous étions inquiets.

— Tu as retiré mes habits devant tout le monde ?

— Quoi ? demande-t-il surpris par ma question.

— Réponds.

— J'ai juste posé ma main sur ton ventre.

— Tu as soulevé mes habits pour ça ?

— Tu veux en venir ou au juste ?

— Rien, laisse tomber.

Je commence à partir quand il me rattrape par le bras.

— Nelle, tu as refusé que je te soigne, car tu ne voulais pas que je voie ton ventre ?

Il se met alors à rire et moi à pleurer.

— Nelle, je t'ai déjà vue plein de fois en maillot de bain.

— Pas depuis que j'ai eu Nelan.

— Allez viens là, et rassure-toi je n'ai pas cherché à regarder, juste à te soigner. Dagon était à côté et m'aurait cassé le nez si j'avais maté.

J'explose de rire et lui frappe dans le ventre.

— Tu es bête je te jure.

— Nelle, je serais un inconnu je pourrai comprendre ta gêne, mais moi je suis comme ton grand frère, alors ce qui peut te faire complexer n'a pas lieu d'être, pas avec moi.

Je lui saute au cou et le serre aussi fort que je le peux. Il me garde contre lui quelques instants et ça me fait beaucoup de bien.

— On retourne s'asseoir ? me propose mon ami tout en frottant mon dos.

— Non je vais aller me promener un peu, j'ai besoin de souffler.

— Seule, je présume ?

— Oui et promis je ne forcerai pas.

Je profite d'être seule pour appeler mes parents et surtout Nelan pour le rassurer et lui dire que je l'aime terriblement fort. J'hésite à appeler Dagon aussi, mais en même temps je n'ai pas de message de lui pour prendre de mes nouvelles. Laisse-le guérir de toi Nelle, et profiter de son temps avec la petite étudiante.

Je marche quelques minutes et pense à Pierrick. Je commence à m'en vouloir de lui avoir parlé comme ça. Je le cherche dans le dortoir et dans le réfectoire puis finis par aller voir dans sa salle de cours. Quand j'ouvre la porte, il est en bas et regarde dans un télescope. Je m'avance vers lui doucement et m'installe sur un bureau. Il finit par m'entendre et se retourne.

— Tu es venu pour m'insulter, Nelle ?
— En plein jour, tu ne dois pas voir grand-chose dans le ciel.
Il me sourit et ne répond rien.

— Approche-toi.
Je me redresse et m'exécute. Il me demande alors de regarder dans le télescope.

— C'est Vénus ?
— Oui, tu es impressionnante.
— On la voit tellement bien.
— Oui.
— Tu as raison, j'ai un caractère de merde, je suis vraiment désolée, Pierrick pour tout à l'heure. Tu es vraiment doué pour m'énerver rapidement. Et je ne suis pas réputée pour être patiente dans certains domaines.
— Je vois ça. J'avoue ne pas être très sympa avec toi aussi.
— Nous sommes enfin d'accord, c'est bien.
Il me sourit, mais ne répond rien.

— Je vais te montrer autres choses regarde.
— Mercure.

— Tu n'as pas tout perdu.

On passe des heures avec Pierrick à regarder les étoiles et les planètes.

— Vous étiez proche ?

Je le regarde sans vraiment comprendre de quoi il parle.

— Le père de Nelan et toi.

— Très oui, tout notre temps libre nous étions ensemble. Son absence me pèse encore. Même si je vais mieux depuis que je suis revenue ici. D'être entourée d'amis m'apporte beaucoup.

— Tant mieux, mais ne t'attache pas à n'importe qui.

— Tu parles de Virgile ?

— Oui par exemple.

— Je tiens beaucoup à lui, mais je ne ressens qu'une forte amitié, une complicité. Tout est simple en sa présence.

— Qu'est-ce qui te plaît en lui ?

— Son caractère.

— Seulement son caractère ?

— C'est la base d'une amitié non ?

— Tu envisages plus qu'une amitié entre vous ?

— Non, bien sûr que non.

— Il faut que tu sois bien consciente que c'est un vampire surtout, ce n'est pas compatible avec toi, à part si tu as envie d'en devenir un aussi.

— Non absolument pas.

— Dans ce cas, arrête tout de suite pour ne pas souffrir.

— Tu ne dois pas te préoccuper de moi, tu sais bien que je n'écoute personne. Seulement mon cœur. Et mon cœur en ce moment va très mal.

— Je n'écoute pas ce que tu penses seulement ce qui se passe dans ton inconscient.

— Tu y entends quoi ?

— Tu penses à Dagon.

Mon cœur s'accélère en pensant à lui.

— Tu veux m'en parler ?

— C'est mon tout premier petit ami si on peut dire ça. J'étais avec lui juste avant d'être emmenée par les guerriers et à mon retour c'était fini entre nous.

— C'était à ça qu'il pensait en permanence, il se déteste et s'en veut énormément.

— Je sais, mais parlons d'astrologie plutôt si tu veux bien.

— Si tu veux.

Nous continuons à parler alors d'astrologie pendant plusieurs heures en oubliant de manger. Nous nous rendons compte de l'heure quand il regarde son téléphone après avoir reçu un message.

— Il est 1 h du matin Nelle.

— Non sérieux ?

Je sors mon téléphone de ma poche et tombe sur le cul, nous nous mettons alors à rire tous les deux. J'ai également un message de Dagon, je préfère être tranquille dans ma chambre pour le lire.

— On va descendre voir s'il reste de quoi grignoter. Propose Pierrick.

— Ça marche.

Nous arrivons dans le réfectoire et bien évidemment il ne reste rien.

— On sort ? propose Pierrick.

— Ou ça ?

— En ville.

— Maintenant ?

— Oui.

— Allez, soyons fous.

Il me sourit et nous marchons jusqu'au parking.


— On prend ma voiture m'annonce Pierrick.

— Il vaut mieux sinon je risque de m'endormir.

Il roule quelques minutes et nous finissons par nous arrêter devant un bar. Une fois à l'intérieur on demande un mélange de tapas et deux jus de fruits.


— Tu as quoi comme passion ou talents à part être Medium ? me demande Pierrick en souriant gentiment.

— Je croyais que j'étais mauvaise.

— J'ai dit ça sur le coup de la colère, je sais très bien que tu n'aurais pas poussé mon frère trop loin, et je m'en excuse.

— OK, je vois.

— Entraîne Morgan et Jeremy s'il te plaît. Avec toi Morgan a déjà appris quelque chose, je n'ai jamais réussi à les aider.

— Tu ne viendras plus me déranger pendant mon cours ?

— Non, sauf si tu me le demandes.

— Dans ce cas, je veux bien entraîner tes frères, et j'accepte tes excuses.

Il me sourit. Je lui tends la main et le fixe.


— Repartons sur de bons rapports.

Il me sourit encore plus et me tend la sienne.

— Je m'appelle Pierrick.

— Et moi, Nelle.

— Enchanté, Nelle.

— De même.

— Et tes talents alors ?

— Je n'ai pas vraiment de passion, rien ne me motive à me lever le matin à part Nelan.

— Tu es douée en quoi ?

— Je nage bien, je joue bien au billard également.

— Au billard sérieux ?

— Oui pourquoi ?

— Je n'y ai jamais joué.

— Tu veux que je t'apprenne ?

— Non, je vais être ridicule.

— Mais non.

Je regarde autour de moi et vois un billard au fond de la salle. Je lui tends la main et lui montre où je vais l'emmener.

— Nelle non.

— Allez, je suis sûr que tu vas être fort.

Il me prend la main et me laisse l'emmener vers le billard. Je lui montre comment tenir la queue ainsi que deux trois techniques pour viser et tirer. Je lui tends alors la queue et lui demande d'essayer. J'avoue que sa technique pour la tenir me fait énormément rire.


— Nelle.

— Désolée, promis j'arrête de rire. Recommence.

Il la prend de nouveau bizarrement, je m'approche de lui et pose mes mains sur les siennes pour lui montrer. De nouveau, je mets quelques minutes pour lui réexpliquer.

— Je pense avoir compris cette fois.

— Vas-y.

En effet en quelques secondes il s'est drôlement amélioré, on essaye de jouer l'un contre l'autre, mais même en faisant volontairement des bêtises je le bats avec facilité. Il a quand même le mérite d'insister plusieurs fois.

— Il est tard on devrait rentrer maintenant propose Pierrick après quatre échecs, mais de gros progrès tout de même.

— Tu as raison.

— Déjà que tu es censée rester dans ta chambre.

— Je vais très bien et tu le vois.

— Oui.

Il me sourit et pose sa main dans le bas de mon dos pour m'inciter à avancer et à sortir du bar. On remonte en voiture et direction le campus. Il me raccompagne jusqu'à la porte de ma chambre, me dit bonne nuit et s'éloigne. Je prends une douche rapide et décide de lire mon message. « Dagon : désolé Nelle d'être un abruti » « Moi : merci d'être toujours là pour moi-même après toutes ces années, même après avoir souffert pour moi. » Une fois envoyé, je m'allonge et m'endors en quelques secondes. Quand je me réveille, je suis heureuse et motivée. J'arrive tout sourire à table. En une soirée, ma vision de Pierrick a complètement changé ; ce n'est finalement pas une mauvaise personne comme je le pensais. Il est loin d'être aussi imbuvable que ça, il est juste trop protecteur et maladroit. Et surtout, j'ai eu un message de Dagon à mon réveil où il me souhaitait une bonne journée et où il me disait à bientôt. Quand j'arrive à table, ils sont tous là, plateau fini, mais en pleine discussion.

— Bonjour, dis-je en m'installant avec mon plateau.

J'ai le droit à un bonjour unanime. Je commence à manger et essaye de m'intégrer dans la discussion autant que possible.

— Tu as disparu toute la journée hier Nelle, tu étais où ? m'interroge Théo.
— J'ai révisé l'astrologie principalement.
Je ne mens pas, je ne sais pas si Pierrick a envie de le dire en même temps.

— Où ça à la bibliothèque ? demande Martin.
— Non elle était avec moi, dans la salle de cours, répond Pierrick.
Un silence s'installe quand il dit ça. Nelle trouve un truc à dire allez. Le trou noir, quelle horreur.

— C'est une bonne idée en même temps, tu as du retard dans tes cours, si tu veux cet après-midi je t'aide une heure ou deux à la bibliothèque pour te remettre à niveau, lance Enzo.
— Ne te sens pas obligé, Enzo.
— Mais non ne t'inquiète pas.
— J'accepte avec grand plaisir oui, je veux vraiment rattraper mon retard rapidement.
Il me sourit et ne répond rien. Il m'a bien aidé sur ce coup-là, je suis étonnée d'ailleurs. Après mon petit déjeuner, je dois passer voir l'ange, il accepte que je reprenne les cours dès demain, mais refuse que je force ou que j'utilise mes dons pendant une bonne semaine même si je me sens bien. Ça va être compliqué s'il y a une attaque, et j'espère de tout cœur qu'il n'y en aura aucune.
Comme prévu, je file à la bibliothèque et commence à travailler avec Virgile qui est déjà installé.

— Tu avais disparu hier ?

— Je suis allée voir Pierrick pour m'excuser et du coup on en a profité pour revoir les cours d'astrologie. C'était vraiment sympa.

— Sympa ? Tu as passé toute la journée avec lui ?

— Et la soirée aussi.

— Il a réussi à te montrer son bon côté alors.

— On va dire ça oui.

— Bon tant mieux.

— Tu en es ou dans tes révisions ?

— Pas bien loin.

— Montre ce que tu as écrit.

Je tire son cahier et il est vide.

— Ah oui vraiment pas loin, je confirme.

Il se met à rire.

— Je connais déjà tout par cœur, Nelle.

— Quoi ?

— Je te rappelle que je ne dors pas et que j'ai une excellente mémoire.

— Ben pourquoi tu perds du temps ici alors ?

— Pour être avec toi.

Je me sens gênée d'entendre ça, je repense à la conversation de Pierrick et ça me fait mal pour lui et pour moi.

— C'est adorable, vraiment.

— Allez, bosse-toi.

— Oui M. le Vampire né.

Je me replonge dans mes cours tout en continuant à discuter avec lui. Mon esprit divague de nouveau et je pense à la conversation avec Dagon dans la voiture et de sa phrase « je suis jaloux ». S'il savait à quel point je suis jalouse également. À quel point son absence me pèse ici. De me dire qu'il est jaloux me confirme tout ce qu'il m'a dit depuis mon retour, sur le fait qu'il tient encore à moi.

— Il s'est passé quelque chose avec Dagon ?

— Quoi ? Tu connais Dagon ?

— Je pense que c'est le blond qui a débarqué dans ta chambre l'autre soir, et je dis ça parce que tu as marqué son prénom sur toute la page de ton cahier.

— Ha.

— Alors ?

— Oui quand j'ai commencé ma première année, nous avons eu une relation assez courte.

— Et ?

— Ben, ça s'est fini.

— Et ?

— Tu veux savoir quoi exactement.

— Tu l'aimes encore ?

— Je ne m'attendais pas à cette question.

— Ça veut dire oui ?

— Ça veut dire que je l'aimerai toujours oui, mais qu'il est mon passé.

— Nelle, tu dois l'aimer plus que ce que tu penses si tu écris son prénom partout.

— C'est plus compliqué que ça.

— Les femmes, je te jure, si j'étais humain je ne te laisserais pas partir, je me battrai pour toi jour et nuit jusqu'à ce que tu sois accro à moi.

— Sauf que lui ne le fait pas, il se contente de me crier dessus et me faire la gueule.

— Donne-moi son numéro que je lui explique la vie.

— Ça ne sera pas la peine. Il a assez souffert par le passé à cause de moi.

— Je vais t'apprendre à danser et on fera une super choré ensemble et il va en être malade.

Je lui fais un sourire et un non de la tête, je refuse de le rendre volontairement jaloux.


— C'était lui qui est venu te chercher dans la chambre, et le tee-shirt lui appartient également ?

— Oui.

— Je mets un nom sur un visage c'est bien, et j'apprends un peu plus à te connaître.

— On bosse, allez !

Enzo a tenu parole, il est venu m'aider pendant quatre bonnes heures à la bibliothèque. Ça ne suffira pas à me faire revoir le programme des deux dernières années, mais il m'a fait revoir les bases déjà.


En rejoignant le réfectoire avec Enzo mon cœur s'emballe d'un coup. Et ce n'est pas lié au fait que Dagon soit là, même si je suis heureuse de le voir. C'est cette super brunette qui se lève et qui me saute dessus qui me remplit de joie.


— Nelle, hurle Cécile en me prenant sans ses bras.

— Ma petite Cécile, je suis tellement contente de te revoir.

Elle recule légèrement et pose ses mains sur mon visage.


— Tu es devenue encore plus belle, ma chérie.

— Tu as laissé pousser tes cheveux, dis-je en lui prenant une mèche en main.

— Eh oui, je me suis dit pourquoi pas, et vu comment Greg adore je les garde ainsi.

— Tu es belle comme un cœur avec ce changement.

Je passe ma soirée entière avec elle à parler de tout, de rien et surtout du bon vieux temps. Quel bonheur de la revoir après trois ans ! Elle a tellement changé et à la fois pas, elle fait vachement mûre. J'ignore si c'est parce qu'elle a vieilli ou si c'est lié à Greg qui est tout de même un guerrier dur et froid. Mais ce changement lui va à merveille. Il est déjà tard quand je me dirige vers ma chambre.

— Nelle, lance cette voix que j'aime tant.

Je m'arrête et me retourne et attends que Dagon me rejoigne.

— Tu es encore là ?

— Oui, je partirai très tôt demain matin.

— Tu devrais aller dormir alors.

— J'ai besoin de te parler.

— Maintenant ?

— Oui maintenant.

— Très bien.

Je déverrouille la porte de ma chambre et le laisse entrer. Je m'installe sur mon bureau et croise les bras. Il reste là à me regarder avec beaucoup d'intensité.

— Dagon, qu'est-ce qu'il y a ?

— Je suis désolé pour ma réaction dans la voiture l'autre jour.

— C'est oublié.

— Mais pas pour moi.

— Tu m'as dit que tu étais jaloux, ça fait souvent dire ou faire des choses qu'on ne pense pas.

— Sauf que je refuse de voir un homme avec toi, et je le pense.

— Tu t'es juste fait des films concernant Virgile, nous sommes amis, de très bons amis, sans arrière-pensée. Je n'attends de lui que son amitié.

— Ça me va.

— Donc arrête de penser que je t'en veux pour quoi que ce soit, tu as tort.

— Promis ?

— Promis oui.

Quand il approche vers moi mon cœur s'accélère à tout rompre. Je déteste ce que je ressens, mais son câlin me fait tellement de bien. Sans parler de son baiser doux et affectueux.

— Bonne nuit, Nelle.

— Bonne nuit à toi aussi.

Les jours et les semaines passent, une partie de mon temps est consacré à Pierrick et une autre à Virgile. Je me rends compte que je fais ça pour fuir mes sentiments pour Dagon qui sont bel et bien là. Et au fond de moi, il y a une petite voix qui me dit de ne pas lui faire confiance en me remettant avec lui. Du coup, la compagnie de Pierrick et Virgile m'apporte quelque chose de totalement différent. Leurs présences et leurs amitiés sont importantes pour moi. Les attaques ont ralenti même si elles sont quand même au minimum une fois tous les dix jours. Pierrick s'est drôlement amélioré au billard, il commence à battre plutôt facilement certains professeurs. Avec Théo, nous restons pour l'instant les meilleurs.

Nous sommes le jour de mon anniversaire, c'est-à-dire le 14 septembre. J'ai passé une partie de la soirée à recevoir des appels de mes parents et de certains membres de ma famille pour me le souhaiter. Je suis sur le point de me coucher quand ça frappe à ma porte. Rahh qui s'est à cette heure-ci ? Je me lève quand ça insiste encore.

J'ouvre la porte et un sourire puissance mille apparaît sur mon visage.

Un joyeux anniversaire qui m'explose les tampons me fait pleurer de joie. Un gros bisou de tout le monde et un énorme câlin. Tous mes amis sont arrivés avec des bouteilles, de quoi manger et leurs bonnes humeurs. Quand je vois mon beau Dagon entrer également, en dernier mon cœur accélère. Il me prend lui aussi dans ses bras et m'embrasse le front. Sa bouche rejoint mon oreille et il me souhaite en chuchotant un joyeux anniversaire.

— Je suis déçu Nelle, moi qui m'imaginais arriver et te voir en nuisette, me dit Romain en me faisant un grand sourire.

— Désolée de te décevoir, mais je suis bien mieux comme ça.

— Il est trois fois trop grand en tout cas, répond Martin.

— Parce qu'à la base il ne m'appartient pas en même temps.

— C'est le style de Dagon, ce genre de tee-shirt, répond Mattieu.

— Bon, vous êtes chiants, je vais me rhabiller.

Au final, j'aurais passé une super soirée avec eux. J'aurais fondu en larmes une fois encore en ouvrant mon cadeau. Une paire de baskets blanche qui fait bien plus classe que ma vieille paire, elle ressemble d'ailleurs beaucoup à celle que Dagon a offerte à Nelan il y a quelques semaines. Une robe noire plutôt sexy, là je sais que ça vient de Scarlett et un casque pour écouter de la musique, le même que Mattieu. Je suis ravie, mais gênée. J'embrasse tout le monde et sèche tant bien que mal mes larmes.

Quand tout le monde décide de partir dormir il est 3 h du matin, heureusement que demain c'est dimanche et que je vais pouvoir dormir. Dagon souhaite rester quelques minutes supplémentaires et surtout, veut m'aider à ranger.

— Il reste un cadeau que je ne voulais pas t'offrir devant tout le monde
— Quoi ? dis-je surprise.

Ça me rappelle tellement ce qu'Aidan m'avait plus ou moins dit le soir en boîte…

Il approche de moi et mon cœur accélère à tout rompre, il me sourit et me donne un sac.

— Il est de toi ?
— Oui.
— Dagon non, tu n'étais pas obligé.
— Je sais, mais j'en avais envie.

Vu le type d'emballage, c'est un bijou. Et effectivement, c'est un collier en or avec un pendentif en forme de cœur qui s'ouvre. Je fonds en larmes en voyant une photo de Nelan dans les bras de mes parents.

Je saute au cou de Dagon et le serre aussi fort que je peux.

— Merci, c'est magnifique !
— Je t'en prie.

Il reste avec moi jusqu'à ce que ma chambre brille et me propose de descendre les sacs. Un dernier baiser sur mon front et il me laisse dormir. Je suis heureuse de cette super soirée surprise. Je me remets en pyjama et me glisse sous les couvertures et m'endors en quelques secondes.

Les semaines qui ont suivi m'ont permis de rattraper tout mon retard et surtout de me réconcilier avec Dagon. Nous nous appelons deux fois par semaine et à chaque fois qu'il descend, on passe une soirée complète ensemble devant des films à rire et à se faire peur aussi. Il n'a jamais reparlé d'un nous, mais reste tout de même tactile avec moi. Ça ne dépasse pas les câlins et les baisers sur mon front, mais c'est déjà beaucoup pour moi.

Nous sommes déjà fin octobre. Je suis dans ma chambre avec Dagon et il m'aide à réviser de vieux cours d'astrologie. Il passe son week-end sur le campus. Nous révisons depuis deux bonnes heures, je pense. Mon téléphone se met alors à sonner. Quand je le sors de ma poche, j'ai un grand moment de solitude, ma cousine. Je regarde Dagon et respire un bon coup.

— Si tu as envie de rire écoute ça, dis-je en faisant une tête de dépité.
Il me sourit et me fait signe qu'il se tait. Je décroche et mets le haut-parleur.

— Bonsoir Lilou.
— Nelle, je fête mon anniversaire demain, et j'avais complètement oublié de t'inviter.
— Pas grave, je ne pense pas pouvoir venir de toute façon. Enfin, je n'en ai surtout pas envie du tout.
— Ben pourquoi ? Ce n'est pas grave si tu ne viens pas accompagner, je comprends que tu sois célibataire et que

personne ne puisse vouloir de toi. Avec un gosse et des séquelles sur le corps tout de suite ça ne donne plus envie.

— Je ne suis pas célibataire.

Nelle sérieux pourquoi tu as dit ça ? Si j'avais su, je n'aurais pas mis le haut-parleur.

— Ah bon ? Ah tu es avec un moche, c'est ça ?

Les larmes commencent à me monter au visage.

— Bébé, tu viens ? Je t'attends sous la douche, me dit Dagon en essuyant les larmes qui coulent.

— C'est ton mec ?

Il me sourit.

— Oui, c'est mon mec.

— Passe-le-moi, Nelle.

— Non ! sûrement pas.

Dagon me tend sa main et je dis non de la tête. Il ne se fait pas prier et m'attrape et m'installe sur lui. Je lui lance un regard froid et attends de savoir ce qu'il va bien pouvoir se dire.

— Salut Lilou, lance Dagon en me souriant.

— Canon, ta voix.

— Merci, tu voulais me demander quelque chose peut-être.

— De venir avec Nelle demain soir à mon anniversaire.

Il me regarde et je fais des signes que s'est mort et que je refuse.

— Nous viendrons, il faut arriver pour quelle heure ?

Oh non, le con ! je vais le buter dès qu'il raccroche.

— À partir de 19 h.

— À demain soir alors, merci pour l'invitation. Je te repasse Nelle et ne la retiens pas longtemps, on était occupé.

— Bon ben à demain alors, dis-je.

— J'ai hâte de le voir.

Je raccroche et pose mon téléphone.


— Tu n'aurais pas dû accepter, qu'est ce qui t'a pris, sérieux ? je te disais non.

— Parce que ça m'a gonflé, comment elle te parle.

— Fallait te contenter de l'envoyer chier et ça aurait été largement mieux.

— Je sens que je vais bien rire demain.

— Tu comptes vraiment y aller ?

— Bien sûr.

— Mais on va s'ennuyer, tu en es conscient ?

— J'ai envie de voir la tête de son mec.

— Je ne suis pas certaine qu'elle soit avec un homme.

— Et elle te parle comme ça ?

— Dagon, je ne pense pas qu'on devrait y aller, elle va passer sa soirée à me rabaisser et m'humilier.

— Je serais là pour te défendre et la tacler rassure toi.

— C'est censé me motiver et me rassurer ?

— Oui, maintenant on continue de réviser, tu as un examen à passer.

Je m'aperçois que je suis toujours sur lui, dans ses bras. Nos visages sont super proches, et je meurs d'envie de l'embrasser. Quand je le vois regarder ma bouche, je pense qu'il a envie de la même chose. Je me redresse d'un coup et retourne m'asseoir à ma place de tout à l'heure.

— Allez au boulot, et il y en a, dis-je en souriant.

Nous retournons à nos révisions et il finit par rejoindre sa chambre. La nuit n'aura pas été très reposante, l'idée de cette soirée ne me plaît pas du tout. Si je pouvais y emmener tous mes amis, ça m'arrangerait bien.

Je finis par me lever et rejoindre le réfectoire. Pierrick, Dagon et Call sont là en train de discuter. Je me sers à manger et m'installe vers eux.

— Salut, ma belle, me dit Call tout en me souriant.

— Bonjour.

— Salut Nelle, ajoute Pierrick.

— Petite mine, lance Call.

— Très mal dormi.

— Pourquoi ? Les révisions de Pierrick te rendent malade ?

— Non, plutôt la perspective de ma soirée chez ma cousine Lilou.

— Ah oui je peux comprendre répond Call en se marrant.

— Ça va bien se passer ne t'inquiète pas, au pire si on s'ennuie on part, renchérit Dagon.

— Tu l'accompagnes ? demande Call en s'adressant à Dagon.

— C'est plus compliqué que ça, elle a été odieuse avec moi au téléphone et il m'a défendu en se faisant passer pour mon copain.

Call explose de rire.

— Tu vas vraiment te faire passer pour son mec ? demande Call qui continue de se marrer.

— C'est quoi le problème s'il joue le jeu pour la soirée ?

— C'est le pire moyen de vous faire souffrir ensuite.

— Il n'y a aucune raison qu'on souffre ensuite, il va juste me coller et me prendre dans ses bras, voir la main.

— Si tu le dis, répond mon ami avec un regard de vas-y fou-toi de moi.

— Sourire et coller Nelle je pense que ça peut être à ma portée, c'est déjà ce que je fais quand je suis ici répond Dagon en me souriant.

— Tu lui as donné ton prénom ? demande Call.

— Non, elle ne l'a pas demandé en même temps.

— Tu veux que je vienne à sa place Nelle ?

— Pourquoi tu veux faire ça ?

Il ne répond pas à ma question et se contente de me regarder. Il veut à tous les coups me faire comprendre quelque chose, du style notre conversation d'il y a plusieurs semaines ou il me disait que Dagon avait énormément souffert par ma faute et que s'il m'accompagne en se faisant passer pour mon mec il pourrait espérer la même chose ensuite. Mais je ne peux plus refuser Dagon maintenant, surtout qu'il a l'air emballer.


— Tu pourrais plus passer pour mon père toi à la rigueur.

Il m'envoie un morceau de pain et j'explose de rire.


— J'y vais avec Dagon, avec lui je suis sûre de passer une bonne soirée à danser.

— Bon ben dans ce cas-là bonne soirée à vous.

— Tu peux toujours venir avec nous ce soir, ma cousine sera aux anges de voir un beau gars en plus à sa soirée.

— C'est ta cousine qui tournait autour d'Aidan pour ton anniversaire ?

— Oui, c'est bien elle.

— Tout de suite, je t'avoue que je n'en ai pas très envie.

— Petit joueur !

— Il y aura d'autres belles filles ?

— Il y aura moi déjà.

— J'ai dit belle !

— Heyyyy !

— C'était trop tentant.

— Ouais, ben le laideron ira seul avec Dagon ce soir, car lui il est sympa.

— Rhoo, mais non, je plaisantais.

— Trop tard, dis-je.

Je finis par me lever après lui avoir fait une grimace et je sors du réfectoire. Je retourne dans ma chambre prendre des cours et décide de passer une partie de la journée à la bibliothèque pour réviser.

Quand j'arrive, il y a déjà pas mal d'étudiants, dont Morgan. Il me fait un grand sourire en me voyant. J'ai appris à le connaître au fil des semaines et il est vraiment sympa, contrairement à Jeremy qui est prétentieux à souhait.

Je m'installe à une table et commence à réviser mes cours d'alchimie. Trois ans sans avoir ouvert un bouquin et mine de rien beaucoup de notions de base me sont sorties de la tête. Je bouquine depuis pas mal de temps sans me rendre compte que j'ai loupé le déjeuner. C'est une voix familière qui me sort de mon travail.

— Bonjour, ma petite Nelle.

— Salut Benjamin.

Nous nous parlons quasiment plus depuis la fois où il m'a embrassé dans le gymnase. Il était là à mon anniversaire, mais à part me le souhaiter et m'embrasser sur la tête il ne m'avait pas adressé la parole.

— Je peux m'asseoir ?
— Oui, bien sûr.
— J'ai besoin de te voir et te parler, Nelle.
— De quoi ?
Je relève la tête et le fixe.

— Mes sentiments grandissent de nouveau pour toi à mesure où je te vois, laisse-nous une chance.
— Une chance ? Et Nelan j'en fais quoi ? Je le laisse chez mes parents ?
— Avec le temps, j'arriverai à m'y faire.
— Ça ne fonctionne pas comme ça. Nelan, je le récupère à la seconde où je retourne chez moi. Et si je choisis d'enseigner, je le prendrais avec moi ici.
— Ce n'est pas la place d'un enfant.
— Benjamin, ça n'aboutira à rien cette discussion.
Il finit par poser sa main sur la mienne et je perçois beaucoup de tristesse dans ses yeux.

— Viens passer quelques jours avec moi chez mes parents la prochaine fois que j'y vais pour voir Nelan, apprends à le connaître, et on verra avec le temps.
Vu la tête, je ne suis pas convaincue qu'il en ait vraiment envie. Mon téléphone se met alors à sonner et je réponds aussi vite que possible pour fuir Benjamin.

— Oui ?
« Dagon : tu es où ? On ne devrait pas tarder à partir. »

— Il est quelle heure ?

« Dagon : 17 h. »

— Quoi déjà ?

« Dagon : oui, tu es où ? »

— Bibliothèque.

« Dagon : j'arrive. »

Je raccroche et repose le téléphone.


— Benjamin, je serais une menteuse de dire que tu ne m'attires plus, mais ça ne pourra plus jamais être comme avant entre nous. J'ai changé, mes priorités ne sont plus les mêmes qu'avant. Et je ne suis pas certaine que je m'imagine encore avec toi aujourd'hui, que je pourrai compter sur toi pour m'épauler quand je ne serais pas en mesure de m'occuper de Nelan.

— Et Dagon ?

— Tu n'es pas venue pour parler de lui il me semble, si ?

— On en discutera à un autre moment si tu veux bien.

— Je ne changerai pas d'avis. Je ne me sens pas prête à autre chose qu'une amitié avec qui que ce soit.

— Je vais y réfléchir pour passer un week-end avec Nelan et toi.

— Commençons par ça déjà, et se sera l'occasion de refaire connaissance tous les deux également.

Je rebaisse la tête et finis rapidement mon chapitre avant l'arrivée de Dagon. Quelques minutes après, je le vois arriver. Il s'installe à côté de Benjamin et prend mon livre pour voir ce que je lis.


— Ça avance ?

— J'ai fini l'alchimie, mais il me reste encore quelques chapitres d'astrologie.

— N'hésite pas si je peux aider.

— C'est gentil.

— Je vous laisse, annonce Benjamin en se levant.

Il ne nous laisse pas le temps de répondre qu'il est déjà parti.

— Il y a un problème avec lui ?

— Oui.

— Explique-moi.

— Il a réessayé de m'embrasser il y a quelques semaines et je l'ai repoussé.

Dagon se met à rire.

— Ravis que ça te fasse rire.

— Pourquoi tu l'as repoussé ?

— Parce que je n'en avais pas du tout envie, il n'assumera pas derrière en plus. Je ne suis pas un jouet.

Il me sourit, j'ai bien fait exprès de dire ce mot, car il l'avait lui-même employé il y a quelques mois à peine.

— Je le comprends, assumer l'enfant d'un autre sans le connaître.

— Je ne lui ai pas dit de l'adopter et de m'épouser.

— Oui, je me doute bien, mais c'est compliqué pour vous deux cette situation.

— Non, mais j'ai l'impression qu'il attend que je lui dise que je vais l'abandonner pour me mettre avec lui.

— Il t'aime et souffre de ne pas réussir à pouvoir te partager.

— Mais mon fils est ma priorité sur tout, si un mec n'est pas capable de nous prendre lui et moi, c'est mort.

— Nelle, tu cherches un homme dans ta vie ou un père pour Nelan ?

— Quoi ? Je…

— Ma question est pourtant simple, ne cherche pas un père pour Nelan, pense à toi, et si cette personne t'aime sincèrement Nelan ne sera pas un obstacle, crois-moi.

— Parlons d'autre chose, s'il te plaît.

Il n'imagine même pas à quel point cela me fait bizarre d'avoir cette conversation avec lui.


— Tu as préparé tes affaires déjà pour ce week-end ? me demande Dagon qui au vu de son sourire connaît déjà la réponse.

— Bien sûr que non.

— On devrait y aller, histoire que tu vois 5 minutes Nelan.

— Je finis ça et je me dépêche.

— Je voulais voir avec toi si tu as envie que je m'habille d'une certaine façon.

— Quoi ?

— Nelle, j'ai envie de te faire plaisir, tu as envie que je sois habillé classe ? Décontracté ? En mode sportif ?

— J'aime bien quand tu es avec ton pantalon beige et ta chemise blanche entre-ouverte, celle quand tu es venu me voir.

— Je vois.

— Et des chaussures mocassins ou baskets ?

— N'importe.

— OK, je vais chercher mon sac dans ma chambre. Et on se rejoint devant le dortoir.

— À tout de suite alors.

Je finis de lire deux trois pages et file dans ma chambre pour préparer une tenue pour ce soir et une pour demain ainsi qu'un pyjama. Je rejoins Dagon devant le dortoir. C'est la tenue qu'il avait la première fois qu'il m'a embrassé. Mon Dieu qu'il est beau comme ça.

— Tu es bien sûr de vouloir m'accompagner ?

— Oui, j'en suis certain, la fameuse Lilou m'intrigue.

— Elle a la chance d'être canon.

— Mais sans cervelle apparemment.

— On ne peut pas tout avoir.

Il rigole et ne répond rien.


— On prend ma voiture, Nelle.

— La mienne fait aussi tache que ça ?

— J'aime juste conduire.

— D'accord, ça me va.

— Tu sais que tu es très beau quand tu conduis ?

— Très beau ? Rien que ça ?

— Ne te moque pas, c'était juste un compliment.

— Merci pour ce compliment.

— Tu es sûr que ça ne va pas te faire bizarre de te faire passer pour mon copain ?

— Ça va, Nelle, je n'ai plus 5 ans, je suis capable de faire la différence dans ma tête. Ça va juste bien m'éclater. Je vais éviter de t'embrasser sinon je vais m'en prendre une.

— J'explose de rire et le pousse.

En 1 heure, nous arrivons chez mes parents. Nelan me saute au cou et me dévore de bisous et de câlins.

Dagon finit par se mettre accroupi et dis bonjour à Nelan.


— Comment vas-tu bonhomme ?

— Je ne suis pas un homme, je suis un enfant.

— C'est vrai, et tu t'appelles comment ?

— Nelan, et toi tu es qui ?

— Un ami de ta maman, je m'appelle Dagon.

— Tu es son chéri ?

— Non mon cœur, c'est un camarade.

— Tu repars maman ?

— Oui dans quelques minutes, mais je reviens dormir ici et demain je passe du temps avec toi.

— Promis ?

— Oui promis.

Nelan finit par prendre la main de Dagon ce qui m'étonne énormément, car il ne parle pas aux inconnus d'habitude et l'emmène vers la table basse.


— Ça, c'est ma maman et là, c'est moi.

— C'est très joli, mais pourquoi ta maman a les cheveux blonds sur le dessin ?

— Parce que des fois elle pleure en dormant et elle dit qu'elle est horrible maintenant et que personne ne veut d'elle, qu'elle est un monstre.

Mon cœur se brise d'entendre ça, Nelan m'écoute pleurer la nuit quand je dors ? Je m'en veux tellement. Dagon me regarde et me lance un regard de désolé d'avoir posé la question.


— Faudra dire à ta maman que toi tu la trouves très belle comme ça.

— Mais je lui dis, mais elle continue de pleurer quand même la nuit quand elle dort.

— Ah, il va falloir trouver un chéri à ta maman alors. Je suis sûr qu'il va réussir à réparer son cœur et sa tristesse.

— Moi je veux un gentil papa. Un papa qui joue au ballon et aux petites voitures.

— Je suis sûr que tu vas en trouver un qui fera tout ça avec toi.

— Tu joues avec tes enfants toi ?

— Je n'ai pas d'enfants, bonhomme.

— Tu n'en veux pas ?

— Si bien sûr.

— Pourquoi tu n'en as pas alors ? Ta chérie ne veut pas d'enfants.

— Je n'ai pas de chérie.

— Pourquoi ?

— Nelan, ça suffit dis-je pour stopper cette conversation qui va vite devenir gênante pour Dagon.

— Ce n'est pas grave, Nelle, ne t'inquiète pas, me répond Dagon.

— Ma maman n'a pas de chéri, tu peux te marier avec elle, si tu veux.

— Nelan ! dis-je un peu énervée.

— Elle est la plus belle et la plus gentille du monde, ma maman.

— Ça, je le sais bonhomme.

— Et moi, je suis très sage, tu verras.

— Ça ne fonctionne pas comme ça, tu sais.

— Les adultes vous êtes trop compliqués, je trouve.

Il n'a pas tort pour le coup.


— Pourquoi tu n'as pas de chérie ?

— Je l'ai laissée partir il y a quelques années. Je t'avoue que j'ai été bien bête d'ailleurs.

— Ben, va la chercher et dis-lui que tu l'aimes très fort.

— Je vais y penser.

Il me regarde en disant ça, il parlait de moi ?


— Mon papa est parti au ciel.

— Je sais, bonhomme.

Nelan se tourne vers Dagon et le prend dans ses bras.

J'ai les larmes qui coulent. Je les trouve tellement beaux tous les deux. Il tourne la tête vers moi et me sourit gentiment. Même mes parents sont émus devant cette scène. Il est d'une patience avec mon fils, c'est impressionnant, même quand il était tout bébé il a souvent passé du temps avec lui à lui parler et le divertir.

— Je vais aller me changer rapidement pour ce soir.

Je monte dans ma chambre et enfile une robe, celle offerte par mes amis. Un lissage rapide de la frange et un maquillage léger, mais efficace pour faire ressortir mes yeux et ma bouche.

Je redescends et préviens que je suis prête.

— Tu es magnifique ma chérie, me dit ma mère avec un grand sourire.

— Je suis bien d'accord avec ta mère, ajoute mon père.

Dagon se contentera de me sourire et Nelan quant à lui me dira que je suis la plus belle de toutes les mamans du monde.

— Allons-y, à demain, dis-je en faisant signe à Dagon de me suivre.

— Bonne soirée. À demain, ajoute Dagon.

Nous quittons la maison de mes parents et gagnons la voiture.

— On a bien fait de prendre ta voiture finalement, elle est bien plus classe que la mienne.

— Tu veux lui en mettre plein la vue ?

— Oui, c'est gamin je sais, mais tu vas vite comprendre pourquoi je dis ça.

— Je suis sûr que tu la surestimes.

— Non, et attends-toi à te faire bien draguer.

Il explose de rire et s'installe au volant.

— Je suis prêt à être guidé.

Nous roulons 15 bonnes minutes et arrivons devant une grande maison entourée d'un jardin de la taille de la résidence où est ma maison. Ils sont riches, le savent et ne se privent pas pour le montrer. Il est déjà 20 h 30 quand nous nous garons. Une trentaine de personnes est dehors en train de boire, je reconnais de loin ma cousine.

— Tu es magnifique comme ça, tu vas en mettre plein la vue à ta cousine.

— N'exagère pas non plus.

— Jamais.

Son regard est très sérieux pour le coup. Je ne préfère rien répondre et plutôt essayer de contrôler mon stress qui apparaît.

— Allez courage bébé, dit-il en souriant.

— Je vais en avoir besoin mon cœur, dis-je en retour en faisant un grand sourire.

Dagon me prend par la main, croise nos doigts et il n'en faut pas plus à mon corps pour réagir aussitôt par des frissons. Ce qui me fait sourire et m'incite à avancer. Je vois alors plusieurs têtes se tourner vers nous et des yeux se poser sur la main de Dagon et la mienne. Quand ma cousine m'aperçoit arriver, je pense voir son visage passer par toutes les couleurs quand elle pose ses yeux sur le beau blond qui m'accompagne. Elle s'approche de nous pour nous faire la bise.

— Nelle ! tu as fait des efforts pour te rendre jolie, bravo.

Connasse va. Faut que je pense à remercier Scarlett, car d'avoir ce genre de compliment de ma cousine c'est qu'elle aime vraiment.

— Oui, je voulais être présentable, tu ne fêtes pas tes 25 ans tous les jours.

— Tu as fêté les tiens aussi ?

— Bien sûr, dis-je en lui souriant.

— Ah oui cool, mes parents m'ont acheté la voiture qui est là-bas.

— Je suis très contente pour toi, Lilou.

Je vois bien qu'elle attend de savoir ce que j'ai pu avoir pour le mien.

— Nelle n'a pas eu envie de mettre la magnifique bague que je lui ai achetée pour nos fiançailles. Elle souhaite attendre que je demande officiellement sa main à ses parents et que je l'annonce à ma famille aussi. Mes parents sont comment dire, très procédurier et vu le patrimoine que Nelle va automatiquement hériter il préfère se renseigner sur elle avant.

— Ça devait rester secret mon cœur, dis-je en me retenant de rire.

— Oui, mais Lilou, je suis certain qu'elle saura tenir sa langue bébé.

Je lui souris et regarde Lilou se décomposer sous mes yeux.

— N'est-ce pas, Lilou, insiste Dagon.

— Bien évidemment, quelle question !

Là, je l'imagine déjà s'éloigner et se connecter sur tous les réseaux sociaux qu'elle maîtrise et envoyer un message grouper à toute ma famille et leur dire !

Il m'embrasse sur le front après avoir dit ça. La tête qu'elle fait est très drôle à voir. Je déteste ce genre de mensonge, mais pour me défendre contre elle tous les moyens sont bons ! si Call était venu à la place de Dagon il n'aurait jamais pu dire ça n'y même le penser. Il l'aurait envoyé chier plutôt, je pense.

— Tu ne m'avais pas dit que ton mec était juste canon. Enfin ton fiancé plutôt.

— En même temps, tu ne l'as pas demandé.

Je tourne la tête vers Dagon qui est tout sourire, c'est vrai que Dagon était déjà beau avant, mais là avec de la maturité en plus ça rajoute encore plus de charme. Et ma cousine est clairement le style de fille qui pourrait l'attirer physiquement.

— Je ne t'ai pas dit bonjour, et encore moins souhaité joyeux anniversaire. Donc joyeux anniversaire miss, 25 ans alors ? lance Dagon.

— Oui, je sais je ne l'ai fait pas.

— Tu fais plus vieille effectivement,

Ha ! ha ! Nelle ne rigole pas, je t'en prie.

— Tu es au courant qu'elle est maman rassure moi ?

Sa vengeance envers moi est moche là quand même ! ou petite comme son cerveau.

— Oui, je le sais, elle était dans mes bras quand elle a mis au monde Nelan. Et je pense que c'était l'un des plus beaux moments de ma vie.

— Sérieux ? demande Lilou.

Il est sérieux de dire ça ? Vraiment ?

— Nelle, il était là ?

— Oui, il était là, depuis le premier jour où mon chemin a croisé le sien il a été là pour moi, dis-je en souriant à Dagon.

Je prends moi-même conscience de ça. Il a toujours été présent à chaque fois que j'avais besoin de lui ou d'aide. Je me tourne pour le regarder et pose ma tête contre son torse.

— Je serais toujours là pour toi, ma petite Nelle, je te le promets.
— Je sais, et moi aussi.
Il m'embrasse le front et me regarde avec beaucoup de tendresse. J'en oublierai presque la présence de Lilou.

— Bon, allez, venez. Je vais vous présenter à ceux qui sont déjà arrivés.
Elle fait le tour de ses amis, et propose à Dagon de lui montrer le bar, il hoche la tête et accepte de la suivre. Et voilà c'est parti, elle va le draguer et me laisse en plan dehors avec ses potes qui ont pour la plupart l'air d'avoir 15 ans et deux de tension. Une voiture finit par rentrer sur le terrain, une belle voiture de sport jaune. Deux gars en sortent, deux gars complètement différents, bien habillés et qui font hommes. Ils s'avancent vers nous et nous font la bise. Ils se présentent rapidement et entrent dans la maison. Presque 10 minutes que je patiente. Je finis par aller voir ce qu'elle peut faire à Dagon. Elle est à quelques centimètres de lui et le dévore des yeux. Ils tiennent tous les deux un verre et semblent bien rigoler. Super, je vais passer pour une fille qui est avec un mec qui roucoule avec d'autres. Je n'ai même pas envie de me prendre la tête avec ça et préfère les ignorer et aller me poser dehors sur son canapé de jardin et profiter de cette douceur d'automne.

— Tu ne profites pas de la soirée ? demande cette voix que je ne connais pas.

Je continue à regarder droit devant moi, cette vue sur l'horizon qui est très jolie et reposante.

— À ma façon, si.
— Je peux ?
— Oui, bien sûr vas-y.
— Arthur.
— Nelle.
— La fameuse Nelle.

Je tourne la tête et reste scotché devant la beauté du mec. Il a un sourire à rendre jaloux tous les mecs aux alentours. Ce n'est pas lui qui est sorti de la voiture de sport Jaune ? Ou alors je confonds.

— Et ça veut dire ?
— Que tu étais attendu comme le messie par Lilou, apparemment tu as un nouveau mec et c'est le scoop de l'année.

J'explose de rire.

— Elle n'a pas d'autre sujet de discussion que celui de sa cousine ?
— Faut croire que non. Et ce petit ami n'est pas venu ?
— L'ami est là, si. Il se fait draguer par Lilou. Elle doit sûrement être en train de lui faire découvrir sa chambre et le contenu de son tiroir de tenue sexy.

Cette fois-ci, c'est lui qui rigole.

— Étonnant, mais pourquoi l'ami ?
— Il a inventé cette connerie juste pour la faire chier. Nous sommes qu'ami, mais ne vas pas lui répéter sinon elle sera bien trop heureuse de pouvoir me rabaisser et me faire passer pour la

honte de la famille à avoir un enfant à mon âge sans mec dans ma vie.

— Vu la durée que dure ses relations elle ne risque pas d'avoir d'enfants un jour.

— Vu comme ça.

— Tu fais quoi dans la vie ?

— Je fais des études pour devenir enseignante.

— Tu aimerais enseigner quoi ?

— Je ne sais pas trop encore.

Je me vois mal lui dire j'apprends aux médiums à développer leurs dons.

— Et toi ?

— Je suis pompier.

— Très beau métier, mais pas simple en revanche.

— Je confirme.

— Mais en uniforme, tu dois les faire fondre toutes comme des mouches.

— J'avoue que c'est un avantage plutôt sympa de mon métier.

— Et comment tu connais Lilou ?

— Toute la caserne la connaît.

— Ah d'accord, je vois bien le style en effet.

— Mais je tiens quand même à te préciser que je suis là juste pour mon nouveau collègue qui lui ne la connaît pas, et je préfère faire comme toi et fuir.

— Le banc des insociables.

— Juste pas les mêmes délires qu'elle.

— Il y a beaucoup de petits jeunes.

— Et par chance, il y en a des un peu moins jeunes.

Je lui souris et ne réponds rien. Nous restons là à parler de tout et de rien pendant un bon moment. Pour le coup, sa présence me tient vraiment compagnie.

— Ah ben, tu es là Nelle, tu as abandonné Dagon, bon il était en super compagnie en même temps. Ça doit lui changer de ton humour ou de ton manque d'humour, lance Lilou en me regardant avec un sourire moqueur.

— Je dirais que tu l'as kidnappé plutôt.

— Je lui montrais juste le bar.

— Mais oui bien sûr, j'aurais plus dit que tu avais envie de lui montrer ta culotte.

— Je pense qu'elle n'en porte pas, ajoute Arthur en me chuchotant à l'oreille.

J'explose de rire et le pousse. Il est trop bête, mais j'adore.

Je vois alors Arthur se lever et me tendre la main.

— Viens, Nelle, je t'emmène danser. Visiblement aucun de nous deux avons envie d'être ici, alors passons notre soirée ensemble si tu veux bien.

Hein quoi ? Et puis merde, il est canon, sympa et pas lourd. Je lui donne ma main et le suis. Je ne regarde pas dans la direction de Dagon, de toute façon il a quelqu'un avec qui discuter et 1 heure après être arrivé, revenir me voir comme une fleur cela me met hors de moi. Nous arrivons dans la maison, là où la musique et l'ambiance battent leur plein.


— Tu sais danser toi ? demandé-je.

— Non, mais je compte sur toi pour me montrer.

— Tu as de l'espoir c'est bien, mais tu as demandé à la mauvaise fille.

— Tant pis je vais devoir me contenter de toi alors.

— Pourquoi m'avoir demandé de venir danser ?

— Je voulais juste mettre fin à ce début de crêpage de chignon.

— J'ai vu ça, mais j'aurais préféré lui faire mordre la poussière.

— Pourquoi ? S'il ne se passe rien avec lui.

— Par principe, je passe pour quoi moi devant les gens, j'arrive avec un mec et il passe son temps à parler avec la plus pouf des filles présentes.

— Tu ne devrais pas te préoccuper des autres.

— Je ne serais pas moi si je change ça.

Il me sourit puis me prend une main et commence à me faire danser. Et pour quelqu'un qui ne sait pas danser, il se débrouille drôlement bien.

— Tu sais danser en fait.

— Oui.

Je lui donne un coup dans le ventre et il explose de rire. Nous restons là à danser de longues minutes. Il se rapproche de mon oreille.

— Pour un mec qui ne te voit que comme une amie, il n'a pas l'air très content.

— Ça lui passera, et je ne fais que danser, je ne me fais pas draguer moi.

— Tu devrais aller le voir, je ne voudrais pas un dérapage ici. Et je sens qu'il maîtrise le karaté.

De nouveau, je rigole, il a un humour aussi pourri que le mien au moins.

— Il ne fera rien rassure toi. Et je confirme qu'il sait très bien se battre.

— Laisse-moi en douter.

— Je préfère rester avec toi.

Il me regarde surpris puis me sourit et recommence à me faire danser.

En me faisant tourner, je vois que Dagon nous regarde. Nous sommes rapidement interrompus par Lilou.

— Tu me laisses les bras du beau pompier.

Je lui souris à contrecœur et m'éloigne, vu la tête d'Arthur il ne semble pas heureux du tout. Je décide d'aller me servir un verre puis retourne à l'extérieur.

— C'est moi ou j'ai l'impression que tu me fuis ? me chuchote Dagon à l'oreille.

— C'est moi ou j'ai l'impression que tu m'as laissé tomber en arrivant ? Je ne pensais pas que les blondes sans cervelle t'intéressaient encore.

— Elle est pourtant très marrante.

— Si tu es venu pour me parler d'elle tu peux retourner la voir.

Qu'est-ce qui m'arrive ? Il commence à faire demi-tour.

— Attend Dagon, je suis désolée, je suis énervée et agacée.

Jalouse surtout, mais ça je ne peux pas lui dire, enfin si je pourrai ?

— Pourquoi ?

— Parce que dès qu'elle voit un mec près de moi il faut qu'elle vienne nous séparer. Et ses attributs font vite pencher la balance.

— On a parlé de toi Nelle, me dit-il tout en caressant mon visage avec beaucoup de douceur.

— Je m'en moque de savoir ça, je préfère que tu me parles à moi plutôt que de moi avec elle.

— Tu avais l'air bien occupé pourtant.

— Oui, mais regarde une fois de plus ce qu'il se passe. Attends-toi à ce qu'elle t'attaque de nouveau.

Il se met à rire.


— J'aurais dû y aller avec Call, au moins je n'aurais pas été jalouse si elle lui avait fait du rentre-dedans à lui.

J'adore le sourire qu'il me fait. Mes propos lui font plaisir.


— Ce n'est pas drôle à la longue.

— Pourquoi tu es venu si tu la détestes autant ?

— Parce que tu as insisté.

— Tu m'aurais dit un non cash en refusant de quitter le campus et je n'aurais pas insisté.

— Je l'ai fait.

— La vraie raison, Nelle.

— Pour rien.

— Réponds sinon je vais la chercher.

— Super le chantage.

— Allez.

— Parce que je voulais qu'elle me voie avec toi.

— Juste ça ?

— Ça me semble beaucoup à moi, tu es beau, drôle, intelligent, tu présentes bien et tu dégages cette aura exceptionnelle. Je t'utilise pour la faire rager.

— OK, dans ce cas utilise-moi davantage, on va lui montrer que je suis à toi.

Il me tire par la main et m'emmène vers la maison.

— Quoi ? Non, ne fais pas ça.

— Trop tard, j'espère que tu es bonne en apnée.

J'explose de rire, et le laisse faire.

— Tu comptes faire quoi là ? M'embrasser ?

— Oui.

— Tu n'es pas obligé de faire ça.

Il me sourit et ne répond rien et me fait aller jusqu'à la piste de danse. Quand j'arrive, elle ne danse plus avec Arthur, mais elle est au bar en train de boire. Il a choisi son bon moment pour me faire danser, il y a des slows. Il m'enlace et je me colle à lui. Il met sa tête contre la mienne et je sens son souffle dans mon cou.

— Il ne lui en faut vraiment pas beaucoup pour la rendre folle, me chuchote Dagon à l'oreille.

— Dans 2 minutes, tu danses avec elle tu verras.

En effet, j'ai raison elle finit par vouloir nous séparer. Elle exagère et ça me démoralise.

— Tu me le prêtes un peu ? demande Lilou.

— Il n'y a pas assez de mecs ici ? Tu es obligé de me déranger ?

— Oui. Je me demande quand même comment c'est possible que d'aussi beaux mecs puissent avoir envie d'être avec toi. Tu es si banal.

— Merci pour ce compliment.

— Tu danses, Dagon ?

— C'était déjà ce que je faisais avec la plus belle fille de la soirée, enfin jusqu'à ce que tu nous interrompes.

Même si je sais que c'est pour l'embêter, je reçois une décharge dans la poitrine. Il lui sourit et m'enlace de nouveau contre lui. Elle reste là plantée comme une conne.

— Pourquoi je n'y crois pas une seule seconde à votre soi-disant couple ? Nelle ne semble pas du tout à l'aise dans tes bras.

— Parce que ça m'agace d'être venue, je suis juste là pour éviter les querelles familiales.

— Bébé, allez, reste concentrée sur la musique.

Il me tourne la tête en disant ça et me sourit. En même temps pour une fois elle n'a pas tort. Je ne suis pas à l'aise du tout, même si j'adore la compagnie de mon beau blond.

Il saisit ma bouche avec une rapidité qui me surprend. Je lui donne un coup dans le ventre qui le fait rire. Ah ouais ça le fait rire ? Je m'amuse alors à lui pincer la hanche. Il rigole davantage et se met à me caresser le dos tout en m'embrassant. Son simple baiser se transforme en quelque chose de doux et de profond. Cette façon d'embrasser me plaît tellement, ça me rappelle nos baisers quelques années auparavant, j'en oublie même que c'est du faux. Je passe mes mains dans ses cheveux pour intensifier notre échange. Nous nous embrassons quand même quelques minutes et il éloigne sa bouche tout en gardant son front contre le mien. Il plonge son regard dans le mien et me fait un magnifique sourire. Nous restons là, comme ça jusqu'à la fin des slows, on se regarde sans se parler. La musique à ambiance reprend et il me prend par la main et m'emmène en dehors de la piste tout en restant à l'intérieur de la maison. Il s'installe sur une table et m'approche de lui et me prend dans ses bras.

— Je pense que tu n'es plus obligé de faire encore semblant, elle a compris.

— On ne sait jamais, elle a peut-être des espions cachés.

Il me fait tellement rire quand je le vois regarder sous la table et derrière moi.

— Alors ?

— Ils sont vraiment trop bien cachés, je ne vois rien.

Je lui souris et me blottis dans ses bras. Je vais profiter de ce moment pour recevoir un peu plus de réconfort. Je sens sa bouche se déplacer sur mon visage, passant de mon oreille à mon cou. Sa peau contre la mienne me fait frissonner. Il arrive à me créer un désir fort pour lui quand il dépose des baisers dans mon cou. J'éloigne son visage de mon cou et saisis sa bouche à mon tour. Tu as envie de jouer alors jouons. Déjà, il ne me repousse pas, c'est toujours ça de gagner. Je connais l'impact de mes baisers et il va me le payer. Je commence à l'embrasser avec fougue et rapidement sa langue rejoint la mienne, des papillons grandissent dans mon ventre et mon cœur accélère. Cette fois-ci, c'est moi qui m'éloigne, je m'éloigne tellement que je sors de la maison. Ce baiser m'a rendu chose, et je ne sais plus quoi penser. J'ai besoin de marcher et de prendre l'air. Le froid et la nuit se sont installés. J'aurais dû prendre ma veste tant pis. J'entends alors la voix de Dagon m'appeler.

— Nelle, attends-moi.

Je m'arrête, mais ne me retourne pas, je sens alors sa main se poser dans le bas de mon dos et je le vois me contourner.

— Je suis allé trop loin, désolé.

— C'est de ma faute, j'ai pris peur en ressentant autant de choses.

— Tu as ressenti quoi ?

— Du désir pour toi. Cela faisait des années que je n'avais pas ressenti ça, et je n'ai pas su gérer. La dernière fois dans la chambre ça n'avait rien à voir, ça n'était pas aussi fort. Je voulais te taquiner et au final c'est moi qui me suis prise à mon propre piège.

— Désolé.

— Partons d'ici s'il te plaît. J'en ai assez de jouer ce rôle, je commence à souffrir de cette situation.

— Si tu veux, je vais aller chercher nos affaires ne bougent pas.

Je reste dehors et patiente.


— Pour du faux ça c'était du baiser, me dit une voix que je commence à connaître, Arthur !

Je souris et me retourne.


— Si j'ignorais que c'est faux, j'aurais pu penser l'inverse.

— J'aimerais bien te revoir, Nelle.

— Je ne suis pas sûr que tu comprennes mon monde.

— Ton monde ? Tu viens d'une autre planète ?

— On peut dire ça.

Il me sourit et me tend un morceau de papier.


— Écris ou appelle-moi.

Dagon finit par revenir au moment où je prends le papier.


— Salut, dit mon ami en s'adressant à Arthur.

— Salut.

— On y va nous, bonne soirée Arthur.

— À bientôt Nelle.

Il s'approche et dépose un baiser sur ma joue. Je lui souris et retourne à la voiture.

— Tu ne veux pas aller boire un verre pour discuter avant de rentrer ? me propose Dagon.

— Je préfère rentrer de suite si possible.

— Comme tu le sens.

Il démarre et nous nous mettons en route.

— Dagon.

— Oui.

— Je suis tellement désolé d'avoir réagi ainsi.

— Je te comprends, j'ai ressenti beaucoup de choses moi aussi. De vieux souvenirs en commun me sont revenus en plein visage, j'ai adoré cet échange, et je confirme que Call aurait dû venir à ma place, je suis plus faible que je le pensais finalement.

Nous arrivons devant chez mes parents. Je n'ai pas envie de rentrer, enfin pas ici. J'ai envie de profiter un peu plus de Dagon.

— Attends.

— Quoi ?

— J'ai envie de prolonger notre soirée.

— C'est-à-dire ?

— Démarre, on repart.

— OK.

Je lui montre le chemin jusqu'à mon appartement dont je n'ai toujours pas restitué les clés.

— On est où là ?

— Chez moi.

— Tu m'expliques pourquoi tu m'as emmené ici ?

— J'ai envie de passer du temps avec toi Dagon, sans tension, sans pression, rien que nous deux.

— Ça me va.

Il reste là à me regarder comme s'il attendait que je bouge.

— J'ai envie de danser avec toi, dis-je d'une petite voix tremblante.

Il sort son téléphone de la poche et semble faire quelque chose dessus. Je suis curieuse de savoir qu'elle musique il va lancer. Quand une musique belle et douce commence, je lui souris. Il pose son téléphone sur la table, s'approche de moi et me tend sa main que j'accepte bien volontiers. Il me tire contre lui et pose sa main de libre sur mon bassin. Nous dansons coller l'un contre l'autre un petit moment, les musiques changent régulièrement de vitesse et ça me fait énormément de bien. Le but d'être près de lui sans pression et tension est accompli. Une nouvelle musique toute douce recommence et Dagon me fait un grand sourire et me tire super fort dans ma main et je lui tombe presque dans les bras.

Ma bonne vieille tape dans son ventre et nous dansons ce slow.

— Cette tenue te va à merveille, tu le sais ? dis-je timidement.

— Maintenant oui.

Mon visage est pile à l'endroit où la chemise est entre ouverte, on voit sa peau qui a encore conservé du bronzage et son torse magnifiquement dessiné.

— C'est cette tenue que j'avais le jour où je t'ai embrassé la première fois.

Je relève les yeux et les sens se remplir de larmes, il se souvient de ça ? Il me sourit et m'embrasse le front.

— Tu comptes le rappeler ?

— Quoi ? demandé-je sans vraiment comprendre.

— Le brun de la soirée.

— Arthur ?

— Oui.

— Je n'avais pas du tout pensé à lui depuis que je suis partie.

— Ça ne répond pas à ma question, Nelle.

— Non, je n'ai pas envie de voir du dégoût en lui quand il saura qui je suis vraiment.

— Tu veux dire une femme merveilleuse ?

— Dagon ! je parle de notre monde.

— OK.

— Et toi tu as eu le numéro de ma cousine ?

— Oui.

Je me recule d'un coup et le fixe avec beaucoup de peine. Il se rapproche et reprend ma main même si je n'en ai pas envie.


— Le morceau de papier est déjà à la poubelle.

— Vraiment ?

— Vraiment.

Je m'avance vers lui et pose mes mains sur sa chemise et commence à la lui retirer tout doucement. Il me regarde et je vois bien son buste se bomber plus souvent. Je m'approche un peu plus pour le couvrir de baisers, je mordille sa nuque et ses trapèzes et je le sens se contracter. Je suis convaincue qu'il réfléchit à ce qu'il va faire.

Je retire sa chemise et relève les yeux. Je promène ma main jusqu'à son visage et lui caresse la bouche.


— Je ne suis pas sûr que ce soit une bonne idée ça en revanche.

— Je sais, mais tant pis Dagon.

— Tu ne laisseras personne d'autre te toucher on est bien d'accord ?

— Ce n'était pas dans mes projets en tout cas.

Il ne me laisse pas le temps de changer d'avis que nos langues sont déjà en train de danser ensemble. Il me soulève et m'emmène sur mon lit. Il attrape mes jambes qu'il passe autour de lui et commence à onduler sur moi. Il descend la fermeture éclair de ma robe tout en m'embrassant et descends dans mon cou et continue de déposer des baisers un peu partout sur le haut de mon corps. Ses baisers m'enflamment. Plus il m'embrasse et plus mon corps en réclame davantage.

Je le repousse et lui dis non quand il commence à vouloir retirer ma robe.

— S'il te plaît, je veux la garder.

— OK.

Il enlève son pantalon et lance le tout à l'autre bout de la pièce.

Il finit par glisser une main entre mes jambes et des gémissements se font entendre de ma bouche. Il retire quelques minutes après les vêtements encore présents sur nos corps à part ma robe et je le sens en moi. La douceur et la passion le caractérisent à merveille. Ce qu'il me fait me plaît énormément. Nos bouches ne se seront pas quittées pendant quasiment tout l'acte. Au moins, ça aura caché le besoin de gémir. Il finit par se retourner et tombe sur le dos à côté de moi. Je me dépêche de refermer le haut de ma robe.

— Tu fais quoi là ? Tu te caches ?

— Oui.

— Pourquoi ça ?

— Je ne veux pas que tu voies mon corps.

— Trop tard.

— Non tu as passé ton temps à m'embrasser.

— Je l'ai très bien vu ton corps.

— Chut, change de sujet.

— D'accord.

Je n'ai pas réussi à me lâcher, et j'ai senti une retenue de son côté aussi. Ça n'empêche pas que j'ai vraiment aimé ce qu'on a fait même si je sais que c'est mal. De le faire me donne l'espoir de réussir à lui pardonner réellement et avoir la force de nous laisser une nouvelle chance tous les deux. Il finit par tourner la tête vers moi et pose sa main sur mon ventre.

— Tu penses qu'on a été assez crédible pour un faux couple ? demande Dagon.

— On a été parfait ! surtout vers la fin.

Il se redresse et me surplombe puis me fait un magnifique sourire.


— Je t'emprunte ta salle de bain pour prendre une douche et ensuite dodo.

— À vos ordres, chef !

Il se relève, je pense sombrer pendant son absence, car à mon réveil je ne suis pas près de lui et au contraire je suis même à l'autre bout du lit. Dagon dort toujours. J'en profite pour me lever et me laver. Une douche bien chaude va m'aider à y voir plus clair. Je ne regrette finalement pas du tout ce qui s'est passé hier soir, bien au contraire, mais je ne me vois pas pour autant me remettre avec lui. J'ai tellement peur qu'il me quitte de nouveau. Il a changé, je le vois, mais j'ai ce blocage en moi qui fais que je ne peux pas lui faire encore confiance.

Il est debout et habillé quand je sors de la salle de bain.

— C'est quoi cette bonne odeur ?

Il me sourit et me montre un plateau. Il y a plusieurs viennoiseries, du pain avec du beurre, du thé et une rose rouge dans un verre. Mon côté fleur bleue en prend plein les mirettes là.

— C'est pour moi ?

Je le vois tourner sur lui-même et chercher quelque chose.

— Je ne vois personne d'autre ici donc apparemment oui.

Première fois qu'on me fait ce genre d'attention. Il pose le plateau à côté de moi et me tend un croissant.

— Merci.

Je m'avance vers lui et me blottis dans ses bras. Je sens alors sa bouche dans mes cheveux.

— On devrait manger et ensuite aller chez tes parents, ils doivent s'inquiéter de ne pas te voir dans ta chambre.

— Oui, tu as raison, j'ai drôlement faim en plus.

Nous déjeunons rapidement puis arrivons chez mes parents qui sont dans le jardin avec Nelan. Mon fils me fonce dans les bras et m'embrasse.

— Bonne soirée ? m'interroge mon père.

— Oui, Lilou est resté fidèle à elle-même.

Enfin, tout dépend de quelle partie tu parles. Nelan attrape la main de Dagon et l'emmène avec lui à l'intérieur. Je reste dehors avec parents pendant ce temps-là.

— Tu n'as pas dormi ici ? me demande ma mère.

— Non en effet. On est rentré tellement tard que je ne voulais pas prendre le risque de vous réveiller.

— Ton ami a l'air très gentil, dit mon père.

— Il l'est, oui.

— Tu sais que je n'aime pas me mêler de tes histoires de cœur, mais je m'inquiète pour toi, tu as pleuré des nuits durant et je ne veux plus te voir souffrir.

— Ne t'inquiète pas pour moi, papa, je vais bien mieux et avec Dagon c'est une forte amitié entre nous.

Je me vois mal dire qu'on a juste couché ensemble et c'est tout.

— On a eu ton grand-père ce matin, tu es fiancé avec lui ? demande ma mère gênée.

— Non, c'est une connerie, Lilou m'a rabaissée plus bas que terre et Dagon pour la faire enrager a sorti ça.

— Tu sais que ton grand-père est déjà en train de se renseigner sur la famille de Dagon, ajoute mon père.

— Vraiment ?

— Oui, Nelle vraiment.

— Quelle peste !

Dagon revient rapidement vers moi pour me dire qu'il y a une attaque à quelques kilomètres de là. Ça met un terme à notre conversation. Je me lève et me précipite jusqu'à sa voiture et on fonce.

— C'est Pierrick qui m'a prévenu, ils sont en route également.

Sur place, une petite dizaine de civils sont présents. Ils observent le portail avec beaucoup de curiosité.

— Allez-vous-en tout de suite, dis-je en m'énervant.

— C'est quoi ça ? demande un civil.

— Un danger, je vous conseille de partir immédiatement si vous tenez à votre vie, répond Dagon.

Les civils n'en font qu'à leur tête. Je vois alors un camion de pompier arriver, oh non pas lui. Et ça ne loupe pas, Arthur est là en uniforme. Ils avancent avec ses collègues vers moi et nous demandent de nous éloigner.

— C'est à vous de reculer plutôt.

Il me regarde surpris.

— Tu m'expliques ? m'interroge Arthur.

— Tu vas vite comprendre, mais fais partir les civils rapidement.

Il me fait un signe de tête et fait reculer les civils.

— À nous deux, ça ne suffira pas Nelle, m'explique Dagon d'une manière inquiète.

— Il va falloir pourtant.

— Tu penses réussir à reprendre leur vie comme la dernière fois ?

— Je ne sais pas du tout. Je vais essayer en tout cas.

Le portail finit par étinceler et des démons en sortent.

— C'est quoi ça ? demande Arthur.

— Mon monde, Arthur.

Je sens la main de Dagon prendre la mienne et la serrer. Je suis heureuse que Dagon soit près de moi. Arthur me prend le bras et essaye de me faire reculer.

— Non Arthur ! je peux me débrouiller, recule-toi en revanche.

— Pourquoi ? me demande-t-il avec un air de mec perdu.

Son regard passe du portail puis de Dagon à moi. Il va vite comprendre de quoi je parle.

Par chance, ils ne seront que deux à en sortir. Quand il voit les démons en sortir, il me saisit de nouveau le bras pour me faire reculer. Décidément, il a un côté protecteur surdéveloppé, le beau pompier.

— Arthur c'est bon, je ne risque rien, mais toi, recule, obéis !

Je retourne la tête pour fixer les démons.

Je les propulse avec force en arrière avant qu'ils n'attaquent et ils s'écrasent avec force contre un mur en béton. Ils ne se relèvent pas ce qui me permet de me concentrer pour leur retirer la vie par la pensée. Ils disparaissent ainsi que le portail. Je n'ose pas me retourner, pas envie de voir le regard des pompiers sur nous. Dagon se rapproche de moi et me chuchote à l'oreille :

— Pierrick arrive dans 2 min pour leur effacer la mémoire.

Je fais un signe de tête.

— Mets-les tout de même dans ta bulle pour éviter qu'ils ne se dispersent.

Je lève la main et obéis.

Je ne sais toujours pas ou me mettre, n'y comment réagir devant Arthur à présent. Mais je n'ai pas vraiment le choix, il faut bien que je me retourne à un moment donné. Je prends sur moi et fais face au pompier. Le regard des pompiers et des civils en dit beaucoup déjà, et c'est la première chose que je remarque. Aucun mot ne sort de leurs bouches. Mes yeux se posent sur le visage d'Arthur, lui aussi semble ne pas comprendre ce qui vient de se produire.

— Ça, c'est mon monde, Arthur.

— C'est toi qui les as propulsés en arrière ?

— Oui.

Je m'avance de lui et il ne semble pas reculer contrairement aux autres.

— Je ne suis pas mauvaise, je détruis juste le mal qui envahit notre terre.

— OK, laisse-moi quelques secondes pour encaisser ça s'il te plaît.

— Ne t'inquiète pas tu vas tout oublier, demain tu ne te souviendras plus de rien.

— Quoi ? Non ce n'est pas nécessaire crois moi.

— Pour ta sécurité, il vaut mieux.

— Je ne veux pas t'oublier, me dit-il sans détourner son regard.

Je n'arrive pas à prendre ma décision, tout lui faire oublier, ou seulement ce qui vient de se passer. Je vois Dagon me regarder, à travers ses yeux je vois qu'il me conseille de supprimer les dernières 24 h, il a raison, mais je ne peux pas. Suis-je égoïste ?

— Nelle, je ne veux pas oublier ce qui vient de se passer.

— Tu n'as pas le choix pourtant.

Je regarde Arthur et rapidement ses yeux semblent changer. Pierrick est derrière les civils et vient d'effacer la mémoire de tout le monde.

Je déteste le vide qui se dégage de lui. Pierrick a effacé bien plus que ce que j'avais souhaité. Tant pis.

Je commence à m'éloigner pour regagner ma voiture. Ça ne sert à rien de dire au revoir, il va juste me prendre pour une folle et surtout m'interroger.

— Désolé Nelle, me dit Pierrick quand je passe près de lui.

— Il sera plus en sécurité de tout ignorer.

Mes parents nous attendent devant la maison quand nous arrivons.

— Tout va bien ? m'interroge mon père.

— On revient vivant, c'est tout ce qui compte non ? dis-je sur un ton un peu agacé.

Mon père n'y est pour rien, mais je m'en veux tellement d'être différente.

— Je suis désolé d'insister avec sa Nelle demande mon père.

— De quoi tu parles ?

— Pour vos fiançailles.

Dagon me regarde bizarrement tout d'un coup.

— Lilou a craché le morceau à toute ma famille, forcément, pour me mettre dans l'embarras en m'écoutant dire que finalement c'est annulé.

— Quel est le problème en fait ? demande Dagon.

— Notre famille veut savoir la date, le lieu, qui est votre famille, pourquoi Lilou a prétendu qu'ils sont très riches.

— Dites-leur que je m'appelle Dagon Lukas, fils de Richard Pierre Henri Lukas, et d'Annabelle Lucinda Léon Lukas.

— Les descendants des Lukas demandent mon père ?

— Oui.

Je ne comprends pas, il descend de quoi au juste ?

— Dagon, ta famille est connue aussi ?

— Oui, ils sont propriétaires et fondateurs des trois plus gros campus dont Nelune, Pénombre et l'Aurore qui sont toujours en travaux depuis un an pour le rendre plus sympa et moderne.

Mince je ne m'attendais pas à ça.

— Tes ancêtres sont les fondateurs ?

— Oui, même si plusieurs hommes ont aidé dans la création.

— Il y a une photo à Aurore ! je l'ai vu le jour où je suis arrivée, dis-je.

— Ils en ont ouvert une cinquantaine d'établissements à l'époque et ils les ont fermés en fonctions des besoins dans d'autres.

— Je vois.

— Votre famille n'est pas réputée pour être bonne, ajoute mon père.

— En effet, mais ils ne feront jamais de mal à Nelle, croyez-moi, ils seraient ravis de l'avoir dans leur famille.

— Et je réponds quoi à notre famille insiste mon père ?

— Que la date n'a pas été fixée et qu'on vous tient au courant.

— Dagon, si ça remonte à tes parents ?

— Ben, ils seront très heureux et au pire tu diras que tu m'as quitté pour une raison qu'on trouvera en temps voulu.

— Non, tu vas te faire lyncher.

— Ça, c'est mon problème, Nelle.

Je le regarde avec beaucoup de tendresse, il fait beaucoup trop pour moi.

Je rejoins Nelan dans sa chambre, il s'amuse avec ses petites voitures. Je m'assois à côté de lui et l'observe jouer. Je reste là deux bonnes heures, puis retourne sur le campus après avoir déjeuné.

D'avoir été vu comme un monstre m'a rabaissé plus bas que terre, mon moral en a pris un coup. Je n'ai pas ouvert la bouche de tout le trajet et j'ai préféré aller m'isoler dans ma chambre en arrivant. J'avance dans mes révisions pour arrêter de penser. Mais rapidement, Dagon gagne mon esprit. Sa conversation entre lui et mon père est arrivée au mauvais moment, je n'aurais pas couché avec Dagon en sachant ça, ce qu'il est prêt à endurer derrière par ma faute. Même si une part de moi a passé un super moment avec lui, une nuit magique et un réveil rempli de douceur. Je dois seulement penser à ça, à lui et moi, bien ensemble à nous amuser, à danser et à rire. Ça m'aidera à oublier plus vite la fin du week-end désastreux avec l'attaque et les pompiers… Je me répète ceci en boucle pour m'aider à passer à autre chose et à ne pas tomber davantage amoureuse…

Le moment où Arthur a pris peur et qu'il m'a fait comprendre qu'il souhaitait réfléchir quand j'avançais, une façon polie de me dire de ne pas avancer plus, me revient aussi en tête et me fait beaucoup de peine.

Quelqu'un me sort de mes pensées qui me cassent le moral en frappant à ma porte.

— Bonsoir les filles, dis-je en voyant Scarlett et Cécile devant ma porte.

— Coucou, ma belle, avec Cécile on vient te chercher pour aller manger, il y a bien trop de gars à table.

Les larmes se mettent à couler et je leur fonce dans les bras.

— Ben qu'est-ce qu'il y a ? me demande Scarlett.

Je sens la main de Cécile derrière ma tête.

— Raconte-nous ma puce insiste Cécile.

— J'ai fait la connaissance d'un mec super sympa hier, et j'ai dû utiliser mes dons devant lui, il m'a regardé comme si j'étais un monstre.

— Il a été surpris, mais c'est normal, tu voulais qu'il fasse quoi ? Qu'il te saute au cou ?

— Non, mais son regard m'a blessée.

— Ce serait trop dangereux pour lui d'être avec une fille comme toi, il risquerait sa vie en permanence, m'explique Scarlett.

— Il est humain et l'inconnu est effrayant, ajoute Cécile.

— Je sais bien oui, mais ça m'a tellement blessée, je venais de leur sauver la vie quand même.

— Il n'a pas vu la force que ces démons avaient surtout.

— Oui, c'est sûr.

— Et chez ta cousine alors ? Dagon a bien joué le jeu ? demande Scarlett en changeant volontairement de sujet.

J'affiche alors un large sourire.

— À ce point-là ?

— Et plus encore.

— Oula, tu as des détails croustillants à nous raconter toi je sens.

— Ah oui moi aussi je veux tout savoir, ajoute Cécile.

— Il est juste canon et dans un lit il s'y prend comme un dieu.

— Ta cousine vous a suivis jusque dans un lit ? Il n'était pas obligé d'aller si loin sort Cécile le plus naturellement du monde.

— C'est moi qui l'ai un peu incité, disons.

Elles explosent de rire.

— Il a progressé en 5 ans ?

— Énormément.

— Et maintenant entre vous ? m'interroge Scarlett.

— Rien ne doit changer.

— C'est ce qu'il t'a dit ?

— Non, c'est ce que je pense.

— Mais Nelle, pourquoi tu as couché avec lui demande Cécile si derrière il ne se passera pas plus.

Parce que je suis trop égoïste pour souffrir ensuite.


— Nous sommes très proches amicalement parlant et je pense que l'on a pas envie de tout gâcher. Enfin du moins je pense que pour cette fois c'est ça la bonne raison.

— Comment ça pour cette fois ?

— Le jour de mon retour, on a passé notre nuit ensemble, dis-je un peu gêné.

— Rhooo non, Nelle, me dit Cécile avec les yeux qui pétillent.

— Non, mais Nelle, tu attends quoi pour le reconquérir ?

— Je ne veux pas le reconquérir.

— Tu ne ressens rien pour lui ? me demande Cécile.

— Je ne préfère pas y penser, j'ai déjà bien souffert par sa faute il y a quelques années. Je ne commettrais pas la même erreur.

— Fais comme tu le sens, mais Dagon t'aime toujours ça se voit comme le nez au milieu de la figure, m'explique Cécile.

— Peu importe, s'il venait à me quitter de nouveau même notre amitié n'en survivrait pas.

— Mais si tu ne tentes pas, tu t'en voudras toute ta vie de ne pas avoir essayé.

Je ne préfère rien répondre, car elles sont pénibles à insister, mais elles ont raison. Je les déteste d'ailleurs de me connaître autant.

— On devrait descendre manger vous avez raison.

— J'y pense Nelle ! Pierrick a effacé la mémoire des personnes présentent ? m'interroge Scarlett.

— Oui, il valait mieux pour leur sécurité, et là notre.

— Donc le pompier t'a oublié aussi ?

— Oui.

Je les vois tristes pour moi, mais comme je le pensais avant leur arriver c'est beaucoup mieux comme ça.

— Et Virgile alors ? demande Cécile en souriant.

— Quoi Virgile ?

— La façon qu'il a de te regarder, le temps que vous passez ensemble, les nuits aussi non ?

— Il me manque énormément, deux semaines sans le voir c'est vraiment long.

— Il y a quoi entre vous ?

La question de Scarlett est bien plus directe au moins.

— Une espèce de relation inexplicable, je ne ressens pas d'amour pour lui, seulement une amitié profonde. Eh oui, vous avez raison pour Dagon, je l'aime plus qu'il n'est permis, la dernière fois que je l'ai vu proche d'une blondinette j'ai ressenti énormément de jalousie, j'avais envie de lui arracher sa tignasse et d'embrasser Dagon à pleine bouche afin qu'il comprenne que je le veux et qu'il me donne suffisamment confiance en lui pour arriver à accepter de retourner dans sa vie.

Les yeux de Cécile se remplissent de larmes, euh pourquoi ?

— Qu'est-ce qu'il y'a, ma petite Cécile ?

— Tu attends quoi pour faire ça ?

Je ferme les yeux et baisse la tête.

— Je suis incapable de faire ça, je suis incapable de dire ça à Dagon.

— Bon, on va aller manger maintenant, propose Scarlett.

— Laissez-moi juste essuyer un peu mon visage pour effacer ses yeux rouges.

— Vas-y.

Dix petites minutes après, mon visage semble aller mieux et on se dirige vers le réfectoire où tout le monde est déjà installé. L'avantage c'est qu'ils sont tous à leur place respective. Je me prends à manger et m'installe.

— Alors ce week-end ? me demande Théo.

— Ça va, on a dû tuer deux démons.

— Oui, je sais, heureusement qu'ils étaient peu.

— Oui, nous avons eu de la chance avec Dagon, il y avait beaucoup de civils en plus.

— Tu as pu effacer leurs souvenirs ? interroge Enzo à Pierrick.

— Oui, j'espère juste qu'il n'y a pas eu de vidéo ou photo de Nelle en action.

— Tu es arrivé pile à temps, merci Pierrick.

— Je vais surveiller ça sur internet dans le doute, se propose Martin.

Je continue mon repas en silence. La conversation avec les filles m'a retourné le cerveau. Elles ont réussi à me faire douter sur mes réticences et mes craintes.

— Et ta cousine ? Elle a été convaincue ? me demande Call.

— Oui sans aucun doute, il a même réussi à me convaincre moi-même.

Ils explosent tous de rire et j'en profite pour lancer un regard à Dagon, il me regarde et sourit. Au moins, il ne m'ignore pas. Ne regarde pas ses lèvres Nelle, surtout pas. Trop tard ! quand je repense à sa bouche se promener sur moi, sur ma peau, sur ma poitrine, mon cœur s'emballe. Je détourne le regard et regarde mon assiette de légumes verts qui donne nettement moins envie que Dagon.

La perspective de la soirée qui arrive me remet les idées en place. Ce soir, on doit aller surveiller une certaine quantité d'étudiants qui ont décidé de faire une petite soirée pour fêter le début des vacances. Et vu le danger permanent avec les professeurs nous préférons aller surveiller et être présent au cas où.

Quand nous sortons du réfectoire, un grand feu est déjà allumé et la musique résonne tout autour de nous.

Je vois alors une étudiante dévorer Dagon du regard quand on arrive. Elle s'approche de lui sans aucune gêne et se mets à lui parler en caressant son bras. Vu le sourire qu'il lui lance, ça ne m'étonnerait pas que ce soit la même fille dont il m'a parlé le jour de mon arrivée. La dernière fois, elle était trop loin et de dos et je n'ai pas vu son visage. Elle est vraiment très belle, et elle ressemble parfaitement aux filles qui faisaient chavirer son cœur à Aurore ! comme Sacha. Il me lance un petit regard que j'essaye d'ignorer en vain. Je m'installe devant le feu et patiente. Quelqu'un aura bien pitié de moi et viendra se positionner à mes côtés. Tous les professeurs sont rapidement invités à danser, et je me retrouve seule dans une solitude qui ne me ressemble plus autant qu'avant. Quand je sens cette main dans le bas de mon dos et cette bouche contre mon oreille, je sursaute.

— Tu veux venir danser avec moi ? me demande Dagon.

Je me retourne d'un coup et le fixe. Comment il peut me demander ça alors qu'il était quelques minutes avant avec la petite jeune ?

— Retourne danser avec ta pouffiasse plutôt.
— Nelle.
— Quoi ? Je vous ai vus vous couver du regard.
— Tu es insupportable, c'est incroyable.

Il se relève et se casse. Je m'en veux et en même temps.

— Bonsoir professeur, dit la voix de mon étudiant.
— Bonsoir Morgan.
— J'ai le droit de vous inviter à danser ?
— Seulement si tu ne t'imagines rien d'autre.
— Ça marche.

Il me tend une main pour m'aider à me redresser et je l'accompagne sur le bout d'herbe qui sert de piste de danse. Sa bonne humeur est contagieuse et je me prête rapidement au jeu. Les musiques s'enchaînent et le temps se rafraîchit. Je m'excuse auprès de lui, mais préfère me réchauffer un peu près du feu. Quand je retourne m'asseoir, Pierrick et l'étudiante qu'il a sauvée la dernière fois sont ensemble, elle est blottie dans ses bras. Ça me fait plaisir pour lui de le voir avec quelqu'un. Quand je tourne la tête dans l'autre sens, je vois Dagon toujours avec l'étudiante et de là je suis certaine qu'ils sont en train de se nettoyer mutuellement les amygdales. Respire Nelle, par pitié respire, il ne te doit rien et tu le sais. C'est toi qui l'as plus que poussé à te faire l'amour. Je détourne le regard et préfère discuter avec Cécile qui a eu froid également et qui m'a rejoint.

— Très utile, ce feu hein ? me demande Cécile.

— Oui trop. Faire une fête en octobre à l'extérieur c'est risqué.

Cécile a vu la même chose que moi concernant Dagon, son regard et son sourire se veulent réconfortants, mais ça me fait forcément un coup au moral.

— Halloween approche, cette année je me déguise en mort vivante, m'annonce Cécile qui a l'air plus que motivée.

— Ça fait rêver, Cécile.

— Tu veux mettre quoi, toi ?

— Sincèrement, je ne sais pas encore.

— Allez, fais un petit effort.

— Je vais venir avec un drap sur la tête, ça fera bien l'affaire.

— Non, mais tu n'es pas drôle. Et si tu te déguisais en banshee ?

— Je verrai, Cécile.

— Ignore-le.

— Il est juste en face de moi, c'est compliqué.

— Lève-toi, dégage-la et prends sa place alors.

— Euh, non, je ne suis pas convaincue par cette idée.

Grégoire finit par rejoindre Cécile et la prend dans ses bras. Ça met un terme à notre conversation. Ils sont tellement mignons ensemble que je n'ai pas envie de les déranger. Je me tâte à me lever pour aller m'enfermer dans ma chambre.

Si les paroles de Call sont vraies, et j'en suis certaine que c'est le cas, je commence à comprendre ce que Dagon a pu ressentir en me voyant dans les bras d'Aidan toute une année. Même si une part de moi et heureuse pour lui, le reste de mon âme souffre. Et encore plus en repensant à sa putain de question, « Tu ne laisseras personne d'autre te toucher, on est bien d'accord », en revanche lui a le droit ? Super…

— Bonsoir, Professeur, dit cette voix que j'adore.

Après avoir sursauté, je me retourne et vois Virgile accroupi derrière moi. Je me redresse légèrement et lui saute au cou.

— Tu as pu venir alors ? demandé-je avec les yeux remplis de joies.

— Je ne pouvais pas manquer cette soirée.

Il m'aide à me relever et me prend dans ses bras et m'emmène danser.

— Tu m'as manqué, ma belle.

— Toi aussi, M. Le vampire né.

— Deux semaines sans me voir en cours tu as dû drôlement t'ennuyer ?

— Tu n'imagines même pas. Et le soir, de les voir quasiment tous en couple ou en semi-couple c'est pénible.

— Tu aurais dû rester avec mes amis.

— Nous n'avons aucune complicité.

— Il n'empêche qu'ils t'apprécient.

— Ils apprécient le sourire que tu affiches quand je suis la sûrement, mais quand je suis seule avec eux ils ne me parlent pas.

— Je suis revenue.

— Pour combien de temps ?

— Halloween au moins.

— Deux semaines seulement alors.

— Ta chaleur m'avait manqué.

Il avance sa bouche de la mienne et dépose un léger baiser puis se recule.

— Ne te fais pas de mal inutilement s'il te plaît, Virgile.

— Je n'irais pas plus loin que ça ne t'inquiète pas.

— Je te sens déjà tendu là pourtant.

— Ça va rassure toi. Je repense juste au baiser échanger il y a quelques semaines.

— Ben, sors-toi ce baiser de la tête. Tu sais très bien que c'était une erreur.

Il continu à me faire danser sur plusieurs chansons et quand il sent mon corps frissonner il me ramène m'asseoir. Nous sommes assez loin de mes autres amis. Et aucun ne semble nous regarder.

— Alors cette soirée chez ta cousine ?

— À part qu'elle a dragué Dagon, ça va.

— Ça va ? Il va falloir être plus explicite là.

— J'ai fait la connaissance d'un mec sympa, très sympa en fait.

— Civil ?

— Oui sans aucun pouvoir.

— Continue.

— Avec Dagon, on a dû attaquer des démons là-bas et le gars m'a vu comme un monstre.

— Ah, et alors ? Tu crois que les gens me voient comment moi ? Et ce sont des gens avec des pouvoirs qui me voient ainsi, alors un civil tu imagines ?

— Je ne te vois pas comme ça et tu le sais.

— Parce que tu es une personne formidable.

Il pose sa main sur mon visage et le caresse.

— Et avec Dagon ? Comment ça s'est passé ?

Je lance un regard vers Dagon qui justement est en train de nous regarder, mon cœur accélère à ce moment-là. Je vois le visage de Virgile tourner vers celui de Dagon, ils se regardent quelques instants puis Dagon tourne la tête vers l'étudiante et continue de lui parler.

— Vous avez couché ensemble ?

— Pourquoi tu dis ça ?

— La façon que vous avez de vous regarder. Je ne veux pas de secret entre nous.

— Oui.

— Oui quoi ? Vous avez couché ensemble ?

— Oui, nous avons couché ensemble.

— Au moins, lui ne te fera jamais mal.

— Si ça se trouve, tu aurais assez de retenue pour le faire avec une humaine et elle réussirait à te combler de bonheur.

— Je ne prendrais jamais le risque de tuer une femme parce que je n'aurais pas su me contrôler.

— J'aimerais tellement pouvoir t'aider à prendre confiance en toi.

— Il faut une femme humaine forte, capable de me repousser et de se défendre.

— Par amour, on est capable de beaucoup, Virgile. Je suis certaine que le jour où tu aimeras profondément une fille ta retenue sera décuplée.

— Je préfère ne pas y penser, et j'espère tomber sur une vampire qui réussira à me faire tomber amoureux d'elle.

— J'ai tellement de peine pour toi, et pourtant je te comprends tellement.

Benjamin m'avait quitté pour la même raison pour revenir quelques mois après pour me dire qu'il regrettait sa décision. Je suis tellement bien placé pour comprendre ce qu'il peut ressentir et savoir à quel point c'est dur. Et une fois de plus, ça me confirme que je suis en permanence rejetée par les hommes envers qui je m'attache.

Les larmes commencent à couler. Je me lève j'ai besoin d'être seule. Je fais quelques pas et Virgile me rattrape.

— Nelle, attends.
— Non laisse-moi seule, je ne veux pas que tu me voies comme ça.
— Montre-moi que tu peux me repousser.
— Quoi ?
— Allez, repousse-moi.
— Tu dois aimer la personne Virgile pour avoir de la retenue.
— Et c'est le cas.
— Quoi ?
— Je suis dingue de toi, depuis des semaines.
— Je vais te faire mal.
— Tant pis.

Je ne sais pas ce qu'il cherche, mais je vais le faire voler. Je le repousse avec force, mais pas trop, je ne veux pas lui faire mal. C'est efficace, car il vole à quelques mètres et retombe contre un arbre. Je m'avance en courant vers lui.

— Désolée.
— C'est tout ?

— Non, je ne suis pas à fond là.

— Si je te fais mal Nelle, il faudra bien plus d'énergie pour me repousser crois-moi.

— Je me doute bien, mais là tu ne me fais pas mal, donc je n'ai pas envie de t'en faire.

Il me prend par la main et m'emmène dans son dortoir.

— On va où là ?

— Passer du temps que tous les deux.

— Quoi ! Sérieux ?

— Oui.

Mon cœur accélère en entendant ça. On finit par rentrer dans sa chambre. Il m'approche de lui et retire nos blousons puis nos vestes et commence à m'embrasser.

— Laisse-moi tout gérer, Nelle stp.

— Je ne bouge pas.

Il me sourit et continue à m'embrasser. Il pose ses mains sur mon visage. Je devrais être morte de peur mais pas du tout, j'ai confiance en lui et en moi. Je sais que je pourrai le repousser avec force s'il va trop loin. Nous nous embrassons pendant plusieurs longues minutes. Il finit par me soulever puis m'allonge sur son lit. Un lit ? Je croyais qu'il ne dormait pas. Il se redresse et retire son tee-shirt. Je meurs d'envie de le caresser et de l'embrasser, mais je patiente et ne fais rien. C'est super frustrant de sentir ce désir m'envahir et de ne pas pouvoir le combler. Au moins, je comprends parfaitement ce qu'il ressent en ce moment. Même s'il arrive à aller jusqu'au bout se sera une torture pour lui à chaque fois. Je n'ai pas le droit de lui faire ça. Surtout que ses sentiments ne sont pas réciproques.

— Virgile, attends.

Il se redresse et me regarde. Déjà, il est capable de s'arrêter quand je le demande. Ça me prouve qu'une femme peut lui faire confiance.

— Tu ne devrais pas t'imposer ça. Je comprends ce que tu ressens et je n'aurais pas dû te parler comme ça.

— Nelle tu as raison aussi, si je n'essaye jamais je ne pourrai pas savoir mes limites.

— Il vaut mieux qu'on soit qu'ami tous les deux, je ne veux pas te perdre.

Il s'allonge à côté de moi et me prend dans ses bras. Il reste là, silencieux. Je suis certaine qu'il s'en veut autant que moi je me déteste.

— Je t'ai laissé faire juste parce que j'ai de la haine contre Dagon, et encore plus contre moi. Mais je l'aime trop pour avoir envie de quelqu'un d'autre dans ma vie.

— Va le lui dire.

— Je vais retourner dans ma chambre.

— Tu peux rester avec moi, si tu as envie.

— Il ne vaut mieux pas non.

— Comme tu veux, mais dis-lui.

Je me lève, prends mes affaires et sors de sa chambre. En quittant le dortoir je tombe nez à nez sur Dagon avec l'étudiante, ils sont contre un mur et s'embrasse à pleine bouche. Ce n'est décidément pas ma soirée. Dagon finit par me voir et tourne la tête dans ma direction. Je m'éloigne d'eux rapidement, car les larmes me saisissent de nouveau. J'ai besoin de fuir, je monte dans ma voiture et sors du campus. Je fonce à vive allure dans les chemins de campagne, à cette heure-ci peu de chance que je croise d'autres véhicules. J'ai besoin de libérer mon esprit. J'entends mon portable vibrer, je regarde et j'ai un message de Dagon. Je ralentis fortement pour le lire.

« Dagon : tu n'aurais pas dû partir seule du campus », je ne réponds rien et accélère de nouveau. Il est 2 heures du matin quand j'arrive devant la boîte de nuit où j'ai travaillé. Je me gare et m'avance vers Clément et lui fais la bise.

— Une petite insomnie ?

— Exactement, je peux rentrer ?

— Oui bien sûr, il y a une soirée spéciale pompier à l'intérieur.

— Sérieux ?

— Oui et les femmes à l'intérieur sont en chaleur.

— Je vais aller faire la fille en chaleur aussi alors.

— Ça marche amuse toi bien, Nelle.

Je me demande si Arthur sera là ou pas. En même temps, il ne se souvient même pas de toi. Quand je rentre à l'intérieur, il y a bien une centaine de pompiers éparpillés un peu partout et une tonne de nénettes qui se trémoussent. Je sens alors une main dans mon dos.

— Quelle bonne surprise ! me dit une voix qui chuchote à mon oreille.

Je me retourne d'un coup, surprise de le voir, et surtout qu'il m'adresse la parole.

— Arthur ?

— Tu n'as pas oublié mon prénom c'est très bien.

— Je…

Je ne comprends pas et je pense que mon visage doit être très explicite.

— Bonsoir Nelle, comment vas-tu ?

— Bonsoir, ça va merci et toi ?

— Je vais bien aussi.

En l'espace d'une seconde, il m'a redonné le sourire. Finalement, Pierrick n'a pas tout effacé de sa mémoire. Je le prends par la main et l'emmène avec moi danser. Il est sympa et se laisse faire. Nous dansons plusieurs dansent ensemble. Et la raison qui fait que je suis ici me paraît déjà loin.

— On va se poser un peu ? propose Arthur.

— Si tu veux.

Il me prend par la main et m'emmène à une table vide.

— Ça va ? Tu as une petite mine.

— Oui, ça va, fatiguée un peu.

— Bien rentré hier du coup.

— Tu veux en venir où ?

— À rien, laisse tomber.

— Il n'y a rien entre Dagon et moi, il est en couple avec une jeune nénette avec des attributs sympas.

Il rigole et s'avance de moi.

— Vraiment personne dans ta vie ?

— À part mon fils, non.

Il me sourit et s'avachit sur le canapé.

— Et toi ?

— Non. Enfin, pas encore.

Il tourne la tête vers moi et me sourit en me disant ça.

— Je me sens visée là.

— Parce que tu l'es.

— Je ne suis pas sûr que je sois une fille pour toi.

— Pourquoi ça ? Tu as peur que j'embrasse moins bien que Dagon ?

— Je te dirais ça, si un jour tu m'embrasses.

Il ne lui en faut pas plus pour me saisir les lèvres et m'embrasser. Je devrais le repousser, mais au moins je suis sûre que je ne risque rien avec son baiser. Je me rapproche de lui et pose mes mains dans ses cheveux. Nous nous embrassons de longues minutes. Il finit par se reculer légèrement et me sourit.

— J'ignore comment lui il embrasse, mais toi c'est waouh.

— Pourquoi tu as arrêté alors ?

— Parce que sinon je risque de t'emmener dans mon camion.

J'explose de rire et le pousse.

— Ah, dans ce cas recule.

Il recule et dépose un baiser mignon et passe son bras derrière moi.

— Et tu embrasses très bien aussi, dis-je en souriant.

— Pas au point de m'emmener dans mon camion.

Je lui en colle une et il explose de rire.

— Non, tu serais trop déçu, crois-moi.

Il semble surpris par ma réponse.

— Tu comptais m'appeler ?

Mince je ne peux pas lui dire que je pensais qu'il m'avait oublié.

— Nelle, sois sincère.

— Je ne pensais pas que tu avais vraiment envie que je le fasse.

— C'est la vraie réponse, ça ?

— Oui.

— Tu sais que j'ai des tonnes de questions à te poser concernant ce matin.

— Je ne vois pas pourquoi.

— Je te laisse tranquille pour l'instant avec ça.

— Il n'y a rien d'autre à savoir.

Je me relève pour aller danser. Mon portable se remet à vibrer.

« Dagon : rentre Nelle » « Moi : non, je suis à une soirée et je m'amuse comme une petite folle, je suis sur le point de conclure » « Dagon : tu as le droit d'être jalouse, mais pas moi ? » « Moi : jaloux de qui ? » « Dagon : Virgile » « moi : c'est un vampire, il ne peut même pas m'embrasser sans avoir peur de me faire du mal, tu veux être jaloux de quoi ? » « Dagon : laisse tomber Nelle, tu es insupportable pour comprendre quoi que ce soit », je range mon téléphone dans ma poche et retourne danser. Je me déhanche au rythme de la musique, plus je danse et plus j'aime ça. J'attire rapidement un pompier qui se colle à moi et me fait danser. Il finit par me proposer de boire un verre. Au point où j'en suis pourquoi pas. Je n'ai pas bu depuis la fois où je suis sortie avec Aidan et mes amis et que j'ai oublié une partie de ma soirée, pour le coup je ne suis pas sûre de bien tenir l'alcool. Je bois un verre puis deux, et je sens l'effet de l'alcool. Je me sens heureuse et joyeuse. Mon téléphone se met alors à sonner. Encore lui ! il me soûle. Je sors de la salle et me mets dans les w.c. privés.

— Allo ! dis-je d'une voix en colère.

— Nelle on est inquiet tu es où ?

— En boîte avec de beaux pompiers, ils sont en uniforme je suis en kiff total, dis-je en me marrant.

— Tu as bu ?

— Oui et alors ? Ne fais pas ton coincé comme ça.

J'explose de rire.

— Tu es où, Nelle ?

— Je te l'ai dit, tu n'écoutes vraiment rien toi.

— Ne bouge pas j'arrive.

— Laisse-moi tranquille.

Je raccroche puis sors des w.c. et tombe sur Arthur.

— Ça va ?

J'explose de rire et manque de tomber.

— Tu as bu ?

— Tu es très perspicace.

— Allez viens je vais te ramener chez toi.

— Tu vas me faire monter dans ton gros camion ?

— Non ! nous allons prendre ta voiture.

Il met la main dans ma poche et me prend mon trousseau.

— Coquin.

— Avance Nelle.

— À vos ordres, chef.

— C'est laquelle ta voiture ?

— Et si on jouait aux charades ?

— Tu penses que c'est vraiment le moment ?

— Allez, c'est drôle.

— Nelle, sérieux.

Je le vois regarder mon trousseau de clés et appuyer pour déverrouiller les portières. On entend parfaitement un bip arriver à nos oreilles. Et les phares qui se sont allumés me trahissent.

— Tricheur !

— Allons-y.

Il ouvre la portière passager et me force à m'installer. Il prend place à son tour et me regarde.

— Pourquoi as-tu bu ?

— Parce que ton collègue m'a invitée.

— Qui ça ? Que je lui remette les idées en place demain.

Mon téléphone se remet à sonner.

— Il ne veut pas me foutre la paix, lui.

Arthur prend mon téléphone et décroche.

« Arthur : Oui.

…

— C'est Arthur, elle est complètement soûle alors je vais la ramener une fois qu'elle m'aura donné son adresse.

— …

— Je ne compte pas la sauter, les filles ivres ce n'est pas mon délire.

— …

— OK, merci pour l'adresse, à tout à l'heure. »

Il raccroche et me rend mon téléphone.

— Comment ça à tout à l'heure ?

Arthur ne répond pas et démarre.

— Vous êtes tous les mêmes, de toute façon.

— De quoi tu parles, Nelle ?

— Vous me sous-estimez et vous jouez avec moi.

— Quoi ?

— Je ne suis pas faible.

— Je n'ai jamais pensé ça.

— Alors pourquoi tu lui as dit de nous rejoindre ?

— Il s'inquiète pour toi.

— Il ne me croit pas suffisamment forte pour me défendre seule c'est tout.

— Tu es une femme, Nelle, face à un mec tu n'as aucune chance.

— Arrête-toi tout de suite.

— Non.

— Il va venir, me faire espérer, coucher avec moi et ensuite m'ignorer. Je t'aime, Nelle je suis sincère, non finalement je ne t'aime pas. Nelle, je veux juste coucher avec toi, je ne veux pas d'une femme avec enfant dans ma vie, et blablablabla, des années que j'entends que ça. Je préfère encore être violé par Smith à choisir. Je vous déteste les hommes !

— C'est l'alcool qui te fait parler.

— C'est ce que les hommes m'ont fait vivre.

— Tu t'es fait violer ?

— Laisse tomber, ça n'a plus aucune importance maintenant.

Il continue de rouler quelques minutes et finit par se garer devant l'immeuble de mon appartement. Il m'aide à sortir de la voiture et me maintiens fermement dans l'ascenseur. Je m'accroche à lui et l'embrasse.

— Non Nelle !

— Allez, laisse-toi faire.

— Tu empestes l'alcool, c'est une infection.

— Tu es nul.

— Tu as bu combien de verre ?

— Deux, peut-être plus, enfin je crois.

On rentre dans mon appartement, et je file dans la salle de bain pour me brosser les dents. Je bois un grand verre d'eau, et je sens déjà l'effet de l'alcool s'estomper très légèrement. J'enlève mon blouson et ma veste et ressors en jeans et tee-shirt.

— Ça va mieux ?

Je ne lui réponds rien et m'approche et l'embrasse.

— Nelle non !

— Sois tu restes et tu me fais l'amour sois tu dégages.

— C'est l'alcool qui te fait parler.

— Non.

— Nelle ne compte pas sur moi pour le rendre jaloux.

— Tu te trompes.

— Pas du tout. Je vais te laisser il ne va pas tarder à arriver.

Il sort de mon appartement en me laissant en plan.

Je m'installe dans un coin de la pièce et fonds en larmes. Je me sens minable en repensant à mon attitude de gamine sans cervelle. Je finis par m'endormir à même le sol. Ce sont des bras qui me soulèvent qui me sortiront de mon sommeil. Je reconnais cette odeur, je suis dans les bras de Dagon. Je l'enlace et pose ma tête dans son cou. Il m'allonge dans mon lit et me couvre.

— Merci, Arthur, dit Dagon.

— Prends soin d'elle.

J'entends la porte se refermer. Je regarde Dagon revenir vers moi et s'asseoir.

— Pourquoi tu as fait ça ?

— Parce que j'ai été jalouse. De la voir s'amuser avec ta langue était trop pour moi.

— Nelle, c'est toi qui m'as utilisé, je te rappelle. Pas l'inverse.

— Et c'est toi qui m'as posé cette putain de question

— Laquelle ?

— Tu ne laisseras personne d'autre te toucher on est bien d'accord ?

— Et pourtant tu as désobéi, j'ai vu Virgile t'embrasser

— Tu as embrassé l'autre pouffiasse en premier.

— Parce que tu m'as dégagé comme de la merde.

— Tu l'as fait exprès de l'embrasser ?

— Oui.

— Tu n'aurais pas dû venir.

— Oh que si, tu es la reine pour te mettre dans des situations délicates.

— Et l'étudiante ?

— Elle s'appelle Camille.

— Je m'en fous de son prénom, ce n'était pas ma question Dagon !

— Je ne lui ai pas laissé le choix.

Je lui souris.


— Comment ça va se passer entre nous ? demandé-je.

— Tu veux que ça se passe comment ?

— Tu ne peux pas juste répondre, sans me poser une autre question.

— Non, car j'ignore ce que toi tu attends de moi.

— Call avait raison, notre passé me remonte en plein visage et j'ai peur d'aller trop loin avec toi et que tu me quittes de nouveau.

— Nelle.

— Attends, Dagon, stop ! Je connais le couplet, j'ai changé, j'ai fait une erreur, etc., ne te justifie pas pour le passé, je n'ai toujours pas réussi à digérer ça.

— Et donc ?

— Je ne dois pas laisser ma jalousie m'envahir, prendre plus d'ampleur.

— Nelle tu ressens quoi pour moi ?

— Non par pitié pas cette question Dagon.

— Pourquoi ?

— Parce que peu importe ma réponse, ça ne changera rien au fait que j'ai peur.

Les larmes commencent à couler sur mes joues.

— Nelle ne pleure pas. Je n'insisterai plus.

— Je veux me rapprocher davantage de toi, et en même temps non, nous avons construit une amitié solide et sincère, je ne veux pas la gâcher.

Il me sourit et s'approche de moi. Nos bouches ne sont qu'à quelques centimètres l'une de l'autre. Mon cœur se met alors à battre à la chamade. Il s'avance jusqu'à les lier. Il m'embrasse quelques instants et finit par reculer.

— Nelle, tu empestes l'alcool.

J'explose de rire et le pousse.

— Allez, dors maintenant. J'ai bien compris le message.

— Tu me détestes ?

— Non pas du tout, c'est moi que je déteste là.

— Je suis désolée.

— Dors maintenant.

Je me retourne et ferme les yeux. Il passe son bras autour de moi et pose sa tête dans mon dos. Je sens son souffle dans ma nuque. Je m'endors rapidement par chance. Quand mes yeux s'ouvrent enfin, je suis complètement barbouillée. Je me lève pour aller prendre une bonne douche pendant que Dagon dort encore. Elle me fait beaucoup de bien, car j'en ressors presque en pleine forme. Je prends un cachet tout de même pour être sûr que les douleurs ne reviennent pas puis je me brosse les dents. Quand je retourne dans la chambre, Dagon dort toujours. Je regarde ma montre et il est presque midi. Je file nous chercher un truc à manger dans le quartier.

Quand je rentre dans l'appartement, il est debout dans le salon.

— Tu étais où ?
Je lui montre le sac que je tiens.

— Partie chercher à manger.
Il s'avance de moi et me prend dans ses bras puis commence à m'embrasser avec désir.

— Tu as cru que j'étais partie ?
Il ne répond rien, me regarde et me soulève puis m'emmène jusqu'à mon lit.

— Laisse-moi un mot la prochaine fois ou réveille-moi.
— D'accord.
J'ai du mal à le suivre, mais s'il n'y a que ça pour lui faire plaisir.

— Dagon, tu as l'intention de me faire l'amour-là ?
— Oui.

— Ce n'est pas raisonnable.

Il me sourit.

— Je sais, mais tant pis.

Il se remet à m'embrasser avec un désir intense et contagieux. Nous sommes rapidement nus et en pleine action. Je découvre un nouveau Dagon, doux et attentionné. Il finit par s'allonger à côté de moi. Par réflexe, je prends le drap pour me cacher dessous. Je l'ai laissé me déshabiller et je le regrette énormément.

— Dagon.

Il tourne la tête vers moi et pose sa main sur mon ventre.

— Oui ?

— J'attends des réponses.

— Pose tes questions d'abord.

— Pourquoi tu continues à coucher avec moi sachant que tu es dans une relation que tu dis compliquée ?

— C'était toi ma relation compliquée, Nelle.

— Quoi ?

— Depuis le début, je parle de toi, de moi, de nous.

— Tu es avec Camille depuis quand ?

— Je l'ai embrassée la première fois hier.

Je me redresse d'un coup et le regarde.

— Eh oui, bébé.

— Tu veux dire que ?

— Que je n'en ai rien à faire d'elle, et que je ne suis même pas vraiment avec elle là, c'étaient juste des baisers.

— Quoi ? Tu ne lui as pas encore montré ton beau corps, tu es malade ou bien ?

— Tu te rends compte, je deviens un mec bien qui ne couche plus le premier soir.

— Seulement le deuxième ?

— Voilà.

— Je me pose plein de questions.

— Du style ?

— Comment je vais faire pour résister encore plus longtemps à t'embrasser à pleine bouche, et te coller contre un mur ?

— Quoi ?

Il se redresse à son tour et me regarde avec une intensité nouvelle.

— Va au bout de ta pensée, Nelle, s'il te plaît.

— J'ai envie d'essayer.

— Essayer quoi ?

— Toi, moi, nous.

Il ne me laisse pas le temps de dire autre chose que sa langue danse avec la mienne. Il me soulève et m'installe sur lui et dévore ma bouche pendant de longues minutes. Je finis par m'éloigner et pose mon front contre le sien.

— Je ne suis pas insupportable.

— Et pourtant.

— Il faudrait rentrer maintenant.

— Oui effectivement, en plus je dois parler avec Camille.

— Tu vas rompre ?

— Je vais mettre un terme à un nous futur oui.

— Restons discrets pour le moment, si tu veux bien, en attendant que de son côté ça se tasse.

— Si tu veux, oui, tant que j'ai le droit de passer mes nuits avec toi quand je suis sur ton campus.

— Avec grand plaisir.

J'ignore dans quel sens il veut dire ça, et je ne préfère pas insister pour le moment.

— Tu veux passer embrasser Nelan avant de rentrer ?

— Non, il ne comprendrait pas que je débarque en permanence.

— OK.

— Allons manger maintenant.

Nous mangeons rapidement et gagnons nos voitures.

— Sois prudente, Nelle !

— Mais oui, ne t'inquiète pas.

Il me sourit et après m'avoir embrassée langoureusement il s'éloigne pour rejoindre sa voiture.

Je monte dans la mienne et démarre. Pire que mes parents. Je vais éviter de l'énerver et je roule doucement. Mon téléphone se met alors à vibrer à quelques minutes du campus, je regarde mon téléphone et c'est Virgile.

— Oui ?

— Une attaque au campus, tu es où ?

— Je suis là dans 5 minutes, fait appeler Dagon pour le prévenir également.

J'accélère et le sème rapidement, désolé, mais pas le choix là, en 5 minutes je suis sur le parking et garé. Dagon m'a rattrapé et se gare à côté de moi.

— On réglera ça plus tard, bébé.

Je me mets à courir jusqu'au dortoir. Le dortoir étudiant est en feu, et de nombreux étudiants et professeurs sont inconscients au sol, dont Jacob. Oh, non pas ça ! La colère m'envahit tellement vite que j'expulse une onde sur mes ennemis ce qui les fait tous tomber au sol. Une bonne partie se relève tout de même et commence à s'approcher de moi. Contre autant de personnes, je n'ai aucune chance. Je sens alors quelqu'un me prendre la main et la serrer.

— Nelle, ils sont trop nombreux-là.
— Je dois essayer.

Je ferme les yeux et me concentre, les guerriers essayent de les retenir au maximum pour ne pas qu'ils s'approchent de moi. Quand j'ouvre les yeux, je sens de nouveau cette colère, et tends ma main en avant et les tue un à un rien qu'avec la pensée. L'image de Jacob au sol ne me quitte pas. À mesure où ils tombent les autres sont gagnés par une peur, une trentaine réussiront à s'enfuir. Je m'installe à même le sol avant que mes jambes ne me lâchent.

Dagon se met à genoux devant moi

— Jacob ? dis-je dans un murmure.

Il tourne la tête et se relève pour aller voir. Il me regarde et me fait un signe. Je sens alors une main froide dans mon dos.

— Ça va aller ? m'interroge Virgile.
— Non, je vais tomber.
— Je vais te porter dans ta chambre.
— Je m'en occupe, dit Dagon avec une voix en colère.

Virgile se relève et fait face à Dagon.

— Stop tous les deux.

Mes yeux continuent à se fermer pendant que je regarde la quantité de personnes allonger sur le sol. Tout ça, c'est de ma faute, si je n'étais pas partie hier soir. Les larmes coulent. Romain et Scarlett guérissent les personnes aussi vite que possible. Je me sens impuissante et de plus en plus fatiguée.

— Dagon !
Quand j'ouvre les yeux, je suis dans ma chambre avec Virgile.

— Bien dormi ?
— D'un trait en tout cas.
— Parfait. Au moins là tu n'as pas dormi longtemps.
Je lui souris sans rien répondre.

— Je vais t'accompagner à ton réfectoire et je partirai ensuite.
Où est Dagon ? Pourquoi il n'est pas près de moi ? En même temps, ça ne serait pas très discret. Je regarde mon téléphone et j'ai un message de lui. « Dagon : je te laisse sous la surveillance du buveur de sang, mais attention je te surveille de loin bébé. On se voit ce soir comme convenu, je t'embrasse » « Moi : j'ai été sage comme une image, à tout à l'heure, bisous ». Nous gagnons le réfectoire. Jacob est installé et mon cœur se soulage de ce poids. Je remplis mon plateau et m'installe à ma place habituelle. Et serre Jacob dans mes bras.

— Tu es arrivée pile à temps, Nelle, merci, me dit mon ami avec une peur dans les yeux.
— C'est vrai ?
— À une minute près, je n'étais plus là.
— J'ai loupé mon coup alors.

Il explose de rire. Au moins la déconne nous permets de passer vite à autre chose.


— D'un peu plus et jamais je n'aurais pu me marier avec toi.

— Ah oui ça aurait été embêtant, en effet. Mais il va encore falloir patienter un peu avant notre mariage. Dis-je en regardant Dagon.

— Heureusement que tu es arrivée, c'est certain. Ça aurait été compliqué sinon, ajoute Théo.

— Beaucoup de personnes ont perdu la vie ?

— Seulement des blessés par chance.

— Ouf !

— Tu étais où, Nelle ? me demande Enzo.

— Chez moi.

— Nelan va bien ?

— Je ne l'ai pas vu.

Ils me regardent tous et forcément personne ne comprend.


— J'étais allée faire une promenade en voiture et j'ai fini à la discothèque où j'ai bossé, puis trop tard pour rentrer ensuite.

— Seule ? me demande Scarlett.

— Pas longtemps, j'ai croisé un ami de ma cousine là-bas.

— Celui du combat ?

— Oui, et il m'a raccompagné.

— Ha ! ha ! très intéressant dis donc.

— Pas vraiment non, j'étais complètement bourrée.

— Quoi ? Il t'a touché ? m'interroge Call qui semble s'inquiéter.

— Non, Dagon est arrivé et a veillé sur moi cette nuit.

Scarlett et Cécile me font un grand sourire.

— Quand est-ce que tu vas être prudente ?

— Jamais Jacob, mais ce qui est sûr c'est que plus jamais je ne bois, déjà c'est infect et ça n'a aucun intérêt.

— À part faire venir un bel homme à ta rescousse, répond Scarlett avec un grand sourire.

J'avoue que pour le coup elle a raison.

— On est tous d'accord pour une fois avec toi, me dit Pierrick en me souriant.

— Programme de la journée ? demande Cécile à la cantonade.

— Se la couler douce dans le salon des professeurs ? répond Scarlett.

Ils semblent tous partant, sauf Pierrick et Dagon qui ont déjà des projets et qui nous proposent de nous rejoindre après. Il me sourit avant de se lever et de partir. Nous finissons notre repas et nous nous levons à notre tour. Quand nous arrivons dans le salon, il y a pas mal de guerriers déjà qui ont mis la musique à fond et qui ont l'air de bien déconner autour des baby-foot et billards.

Jacob me propose de jouer et même si je ne suis pas super motivée j'ai envie de lui faire plaisir. Je joue trois parties au total puis les laissent se faire des duels entre eux. Les minutes passent puis les heures. Une voix de fille qui m'appelle derrière moi m'oblige à me retourner.

C'est Camille non ?

— Tu n'es qu'une salope, dit Camille en me parlant.

— Pardon, dis-je ?

— Tu as couché avec lui cette nuit, j'en suis sûre, du coup il m'a quitté comme de la merde en me disant qu'il te voulait toi et personne d'autre dans sa vie.

Elle veut que je réponde quoi à ça ? Elle a raison, enfin sur la partie de cette nuit.

— Je me vengerai, tu as ma parole.
Tous mes amis me regardent en plus.

Elle sort du dortoir en furie et je me sens super mal. Que quelqu'un brise ce silence par pitié.

— Je suis déçu, moi qui m'attendais à un combat dans la boue, dit Romain.
— Romain, tu es con, répond Théo.
Mais vu comment ils se marrent tous, ça a fonctionné. Je lance un sourire à Romain et retourne m'asseoir. Quand je vois Logan s'approcher et s'installer tout sourire je n'arrive pas à faire la gueule, c'est juste impossible.

— Elle devait être sympa ta nuit, me dit mon ami.
— C'était ce matin, même si dormir près de lui me plaît toujours autant.
— Et ta décision ?
— Elle vient de gâcher ma joie d'avoir dit à Dagon qu'on réessaye discrètement et en douceur.
— Le cacher c'est mort là, je pense.
— Il n'y a rien d'officiel encore. Juste les paroles d'une fille accro à Dagon.
— Il y en a plein je pense sur son campus.
— Je me doute oui, mais je n'ai pas du tout envie de savoir.
— Désolé.
Je reçois un message de Virgile pour savoir si je vais bien et où je suis, il tombe à merveille, ça va me changer les idées d'y

aller, et surtout fuir ce moment gênant avec mes amis. Je m'excuse auprès de Logan de le lâcher et décide d'aller rejoindre mon ami le vampire né. Je me lève et file dans le parc. Il caille un peu, mais ce n'est pas grave. J'ai le droit à un grand sourire quand j'approche. Ils me font tous un bisou et Virgile m'embrasse la tête.

Je lui demande de venir avec moi faire une promenade à pied j'ai besoin de lui parler.


— Allez, crache le morceau.

— On a parlé avec Dagon.

— Et ?

— Je viens de me faire traiter de salope par l'étudiante qui lui lavait les amygdales hier.

— Pourquoi ?

— Parce qu'il a rompu avec elle pour se remettre avec moi.

— Tu as accepté de te remettre avec lui alors.

— Oui, j'ai craqué.

— Pourquoi cette tête si c'est ce que tu veux ?

— Parce que ça commence vraiment très mal, si je me fais déjà agresser et menacer.

— Tu t'en fiches, elle ne t'arrive pas à la cheville.

— Quand elle aura réussi à m'enfoncer un poignard dans le cœur, tu ne diras pas la même chose

— Elle est trop faible pour oser, et les conséquences pour elle seront trop importantes.

— Je verrais bien, mais j'ai un mauvais pressentiment.

— Du genre ?

— Je l'ignore, c'est un ressenti.

— Je vois, passe à autre chose et laisse cette idiote chouiner pour ce qu'elle n'aura jamais.

— Je vais essayer.

— Tu attends quoi pour foncer dans les bras de ton homme et profiter de lui ?

— La peur qu'il me quitte sûrement, qu'il se rende compte qu'il a fait une erreur.

— Tu es un mystère Nelle, tu as ce mec dans la peau et tu te poses encore trop de questions, fonce bordel.

Les larmes commencent à couler. Je me déteste là, je n'arrive pas à me rassurer.

— Ma petite Nelle, viens par là.

Il me prend alors dans ses bras et me serre aussi fort que mon corps est capable de subir.

— Allons-nous promener si tu veux bien, ça te fera du bien, ou alors j'ai encore mieux comme idée.

Je relève la tête et le regarde avec curiosité.

— Et si on allait à la bibliothèque pour travailler.

J'explose de rire et le frappe. Je le vois alors lever les bras en l'air en criant victoire. Ça me fait encore plus rire.

— Et la danse de la victoire elle est où ?

— Ah oui, ne bouge pas.

Il se lève et se met à bouger comme un imbécile et j'en pleure de rire.

— Je préfère largement ça.

— Merci, mais là je pense que tu as perdu toute crédibilité avec toutes les jeunes et jolies étudiantes.

— Ha mince, je vais devoir utiliser mon charme alors pour rattraper ça.

— Ah oui ! là, c'est sûr.

Je m'allonge sur l'herbe en posant ma tête sur ses jambes.

— Merci d'être mon ami Virgile, d'être là pour me faire rire.

— De rien ma belle.

— Tu es le meilleur M le Vampire né.

— J'y compte bien.

Nous restons là un petit moment à parler et rire, je lui raconte mon passé, tout mon passé et il s'énerve à plusieurs reprises. Smith et Agonis ne sont pas à son goût, ce n'est pas étonnant en même temps.

— Je vais aller manger et ensuite je dois bosser un peu mes cours. Dis-je avant de me redresser.

— Ça marche, à demain.

Je l'embrasse sur la joue et file rejoindre mes amis. Je m'installe sur un des tabourets. Jacob s'approche de moi et me caresse le dos.

— Ça va ?

— Oui ça va et toi ?

— Je me sens vivant, une fois encore grâce à toi Nelle.

— J'aurais fait comment sans toi moi après ?

Il m'embrasse le front et me fait un magnifique sourire.

— Tu étais parti voir Virgile ?

— Oui, je devais lui parler.

— Ah. Tu sais que je suis là aussi ?

— Oui, mais…

— Je suis trop proche de Dagon et avec Virgile c'est différent.

— C'est ça oui, désolé.

— Je comprends rassure toi.

— Alors tu as perdu combien de fois ? Ou gagné combien de fois plutôt ?

— On ne se moque pas.

— Moi ? Non jamais tu me connais.

J'entends alors la porte et vois Pierrick arriver vers nous. Je lui souris et il s'approche de moi et s'installe sur le tabouret à côté.

— Tu ne joues pas ?

— J'ai déjà joué.

— Tu as fait quoi de ta journée ?

— J'étais avec Virgile et toi ?

— Karine, l'étudiante qu'on a sauvée l'autre fois.

— Excellente chose, dis donc, dis-je en faisant un grand sourire.

Mon téléphone vibre « Virgile : Nelle, viens vite. On a besoin de toi dans le parc ». Je me lève aussi vite que possible et sors du dortoir et fonce dans le parc. Virgile et ses amis sont debout dans le parc et semblent regarder quelque chose au sol. J'avance vers eux et plus je m'approche et plus je vois un corps au sol. Oh mon dieu non, ils ont fait quoi ?

J'avance jusqu'à leur hauteur et les vois tous les six avec des yeux rouges, ils semblent super concentrés. Ils ont une main sur leurs visages comme s'ils essayaient d'empêcher de faire entrer l'odeur dans leurs narines. Je mets l'élève dans une bulle ce qui détourne l'attention des vampires sur moi.

— Nelle une élève blessée, me dit Virgile.

— Vous ne lui ferez rien, vous allez reculer tout doucement.

— On ne peut pas sinon ont l'auraient déjà fait crois moi.

— Vous voulez que je vous expulse ?

— Tu peux faire ça ? demande Elena.

La pauvre, juste d'avoir posé la question semble l'avoir encore plus mis dans l'embarras.

— S'il le faut pour vous aider oui, mais vous allez avoir très mal.

— Vas-y, Nelle, dépêche-toi.

— Fais-moi voler Nelle pas de soucis, mais je ne vais plus tenir longtemps, me dit Denis.

— Je vais devoir me mettre de dos à l'un de vous, je n'ai pas le choix.

— Mets-toi dos à moi, lance Virgile.

Vu le ton de sa voix lui aussi ne semble pas aller très bien le pauvre.

Je me mets dans ma bulle et pose ma main sur l'épaule de Virgile. Je vois les professeurs me chercher au loin. Je contourne mon ami et avance sans faire le moindre geste brusque. Je ressens beaucoup de colère là, les vampires semblent vraiment prêts à attaquer. Ils ont une résistance plutôt sympa et ils ne méritent pas ça.

— Désolé, ça va piquer.

— Tant pis, mais dépêche-toi, insistent Denis et aussi les autres.

Je me mets à genoux et respire un bon coup. Je canalise mon énergie et les envoie valser à pas mal de mètres en arrière. Ils ont dû prendre un sérieux coup, car ils ne se relèvent pas de suite, les professeurs sont déjà sur eux en train de les maintenir. Quand je regarde enfin l'élève c'est Camille, oh non mon dieu qu'est-ce qu'elle a fait ? Je vois alors un couteau à côté d'elle. Jacob s'approche de moi et pose sa main sur elle pour voir si elle est toujours en vie, et apparemment oui. Il pose sa main sur la plaie de son poignet pour la guérir. Les vampires sont éloignés par les professeurs et Pierrick finit par revenir vers nous. Pourquoi elle a fait ça ? Dans quel but ? Dagon arrive en courant vers moi et me regarde.

— Retourne à l'intérieur, Nelle.
— Non.
— Allez, dépêche-toi.
— Tu n'as pas compris quoi dans mon non ?
— Tu peux obéir des fois ou c'est trop compliqué pour toi ?
— Pourquoi elle a fait ça ?
Je le vois gêné de répondre.

— Réponds putain, Dagon !
— Parce que je lui ai dit que je ne voulais plus la voir.
— Mais oui, je suis trop conne, elle m'a menacé de se venger, et c'est comme ça qu'elle le fait, en détruisant mes amis.
— Je ne pouvais pas prévoir ça Nelle, je suis désolé.
— Je l'avais dit à Virgile ! je l'avais dit que j'avais un mauvais pressentiment. J'aurais dû rester près d'elle à la surveiller.
— Ce n'est pas possible et tu le sais.
— Tu es conscient que c'est de ma faute si elle a fait ça ? Qu'elle a failli détruire Virgile et ses amis, mes amis au passage. Si elle se réveille, je la tue de mes mains.

Il finit par me tirer par le bras pour m'emmener avec lui.
— Lâche-moi, je peux devenir méchante et même contre toi.

— Nelle, tu me soûles là, lève ton cul de là et viens avec moi. Jacob est assez grand pour réussir à gérer ça.

— Ne me parle pas comme ça.

— Ça commence très mal entre nous, si tu te comportes de la sorte.

Il me reprend le bras et m'oblige à me lever. Je finis par me relever et lui lance un regard froid. Il vient de me faire regretter de l'avoir repris dans ma vie, et au vu du regard qu'il me lance il prend conscience qu'il est allé loin dans ses propos.

— Lâche-moi, je saurai retrouver le chemin de ma chambre seule.

— Dans ce cas, vas-y et je t'y rejoins.

— Non ce n'est pas nécessaire, bonne soirée Dagon.

— Vas-y et j'arrive insiste-t-il.

— Non, je ne veux pas te voir, « ça commence très mal entre nous », ce sont tes mots n'est-ce pas ? Restons-en là alors.

— Je viens dans ta chambre dès que possible.

Ses yeux sont remplis de larmes, mais vu le ton autoritaire qu'il utilise, j'ai beau dire non, il viendra quand même.

— Tu ne vas quand même pas la laisser seule là-bas ?

— Non, je vais rester près d'elle jusqu'à ce qu'elle reprenne connaissance.

Quand j'arrive devant le dortoir, je n'ai aucune envie d'y rentrer pour y rester. Je passe dans ma chambre chercher mon sac à main et surtout les clés de ma voiture, faut que je roule. Dagon va m'en vouloir une fois de plus, mais tant pis. Et vu notre conversation, je n'ai aucune envie de le voir. Je monte en voiture et roule jusqu'à ce que mon corps fatigue. Je m'arrête à une aire de repos pour manger quelque chose. Il est super tard ou tôt tout dépend du point de vue. Je retourne à ma voiture et sur le chemin du retour mon téléphone se met à sonner pour la trentième fois. Je ralentis pour voir le destinataire « Numéro inconnu : on a besoin de toi Nelle, il y'a une attaque à Noblesse, Arthur », quoi ? « Moi : ou ça ? » « Arthur : devant la caserne, fais vite », je ne prends pas le temps de répondre et accélère. Par chance, je suis juste à côté et 5 minutes après j'arrive. Ce n'est pas le moment pour un interrogatoire. Je me gare rapidement et sors de la voiture et arrive près d'Arthur qui ne semble pas rassuré devant le portail.

— Rien n'est sorti ?

— Non pas encore.

— Il est là depuis combien de temps ?

— 7 ou 8 minutes.

— OK.

— Tu penses réussir à les expulser comme la dernière fois ?

— Quoi ? Tu te souviens ?

— Oui, ton télékinésiste n'a pas un don suffisamment puissant contre mon esprit.

— Tu es qui ou quoi au juste ?

— Un bouclier, disons, aucune magie ne m'atteint et je ressens la magie des autres.

— Depuis le début, tu sais pour moi ?

— Oui.

— Je suis déçue de toi, pourquoi tu ne m'as rien dit ?

— On réglera ça plus tard, maintenant je pense que tu devrais appeler tes amis pour qu'ils nous aident.

— Ils sont à 1 heure de route.

— Et toi tu étais où ?

— En voiture pas loin.

Un démon finit par en sortir puis une petite dizaine.

— Je peux t'aider au corps à corps, mais s'ils sont trop sur moi ça va être compliqué.

Les autres pompiers semblent tétanisés.

Je les enveloppe dans ma bulle et ils reculent pour essayer d'en sortir.

Je suis fatiguée, mais j'ai assez de force pour les tuer. Ils s'avancent alors vers nous et Arthur fait apparaître un bouclier devant lui bien plus gros et imposant que les miens.

Je ferme les yeux, me concentre pour faire apparaître l'aura autour d'eux et les détruire par la pensée. Quand mes yeux s'ouvrent de nouveau l'aura a apparu sur certains, mais pas tous, je n'ai pas le choix je dois au moins les détruire eux, le bouclier ne résistera pas longtemps. J'en tue 8 et il en reste deux debout. Je canalise mon onde en espérant que ce soit suffisant. Ça les fait tomber et les blesse, un portail apparaît et ils disparaissent dedans.

— Désolée je n'avais pas assez de force pour les tuer.

— Ils sont partis c'est l'essentiel.

— Nous avons de la chance que ce soit le cas.

— Ça va aller ? Tu es drôlement blanche.

Je m'accroche à ses avant-bras avec un peu de force je dois l'avouer et ferme les yeux.

— Je pense que je vais m'évanouir.

— Quoi ? Maintenant.

Je n'ai plus le temps ni la force de répondre que je me sens m'écrouler. Mes yeux finissent par s'ouvrir sous un rayon de soleil. Je tourne la tête et ne reconnais pas l'endroit, en revanche le visage de la personne à côté de moi si. Je rêve ou c'est la réalité ? Je me lève en douceur pour ne pas réveiller Dagon. Je ramasse mes chaussures et ma veste et sors de la chambre. J'avance en direction des voix. Je suis dans la caserne. Je rentre dans une petite pièce qui semble être leur cuisine. Arthur est avec un autre homme que je ne connais bien évidemment pas.

— Bonjour Nelle, me dit Arthur.
— Salut.
— Ça va mieux ?
— Oui merci.
— Content de te voir sur pied.
— Contente de ne pas avoir été brûlée sur le bûcher pendant mon sommeil.

Ils explosent de rire et le deuxième me tend une tasse de café. Je fais un signe de la tête avec un sourire pour refuser, un minimum de politesse quand même.

— J'ai fait appel à Pierrick, rassure-toi.
— Pierrick ? demandé-je surprise
— Votre télékinésiste, répond Arthur en me souriant.

Mince, mais il dit ça devant son pote ?

— Pour Tom, il n'y a aucun souci rassure toi. Il sait tout sur moi. Il ne le répètera rien.
— D'accord.
— Merci encore pour ton aide hier.
— De rien, c'est tout à fait normal. Mais c'est toi qui as appelé Dagon ?
— Non, ton téléphone n'arrêtait pas de sonner, il était mort d'inquiétude.

— Tu n'aurais pas dû lui répondre.

— Je suis payé pour protéger les gens pas pour les rendre malheureux, je te l'ai déjà dit.

En parlant du loup, il sort de la chambre et s'approche de moi.

— Allons-y, on retourne sur le campus, me dit Dagon sans qu'aucune émotion ne paresse sur son visage.

Je fais un signe de tête et je sors de la caserne après avoir dit au revoir.

Je monte dans ma voiture et Dagon dans la sienne, il ne m'aura pas adressé la parole sur les quelques mètres. Je n'ai aucune envie de lui faire plaisir et roule un peu plus vite que la limitation autorisée. De le voir dans mon rétro me soûle. Je le sème à un feu qui passe au rouge pour lui. Parfait, j'accélère et arrive 10 minutes plus tôt que l'heure prévue. Au moins, je suis certaine de ne pas le croiser. Je prends mes affaires dans le coffre et fonce au réfectoire étudiant. Quand j'arrive à table je m'installe avec les vampires. Je m'assois à côté de Virgile et lui dépose un baiser sur la joue.

— Merci pour hier, ma petite Nelle.

— C'est normal, j'espère juste ne pas vous avoir fait trop mal.

— Je comprends pourquoi ils ne se relèvent pas certains démons.

— Désolée si je vous ai fait mal.

— Tu es folle, sans toi je n'aurais pas tenu longtemps encore. J'aurais commis l'irréparable, me dit Elena, qui semble bien plus sereine qu'hier.

— Tout va bien, vous n'avez rien fait, au contraire vous avez même étaient remarquables.

— Il lui a pris quoi de faire ça devant nous ? Elle est tarée, demande Virgile.

Mince, je ne peux pas leur dire que c'est ma faute ? Ils risquent de me haïr.

— Nelle ? insiste Virgile, qui voit bien à ma tête que c'est compliqué de répondre.

— Elle voulait que vous la tuiez.

— Pourquoi ?

— Pour se venger de moi.

— Elle voulait m'utiliser pour te faire souffrir et que je te hais ?

— Oui.

— Elle est complètement barrée, cette fille.

— Je suis vraiment désolée, être ami avec moi n'apporte pas que du bon.

— Nelle, tu as été là quand on a eu besoin de toi, c'est ça l'amitié. Tu as pris des risques pour nous aider. Si l'un de nous avez cédé tu aurais pris cher aussi.

— Sauf qu'elle vous a sous-estimé et n'a pas confiance en vous. Elle s'est attaquée aux mauvais vampires.

— Exactement, répond mon ami.

— Je l'avais dit que j'avais un mauvais pressentiment et c'est arrivé.

— Passons à autre chose.

Je ne sais plus où me mettre quand ils se lèvent tous pour me faire un énorme câlin. Ne flippe pas Nelle, ils ont résisté à du sang, alors à toi qui n'a pas pris de douche ça devrait le faire. Par chance, ils ne s'attardent pas. Je leur souris et commence à manger. J'avoue être rassuré qu'aucun d'entre eux ne m'en veuille.

— Tu as fui encore cette nuit ? me demande Virgile.

— Oui.

— Désolé j'ai appelé Dagon quand tu étais introuvable, j'ai espéré que tu étais avec lui. Il a cru devenir fou quand il a appris que ta voiture n'était plus sur le parking.

— Il ne comprend rien.

— Un mec, Nelle.

J'explose de rire.


— Oui, ça doit être ça.

— J'aurais dit un mec amoureux moi perso, me dit Elena avec un petit sourire gentil.

Je ne réponds rien et termine mon repas rapidement puis décide d'aller m'expliquer avec lui. Il faudra y passer un moment ou l'autre de toute façon. Je sors du réfectoire et je n'aurais pas à le chercher longtemps. Il est assis sur un banc avec Jacob, Logan et Call. Je m'avance d'eux et mon cœur s'accélère. Quand Dagon me voit arriver, il se relève et s'approche de moi. Il compte me crier dessus devant les autres ? Il me sourit, me prend alors dans ses bras et m'embrasse à pleine bouche.


— Tu me fâches comme ça ?

Il me sourit et pose sa main sur ma joue.


— Non, je le ferais en privé ce soir quand je viendrais te rejoindre dans ta chambre et ton lit.

— Quoi ?

— Ce serait bien maintenant que tu ne te barres plus dès qu'il y a un problème.

— Pourquoi tu m'as embrassé ?

— Parce que je te déteste de me faire peur comme ça.

— Comment va Camille ?

— Benjamin est parti avec elle ce matin pour la raccompagner chez ses parents.

— Je suis tellement triste pour elle.

— J'aurais dû rompre plus gentiment.

— Pourquoi ? tu lui as dit quoi au juste ?

— Parce que je lui ai dit que je ne pourrai jamais l'aimer comme je t'aime toi.

Les larmes coulent sur mon visage.

— Dagon, tu m'as fait beaucoup de peine hier soir dans tes propos.

— Parce que tu m'as agacé à ne pas obéir et à t'obstiner.

— J'ai pris ça comme un je regrette de t'avoir de nouveau dans ma vie.

— Jamais je ne pourrais dire ça bébé.

Je ferme les yeux et essaye de retenir les larmes qui continuent de sortir. Je suis censée faire quoi ? ma conscience pour une fois me dit de foncer et de l'embrasser de suite à pleine bouche ici, devant mes amis, devant tout un tas d'étudiants.

— Nelle, ne mets pas un terme à un nous avant même d'avoir réessayé, je t'en prie.

Il a raison. Je l'aime et je meurs d'envie de l'avoir dans ma vie. Je pose mes mains sur son visage et l'embrasse.

— Je prends ça comme un oui ?

Je lui souris et à son tour il saisit ma bouche avec plus de désir.

— Reprenons là où nous nous sommes arrêtés. Il me semble que tu revenais de chez les guerriers.

Il me tire alors contre lui et me serre super fort dans ses bras. Je me sens sourire, et ça fait un bien fou.

— Je suis content de te revoir, bébé, et je suis heureux que tu sois vivante.

— Tu ne m'as pas remplacée alors ?

— Si, elle devrait bientôt arriver.

Il m'avait dit ça le soir quand je suis revenue justement, et j'en avais pleuré de rire. Cette fois ce sera de joie. Il a retenu énormément de choses, c'est impressionnant.

Nous nous embrassons quelques instants, mais la réalité du lieu où nous sommes finira par nous éloigner de quelques centimètres. Nous sommes observés, il ne faut pas l'oublier.

Il me prend par la taille et m'emmène jusqu'au banc. Je fais la bise à mes amis et m'installe vers eux.

— Tu étais encore partie faire la fête et boire ? me demande Jacob.

— Non, j'ai juste fait la fête à des démons.

— Seule ?

— Pas vraiment, j'avais besoin de m'aérer l'esprit loin d'ici. Et un ami m'a appelé pour me dire qu'il y avait une attaque vers la caserne. J'étais à côté et je n'ai pas hésité.

— Tu es toujours folle, ma petite Nelle.

— Je sais.

Nous nous sourions.

— À ce que je vois, c'est mort, je ne vais jamais pouvoir me marier avec toi Nelle, me dit Jacob en me souriant.

— Non là, je pense qu'effectivement c'est vraiment compromis.

— Logan, épouse-moi, lance Jacob en faisant sa victime.

Quand Logan saute dans les bras de Jacob nous explosons tous de rire à en pleurer. Ils sont trop cons. Je prends ça pour un « nous sommes contents pour vous deux ».

La journée passe trop vite, surtout que je sais que Dagon devra repartir demain matin pour retourner bosser dans son campus.

Nous sommes tous les deux seuls dans ma chambre et j'attends ses remontrances.

— Tu as des comptes à me rendre toi, il me semble.

— Moi ? Non impossible, je suis un ange et je n'ai rien à me reprocher.

— Mais oui bien sûr.

— Vas-y, fâche-moi alors.

— Nelle il faut vraiment que tu arrêtes de fuir, si tu as un souci avec moi tu viens me voir et on le règle, mais ne me fait pas peur comme tu l'as fait en partant sans prévenir.

— Je vais faire des efforts. Mais tu n'imagines même pas ce que j'ai ressenti de voir Camille comme ça. Je t'ai imaginé tirer un trait sur moi pour la reprendre dans ta vie. J'ai vu Virgile me haïr, car par ma faute il aurait pu en souffrir aussi derrière.

— Virgile n'a rien fait et tu es intervenu à temps. Là au contraire il est fier de lui d'avoir pu résister. Et pour moi, comment te dire ?

Je lui souris et patiente.

— Tu es très doué pour m'énerver et avoir envie de t'étrangler. Tu me pousses à bout à devoir te surveiller et venir te chercher là où tu fuis. Mais dès que je te vois toi, tes yeux et ton sourire, je craque et j'oublie que je t'ai détesté. Tu es une chieuse, mais j'aime ça. Et j'aime être près de toi.

— Tu es conscient que tu vas devoir être très patient ? Que j'ai peur que tu me quittes ? Ça ne me sort pas de la tête.

— Je t'aime bébé, dans quelle langue je dois te le dire pour que tu le mémorises ?

— Je ne sais pas, il me faut du temps.

— Je suis bien avec toi et je suis heureux comme jamais que tu me laisses une deuxième chance.

— Je suis heureuse de me dire qu'on est de nouveau ensemble tu n'as pas idée.

— Tant mieux.

— Demain matin, tu pars super tôt ?

— Oui, mais je reviens vendredi soir.

— J'ai déjà hâte.

Il me soulève et m'emmène dans mon lit.


— J'ai la pression maintenant.

— Pourquoi ? demandé-je surprise.

— C'est notre deuxième fois non ?

J'explose de rire et le tire par la nuque pour qu'il m'embrasse. Cet échange et cette nuit avec lui ont été parfaits. De me réveiller près de lui, près de cet homme pour qui mon cœur n'a jamais cessé de battre est magique. Il représente tellement pour moi. Mes angoisses prennent le dessus quand il me dit se lever pour partir. J'ai peur de ce qui va se passer là-bas, loin de moi. Dans son campus où les étudiantes doivent être folles de lui. Je ne pourrai pas le surveiller et m'assurer qu'il ne drague personne d'autre.

Par chance, les jours passent vite, on s'appelle chaque soir et il me promet de revenir dès le vendredi soir suivant et passer son week-end avec moi. Bon le pauvre il a reçu également pas mal de messages en journée, un peu à n'importe quelle heure, souvent pour demander si tout va bien, juste pour être sûr qu'il ne soit pas avec quelqu'un d'autre. Il va me prendre pour une folle accro à lui, mais tant pis. Je lui expliquerai bien en temps voulu de toute façon.

Je profite de mes soirées de la semaine sans lui pour lire, et m'avancer dans mes cours. Jacob m'aide beaucoup en herbologie, Martin en alchimie et Pierrick en astrologie. Le reste je me débrouille seule. Enzo semble occupé, car je ne le vois plus autant, je sens qu'il y a de l'amour dans l'air de son côté et ça me réjouit pour lui.

Je termine un devoir à rendre lundi quand on frappe à ma porte. Je me dépêche d'aller ouvrir. Je ne laisse pas le temps à mon visiteur de me dire bonsoir que je suis déjà en train de m'amuser avec sa langue. Il me soulève et après avoir fermé la porte de ma chambre avec son pied il m'emmène sur mon lit.

— Je suis content de te voir bébé aussi, mais d'abord avant de te dévorer j'ai faim et j'ai envie de me laver.

Je lui fais un grand sourire et le tire par la nuque pour qu'il m'embrasse de nouveau.

— OK, je mangerai après, et la douche va attendre un peu.

J'explose de rire et c'est parti pour un moment de bonheur partagé avec lui.

— Je ne pensais pas qu'il était possible de recevoir autant de messages en l'espace de quelques jours.

Je me sens honteuse et cache mon visage dans son bras. Quand il se met à me chatouiller, je me retourne sur le dos et le repousse tant bien que mal.

— Je te manque autant que ça ? Ou alors tu as peur quand je suis loin ?

— Les deux, je suis désolée.

— Ça me faisait très plaisir de me faire harceler, espionner et fliquer rassure toi.

— J'avais peur.

— Tu aurais pu demander à un esprit de me suivre, un esprit discret en revanche, ça aurait été très bien aussi pour toi.

— Mais oui, je suis bête je n'y avais pas pensé une seule seconde.

— Je ne suis pas aussi bête que j'en ai l'air hein.

Tiens, mais j'y pense.

— Tu l'as fait toi ?

— Non, bien sûr que non, je n'avais aucune crainte moi, car je te connais, je sais que tu as des principes et que tu n'iras pas voir ailleurs.

Je lui souris et pose ma tête sur son torse.

— J'ai le droit de manger et me doucher maintenant ?

— Oui, vas-y.

— Trop aimable, Mlle Oksane.

Je le mate pendant qu'il se lève et qu'il se dirige vers son sac à dos. Il l'ouvre et me lance un tee-shirt.

— Propre et avec mon odeur.

Je le ramasse et l'enfile aussitôt, en faisant attention à ce qu'il ne me voie pas sans un bout de tissu sur moi.

Quand il me rejoint, je suis retournée sur mes cours et il ne se fait pas prier pour me soulever et m'emmener dormir. Je m'endors blottie contre lui et me réveille dans la même position.

Je me redresse un peu rapidement quand j'entends cette voix me parler. Aidan !

— Aidan, dis-je avec une voix remplie de tristesse.

Il est au pied du lit, les mains dans les poches, il fixe plus Dagon que moi il faut l'avouer. Pourquoi il est là ?

— Bonjour chaton.

Ça me fait sourire qu'il m'appelle encore ainsi, j'espère juste que Dagon ne le prendra pas mal.

— Salut, dit Dagon.

Aidan se contente d'un signe de tête en retour.

— Je vais vous laisser parler tranquillement, propose Dagon en sortant du lit.

Le regard d'Aidan sur lui ne me rassure pas, il le regarde bien de la tête aux pieds. Heureusement qu'il est en bas de pyjama, et pas nu.

— Reste, je suis surtout venu te parler à toi !

— Quoi ? Non Aidan, je refuse.

— Chaton, tais-toi.

— Non.

Il me lance un regard très froid, même mort il arrive à me faire flipper en me regardant.

— Je t'écoute, dit Dagon.

— Tu as eu de la chance que Nelle me cachait vos sentiments réciproques à l'époque, sinon vous auriez pris cher tous les deux.

— Aidan, je ne t'ai jamais trompé.

— Mais tu étais quand même amoureuse de lui ?

— Aidan.

— Réponds !

— Oui.

— Et toi ! tu l'aimais n'est-ce pas ?

— Oui Aidan, j'étais fou amoureux d'elle, et ça dure depuis plus de 5 ans. Mais je n'aurais jamais rien tenté en vous sachant ensemble.

— Non ! tu la colles juste contre un mur de douche.

— Vous n'étiez pas ensemble.

— Pour moi, si. Je devais juste prendre mon courage pour lui avouer, l'aimer.

— Tu es là pour quoi Aidan au juste ? dis-je en espérant qu'il reparte vite.

Je ne veux pas qu'il soit là pour nuire à mon couple.

— Je ne pensais pas que les beaux gosses dans ton genre étaient le style de Nelle, je suis étonné.

— Tu n'es pas un beau gosse toi peut-être ? lance Dagon.

— Non, je ne suis pas au même niveau que toi. Moi je dégage juste une assurance qui attire les minettes. Toi, il suffit que tu souries pour les faire fondre.

Dagon tourne les yeux vers moi et ne semble pas savoir quoi répondre.

— Tu veux savoir quoi sur moi ? Tu veux un CV sur mon passé ?

— Non, je ne suis pas convaincu que Nelle pourra être heureuse avec toi sur le long terme, même si je suis persuadé qu'elle t'aime.

— Ne compte pas sur moi pour la quitter.

— Chaton, laisse nous tranquilles.

— Sûrement pas non.

Il me lance de nouveau un regard noir.


— Je refuse que tu te retrouves seul avec lui, Dagon et moi nous nous laissons une chance, ne gâche pas tout, je t'en prie.

— Je reviendrai quand tu ne seras pas là Nelle, sois-en sûre.

— Non s'il te plaît, laisse-moi vivre comme je l'entends.

— Et Nelan, tu y penses ? Tu le vois lui comme père ?

Je le déteste de venir et me dire ça, alors qu'il y a quelques semaines il m'avait dit d'ouvrir mon cœur à quelqu'un et d'être heureuse.


— Tes mots en début d'année c'était du vent ?

— Non, je pensais que tu choisirais plus quelqu'un comme Jacob qui pourrait t'apporter une stabilité, un confort, ou même Call qui saurait te protéger.

— Mais ce sont des amis, rien de plus.

— Il n'y connaît rien lui en druide, il ne saura pas s'occuper de notre fils Nelle, pense à sa stp.

Il a raison sur ce point c'est certain.


— Aidan, notre fils ne va pas développer ses dons, je refuse qu'il grandisse dans un monde de magie.

— Sors avec un civil alors, pas avec lui.

— Tu as quoi contre lui à la fin ?

Il se contente de le fixer sans rien répondre. J'essaye de réfléchir, mais non je ne vois pas. Il doit bien y avoir une raison non ?

— Aidan, répond moi, j'ai besoin de comprendre.

Il tourne enfin les yeux vers moi puis approche. Quand il pose ses mains sur mon visage, j'ai un mouvement de recul.

— Tu me repousses chaton ?

— Je ne te comprends plus, et tu me déçois.

— Nelle réfléchis bien, je ne veux pas te voir souffrir.

Aidan disparaît sous mes yeux et j'avoue que sa visite vient de tout bouleverser dans ma tête, et surtout cette discussion va bien gâcher notre week-end.

Dagon contourne le lit et vient me rejoindre. Je lui saute dessus et laisse les larmes couler.

— Je suis tellement désolée, Dagon, je ne m'attendais pas à ça.

— Je sais bébé, rassure-toi.

— Il vient de me gâcher ma joie de t'avoir près de moi pour le week-end.

— Rassure-moi, tu ne comptes pas changer d'avis pour nous ?

Je baisse la tête et ferme les yeux.

— Il est venu justement pour ça Nelle, pour détruire ce qu'on essaye de reconstruire, ne le laisse pas faire, je t'en prie.

— Je ne comprends pas son attitude.

— Il t'aime et il est jaloux que moi je sois là près de toi et pas lui.

Il m'oblige à relever la tête. Quand sa bouche rejoint la mienne, je fonds. Je m'accroche à son cou et lui rends son baiser.

— On se prépare et on descend manger, d'accord ? me propose Dagon.

— Oui.

— Et hors de question de tirer un trait sur un nous, c'est clair dans ta tête ?

— Oui, dis-je en souriant sans grande conviction.

En 10 minutes, la douche est prise et nous sommes habillés, prêts à descendre. J'aimerais avoir une conversation avec Romain, il connaissait Aidan mieux que personne, et j'ai besoin de son avis.

À table à part Théo et Pierrick, personne n'est là.

— Ce sourire forcé ne te va pas ma petite Nelle, lance Théo.

— Aidan est venue nous rendre visite il y a quelques minutes, et on a passé un sale quart d'heure avec Dagon.

— Pourquoi ?

Je ne peux pas répondre sans pleurer. Je tourne la tête et la pose sur l'épaule de Dagon avant de fondre en larmes. Mon beau blond pose sa main à l'arrière de ma tête et l'embrasse.

— Nelle, explique-nous, insiste Pierrick.

— Aidan refuse que Nelle soit en couple avec moi. Il est convaincu que je la ferais souffrir et que je ne serais pas un bon père pour Nelan. Il envisage plutôt Jacob ou Call dans sa vie.

— Son jugement ne doit pas compter pour toi Nelle, tu connais Dagon, tu connais ton fils, et tu sais très bien ce qui sera le mieux pour vous deux, me dit Théo.

330

Je tourne légèrement la tête, ou du moins suffisamment pour le voir, et lui sourire. Il se lève et approche pour se mettre accroupi devant moi.

— Ne gâche pas cet amour qui vous unit Nelle, tu le regretteras, et au final Aidan n'est plus là lui, non ?

Je dis oui de la tête et après avoir séché mes larmes, je me redresse et le prends dans mes bras.

Il n'empêche que je dois avoir une conversation avec Romain. J'ai besoin de comprendre, en espérant qu'il puisse m'aider. Je termine rapidement mon petit déjeuner et lui envoie un message. Par chance, il est toujours proche de son téléphone, car il me répond et me dit qu'il est à la salle de jeu avec plusieurs autres professeurs. Je m'excuse auprès de Dagon et après avoir déposé mon plateau, je file rejoindre Romain.

Il m'attend devant le bâtiment il est adorable.

— Je t'écoute, ma petite Nelle.

— On marche un peu ? Ce sera plus simple pour moi.

— Bien sûr.

Nous nous mettons en route et il me faudra je l'avoue plusieurs minutes avant de réussir à ouvrir la bouche.

— Je me suis remise avec Dagon.

— J'ai cru comprendre, oui.

— Aidan est passé ce matin nous voir quand j'étais avec Dagon au lit, et il nous a bien fait comprendre son désaccord.

— Ah !

— Je ne l'avais jamais vu aussi méchant avec Dagon.

— Il a dit quoi exactement ?

— Qu'il me fera souffrir, et qu'il ne sera pas capable d'élever Nelan, car il n'est pas un druide. Qu'il aurait préféré me voir me mettre avec Call ou Jacob.

— Sauf qu'il le sait que tu ne les aimes pas, eux.

— Pourquoi il se comporte comme ça ?

— Parce qu'il te voit heureuse avec quelqu'un d'autre.

— Mais il était venu il y a quelques mois pour me donner son accord.

— Mais pas avec Dagon, avec un autre homme.

— Et c'est quoi le problème avec Dagon ? Je ne comprends pas, il ne lui a jamais rien fait.

— Dagon est vivant, et pas lui.

— Je ne comprends pas.

— Nelle réfléchis un peu, si Aidan ne c'était pas levé pour sauver Dagon.

— Mais d'après Théo si Aidan n'avait pas fait ça, ils seraient morts tous les deux tout de même.

— Mais Aidan l'ignore ça, Nelle.

— Tu veux dire qu'il lui en veut de respirer et d'être avec moi.

— Je pense oui.

Je m'arrête et prends Romain dans mes bras et le remercie une dizaine de fois. Nous retournons ensemble dans le parc et tous mes amis sont ensemble. Il y a même Dagon, et au vu de son visage il n'a pas l'air rassuré. Il doit s'imaginer que je compte le quitter, surtout de me voir revenir avec Romain ne doit pas aider.

Je m'approche de lui et il ne me quitte pas une seule seconde du regard. J'ai l'impression qu'il a du mal à déglutir. Je suis contente qu'il n'y ait pas de place autour de lui, et pour lui montrer que je ne souhaite pas le quitter je m'installe sur lui et pose ma tête dans son cou. Je sens son cœur accélérer, quand il pose ses mains sur moi je suis étonnée, il tremble ? Je relève la tête et le regarde. Rhoo non il a les larmes aux yeux. Je me relève et le prends par la main et le tire avec moi pour l'éloigner un peu des autres.

Je le prends alors dans mes bras et l'embrasse avec beaucoup de douceur.

— Je suis désolée pour ce matin mon cœur, dis-je en lui caressant la joue.

Ses yeux sont vraiment rouges, il va pleurer ? Il m'embrasse le front, mais ne répond rien.

— Dagon, parle-moi s'il te plaît.

Il me serre contre lui et pose sa tête dans mon cou.

— Je t'aime bébé, et je viens de vivre l'heure la plus dure de ma vie, je t'ai imaginé revenir et me dire que tu allais écouter l'avis d'Aidan.

— Je pense comprendre pourquoi il a dit ça, ce n'est que de la jalousie rassure-toi.

— De la jalousie ?

— Il te rend coupable d'être mort, il est venu t'aider et il est mort ensuite. Il ignore que s'il n'était pas venu vous seriez morts tous les deux. Théo l'avait vu.

— Je vois.

— Tu veux retourner vers nos amis ? Ou t'isoler ?

— Et toi ?

— Vers nos amis, c'est très bien, enfin je pense, ça nous changera les idées.

— Allons-y alors.

Nous nous embrassons rapidement et retournons vers les autres.

— On essaye de s'organiser un truc ce soir ? propose Dagon
— Du style ? Cinéma bowling ? dis-je en souriant.
— Super idée répond Logan.
— Tu ne vas pas avoir des soucis dans ton campus à être toujours avec nous ? demandé-je à Dagon.
Jacob et Dagon se regardent.

— Pourquoi ce regard ?
— J'ai demandé au directeur une place ici et il a accepté de suite. Un professeur de sport en plus il paraît que c'est recherché.
— Sérieux ?
— Oui.
Une joie m'envahit et je lui saute au cou. Il répond à mon élan de tendresse en me serrant contre lui.

— Du coup pourquoi tu n'as qu'un petit sac à dos ?
— Le reste a déjà été mis dans mon appartement attitré.
— Tu es où ?
— Dans le même que Jacob.
Mince je suis déçu, pourquoi il ne vient pas avec moi ? Trop tôt pour lui peut-être.

— On peut partir juste après le déjeuner, propose Call.
Tout le monde est emballé pour mon plus grand plaisir.
Je finis par me lever pour aller dans le salon professeur, car dehors j'ai bien trop froid sans veste. Dagon me suit et les autres préfèrent rester à l'extérieur, ou souhaitent nous laisser un peu

seuls. Je m'installe à moitié sur lui, passe mes bras autour de sa tête et l'embrasse avec douceur.

— Désolé, mon cœur, d'être aussi…
— Insupportable ?
— Arrête avec ce mot grrr.
— On va dire chiante alors, tu préfères ?
Je lui souris et pose ma tête sur son épaule.

— J'arrive à comprendre tes motivations, même si je ne les adhère pas du tout, me dit Dagon tout en embrassant mon front.
— Je n'ai pas envie de tout gâcher entre nous, mais quand j'ai vu Camille au sol, je me suis hais. Si Virgile n'avait pas résisté, il aurait été détruit et j'aurais été malheureuse pour lui.
— Nelle, je ne peux pas me forcer à aimer une fille juste pour éviter ce genre de drame.
— Je sais, mais je suis chiante avec toi, et pourtant tu es là avec moi plutôt qu'avec elle qui devait clairement être bien plus adorable.
— Je n'avais pas remarqué du tout.
Il a toujours ce don de me faire rire.

— Tu attendais quoi pour me le dire que tu étais muté ici ?
— Je voulais te faire une surprise.
— Et c'est très réussi.
— Tant mieux si tu es contente.
— Mais.
— Mais ?
Comment je vais faire pour lui dire ça ? Il va penser que je suis vraiment accro à lui, et il n'aurait pas tout à fait tort en même temps.

— Quand j'ai dit que je partageais l'appartement avec Jacob, tu as fait une tête déçue bébé, c'est lié ?

— Oui.

— Tu as envie de quoi ?

— De passer tout mon temps libre avec toi.

— Ce sera le cas.

— Mais tu ne partageras pas ma chambre.

— Non, pas officiellement.

— Je te veux avec moi dans mon appartement.

— Ce n'est pas un peu trop rapide ?

— Non.

Pour le coup, mon non est un peu autoritaire et vu le sourire qu'il me renvoie, il n'est pas vexé au moins.


— Tu as vraiment envie que je m'installe avec toi ?

— Oui, je sais que c'est un peu trop rapide, mais je ne veux plus être loin de toi Dagon, nous avons été séparés trop longtemps.

— Tu es sûre de toi ? Tu voulais y aller en douceur.

— Plus maintenant.

Il s'approche de nouveau de ma bouche et m'embrasse avec plein de tendresse. Nous restons là à roucouler tous les deux tout le reste de la matinée, jusqu'à ce que les autres nous rejoignent pour aller manger. On a droit à des remarques rigolotes qui nous amusent drôlement. Une fois à table, Dagon relance pour la sortie et à l'unanimité l'idée est acceptée. Cécile ne peut s'empêcher de proposer d'aller faire les boutiques avant, j'explose de rire en voyant la tête des autres.


— On y va toutes les deux si tu veux Cécile, propose Scarlett.

— Je suis sûr que Nelle a envie de venir aussi avec nous deux.

— Pourquoi pas ?

— Vous êtes graves les filles, lance Logan en se marrant.

— Tu n'en as pas assez de vêtements Scarlett ? demande Romain.

— On n'en a jamais assez.

Dagon qui a changé de place et qui est collé à moi s'avance vers mon oreille.

— Tu as envie d'y aller, bébé ?

— Oui, ça va me faire du bien de sortir.

— Je t'accompagne si tu veux.

— Tu risques de drôlement t'ennuyer, on vous rejoindra ensuite au pire.

— Si tu veux.

— On viendra avec vous au moins devant les boutiques, histoire qu'on vous ait à l'œil, sort Romain.

— Tu es sérieux là ? Tu penses vraiment qu'on sera en danger là-bas ? demande Scarlett agacée.

— Ne prenons pas le risque.

— Je pense que de se poser dans un bar ça suffira largement, elles nous appelleront en cas de problème, dit Dagon qui essaye d'apaiser une tension.

Vu la tête de Scarlett, ça l'agace de devoir être surveillé en permanence. Nous terminons de manger et sortons en direction du parking pour rejoindre la ville la plus proche munie d'un centre commercial, d'un bowling et d'un cinéma. Dagon insiste pour prendre sa voiture et me fait bien comprendre qu'il ne veut pas que je prenne la mienne. Il se pose dos à la portière de son véhicule et m'attrape pour que je me blottisse dans ses bras.

— Tu as peur que je fuie, beau blond.

— On ne sait jamais avec toi. Il paraît qu'on a 5 ans à rattraper.

Je m'avance de sa bouche et l'embrasse avec douceur. Il répond à mon baiser avec tout autant de tendresse. Il promène sa main dans mon dos ce qui me donne des frissons et me fait rigoler. Je le sens rigoler à son tour puis il me prend dans ses bras et m'embrasse sur le front.

— Tu sais que tes baisers m'avaient énormément manqué ? dis-je à mon beau blond.

— Pourquoi tu ne m'embrasses pas plus alors ?

— Parce que tu risques de mourir étouffé.

— Je prends le risque.

— Il va falloir que je fasse de la place dans mon placard alors.

— Tu es sûre de vouloir de moi dans ta chambre ? Tu préfères pas que je prenne la deuxième chambre ?

— Non, je te veux près de moi chaque nuit stp.

— Très bien.

— Tu n'en as peut-être pas envie toi.

— Oh que si, et plus que ce que tu penses.

— C'est réglé alors.

— C'est réglé oui.

Ils ont beau être adultes, ils n'arrivent pas à se décider sur le nombre de voitures à prendre et qui montera avec qui. Ça finit par agacer Enzo qui le fait bien comprendre. Au final, Logan Jacob et Mattieu monteront avec nous et nous filons aussitôt. Nous arrivons forcément les premiers et décidons d'aller nous installer à un bar dans le centre commercial. Nous prenons une table pour quinze personnes et patientons. Dagon commande des cocktails sans alcool pour tout le monde, et m'interdit d'imaginer pouvoir boire autre chose. Je le laisse décider, et de toute façon je n'ai aucune envie de boire de l'alcool. Ils finissent par arriver vingt bonnes minutes plus tard. Les filles préfèrent aller de suite faire du shopping. J'embrasse Dagon et suis Cécile et Scarlett en dehors du bar.

— Vous voulez aller où ?

Scarlett me fait un grand sourire et me propose de quitter le centre commercial et aller se promener dans la ville.

— Non ! nous avons promis.

— Allez Nelle, ils sont pénibles à nous suivre partout insiste Cécile.

— Non vraiment je ne préfère pas, je suis suffisamment chiante avec Dagon en ce moment, pas envie d'en rajouter.

— Allez Nelle sérieux. Il y a un salon à thé où on aimerait se poser tranquillement sans homme.

— OK, mais je le préviens alors, et je lui demande de ne rien dire.

— Il va le répéter forcément, lance Scarlett.

— Je suis certaine du contraire, vous verrez.

— Vas-y alors.

Je compose le numéro de Dagon.

— Oui ?

— Sors tout seul du bar 2 min stp.

— OK.

Je l'entends s'excuser en disant que l'appel est important.

Je le vois s'approcher de nous, les mains dans les poches et tout sourire.

— Je t'écoute.

— En fait, c'est moi qui ai envie de sortir seule sans Romain derrière mon dos, il ne me laisse pas du tout respirer, et j'ai envie de me poser entre filles dans le salon de thé juste à côté du centre commercial.

— Et ? demande Dagon.

— Il ne faut rien dire dis-je en espérant qu'il comprenne.

— D'accord, et pourquoi vous me le dites ?

— Nelle ne voulait pas te mentir explique Scarlett.

Il me regarde, me sourit et m'embrasse

— Allez-y, je vous couvre.

— Super merci, dis-je toute contente d'avoir eu raison.

— Prudente, bébé hein.

Il me dit ça en plongeant son magnifique regard dans le mien.


— Mais oui elle sera prudente répond Scarlett à ma place sans me laisser le temps de dire quoi que ce soit.

Mes amies semblent folles de joie à l'idée d'être tranquilles et seules sans les hommes. En effet, le salon de thé est collé au centre commercial, et nous nous installons rapidement. Il y a un peu de monde, mais le salon ne déborde pas. Un homme vient prendre notre commande, et nous ramène rapidement nos boissons et nos pâtisseries.


— Nelle le serveur te dévore du regard, lance Cécile en me faisant un petit sourire coquin.

— D'accord, dis-je étonnée par ses propos, elle espère quoi au juste comme réponse ?

— Vas-y il attend que ça que tu le regardes, ajoute Scarlett.

— Dans quel but ?

— Les hommes ne sont pas là on peut en profiter.

— Vous êtes bizarre les filles, Dagon me suffit largement.

— Tu n'es pas drôle Nelle là.

— Désolée de ne pas vous suivre dans vos délires d'adolescentes en chaleur.

— C'est reparti avec Dagon alors ? me demande Cécile.

— J'ai envie d'essayer, enfin du moins il a réussi à me convaincre. Je ne veux pas risquer de passer à côté de quelque chose de fort avec lui. Et en quelques jours seulement je suis déjà comblée de bonheur.

— Tu as raison, il a les yeux qui pétillent c'est beau à voir.

— Même toi tu as un sourire et un regard qui rayonne, ajoute Scarlett.

— Je l'aime, il est en moi et je ne me vois plus sans lui. Mais j'ai du mal encore à lui dire.

— Ça viendra.

Un brouhaha derrière m'oblige à me retourner, c'est une table remplie d'hommes qui sont en train de faire les idiots. Mon regard croise le regard d'un mec à la table qui se met à me sourire. OK, Nelle, stop ! regarde ailleurs. Je me remets à regarder les filles qui sont en pleine contemplation sur la table des gars.

— Vous faites quoi sérieux là ?

— On matte, me répond Cécile.

— Mais vous allez finir par les attirer.

— C'est le but, ma chérie, dit Scarlett en me faisant un grand sourire.

— Le but ? Mais pourquoi ? Vous êtes en couple je vous rappelle.

— On va juste rigoler un peu ça va hein.

— Cécile ça ne te ressemble pas du tout d'être ainsi.

— J'ai envie de m'amuser, Nelle. Ça n'ira pas plus loin qu'un échange oral.

Elles sont sérieuses ou quoi ? Ça ne loupe pas, l'un des mecs s'approche et s'installe à côté de Scarlett. Il la dévore du regard.

— Salut les filles, dit le blondinet qui vient de s'installer.
— Bonjour, répond Scarlett.
— Où sont vos copains ?
— Lesquels ?

Je rêve ou quoi ? Elle devient folle, ce n'est pas possible.

Il se met à rigoler et se rapproche davantage de Scarlett en posant une main dans son dos. Elle me déçoit dans son geste. J'entends du mouvement derrière moi et je sens que les autres nous rejoignent. En effet, ils s'installent à notre table également et commencent à nous parler. Un des mecs commence à vouloir s'approcher un peu trop près de moi et se met à me parler. J'essaye de l'ignorer au maximum, mais vu l'attitude de Cécile et Scarlett je me sens rapidement seule. Je sors mon téléphone et envoie un message à Dagon « Moi : je pense que les filles deviennent folles, viens vite me chercher stp, je suis dans le salon de thé à côté de la sortie principale, ramène Jacob et Logan avec toi ». Il ne semble pas vouloir répondre et je commence à avoir peur. Les filles vont m'en vouloir, mais tant pis. Elles prennent des risques à faire ça, je ne veux pas qu'on soit en danger. Ils sont quand même quatre.

— Ton amie n'est pas très bavarde, lance le brun qui a pris place près de moi.
— Nelle ne sait pas s'amuser, mais je suis sûr que dans quelques minutes elle va réussir à se lâcher aussi, répond Scarlett en me regardant.

— Avec un prénom et un visage aussi jolis, c'est drôlement dommage, ajoute le brun.

Il commence à me caresser le bras. Je le repousse aussitôt lui lançant un regard noir.

— Tes amies sont moins coincées, jeune fille.

Il recommence à vouloir me toucher. Il pose sa main sur ma joue et de nouveau je l'enlève avec plus de violence.

— Allez, laisse-toi faire ma belle, je suis certain que dans un lit tu assures.

— Si tu peux éviter de poser tes mains sur elle, ça m'arrangerait.

Le mec se retourne et dévisage Dagon. Mon cœur se calme aussitôt, je ne m'étais pas rendu compte à quel point il battait vite.

— C'est ta meuf ?

— C'est ma copine oui.

— Tu ne dois pas t'amuser beaucoup avec elle vu comment elle est coincée.

Je ne peux m'empêcher de lui en coller une. Un peu forte la gifle, mais il l'a bien mérité. Dagon rattrape la main du mec juste à temps avant qu'il ne m'en colle une également.

— Je pense que tu n'as pas compris le sens de ma phrase, quand je t'ai dit de ne pas la toucher.

Il commence à lui retourner le poignet ce qui fait crier de douleur le gars. Je me lève et pose ma main sur le bras de Dagon pour qu'il le lâche. Je ne vois pas dans les yeux de mon homme de la colère ou de la jalousie, juste de l'agacement que le mec insiste et qu'il ne se lève pas pour se barrer.

— Je continue ? Ou tu préfères te lever pour te barrer ?

Le gars finit par se lever et les autres le suivent.

— Nelle tu as appelé Dagon ? m'interroge Scarlett !

— Non, mais elle aurait dû le faire, vous m'expliquez ?

Oh, il prend ma défense.

— Tu nous expliques pourquoi vous êtes là vous ? Essaye d'esquiver Scarlett !

— Ils font de superbes pâtisseries ici, j'avais envie d'en prendre pour Nelle et moi ce soir.

Je souris à mon beau blond, contente de son imagination et sa répartie.

— Maintenant, j'attends votre réponse.

— Nelle n'y est pour rien, on a fait les yeux doux aux mecs avec Scarlett, Nelle nous a bien fait comprendre qu'elle était contre.

Dagon me pousse pour s'installer sur le siège à côté et se poser près de moi, Logan et Jacob prennent place aussi autour de la table.

— Je n'en peux plus de Romain, il m'étouffe, c'est insupportable.

— Le même problème avec Greg, le moindre bruit il est à l'affût, limite la nuit il se lève pour venir avec moi aux w.c.

— Vous vous écoutez les filles là ? Vous vous plaignez d'avoir des mecs qui vous aiment un peu trop ? Qui s'inquiètent pour vous ? Moi, il y a encore quelques semaines, j'aurais tout donné pour voir Aidan se coller un peu trop près de moi, mais il est mort ! Cécile tu as connu ça toi aussi, comment tu peux réagir ainsi ? Et aujourd'hui je continue de pleurer chaque nuit, de faire des cauchemars car je suis persuadée que plus personne ne pourra avoir envie de m'aimer de me regarder ou même me désirer. Même là, je ne comprends même pas pourquoi Dagon peut avoir envie d'être proche de moi ! Alors vos problèmes sincèrement sont complètement puérils. Vous me décevez. Vous êtes mes meilleures amies mais l'impression de ne plus du tout vous connaître.

Je me lève en larmes pour aller régler ma consommation au comptoir puis sors du salon prendre l'air. J'entends Cécile m'appeler puis Dagon lui répondre de me laisser seule. Les mecs sont encore à l'extérieur. Oh non pas eux. Celui qui s'est fait tordre le poignet me regarde méchamment. Je sèche mes larmes comme je peux. Si tu t'approches, je te fais voler. Il commence à s'avancer dans ma direction. Tu vas devoir te battre Nelle ! Le mec du bar est juste devant moi et commence à m'insulter.

— Je vais profiter du fait que ton mec ne soit pas là pour te faire comprendre qu'on ne joue pas avec moi.

— Tu es conscient que je ne t'ai ni parlé ni même regardé, à quel moment penses-tu que j'ai joué avec toi ?

— Ne fais pas ta maline avec moi.

— Tu devrais partir et me laisser tranquille.

Il pose sa main sur mon menton et le serre en me regardant méchamment. Je repousse sa main sans utiliser trop de force sinon il va se douter d'un truc.

— Ne me touche pas ou tu vas le regretter.

— Tu es encore plus mignonne quand tu t'énerves.

— Et encore, tu ne m'as pas vu me battre.

— J'aimerais bien voir ça moi.

Il commence à vouloir m'en coller une, mais je l'esquive avec grande facilité.

— Pas mal pour une rouquine.

Là, il a dit le mot de trop. Je sens une colère m'envahir, hey merde non pas là, pas ici, pas comme ça, c'est rempli de civil. Je sens mon bouclier vouloir sortir.

— Ben alors tu ne te bats pas ?

— Tu devrais partir maintenant avant qu'il ne soit trop tard.

— Tu comptes me tuer ? demande-t-il en rigolant.

— Seulement te faire vraiment très mal.

Il se met à exploser de rire et ses petits copains en font tout autant.

— J'aimerais voir ça.

Ma colère refuse de redescendre, elle augmente au fil des secondes. Il s'approche de moi et repose sa main sur mon visage. Si je bouge, une onde partira et lui ne se relèvera pas. J'ai besoin d'aide là.

— Bon, je crois que tu n'as vraiment rien compris, dit Dagon en quittant le salon de thé.

Je le vois s'approcher du mec, mais là j'ai besoin de lui, genre maintenant.

— Dagon ! viens vite stp.

Je le vois me regarder et obéir. Il est devant moi, plonge ses yeux dans les miens tout en posant ses mains sur mon visage.

— Je m'occupe de cet abruti sans cervelle, propose Jacob qui depuis son arrivée était resté dans le silence.

— C'est moi l'abruti ? demande le brun qui m'a insulté de rouquine.

— Tu t'en es pris à la mauvaise fille, mon gars. Tu as de la chance de ne pas être mort.

Jacob s'approche du mec et commence par juste le repousser. Il ne doit pas utiliser entièrement sa force, car le mec recule très légèrement. Le brun commence alors à le frapper, mais mon druide préféré esquive tous les coups et lui met une droite dans le visage ce qui le fait tomber au sol. Dagon continue à me garder contre lui tout en embrassant ma tempe.

— Barre-toi avant que je t'en mette d'autres.

— Allez, on se barre propose un des autres gars.

— Respire bébé, n'explose pas ici stp.

Je pose mon visage dans son cou et respire cette odeur que j'aime tant. Je sens une main se poser sur mon épaule quelques secondes après. Une voix que je connais me parle.

— Nelle regarde-moi stp, me demande Romain.

Je tourne la tête et le fixe.

— Aidan était bien plus doué pour calmer quelqu'un sans même le toucher, mais je pense réussir également.

Je hoche la tête, mais la colère est toujours très présente. Des larmes de peur gagnent mes joues.

— Regarde les mecs sont partis, tu es dans les bras de notre professeur super sexy et il te contemple comme si tu étais la personne la plus précieuse sur cette terre.

Je sens une énergie provenant de sa main m'envahir, la colère semble redescendre, suffisamment pour que je puisse de nouveau bouger sans risquer de faire voler quelqu'un.

— On est tous fier de toi que tu n'es pas fait sortir une onde qui aurait pu tuer pas mal de gens innocents ici. J'ignore ce qui a pu te mettre en colère comme ça, mais dis-toi que c'est fini et que tu es près de nous, que tu es en sécurité ma petite Nelle.

— Merci.

— Ça va aller maintenant ?

— Je pense.

Romain me tire vers lui et me prend dans ses bras. La colère continue de s'effacer même si dans ma tête je suis toujours remontée. Romain s'éloigne, Dagon me reprend contre lui.

— Ça va aller bébé ?

— Maintenant oui.

— Qu'est-ce qu'il t'a dit ?

— Que je me battais bien pour une rouquine.

— Tu sais que tu es la plus belle femme que j'ai eu la chance de croiser ? Et que je t'aime.

— Merci, mais ça se voit que tu ne m'as pas vu sans mes vêtements.

Quand il explose de rire, je me joins à lui car j'avoue que c'est très idiot ce que je viens de répondre même si je le pense.

Il m'embrasse le front et me serre davantage contre lui.

— Bébé, je te jure, me dit-il tout en continuant à rire.

Scarlett et Cécile finissent par sortir du salon de Thé, elles tombent sur nos amis et je vois à leurs visages qu'elles redoutent de se faire engueuler.

— Qu'est-ce que vous faites là ? demande Romain d'un ton plutôt calme.

Je m'attendais à ce qu'il hurle sur Scarlett, non, même pas.

— Scarlett Cécile et moi sommes venues pour acheter un gâteau d'anniversaire, mais malheureusement ils ne font pas le modèle que nous voulions. Et nous nous sommes fait embêter par une bande de mecs.

— Un gâteau pour qui ? m'interroge Romain.

— Pour toi, ce n'est pas ton anniversaire demain ?

— Vous ne deviez pas sortir du centre commercial.

— Oui, mais si tu l'avais su ça n'aurait pas été une surprise.

— Et je suis allé les accompagner Romain, lance Dagon.

— Sois plus souple, Romain, ça ne te ressemble pas d'être aussi strict et collant, les femmes n'aiment pas ça, elles fuient ce genre d'homme en général.

Dagon me regarde et sourit.

— Oui, bon d'accord, je suis une exception Dagon, si je pouvais je serais en permanence collée à toi. Mais ça, c'est juste par manque de confiance en moi.

— Tu as le droit de me coller, pas de soucis.

Je lui souris et l'embrasse dans le cou.

Romain s'approche de Scarlett pour s'excuser d'être aussi pénible avec elle et lui propose d'aller chacun voir le film qu'on désire ou si elle préfère elle peut faire les boutiques plutôt qu'un cinéma. Greg se joint à Romain.

Scarlett et Cécile semblent conquises et acceptent le shopping plutôt que le cinéma. Elles finissent par me regarder, mais là je préfère de loin être avec Dagon, finit les frayeurs pour le reste de la journée.

— Je préfère le cinéma. On se voit plus tard.

Les filles nous font un signe de la main et filent toutes les deux en direction du centre commercial. Mon homme m'entraîne avec lui jusqu'au cinéma. Deux films intéressent une partie d'entre nous, moi je refuse le film d'horreur et préfère le film fantastique. On forme alors deux groupes et nous nous installons en salle. Par chance, les deux films durent à peu de choses près la même durée. Ça fait des années que je ne suis pas allée au cinéma et là je suis heureuse j'ai Call d'un côté, Dagon de l'autre. Dagon passe bien évidemment son temps à m'embrasser et me câliner. Par sa faute, je loupe une partie du film, mais tant pis. Au moins là, je suis en sécurité. Une fois le film fini on rejoint l'autre groupe à l'extérieur et les filles sont déjà là.

— Bowling ? Ou restaurant avant ? demande Théo.

— Vu l'heure je propose le restaurant d'abord répond Call

Un oui collectif retentit.

— Pizza ? Chinois ?

Nous sommes bien trop nombreux pour nous mettre d'accord.

— Dans ce cas, on va manger indien vu que personne n'est d'accord, dis-je sans grande conviction.

Ils explosent de rire et acceptent tous. J'espère que c'est bon au moins.

Nous arrivons au restaurant et demandons une table de 15, la serveuse nous fait alors patienter pendant qu'elle nous prépare ça. Les hommes semblent pas du tout indifférents à la beauté de cette dernière. Une brunette avec des cheveux très longs, fins et un visage métissé. Aussi étonnant que ça puisse paraître c'est Martin et Benjamin qui la trouvent la plus appétissante. Dagon ne relève même pas et je ne pense pas qu'il l'est regardée, mais je sens une montée de jalousie. Peut-être parce qu'il y a aussi une table que de nénettes qui sont en train de le dévorer depuis qu'il est arrivé.

Elle revient nous chercher après 5 min d'attente qui m'ont semblé interminables et nous fait nous installer au bout de la salle derrière un magnifique aquarium. Elle nous donne chacun à notre tour une carte et je la trouve un peu plus lente quand elle en donne une à Dagon. Une fois de plus, Dagon ne l'aura pas regardée plus d'une demi-seconde, juste le temps de prendre le menu puis dire merci.

— Ah ben désolée les gars de vous décevoir, mais c'est Dagon qui a une touche ! sort Enzo.

— Dagon tu pourrais en laisser aux copains, déjà que la table de filles à l'entrée en avait que pour toi, enchaîne Romain.

Ils étaient obligés d'ouvrir leurs gueules ? La jalousie qui a déjà commencé à me monter m'envahit encore plus. Nelle respire.

— Oui, mais toi tu es pris Romain, tu n'es censé avoir d'yeux que pour moi, ajoute Scarlett.

— Ah oui, ça, je le sais très bien, mais nous avons pas mal de célibataires avec nous.

— Mais oui bien sûr.

— Il faut avouer que la serveuse est à tomber, insiste Martin.
Ils ne peuvent pas changer de sujet ?

— Une blonde à l'entrée bien plus, ajoute Enzo.
Ils tournent tous la tête en même temps, en termes de discrétion ils sont forts.

— Allez les voir, dit Dagon.
— J'aurais préféré que toi tu te dévoues pour aller récupérer leurs numéros, propose Enzo.
— Je ne préfère pas non.
— Tu le faisais avant pourtant.
Quoi ? Il faisait quoi ?

— J'étais célibataire et c'était facile.
La serveuse revient pour prendre la commande, elle fait de nouveau un super sourire à Dagon. Il lui en fait un léger en retour, me regarde aussitôt et dépose un baiser dans mon cou. Ça devient trop quand deux nénettes qui passent à côté de notre table le regardent.
Je sens alors la bouche de Dagon contre mon oreille.

— Tu veux sortir une minute ?
Je me tourne vers lui surprise, il a senti quelque chose ? Je lui dis oui de la tête. Il commence à se lever et s'excuse, me prend la main et m'emmène avec lui. Il me colle contre un mur extérieur du restaurant tout en plongeant son regard dans le mien.

— Pourquoi tu m'as demandé de sortir ?
— Parce que j'ai ressenti ton mal aise, explique-moi.

— Je suis morte de jalousie là. Tu te fais dévorer du regard de partout.

— Parce que je suis beau, bébé.

Il me fait un grand sourire en disant ça. Bien évidemment, il s'en prend une dans le ventre et il me râle dessus. Pourquoi changer nos bonnes vieilles habitudes ?

— J'aime te savoir jalouse, ça me montre que tu tiens à moi.

— Évidemment, je tiens à toi, mais tu as vu comment les filles te regardent ?

— Non je ne vois pas bébé. Et ça ne m'intéresse pas de savoir. Je t'ai toi, je te veux depuis 5 ans et maintenant que j'ai le droit de t'embrasser où et quand je veux, je peux te dire que plus aucune fille ne réussira à m'avoir.

Je me mets à pleurer en entendant ça. Il me sourit et me prend dans ses bras. Je sens sa bouche dans mon cou, il y dépose des petits baisers.

— Je ne veux pas être jalouse, je dois pouvoir te faire confiance.

— Tu ne me fais pas confiance ?

— Si je sais que je peux te faire confiance, mais quand je vois mes amis dire qu'il y a des filles canons et que c'est toi qu'elles fixent je t'avoue que j'ai peur.

— Tu te rends compte que je ne les ai pas regardées ?

— Si ! je t'ai vu regarder la serveuse.

— Nelle ! sérieux ! j'ai dû lever les yeux dans sa direction pour lui dire merci, on ne peut pas dire que je l'ai regardée.

— Oui, je sais, je suis désolée.

Je m'avance alors pour me mettre dans ses bras et l'embrasser dans le cou.

— Rentrons bébé, on doit être servi.

— Attends.

Je le tire par la nuque et l'embrasse à pleine bouche. Ça a le mérite de le faire rester avec moi dehors, nous nous embrassons plusieurs minutes, ce sont des gargouillis dans son ventre qui nous feront nous arrêter.

— Allons-y, tu vas mourir de faim sinon.

Il me sourit et me prend par la main. Quand on arrive à table, nous sommes en effet servis et certains ont déjà commencé à manger. Vu le regard que plusieurs nous lancent, je pense qu'il s'est passé un truc en notre absence.

— Bon, vous crachez le morceau ou pas ? lance Dagon.

Ils regardent tous Dagon.

— Tu as hérité d'un 06, sort Romain.

Je vois Dagon soulever un sourcil et fixer Romain

Jacob qui est à côté de Dagon soulève la serviette, un bout de papier est caché dessous. Je sens la main de Dagon se poser sur ma cuisse et la serrer.

— Et il appartient à qui ? demande Dagon.

— À une des blondes, à la table vers l'entrée répond Jacob d'une manière gênée.

Je relève les yeux et je vois bien les quatre nénettes à l'entrée regarder notre table. C'est pitoyable. Au moins, elles ont le mérite d'oser. Je me demande juste comment elles ont fait pour donner le bout de papier.

— Tu devrais aller lui rendre, me dit Dagon en me tendant le papier.

— Sérieux ?

— Sérieux.

Je lui souris en prenant le bout de papier, le froisse et le balance sur la table. Il me sourit et s'avance pour m'embrasser. Je les vois bien lancer régulièrement des regards vers Dagon, mais à aucun moment lui il ne regarde vers la table des nénettes.

Le repas ainsi que le reste de la soirée se passent à merveille par chance. Nous sommes en route pour le campus et je suis heureuse à l'idée de me retrouver avec mon homme, lui et moi pour toute la nuit. Il est fidèle à lui-même en roulant pas très vite. Mon téléphone qui sonne me sort de ma rêverie, c'est Arthur.

— Salut, Arthur.

— On a besoin de toi, il y a une attaque à 30 km de la ville.

— Des démons ?

— Apparemment oui, dans un orphelinat, l'Arc en ciel.

— On fonce.

— On se rejoint là-bas.

Je raccroche, programme le chemin sur le GPS de Dagon et il fonce à toute allure pour une fois. J'envoie un message aux autres pour qu'ils nous y rejoignent aussi vite que possible. Une fois sur place je vois une centaine de démons devant les bâtiments. Des enfants, pourquoi ils vont attaquer des enfants ?

Je sors rapidement de la voiture, le camion de pompier arrive juste derrière nous.

— Ils sont nombreux-là, me dit Arthur.

— Oui malheureusement.

— Allons-y, lance Dagon.

— Ils sont trop nombreux, nous n'avons aucune chance.

— Nous n'avons pas vraiment le choix, les autres ne vont peut-être pas arriver de suite.

— OK.

Pour l'instant, les démons ne semblent pas nous avoir vus.

Quand nous nous approchons, l'un d'entre eux se retourne et interpelle ses amis. Ils finissent par tous nous faire face nous regardant avec mépris. Un des monstres me montre alors du doigt. Ses paroles semblent énerver tous les autres. Pas le choix il va falloir que j'en supprime autant que possible en un coup. Je n'aurais peut-être pas de deuxième chance. Ils semblent me reconnaître.

Je canalise une onde aussi puissante que possible, je patiente que le combat commence. Les démons commencent à nous attaquer et je lâche tout ce que je peux. Trop peu d'entre eux restent au sol. Ils se remettent rapidement sur pieds et s'avancent vers moi. Arthur utilise alors son bouclier pour nous protéger, nous sommes que 6 et autant dire aucune chance. Les démons sont enfin stupéfiés quand ils sont bien près de nous. Je me retourne, Pierrick Enzo et Martin sont là.

— Espérons qu'ils sont suffisamment faibles d'esprit pour qu'ils restent ainsi un moment.

Les autres voitures finissent par arriver rapidement, ils se jettent tous sur les démons et en quelques instants une petite dizaine sont à terre. Je canalise en même temps mon don pour les tuer juste par la pensée, mais un à un ça me prend beaucoup de temps et d'énergie. Mes amis vont aussi vite qu'ils peuvent, mais les démons se réveillent un à un et ne perdent pas de temps en me ciblant aussitôt.

Le pouvoir de Cécile s'est nettement amélioré c'est impressionnant et elle est beaucoup plus puissante à distance. Ils sont encore une cinquantaine, je continue au compte goûte à les tuer. Ma force me quitte et je sens mes jambes flancher. Nous nous battons tous depuis de longues minutes, et mon cœur se soulage un laps de temps quand je vois des professeurs, des élèves et des guerriers arriver et se mettre au combat. Un élève s'approche de moi en me tendant des sachets et me dit rapidement qu'il y a des fleurs à l'intérieur. Cette fois-ci, je sais que ça ne suffira pas, ça va tout juste me redonner de l'énergie à canaliser. La fraîcheur des professeurs et des guerriers semble prendre le dessus sur les démons. Pierrick et Mattieu restent devant moi pour me protéger, même Arthur se bat au corps à corps. Je mets tous les sachets en même temps contre ma poitrine attendant qu'elles m'envahissent. Elles sont comme toujours très coopératives et rapidement je me sens plus en forme. Par contre, je sais que dès que j'aurais sorti l'onde je tomberai au sol.

Je me relève, me concentre et me prépare à envoyer tout ce que je peux pour détruire ces monstres. Ils sont une quarantaine avant mon sort. J'expulse alors toute l'énergie accumulée et ils tombent tous à terre, je dois tenir encore un peu, aussitôt Dagon revient vers moi et me prend dans ses bras.

— Je suis là, Nelle.
Je regarde derrière moi et les guerriers finissent d'achever les derniers qui se relèvent avant qu'ils ne disparaissent. Dagon me soulève, m'emmène dans sa voiture et m'allonge à l'arrière.

— Dors, je vais aider pour les derniers et je reviens.
— Non ! reste avec moi stp.

— Nelle je vais revenir je te le promets.

— Je t'en supplie, ne t'éloigne pas.

Il me regarde quelques instants, et des larmes envahissent mon visage.

— OK, je reste, tu peux dormir, bébé.

Je ferme les yeux et sens sa bouche sur mon front. Quand je les ouvre, je suis toujours dans la voiture et j'ai la tête posée sur les jambes de Dagon. Je tiens dans la main un sachet avec des fleurs à l'intérieur. Call et Logan sont à l'avant.

— Ça va ? me demande Dagon.

— Je crois.

— Je ne risquais rien tout à l'heure, je voulais juste aider pour terminer plus vite.

— Je ne veux pas te savoir en danger et loin de moi je t'en prie.

— Très bien, le message est passé bébé, je te promets de toujours être près de toi et de te rassurer.

— Je ne veux pas te perdre, je ne veux pas que tu meures.

Il me sourit tout en caressant mon visage.

J'essaye de me redresser avec l'aide de Dagon. C'est Call qui conduit la voiture. Je ne reconnais pas la route.

— On va où ?

— Dans notre ancien campus, des personnes ont trouvé refuge là-bas, nous allons les ramener avec nous.

De savoir que je dois retourner là-bas me fait frissonner, la dernière fois c'était pour détruire la femme qui a causé la mort d'Aidan. Je ne suis pas sûre d'être capable d'affronter ce lieu.

— Si tu préfères, tu restes dans la voiture bébé.

— Pourquoi il faut y aller ?

— Les gens là-bas ne sont pas en sécurité.

— Ils ont des dons ?

— Oui.

— Mais qu'est-ce qu'ils font là-bas ?

— Ils sont logés gratuitement, ils n'ont pas les moyens de payer pour vivre quelque part et au moins ils sont presque en sécurité loin des civils.

— Mais pourquoi ils y sont ?

— Ce sont des étudiants orphelins rejetés de la société, il fallait qu'ils aillent quelque part.

— Mais ils ont le droit d'y être ? Ils ne vont pas se faire dégager ?

— J'ai donné mon autorisation l'an dernier pour héberger des gens en difficulté.

— Quoi ? dis-je étonnée.

— Il m'appartient, bébé, des travaux vont bientôt commencer pour qu'il puisse être de nouveau ouvert au prochain cycle.

— Tu es formidable mon cœur.

— J'ai eu un bon prof, me dit-il tout en m'embrassant.

— Mais si on les ramène, ils vont payer comment ?

— On va se débrouiller entre nous pour aider, ils vont nous être utiles contre les démons.

— J'espère qu'Anderson acceptera.

— Tu devrais dormir encore un peu bébé et ne pas te soucier de ça.

Il m'ouvre son bras et me sourit. Je pose ma tête dans son cou. Je sens sa bouche sur mon front. Mon corps se met à trembler de froid. Il me fait me redresser et enlève sa veste pour me couvrir avec. Mon corps continue à trembler. La fatigue, le stress, la faim, un ensemble de choses qui me font souffrir.

— Tu veux t'arrêter pour manger ? Ça va sûrement te réchauffer.

— Oui stp.

— Gare-toi à la prochaine aire Call stp, je dois acheter à manger à Nelle, elle est à bout de force.

— Ça marche, dans mon sac à l'arrière il y a des gâteaux et de l'eau si besoin.

Je vois Logan galérer, mais il passe à l'arrière de la voiture et me colle. Ma bouillotte vivante préférée. Je prends sa main que je serre entre les miennes.

— Autant être utile, me dit mon ami.

— Tu es un amour.

— Et toi tu es gelée.

— Je ne fais jamais semblant quand j'ai froid.

Dagon saisit le sac, l'ouvre et me tend les biscuits. J'en prends quelques-uns et les dévore rapidement. Puis d'un trait, je bois la bouteille d'eau.

— Merci Call.

Il me sourit dans le rétroviseur.

— Plus besoin de te les enfoncer au fond de ta bouche.

J'explose de rire et pose ma main sur son épaule.

— Non, en effet. Merci encore pour les sandwichs, j'étais affamée.

— De rien, ma belle, mais ça ne vaut pas tes pâtes bolognaises.

— Tu t'en souviens ?

— J'attends que tu cuisines de nouveau pour moi.

— Bientôt promis.

Je suis blottie dans les bras de mon petit Logan, ça me fait beaucoup de bien, sa chaleur me réchauffe c'est impressionnant. Par chance, Dagon ne semble pas du tout jaloux. Ouf, 10 bonnes minutes après on finit par s'arrêter. Dagon m'aide à gagner le snack et me demande de prendre des choses consistantes à grignoter, je prends un sandwich, à boire, gâteaux et bonbons. Puis un thé. Je me sens reprendre des forces. Avant de regagner la voiture, il m'achète une veste polaire pour me tenir chaud, une couverture au besoin. Puis différentes choses à manger et boire pour les étudiants, il suppose qu'ils sont sûrement affamés, apeurés et gelés.

Nous remontons en voiture et je me blottis contre mon homme. Logan reste pas loin et caresse mon bras, ma jambe, enfin ce sont plus des frottements.


— Finalement, tout le monde est reparti vivant et en pleine forme ? demandé-je.

— Par chance oui, ils sont arrivés à temps, avec des fleurs, heureusement, répond mon homme.

— Où sont les autres ?

— Ils sont tous passés récupérer leurs voitures pour raccompagner les étudiants avec eux.

— OK, et nous avons le droit au meilleur chauffeur ?

— C'est le seul qui m'a donné confiance depuis le départ dans sa conduite.

— Tu ne prêtes pas ton bijou à n'importe qui tu as bien raison.

Il me sourit et embrasse mon front.

— On arrive dans combien de temps ? demandé-je à mon homme.

— Trois heures, c'est pour ça que tu devrais dormir.

— Oui bonne idée, là je suis sûre que tu ne pourras fuir.

— Je compte me transformer en Nelle et devenir très collant.

— Je signe de suite.

— Si besoin Call on se relaye.

— Pour le retour, je pense, repose toi aussi.

— OK.

Dagon s'allonge alors sur la banquette et me prend dans ses bras. Je pose ma tête sur son torse et m'endors rapidement. C'est Call qui nous sort de notre sommeil.

— Nous sommes arrivés les tourtereaux.

Nous ne sommes pas la première voiture à être arrivée. Les élèves sont debout, ils nous dévisagent et ils semblent apeurés. Le fait de voir une fille parmi tous ses hommes semble les rassurer. Je vois alors une toute petite fille d'à peine 4ans et une plus grande de 7 8ans maximum. Je retourne dans la voiture prendre un paquet de gâteau, de l'eau et je m'approche doucement vers elles.

— Bonsoir mesdemoiselles.

Elles reculent légèrement, je me mets alors accroupi et leur sourit.

— J'ai des gâteaux et de l'eau pour vous, je suis certaine que vous avez faim.

Elles ne semblent pas vouloir bouger. Je sors mon téléphone pour chercher une photo de Nelan qui mange des biscuits au chocolat et qui en a partout, nous sommes tous les deux sur la photo et on rigole.

— Vous avez vu, mon petit garçon qui a votre âge s'en met toujours partout avec ces gâteaux.

Je me mets à rire, et la plus grande me sourit à son tour. Elle finit par prendre la main de la plus petite et s'approche de moi tout doucement. Elle est à quelques centimètres et prend le paquet.

— Merci madame, dit la plus grande.
— Je m'appelle Nelle, et vous vos prénoms ?
— Ma petite sœur c'est Margot et moi c'est Madison.
— Très jolis prénoms.

Les autres enfants en bas âges s'approchent à leur tour de moi et prennent des gâteaux. Ils font un pas en arrière quand Dagon s'approche. Il lève alors une main et pose le sac de nourriture au sol pour finir par se mettre doucement à genou à côté de moi.

— Il est très gentil, il ne faut pas avoir peur.

Tout un tas d'étudiants finissent par sortir des locaux en nous observant. Je me redresse et attends qu'ils soient tous dehors pour parler.

— Je m'appelle Nelle. Mes amis et moi nous sommes pour la plupart des professeurs sur le campus de Nelune.
— Vous êtes Nelle la médium ? demande un jeune homme.
— Oui.
— Pourquoi êtes-vous là ?
— Pour vous mettre en sécurité et vous aidez à développer vos dons.

— On s'en sort très bien sans vous.

— Vu l'état de maigreur de ces petites filles, j'en doute fort.

— Au moins ici, elles ont un toit.

— Et moi je vous propose un toit, de la nourriture et un lit chaud.

— Nous devrons faire quoi en échange ?

— Bien vous tenir déjà et vous intégrer parmi les autres étudiants.

— Où est le piège ?

— Il y a des attaques de démons un peu partout en permanence, votre présence pourra très certainement aider aussi.

— Vous voulez nous sacrifier ?

— Non, mais ce monde nous appartient à tous.

— Simon je ne veux plus jamais vivre comme ça, elle nous offre une chance de sortir d'ici, intervient une fille d'une petite vingtaine d'années comme moi.

— Gaëtanne, non, qui nous dit que ce sont des gens bien.

— Vous êtes combien ? demandé-je à la jeune fille.

— Au total, je dirais une bonne centaine.

— Et d'enfants en bas âges ?

— Elles ne sont que toutes les deux. Les autres n'ont pas survécu.

Je sens mon cœur se briser en entendant ça, les larmes coulent sur mes joues en les regardant, elles sont si faibles, comment devaient être les autres. La petite Margot m'attrape alors la main pour se blottir dans mes bras. Je me mets à sa hauteur et la serre contre moi.

— Elles sont que toutes les deux ?

— Oui, leur maman a disparu il y a quelques jours, répond Gaëtanne.

Mon Dieu, je sens la main de Dagon sur mon épaule.

— Je vais vous emmener chez mes parents, ils prendront soin de vous, d'accord ?

— Ils sont gentils ? demande Madison.

— Très, il s'occupe de mon fils Nelan pendant que moi je travaille.

— Tu viendras nous voir ?

— Aussi souvent que je le pourrais.

Je me redresse et prends Margot dans mes bras.

— On ne va forcer personne à venir avec nous. Sachez qu'il y a deux bus sur le parking. Tous ceux qui veulent venir sont les bienvenus, pour les autres, je vous souhaite bonne chance.

Je les vois se regarder tous entre eux, la jeune fille s'avance vers moi et me dit qu'elle souhaite venir. Je lui souris, lui fais signe d'aller au bus. Nous nous retournons et avançons vers les véhicules, j'installe les deux fillettes à l'arrière, je leur laisse les gâteaux et l'eau. Dagon s'avance vers moi et me prend dans ses bras.

— Je sais que c'est dur ce que tu viens d'entendre pour ces petites filles, ça t'a fait penser à Nelan.

— Oui, je ne veux pas qu'elles meurent.

— On va prendre soin d'elles je te le promets.

— On ?

— Toi et moi.

— Tu veux les recueillir ?

— On va déjà les soigner, les nourrir pour commencer, et si on ne trouve pas de solution on s'en occupera si c'est ce que tu souhaites.

— Je ne suis pas certaine d'être prête à m'occuper de quelqu'un d'autre que de moi, en plus de Nelan. Je commence tout juste à guérir là, grâce à toi.

— On va trouver une famille formidable pour elles alors, et en attendant ton idée de les amener chez tes parents est parfaite.

— Tu sais que tu es merveilleux ?

— Tu sais que tu es incroyablement belle.

— Tu veux bien me serrer fort dans tes bras et me promettre que tout ira bien.

Il me sourit et me prend dans ses bras. Je sens sa bouche contre mon oreille.

— Je vais tout faire pour que tu sois heureuse, qu'on mette un terme à ces démons, ainsi nous pourrons vivre ensemble, heureux, et tu ne seras plus jamais seule.

— Promis ?

— Promis, bébé.

Nous patientons quelques minutes en espérant que d'autres élèves acceptent de venir. On entend alors des bruits de pas et des voix. Ils sont apparemment tous là et souhaitent nous accompagner. Je leur fais signe de grimper dans les bus et dans les voitures de disponible. Une fois tout le monde installé, on démarre et part. Call se met à l'avant et moi entre les deux fillettes. Elles posent leurs têtes sur mes jambes et dorment rapidement. Nous avons 4 h de route pour rentrer.

Dagon décide d'abord de les ramener au campus, ensuite chez mes parents. Ça me laissera le temps de les appeler pour savoir si c'est possible ou pas. Nous roulons doucement, Dagon est super prudent. Quand nous arrivons sur le campus les élèves sont accompagnés dans le dortoir des élèves et installés au dernier étage, l'étage des professeurs avant. Un dortoir est en cours de construction et pourra accueillir très rapidement le reste. Dagon propose de faire dormir deux personnes dans sa chambre et moi je décide de faire dormir les petites filles dans le lit de Nelan et deux futurs étudiants sur mon canapé. Dagon et Call porte chacun une des petites filles et les emmènent dans mon appartement de fonction. On les couche, les couvre puis nous regagnons ma chambre.

— Quelle journée !

Dagon me prend dans ses bras et m'embrasse dans le cou.

— Pas trop fatiguée ? me demande Dagon.
— Si je suis morte là.
— On va dormir alors.
— Pourquoi tu avais d'autres projets pour moi ?

Il me regarde et me sourit.

— Il y a du monde juste à côté.
— On fera doucement.

Il me fait un magnifique sourire et me soulève pour m'allonger dans mon lit.

Il s'approche de ma bouche et y dépose un tendre baiser qui me donne des frissons partout. Ça le fait sourire et j'aime ça.

— Merci de m'avoir couvert devant les filles tout à l'heure, sinon j'aurais pris cher de les avoir dénoncés.
— Tu as juste demandé mon aide, rien de bien méchant.
— Merci quand même.
— Je t'en prie, dormons, on aura largement le temps de roucouler bébé.

Je lui souris et il me prend dans ses bras et nous nous endormons blottis l'un contre l'autre. Une petite voix me sortira de mon sommeil, quand j'ouvre les yeux, Margot et Madison sont là à me regarder.

— Bonjour les filles.

Je regarde ma montre et il est déjà 9 h.

— Bonjour Nelle, me dit Madison avec un petit sourire timide.

Je me lève afin de laisser dormir Dagon, je demande aux filles de m'attendre dans le petit salon pendant que je me lave rapidement. La douche me détend à une vitesse impressionnante, je ne m'étais pas rendu compte que j'étais autant tendu. Des mains se posent sur mes épaules et me font sursauter. Je suis prise d'un malaise que Dagon me voit ainsi. Je sens alors ses baisers dans mon cou.

— Dagon.

— Oui ?

— Je ne suis pas à l'aise que tu me voies comme ça.

Il m'oblige à me retourner et me regarde droit dans les yeux.

— Dans ce cas, je ne vais te regarder que dans les yeux.

Il saisit ma bouche avec désir ce qui me contamine aussitôt. Il me soulève et me colle contre la paroi de douche. Je ne pensais pas une seule seconde revivre ça un jour avec un homme et encore moins avec lui. Ni ressentir ce que je ressens à cet instant précis.

À mon plus grand drame, ça se termine trop vite et sa bouche me manque déjà terriblement. Je n'arrive plus à le laisser s'éloigner.

— Allez, Nelle, on doit aller voir les nouveaux étudiants.

— Encore une petite minute à t'embrasser.

— Tu risques de te lasser de moi après.

— J'en doute fort.

Il me sourit et se laisse faire. On finit par s'habiller et on rejoint les deux fillettes et les deux étudiants qui patientent. On descend au réfectoire pour le petit déjeuner. Nous leur donnons des plateaux de nourritures et ils filent s'asseoir entre eux. Nous allons à notre table habituelle où nous attendent Cécile Scarlett Romain Greg et Théo.


— Comment c'est passé la nuit ? m'interroge Cécile.

— Nous n'avons pas vraiment eu l'occasion de parler avec les fillettes ou les deux élèves.

— Il va falloir tous les intégrer et les entraîner pour qu'ils apprennent à se défendre rapidement et les aider à développer leurs pouvoirs, explique Théo.

— On va tous les aider et rapidement ils seront meilleurs.

— Et pour les petites filles ? me demande Scarlett.

— Faut voir avec les parents de Nelle s'ils peuvent les recueillir, répond Dagon en me regardant.

— Avec Romain, on en a parlé et on peut les prendre avec nous aussi, on a un appartement de deux chambres.

— Si tu veux oui.

— J'aimerai beaucoup.

Je la vois faire un regard rempli de joie à Romain.


Mon téléphone se mets alors à vibrer et c'est le directeur qui m'écrit « Directeur : Monte, je dois te voir » « Moi : maintenant ? » « Directeur : oui ». Je tends mon téléphone à

Dagon pour qu'il lise la conversation, il me fait un signe de tête. Je me lève après m'être excusé d'abandonner mes amis.

J'arrive devant la double porte du bureau de Quentin et frappe. La porte s'ouvre rapidement et il est là en train de me regarder et me sourire.

— Entre, Nelle.

— Bonjour et merci.

Il reste là à me regarder sans me parler.

— Je vous écoute, j'ai beaucoup de boulot avec les étudiants que nous avons ramené.

— Je sais.

— D'accord et ?

Il ne prononce toujours aucun mot.

— OK, je vais vous laisser dans ce cas.

— Je suis fier de toi, Nelle.

— Pardon ?

— Un peu moins que tu aies craqué pour Dagon.

— Et pourquoi ça ?

— Parce que tu as de nouveau ta place ici, que tu es redevenue l'adorable Nelle.

— Et pour Dagon ?

— Je ne pensais pas que vous pourriez vous plaire.

— Vous aviez tort alors. Et pour information, nous étions déjà ensemble il y a 5 ans.

— J'aurais préféré que tu en choisisses un autre.

— Vous allez pas faire comme Aidan vous aussi, je ne compte pas aller me mettre avec Jacob ou Call.

— Aidan est revenu ?

— Oui, il est venu me faire un serment.

— Ce n'est que de la jalousie Nelle, ignore ses paroles, il finira par passer à autre chose.

— Vous vouliez me voir pour quoi ?

— Ne change pas de sujet.

— J'aime Dagon depuis le premier jour où j'ai posé mes yeux sur lui il y a 5ans, je veux nous laisser une nouvelle chance et voir si c'est lui qui fera battre mon cœur jusqu'à ce que je m'endorme pour toujours.

— Je te vois heureuse et détendue et ça me fait plaisir.

— Merci et du coup ? Vous vouliez me voir pour parler de ça ou de votre projet avec les étudiants ?

— Les deux, j'avais envie de te voir surtout.

— En ce qui concerne les étudiants, il va déjà falloir voir de quoi ils sont capables.

— Vous avez mon entière confiance pour réussir, je veux un rapport dans une semaine.

— Vous l'aurez.

— Nelle, je peux te poser une question ? Je veux une réponse sincère.

— Bien sûr.

— Si je te dis que ça fait depuis le premier jour où je t'ai vu en larmes dans ta chambre en me découvrant, tu étais perdue et triste, ça m'a donné envie de te prendre dans mes bras et t'embrasser, et que je me retiens de le faire à chaque fois.

— Je vous répondrais quelque chose qui ne va pas vous plaire.

— Je veux que tu répondes à Quentin là, pas au directeur, tutoie-moi stp.

— Non, vous faites une seule et même personne.

— Réponds.

— Désolée pour ma réponse, mais, vous me faites trop penser à Alex.

Son visage ne change pas d'expression.

— Il s'est comporté comme vous, il m'a fait espérer qu'il m'aimait pour ensuite me rejeter comme une merde.

— Je ne suis pas lui.

— Non, mais vous vous comportez pareil tout de même.

— Tu me repousseras alors.

— Oui, je ne ressens rien du tout pour vous. Je ne vous vois pas comme un prétendant, vous êtes mon directeur, vous vivez dans un autre monde, une autre catégorie.

Il se met à rire.

— Je confirme qu'une étudiante enseignante maman c'est un statut bien particulier. Et que toi et moi ne sommes même pas censé discuter ensemble, le directeur à un rôle de protecteur de son campus, et ne doit jamais se montrer. Mais il n'empêche que tu me plais et que j'ai envie de te voir et de te connaître davantage.

— Justement, vous ne me connaissez pas, vous vous faites une image de moi, c'est peut-être juste mon sale caractère qui vous attire. Je ne suis pas comme les autres filles. Je suis très spéciale. Et vous n'avez aucune raison d'être attiré.

— Ouvre les yeux Nelle, regarde autour de toi, tu plais.

— Je suis très flattée par vos mots, mais je devrais y aller directeur. Je ne veux aucune ambiguïté entre nous. Nos relations seront uniquement professionnelles.

— Je te remercie pour ta sincérité Nelle, et je compte sur toi pour entraîner les nouveaux étudiants même s'ils ne sont pas médiums.

— Vous avez ma parole.

— Au revoir, Nelle.

— Au revoir.

Je sors de son bureau et commence à redescendre l'interminable escalier et finis par m'installer sur une marche tout en bas. Mon esprit reste dans le bureau du directeur. J'ai de la peine pour lui d'une certaine façon. Ça vie est loin d'être sympa, il reste enfermé dans son bureau et ne voit jamais personne.

Allez Nelle pense à autre chose, je dois me vider l'esprit avant de rejoindre les autres et surtout Dagon qui va voir de suite qu'il y a quelque chose qui me tracasse. Je finis par me relever et j'avance dans le couloir lorsque Alex apparaît devant moi. Je sursaute et pousse un léger cri.

— Désolé Nelle.

— Oui, sois-le, tu m'as fait super peur.

— Il faut qu'on parle.

— Je t'écoute.

— Ne remonte pas voir Quentin.

— Je ne compte pas y retourner.

— Je vous ai entendu.

— D'accord et ?

— Je ne veux pas qu'il souffre. Je connais l'emprise que tu as sur les hommes.

— Je te rappelle que tu n'avais pas de sentiments au final.

— Je t'ai menti Nelle.

— Quoi ? Pourquoi ?

— Pendant que je te surveillais à plusieurs reprises tu as appelé Dagon en dormant. J'étais persuadée que tu finirais par retourner avec lui à un moment donné. Et que j'allais en souffrir.

— Je ne me souviens pas du tout.

— Tu étais dans le coma Nelle, forcément tu ne te souviens de rien. Mais moi je me souviens nettement de tes mots. Surtout ceux quand tu as commencé à te réveiller. Tu l'as appelé lui, alors qu'on était ensemble à ce moment-là.

— Quand je me suis réveillée, c'était toi que je voulais choisir.

— Et Benjamin ?

— Je ne t'aurais pas quitté pour Benjamin non plus. Je m'étais attaché à toi. Et à ce moment-là, je ne ressentais rien pour Benjamin.

— Je suis qu'un gros con.

— Pourquoi me dire ça maintenant ?

— Parce que je voulais que tu saches que ton pouvoir n'a jamais obligé personne à t'aimer, ça accélère juste les sentiments qui finiront par arriver.

— Je vais retourner vers mes amis maintenant.

— Désolé pour toute la souffrance que tu as dû endurer ses dernières années.

— Ça finira par sourire pour moi. Dagon commence à me redonner envie d'être heureuse.

— Dagon est toi ça a toujours été très fort. C'est bien de lui laisser une deuxième chance.

Et il disparaît. Je le déteste d'être venu me dire ça. J'ai une envie de pleurer la, ma vie est remplie de tout un tas de gâchis. J'ai envie et besoin d'être seule. Je sors du bâtiment et me dirige vers le lac. Il fait froid, mais tant pis. Les minutes et heures passent. Je reste là, immobile à regarder le lac qui est drôlement calme. Il faut que je sois certaine de moi-même, certaine de ce que je veux. Mon cœur semble aller mieux depuis que je suis revenu. Je ne veux pas tout gâcher. Je suis certaine que j'aime Dagon et qu'il me plaît énormément, et encore le mot plaire est un euphémisme. J'aime sa façon de me parler et me regarder. Il a du caractère et sait me contenir, contrairement à Aidan qui aurait fait n'importe quoi pour me satisfaire pour ne pas me perdre. Mais son côté à vouloir tout savoir dans les moindres détails m'énerve. Je ne pouvais pas avoir mon jardin secret. J'entends alors des pas s'approcher qui me coupe dans mes pensées. Je continue à fixer l'horizon sans me retourner.

— Je peux ? me demande Dagon.

— Oui, bien sûr.

Il s'installe à côté de moi et passe son bras dans mon dos et m'embrasse la tête. Il reste là sans rien dire, il fait comme moi et regarde droit devant lui.

— Je te manquais autant que ça ? dis-je en posant ma tête sur son épaule.

— Je suis venue te chercher, les évaluations des étudiants ont commencé.

— J'avais besoin d'être seule.

— Tu veux que je reparte ?

— Non je suis trop contente que tu sois venue me rejoindre.

Je tourne enfin la tête dans sa direction et approche ma bouche de la sienne. Il me regarde tout en me souriant et avance également la sienne. Nous restons là encore un moment à nous étreindre et à nous embrasser.

— On devrait retourner vers les autres maintenant.

— Si tu veux.

Il se lève et m'aide à me relever. Quand nous arrivons vers les autres ils sont au gymnase avec tous les nouveaux étudiants. Une vingtaine de professeurs sont présents ainsi qu'une dizaine de guerriers. Les étudiants sont tous assis par terre et chacun à leur tour il se présente et nous montre de quoi ils sont capables.

Je m'installe à mon tour sur une table et regarde un peu partout autour de moi. Une petite heure après une jeune fille se lève nous dis qu'elle a 20ans et qu'elle s'appelle Gaëtanne et commence à invoquer une boule de feu, je la vois rapidement paniquer ce qui fais augmenter la taille de son sort.

— Gaëtanne regarde-moi, tout va bien, dis-je en lui souriant.
Elle tourne alors les yeux dans ma direction, mon sourire et mon regard semblent la détendre. La boule de feu ne continue plus de grandir.

— Je ne suis pas sûr de réussir à la faire disparaître.
— Ce n'est pas grave, lance-la vers moi.
— Quoi ? lance un professeur pas très loin de moi.
— Vas-y Gaëtanne.
Elle se tourne vers moi et la lance dans ma direction. Elle arrive rapidement et je la stop en utilisant mon bouclier. Elle s'écrase dessus et disparaît. Les étudiants s'enchaînent puis ça se finit deux bonnes heures après. Avec les professeurs, nous nous concertons pour savoir qui va s'occuper de qui. Je suis la professeure qui a le moins d'étudiants à sa charge. Même si ce sont pas des médiums je me sens capable de les aider.

— Je peux en prendre aussi sous mon aile.
— Tu es médium pas sorcière, répond Un professeur.
— Elle en est largement capable dit Martin pour me défendre.
— S'ils meurent se sera de ta faute.
— Pourquoi tu veux qu'ils meurent ? Je vais les entraîner pas les envoyer à la guerre.
— Tu te crois supérieur à nous tous parce que tu es capable de tuer des gens que par la pensée.

— Nelle tu as vu il y a plus imbuvable que Pierrick et moi, lance Enzo en me souriant.

J'explose de rire.

— C'est possible ça ?

Enzo se met également à rire.

— Je vais m'occuper de l'attribution des élèves et je vous donnerais votre emploi du temps rapidement, se propose Martin.

Le professeur me dévisage et quitte le gymnase. Les étudiants se lèvent et sortent à leur tour des lieux.

— Professeur Oksane ? m'appelle Gaëtanne.

— Oui ?

— Merci pour votre aide, j'aimerais que vous m'entraîniez

Je tourne la tête vers Martin.

— Ça marche Gaëtanne, je te mets avec Nelle, répond Martin.

Je vois Gaëtanne sourire aux éclats et nous remercier avant de sortir.

— Tu es sûr de réussir Nelle ? me demande Romain.

— Certaine, je te rappelle que je suis à moitié sorcière.

— Nelle sait tout faire on le sait bien depuis le temps, ajoute Logan.

Je lui souris puis je propose d'aller finir l'après-midi dans le salon des professeurs. Nous allons tous de bon cœur et passons une super soirée à parler des semaines à venir. Nous nous séparons pour aller dormir. Dagon s'arrête devant ma chambre.

— Je vais aller dans la chambre de Jacob pour la nuit.

— Non pourquoi ça ?

— Je pense que tu as besoin d'être seule et réfléchir.

— Non pas ça Dagon, je t'en supplie, dis-je en commençant à trembler.

— Nelle je ne te quitte pas, je veux juste que tu passes ta soirée tranquille et seule.

Je le prends par la main et l'oblige à rentrer avec moi dans l'appartement.

— Je ne veux pas être loin de toi si j'ai la possibilité d'être dans tes bras.

— Pourquoi avoir disparu plusieurs heures alors ? Et surtout, tu as été tellement silencieuse depuis que tu es revenue de chez le directeur.

— Je vais t'expliquer dans ces cas-là.

— OK.

J'ouvre la porte et l'emmène jusqu'à ma chambre. Les deux petites filles dorment déjà et les deux étudiants sont sur mon canapé.

— Il voulait me voir pour deux choses, la première me parler des élèves et de leurs entraînements, il attend un rapport de notre part.

— Ensuite.

— Il m'a dit qu'il mourrait d'envie de m'embrasser depuis la première fois où il m'a vu.

— Pourquoi ça ne m'étonne pas ?

— Je n'y suis pour rien.

— Tu lui as dit quoi ?

— Qu'il ne me plaisait pas du tout, et que j'étais avec toi.

— Et tu t'es isolé pourquoi ?

— J'ai eu une discussion avec Alex également et ça m'a retourné l'esprit.

— Explique-moi.

— Il paraît que quand j'étais dans le coma et qu'il me surveillait, j'ai à plusieurs reprises prononcé ton prénom. Il l'a pris comme un je t'aimais toi et pas lui et a mis un terme entre nous en disant qu'il ressentait rien. Que c'était juste ma magie qui l'avait charmé et qu'elle avait cessé de fonctionner.

— Pourquoi il te sort ça maintenant ? Il est con ou quoi ?

— Il avait besoin de se confier, et de me faire comprendre que même inconsciente je parle de toi, et de ne pas faire espérer son frère.

— Mais ça n'explique pas pourquoi tu t'es isolé.

— Parce que j'avais besoin de réfléchir à tout ça.

— D'accord, et du coup ?

— Je ne me vois plus sans toi.

Un sourire s'affiche sur son visage, il s'avance et me prend dans ses bras.

— Je ne dois pas m'inquiéter pour nous deux alors ?

— Non, bien au contraire, je sens que mon cœur s'ouvre de nouveau.

— Et je dois m'inquiéter pour le directeur ?

— Je ne compte pas remonter le voir, et il ne descend jamais de sa tour d'ivoire.

— Toi et moi et seulement nous.

— Voilà.

— Qu'il n'essaye même pas de t'embrasser de toute façon sinon il s'en prend une.

J'explose de rire.

— Je ne souhaite pas qu'il m'embrasse.

— Je sais.

— Par contre, tu attends quoi toi pour le faire ?

— D'embrasser le directeur ?

J'explose de rire de nouveau et le pousse.

— Pas mon style, trop poilu.

Je l'attrape par la nuque et l'oblige à se rapprocher pour m'embrasser. Je commence à lui enlever sa veste, puis soulève son tee-shirt. Il se laisse bien évidemment faire. Je me colle à lui et l'embrasse dans le cou puis sur le torse. J'utilise mes mains pour le caresser un peu partout. Il continue à me regarder en souriant.

— Tu comptes bouger ?

— Non, je préfère te laisser faire.

Je lui souris et hoche la tête. J'enlève mes bottes et mon collant puis retire la ceinture de son pantalon puis son pantalon. Je recommence à l'embrasser et y mets de plus en plus de fougue. Je sens qu'il a envie de me saisir et qu'il se retient. J'arrête de l'embrasser, le prends par la main et l'oblige à s'allonger sur mon lit. Il met ses bras sous sa tête et me regarde. Je finis par retirer mon gilet puis me mets à califourchon sur lui. Je commence à onduler, rapidement je vois que mon action porte ses fruits. Je retire mon sous-vêtement mais n'enlève pas ma robe puis commence à le faire rentrer en moi. Je recommence à me mouvoir sur lui, il se redresse enfin et m'embrasse à pleine bouche. Je le sens ouvrir les boutons à l'avant de ma robe puis me la retire. À mesure où il m'embrasse sur la bouche et dans le cou, mon désir pour lui augmente. Notre échange est terriblement bon. Aidan m'avait habitué à ce que ça ne dure pas nécessairement longtemps. Avec lui ça n'a rien avoir, c'est intense bon et ça dure. Il finit par me soulever pour m'allonger sur le dos, il reprend les choses en main et ça devient encore meilleur.

— Oh, mon Dieu !

Il se redresse me sourit et m'embrasse de nouveau avec fougue. Il ne quittera pas ma bouche jusqu'au bout et finis par s'allonger à côté de moi. Je tire par réflexe la couverture sur nous et me couche sur le ventre.

— C'est la première fois que je suis comparé à dieu.
— Haha très drôle.
— Allez dormons maintenant bébé.
— Bonne nuit mon cœur

Il se colle à moi et passe son bras sur mon dos.

Mon réveille sonne un peu trop vite à mon goût. Je suis épuisée, j'ai l'impression d'avoir dormi que quelques heures. Une bonne douche me fera le plus grand bien. Dagon n'a pas l'air motivé à se lever non plus. Il est sur le ventre et la tête caché sous l'oreiller. Je commence à déposer des petits bisous sur sa nuque.

— Une douche avec moi, ça te tente ?
— Humm ! très tentant ça.
— En tout cas moi j'y vais, et tu es le bienvenu.

Il m'y rejoint rapidement pour mon plus grand bonheur. Il ne quittera pas mes yeux une seule seconde durant tout l'acte. Il a bien compris que je complexe énormément. Avant Nelan, je n'avais aucun souci avec mon corps, je n'ai jamais aimé mon visage, mais ça à la rigueur aujourd'hui ça ne me gêne plus.

Pendant tout l'acte, j'ai essayé de ne penser à rien d'autre qu'au moment présent.

La journée et la semaine passent à une vitesse impressionnante. Martin a voulu commencer en me donnant seulement cinq étudiantes, je ne sais pas s'il l'a fait exprès de ne pas mettre de garçons. J'ai bien envie de lui demander dès que nous serons que tous les deux.

Avec Dagon, ça se passe terriblement bien, au fil des jours nous apprenons à nous connaître et nous découvrons nos défauts mutuels, mais j'aime tout en lui. Nous vivons ensemble nuit et jour et je me rapproche davantage de lui. Ma jalousie en revanche revient de plus en plus souvent, je fais tout pour le cacher, mais ça me bouffe de l'intérieur. Je vois toutes ses belles filles lui tourner autour. Elles prennent des cours de danse juste pour le voir et pouvoir le toucher quand il les fait danser. Aussi étonnant que ça puisse paraître, Dagon est un excellent danseur, il a commencé très jeune en cachette de son père, puis quand il est entré au collège il y avait des cours de danse et il en a profité pour en prendre et c'est arrêté quand il est arrivé à Aurore. Il a repris il y a 3ans et maintenant l'enseigne au plus grand bonheur de Virgile et Denis qui adore danser aussi. J'essaye de venir le voir danser aussi souvent que possible, mais je ne suis pas aussi doué que lui. Et les quelques nénettes présentes sont bien meilleures que moi.

Ce matin-là, j'ai cours avec Romain et j'ai la tête ailleurs

— Nelle tu vas prendre du retard si tu ne suis pas me chuchote Virgile.

— Je suis dans mes pensées, prends des notes pour deux.

— Tu veux m'en parler ?

— Pas envie de te déranger avec ça.

— Nelle nous nous parlons plus qu'en cours, tu me manques ton amitié et ton sale caractère.

— Désolé.

— Pas grave. On se voit après le cours si tu veux.

— Ça marche.

Mon portable dans ma poche se met à vibrer.

« Directeur : il faut qu'on se voie », non mais non pas la pas maintenant. Je vois le regard de Virgile sur mon téléphone et me fais une tête de eh ben tu es dans la merde, ma grande.

— Tu crois que ça va se voir si je fuis du campus ?

Il explose de rire ce qui fait retourner Romain. Il lance un regard dans ma direction puis reprend son cours. Mon téléphone se remets à vibrer, « Arthur : il y a une fête chez moi ce week-end, une soirée sur le thème James Bond, et tu n'as pas le choix que de venir, nous devons discuter » Je souris et lance un regard à Virgile.

— Tu es harcelée, ma belle.

— J'en ai bien l'impression.

La matinée avance rapidement et la fin du cours sonne. Romain m'appelle avant que je ne quitte l'amphithéâtre.

— On se rejoint en cours tout à l'heure ? propose Virgile.

— Ça marche à tout à l'heure.

Je m'approche de Romain et attends sa remontrance.

— Tu ne m'as pas habitué à être distraite ainsi.

— Je sais, je suis ailleurs en ce moment, je suis désolée Romain, je te promets de faire des efforts.

— Raconte.

Il s'assoit sur son bureau et me regarde.

— T'inquiète, ça va passer.

— C'est à propos d'Aidan qui est encore revenu ?

— Comment ça il est encore revenu ? Quand ?

— Ah mince, visiblement tu n'es pas au courant.

— Romain raconte-moi stp.

— J'ai dû soigner Dagon l'autre jour, et il m'a fait promettre de ne rien te dire, et je pensais que tu étais inquiète pour ça.

— Aidan a blessé Dagon ?

— Oui.

— Je vais le tuer.

— Nelle ! non attends.

— Il fait du mal à Dagon, tu crois que je vais le laisser faire ?

— Il faut que tu arrives à lui faire comprendre que Dagon n'y est pour rien dans tout ça.

— Je vais quand même me le faire.

— Aidan avait enfin trouvé la femme parfaite à ses yeux, elle était enceinte de lui et venait d'accepter de se marier. Tu réalises tous ses rêves et il a perdu la vie et a perdu tout ça. Son fils il ne pourra jamais s'en occuper, la femme qu'il aime se met avec quelqu'un d'autre, et surtout avec celui qui a causé sa mort. Comment veux-tu qu'il le prenne ?

— Mais si mon bonheur est avec Dagon, il devrait le comprendre.

— Apparemment non.

Je suis censé faire quoi moi ? Écouter mon cœur ou faire en sorte qu'Aidan puisse reposer en paix. Quoi qu'il arrive quelqu'un souffrira et moi aussi.

Je regarde Romain comme si la réponse allez sortir de lui.


— Raconte-moi ce qui passe dans ta tête du coup.

— Je ne sais pas par où commencer.

— Le début me semble un bon commencement.

— Je l'aime tellement.

— C'est une excellente chose, et je ne vois pas où est le problème.

— De l'aimer oui, d'en être accro un peu moins, dès qu'une fille lui parle et lui sourit j'ai envie de pleurer et de partir.

— Tu lui as dit ?

— Lui dire que je suis terriblement jalouse de toutes les filles qui s'approchent de lui ?

— Oui.

— Arrête Romain, ça va l'agacer, il entraîne une centaine d'étudiantes, donne des cours de danse, c'est son métier d'être proche des étudiants et étudiantes.

— Mais au final, il est avec qui la nuit ?

— Je sais bien qu'au final ses nuits il les passe avec moi.

— C'est juste ça le problème ?

— Non, j'ai peur qu'il me quitte pour une femme bien plus belle et mieux faite que moi. Ma grossesse m'a laissé des traces qui me font terriblement complexer. Il fait attention à ne pas me regarder, mais je suis convaincu qu'il fait ça parce qu'il m'a vue et qu'il déteste. Et aussi je me dis de plus en plus souvent qu'il aura envie d'un enfant un jour, et que jamais je ne pourrai lui permettre d'être père.

— Il le sait, et en te courant après il en était conscient que tu n'aurais jamais d'autre enfant et que ton corps avait connu une grossesse et qu'il ne serait plus jamais parfait comme avant.

— C'est censé me rassurer ?

— Il t'aime énormément, tu veux quoi de plus ?

— Je l'aime tellement également et j'ai peur de le perdre

Je fonds alors en larmes devant lui. Je sens ses bras m'enlacer.

— Je peux être honnête avec toi ?

— Je n'attends que ça.

— Aidan était accro à toi, mais là Dagon ce n'est même pas comparable, je ne le vois jamais regarder une fille comme toi il te regarde. Aidan se faisait draguer souvent et jamais il n'envoyait les filles sur les roses, il prenait les numéros, mais ne rappelait pas. Il adorait être regardé et plaire. Dagon, je l'ai vu avec des filles et ça n'a rien avoir.

— C'était un coureur de jupons, Dagon à l'époque.

— Ben écoute plus du tout maintenant.

— Je ne lui ai toujours pas dit que je l'aimais.

— Pourquoi ?

— Parce que j'ai peur de me confier et qu'il finisse par partir.

— Tu le feras fuir si tu es trop distante avec lui. Parle-lui de tes doutes et de tes inquiétudes.

— Tu penses ?

— J'en suis certain, et qu'elle plus belle preuve d'amour que de te cacher que ton ex essaye de le briser pour qu'il te quitte, et pourtant même après les nombreuses tentatives d'Aidan il continue à croire en vous et à t'aimer profondément.

— Aidan est venu combien de fois le voir ?

— Je ne sais pas Nelle, ce que je sais c'est que là tu devrais foncer ma belle, et crois moi tu n'as aucune crainte à avoir sur les intentions de Dagon. Et si je pouvais foutre une raclée à Aidan pour lui faire comprendre qu'il devrait être heureux pour toi plutôt que d'essayer de détruire ce qui te comble de bonheur je le ferais.

Je m'approche de lui et me blottis dans ses bras.

— Merci Romain.

— File manger et prends une décision.

Quand j'arrive à table, Dagon a déjà bien avancé dans son plateau, mes amis sont presque tous là. Lorsque je m'installe à côté de lui, j'ai le droit à un magnifique sourire et un bisou sur la joue. Quand je pense qu'Aidan le harcèle et qu'il garde ça pour lui pour ne pas m'inquiéter, je prends conscience qu'il m'aime vraiment. Profondément, car beaucoup m'auraient quitté par peur.

Je termine rapidement mon repas pour pouvoir rejoindre Virgile, j'ai besoin de me confier également à lui et avoir son point de vue. Je salue tout le monde et quitte le réfectoire. Je suis dehors quand j'entends une voix. Celle de mon homme.

— Nelle, attends.

Je m'arrête et me retourne et lui fais un magnifique sourire.

— Ça va, mon cœur ?
— Ça va oui, mais il faut qu'on parle.
— J'ai cours dans quelques minutes.
— Martin attendra.

Mon cœur commence à battre à la chamade là, j'ai terriblement peur qu'il me quitte. Aidan est revenu c'est ça ?

— Tu vas rompre ?
— Quoi ? Ça ne va pas non.
— Je ne sais pas, tu me dis ça au milieu d'une cour en mode sérieux.
— Désolé, bébé.

Il me prend dans ses bras et m'embrasse avec douceur

— Tu voulais me dire quoi ?
— J'ai reçu une invitation d'Arthur, il fait une fête.

Mon cœur se soulage d'un seul coup ce qui fait sortir des larmes.

— Il va falloir m'expliquer pourquoi ses larmes.
— Parce que je t'aime plus que tout et que j'ai eu terriblement peur que tu me quittes.
Un super sourire apparaît sur son visage.

— Tu viens de me dire quoi mon bébé la ?
— Que je t'aime.
— Je t'aime aussi.
Il me serre alors dans ses bras et je sens son cœur accélérer

— Je t'aime trop pour te quitter.
— J'aimerais qu'on discute ce soir si tu veux bien, j'ai des choses à te dire.
— Ça me va. File en cours maintenant, et je réponds quoi à Arthur ?
— Qu'on sera bien présent tous les deux.
— Parfait.
Il m'embrasse une dernière fois et me laisse partir.

Je rejoins Virgile dans la salle et lui explique tout rapidement avant le cours. Il est heureux pour Dagon et moi, mais semble triste sur mes peurs et inquiétudes. Il me conseille d'invoquer Aidan et mettre les choses au clair.

La journée passe rapidement, ce soir j'ai des cours à réviser je m'enferme dans ma chambre juste après les cours et attend que Dagon me rejoigne pour m'emmener manger. Les étudiants ont rejoint une chambre et je suis de nouveau seule dans mes quartiers. Je sors tout juste du bain quand quelqu'un frappe à ma porte. Je passe rapidement une serviette autour de moi et file ouvrir en pensant que c'est Dagon qui n'a pas sa clé. Mon cœur arrête de battre quand j'ouvre la porte.

— Directeur.
— Bonsoir Nelle.
Il regarde chaque partie de mon corps.

— Mes yeux sont plus haut directeur.
Il me fixe de nouveau dans les yeux et me fait un grand sourire.

— Entrez.
Je suis en serviette devant lui et suis terriblement gêné. La porte de ma chambre s'ouvre et c'est Dagon. Hey merde. Dagon regarde alors le directeur, il ne l'avait jamais vu, je lui avais juste dit que c'était le frère d'Alex, puis regarde vers moi.
Il s'approche de moi et met son bras dans mon dos.

— Tu devrais aller t'habiller bébé, me dit mon beau blond tout en embrassant le dessus de ma tête.
— Oui, j'y vais de suite.
Je rentre dans ma chambre et referme la porte derrière moi. Je m'habille aussi vite que possible et retourne vers eux. Quand je retourne dans le salon il ne semble pas avoir bougé tous les deux n'y même parler.

— Vous vouliez me parler directeur ?
— Tu n'as pas répondu à mon message.
Il est vraiment sérieux de dire ça devant Dagon ? Il compte détruire mon couple lui aussi ?

— Nelle ?

— Je n'ai pas eu le temps.

Il regarde Dagon puis moi.

— Tu as autant de boulot que ça ? Tu veux que je t'allège de quelques cours ?

Qu'est-ce qu'il m'agace en plus de me tutoyer devant Dagon.

— Non ça me va amplement comme ça merci.

— Vous allez souvent dans la chambre de vos étudiantes ?

Il fallait bien que Dagon ouvre sa bouche à un moment.

— Non Nelle est une exception, bien évidemment.

— Si vous n'aviez pas une voix différente, je serais persuadé que vous êtes Alex.

De nouveau, il me sourit et lance un regard à Dagon.

— Aussi bien pour Alex que pour moi vous êtes toujours sur notre route.

— Sauf que cette fois-ci je ne la laisserai pas partir.

— Quelle idée j'ai eu de te prendre comme professeur ici.

— Parce que je suis parmi les meilleurs et que vous m'aviez déjà demandé trois fois avant que je finisse par accepter.

— Effectivement, mais si j'avais su le motif de ton acceptation j'aurais déchiré le contrat avant de te le faire signer.

— Par chance, il est déjà signé et je ne compte pas aller bosser ailleurs et m'éloigner d'elle.

— Bon stop, je passe vous voir demain Directeur si vous voulez et on discute de votre venue dans ma chambre et merci de bien vouloir nous laisser tranquilles.

Dagon commence à vouloir répondre et je mets ma main sur sa bouche.

Il finit par quitter ma chambre et quelques secondes après ça toc de nouveau. Ha ! il m'agace. J'ouvre la porte en mode furie.

— Quoi encore ? dis-je hors de moi.
Mince.

— Désolé les gars, j'ai cru que c'était encore…
— Que c'était qui ? demande Théo.
— Personne, entrez.
— Désolé de vous déranger, lance Romain.
— Vous ne nous dérangez pas.
— Pourquoi cette tête alors ? m'interroge Théo.

Je tourne la tête et Dagon a les bras croisés, il est assis sur mon bureau en mode furieux. Je sens que je vais passer une excellente soirée moi.

— Le directeur vient de sortir de ma chambre, il est un peu insistant.
— Tu l'as envoyé chier ? me demande Théo.
— Non elle a préféré lui dire qu'elle passe le voir demain répond Dagon agacé.
— Dagon j'ai dit ça pour qu'il parte.
— Tu parles.
— Quoi ? Tu veux en venir ou là ?
— Laisse tomber.
— Non, tu crois que je suis heureuse de me retrouver seule avec lui ?
— Tu étais nu quand je suis arrivée, tu comptais aller t'habiller ?
— Tu plaisantes là, j'espère ?
— J'aimerais bien, oui.

— On devrait vous laisser tranquille, propose Théo.

— Non restez, je me casse.

Dagon sort alors de ma chambre furieux.

— Non pas ça, dis-je en m'effondrant au sol en larmes.

Je sens les bras de Théo m'enlacer.

— Il est juste furieux, il va revenir.

— Je ne supporterai pas qu'il me quitte de nouveau.

— Tu étais vraiment nu ? demande Romain.

— J'étais en serviette quand ça a frappé à ma porte, je ne pouvais pas imaginer que ce soit le directeur.

— C'est dommage on aurait dû venir il y a 10 min.

— Ce n'est pas drôle.

— Tu veux que je descende voir Dagon ? propose Théo.

— Non je vais le laisser se calmer, en espérant qu'il aille mieux rapidement.

— Nelle je peux faire quelque chose pour toi ?

— Tu sais remonter le temps ?

— Non désolé. Et tu aurais voulu monter à quelle période ? me demande-t-il en souriant.

Excellente question. Mais la première idée qui me vient en tête c'est celle où je suis revenue de chez les guerriers, j'aurais dû embrasser Dagon à pleine bouche et me remettre avec lui-même s'il ne le voulait pas à ce moment-là. C'est moche de penser à ça, ça voudrait dire que je n'aurais pas eu Aidan dans ma vie ni Nelan.

— Vous étiez venu pour quoi ?

— L'anniversaire de Scarlett arrive et j'ai envie de lui offrir un cadeau qui lui fera vraiment plaisir.

— Offre-lui une bague.

— Quoi ?

— Je suis sûre qu'elle attend que ça.

— Euh OK. Et sinon ?

— Emmène-la en week-end avec toi, rien que vous deux en amoureux.

— Excellente idée.

— Et offre-lui une bague au passage.

— Je ne sais pas trop là, en revanche.

— Laissez-moi seule maintenant svp, je vais travailler encore et j'irais dormir ensuite.

— Tu devrais descendre manger et voir Dagon de suite.

— Je n'ai pas faim et je préfère être seule.

Ils m'embrassent tous les deux et sortent de ma chambre. Je m'installe à mon bureau et y passe une partie de la soirée. Il est 23 h et je n'ai toujours pas de nouvelles de Dagon. J'espère qu'il est avec Jacob. Je décide alors d'écrire à mon ami pour savoir. « Moi : Dagon est avec toi ? Je suis terriblement inquiète » moins d'une minute après j'ai une réponse. « Jacob : oui chambre 22 ». Allez Nelle va lui parler, ne le laisse pas te quitter. Quand j'arrive devant la porte, Jacob attend devant. Il me tend les clés.


— Je vous laisse seul un moment.

— Il t'a dit quoi ?

— À part que c'est un abruti fini ?

— Il n'a jamais oublié que je l'appelais comme ça.

— Apparemment non.

— Il va m'envoyer chier ?

— Je ne suis pas dans sa tête, Nelle.

Je baisse la tête, j'aurais aimé une autre réponse.

— Tu m'expliques ? Je pourrai te donner ma vision.

— Quand Dagon est arrivé, je sortais de ma douche, j'étais en serviette et le directeur était présent.

Jacob me sourit et pose ses mains sur mon visage.

— Va le voir, grimpe-lui dessus et embrasse-le comme il aime que tu le fasses.

— OK.

Je lui donne les clés de la mienne et l'invite à aller dormir dans la seconde chambre. Jacob a également un petit appartement comme le mien. Dagon est assis sur un lit la tête dans les mains. Je m'avance de lui et m'installe à ses côtés.

— Je t'attendais pour aller dormir.

Il relève la tête et me regarde puis saisit ma bouche avec une telle rapidité que je suis déjà allongé sur le lit et qu'il me domine.

— Tu es à moi, Nelle.

— Oui rien qu'à toi.

Il se lève pour fermer la porte de la chambre à clé. Il retire son pantalon et son tee-shirt tout en me regardant avec un air coquin et s'allonge sur moi.

— Je sens que ça va être ma fête.

— Je vais te faire hurler.

— Tu es au courant qu'il y a des professeurs tout autour ?

— Tant pis.

J'explose de rire pendant qu'il retire rapidement mon sweat et mon jogging. Il ne se fait pas prier pour me saisir juste après. Il avait envie de m'entendre crier et il a réussi. Je pense que le professeur de la chambre d'à côté et au courant aussi que je vais passer un sale quart d'heure. Son regard coquin se transforme en un regard rempli de désir. Le Dagon avec de la retenue semble terriblement loin. Il se lâche et j'aime ça, je ressens son amour dans ses baisers et ses vas et viens. Un vampire ou un guerrier ne pourrait jamais faire ça, il peut être à fond sans risquer de me blesser. Même Aidan avez réussi à me faire mal à plusieurs reprises dans sa fougue. Avec Dagon, je ne ressens aucune douleur que du plaisir. Et ses accélérations sont juste divines.

— Hum, Dagon !
Je sens sa bouche se déplacer et mordre mon cou puis mon oreille. Il saisit ma bouche une toute dernière fois avant que le dortoir entier ne se réveille.

— Je t'aime, Namour.
— Je t'aime, bébé.
Il est toujours là au-dessus de moi en train de me regarder, son regard se veut doux et rempli d'amour.

— Tu veux retourner dormir dans ta chambre ou on est reste ici ?
— On est bien là, je pense.
Je regarde ma montre, et il est déjà 2 h du matin.

— Ça fait trois heures que je suis ici ?
Il me sourit m'embrasse puis s'allonge à côté de moi. Au moment où je prends la couverture pour me cacher, il stoppe ma main. Et se remets au-dessus de moi et cette fois-ci me regarde bien dans les yeux puis descend jusqu'à mon nombril.

— Non arrête s'il te plaît, pas ça.

— Qu'est-ce que tu essayes de cacher, bébé ?

— Les séquelles de mon bébé justement.

— Des séquelles ?

Il promène alors sa main sur mon ventre et mes seins.

— Dagon stp ne me regarde pas comme ça.

— J'essaye de comprendre ce qui te dérange.

Je pose alors ma main sur la sienne pour lui montrer les endroits où mon ventre et mes seins ont des cicatrices. Je suis terriblement mal à l'aise et les larmes coulent.

— Nelle tu as eu un bébé, et ton corps est toujours aussi magnifique, si les deux minuscules cicatrices te dérangent ben tant pis. À part moi, personne ne les verra. Et moi je les aime, car ça fait partie de toi. Et d'après nos derniers échanges et ce début de nouvelle relation ce qui est à toi et à moi, dit-il tout en souriant.

Il dépose des baisers sur mon ventre, pile à l'endroit où on voit les séquelles.

— S'il te plaît, arrête. Ça me gêne.

— Dans quelques semaines, tu verras que tu n'y feras même plus attention.

Il finit par s'allonger à côté de moi et me couvre. Il pose sa tête sur ma poitrine et caresse mon bras.

— Tu voulais me parler tout à l'heure dans la cour.

— Sois sincère avec moi, Aidan est revenu ?

— Oui.

— Combien de fois ?

— Je ne les compte plus.

— Il t'a fait du mal ?

— Oui.

— Je suis désolée mon cœur, tellement désolée.

— Tu n'y es pour rien, mais s'il continue à venir comme ça j'ai peur de le détruire sous l'énervement.

— Il faut je l'appelle et que je lui parle.

— Je te laisse gérer alors.

— Je ne veux pas que notre couple se brise à cause de ça.

— Ça n'arrivera pas.

Nous nous endormons, blottis l'un contre l'autre.

On est réveillé lorsque quelqu'un toque à la porte. Par réflexe, je me cache sous le drap ce qui fait bien rire Dagon. Il enfile son jeans et ouvre la porte.

— Il y a un combat dehors, nous informe Jacob.

— On arrive.

— On se rejoint là-bas.

En 2 min, on est habillé et on court dans les couloirs. Le soleil vient juste de se lever et mes amis sont quasiment tous présents dehors. Une explosion nous fait sursauter avec Scarlett. Le bus vient de prendre cher, et une centaine de démons sont là. Pierrick finit par arriver et se met à ma hauteur.

— Comme d'habitude, Nelle à mon signal.

Les démons commencent à nous bondir dessus. Les guerriers sont tous là et se mettent à combattre. Chaque professeur élève et guerrier sont en actions. Un démon finit par se mettre devant moi et commence à vouloir me frapper, j'arrête absolument tous ses coups ce qui l'agace énormément.

Les démons commencent à avoir le dessus en voyant quelques personnes au sol. Qu'est-ce qu'il attend pour me dire d'attaquer ? Tant pis je vais désobéir.

Je vois alors Pierrick tourner la tête vers moi et me lancer un regard mauvais. Ah oui c'est vrai qu'il entend mon esprit. Tu attends combien de morts pour que je combatte ?

Je repousse avec force en utilisant ma magie le démon devant moi et finis par lancer plusieurs ondes sur différentes cibles, en visant essentiellement ceux qui mettent en danger mes amis.

Je vois enfin les démons se stopper.

— Vas-y.

Je canalise de nouveau une onde surpuissante en attendant que mes amis et les autres repassent derrière moi.

Une fois tous en sécurité je lance l'onde en avant et fais tomber tous les démons au sol. Moins d'un tiers se relève. Nous reprenons le dessus et les derniers démons finissent par disparaître dans leurs portails.

Je regarde autour de moi et mes proches semblent tous debout. Je dois parler à Pierrick pour comprendre ce qui lui a pris. Je n'aurais pas à prendre la peine d'y aller, car il est en chemin vers moi.

— Tu as failli désobéir.

— Je sais, tu as vu les dégâts qu'on commençait à subir ?

— Je voulais qu'ils se fatiguent.

— En tuant des innocents ?

— Seulement les plus faibles.

— Tu n'es pas sérieux la ?

— S'ils n'étaient pas capables de se battre, ils n'auraient pas dû venir le faire.

— Tu me dégoûtes.

Je commence à m'éloigner de lui quand Dagon m'appelle.

— Nelle, attends, viens voir.

Je me retourne et m'avance vers lui. Il me tend un foulard.

— Ça ne te dit rien ?

— Le foulard de Gaëtanne.

On regarde autour de nous et elle ne semble pas là.

— Tu crois qu'ils l'ont emmené ?

— J'en ai bien peur.

— Hey merde.

— Elle n'est peut-être pas venue au combat et l'a perdu récemment.

— Je l'ai vu combattre, je ne pense pas qu'elle serait partie avant la fin du combat, répond Scarlett.

— Vous proposez quoi ? demande Logan.

— Nous n'avons aucun moyen d'y aller, a pars si, dis-je.

— Nelle tu oublies tout de suite, tu n'auras aucune chance de revenir répond Benjamin.

— Il doit bien y avoir un moyen de l'autre côté.

— C'est du suicide, lance Jacob.

Et pour le coup, il a raison.

— Je ne suis pas pour qu'elle reste leurs prisonnières, mais là c'est de la folie ce que tu veux faire. Et imagine qu'il te tue sans t'emmener avec eux, ajoute Dagon.

— Benjamin tes guerriers peuvent emmener les blessées à l'infirmerie stp.

Je vois tout le monde retourner dans les bâtiments.

— Ça va ? me demande Dagon.

— Non, j'aurais dû la protéger, pourquoi il a attendu aussi longtemps avant de les stupéfier ?

— J'ai l'impression qu'il a perdu de son contrôle, il a mis du temps à réussir à faire sortir le sort.

— Quoi ?

— Allez, on devrait retourner dormir, il est 5 h du matin et demain on verra avec le directeur pour savoir quoi faire pour Gaëtanne.

Nous gagnons ma chambre et je m'endors à une vitesse impressionnante. Le réveil est compliqué ce matin en revanche.

J'ai beaucoup de peine pour Gaëtanne, mais de toute façon je ne pense pas pouvoir réellement l'aider. Même si j'en meurs d'envie. Le risque évoqué par Dagon est bien trop grand. Et Nelan ne mérite pas de se retrouver sans mère. Déjà qu'il n'a plus son papa.

J'ai téléphoné au directeur à mon réveil et il a été clair avec moi, il refuse qu'on tente quoi que ce soit. Et juste d'avoir commencé à envisager que je m'y rende j'ai eu le droit à une grosse colère de sa part. il fait flipper quand il s'énerve l'homme. Et encore heureusement que je n'étais pas avec lui dans son bureau. Au moins, ça me conforte dans ma décision ne pas prendre le risque de ne jamais pouvoir revenir.

La perspective de passer ma soirée chez Arthur vendredi soir me fait super plaisir. Et me remonte légèrement le moral.

Le lendemain matin, je tourne quelques minutes dans le lit puis finis par me lever pour prendre une bonne douche avec Dagon. Au réveil, je vais mieux qu'au moment de me coucher. On rejoint rapidement mes amis à table. Pierrick n'est pas la quand j'arrive. Pas plus mal. Il n'y a que Call et Benjamin pour l'instant.

— Ton esprit est de nouveau ouvert m'informe Benjamin.

— Sérieux ?

— Oui.

Pierrick !


— C'est-à-dire ? demande Dagon.

— Pierrick l'avait bloqué, et plus personne ne pouvait entendre dis-je.

— Et pourquoi il a arrêté ?

— Aucune idée, je devrais lui demander quand je le croise.

Scarlett et Romain finissent par arriver puis Cécile et Grégoire.


— Ce soir, je passe te voir, je suis sûre que tu as besoin de parler, me dit Scarlett.

— Merci.

— Scarlett laisse la tranquille va, lance Romain.

— C'est ma meilleure amie, aucun secret entre nous.

— En parlant de ça, je suis invitée à une soirée Halloween ce week-end chez un ami.

— Un ami ? demande Scarlett en souriant.

— Le pompier.

— Et ?

— Nous pouvons peut-être y aller à plusieurs.

Scarlett regarde Romain.


— Vas-y, si tu veux.

— Super, on part à quelle heure ?

— Je ne sais pas encore, faut que je l'appelle pour ça.

— J'ai hâte.

— Tu penses que je peux venir aussi ? demande Cécile.

— Euh Cécile je ne suis pas sûr de vouloir te laisser y aller seule, répond Grég.

— Elle sera avec Scarlett Dagon et moi.

— Je veux plus de gars avec vous.

— Il y en aura là-bas.

— Ça, je n'en doute pas, mais je parle de l'un d'entre nous.

— Je peux aller avec elle si ça te rassure. Se propose Call.

— Je vois avec mon ami ce soir au téléphone et je vous confirme ça demain matin ça marche ?

Les filles sont bien motivées et ont hâte de savoir.

Mes amis arrivent un à un et même Pierrick apparaît. Je finis de manger rapidement et file en cours avec Virgile.

— Tu l'as vu hier soir ?

— Qui ça ?

— Le directeur.

— Qu'est-ce qui te fait dire ça ?

— Tu m'as l'air ailleurs.

— Ah, oui j'avoue, il est passé me voir, mais c'était avant-hier sa venue. Mais ce n'est pas pour ça, c'est la disparition de Gaëtanne qui m'inquiète, j'espère qu'elle est toujours vivante et qu'elle va bien.

— Attention à toi, Nelle, avec le directeur.

— Je l'ai envoyé chier.

— Justement attention. Ce genre d'homme ne lâche pas prise facilement.

Effectivement, Alex avait aussi ce don d'être insistant. Et n'a pas hésité une seule seconde à me faire la cour que je sois célibataire ou en couple. Et Quentin fait la même chose…

Le cours commence et passe rapidement ainsi que le reste de la journée. Je n'ai pas eu de nouvelle de Quentin de la journée.

Et tant mieux, il m'oublie peut-être, enfin j'espère. Je vais en profiter pour appeler Arthur. Une fois seule dans ma chambre je lui téléphone et lui confirme ma venue. Il m'a confirmé que je pouvais venir avec autant d'amis que je le souhaite, tant qu'ils ne se transforment pas en être surnaturel.

Scarlett me rejoint dans ma chambre comme prévu après manger pour papoter.

— Alors ma belle, je veux tout savoir.

— Sur quoi ?

— Ce qui se passe dans ta tête et ton cœur.

— J'aime Dagon, je suis accro à lui et ça me fait peur.

— Ça se voit, vous vous dévorez du regard en permanence. C'était déjà aussi fort à l'époque ?

— Non rien avoir. Je l'aimais beaucoup, mais je n'en étais pas autant accro, pas au point d'en être jalouse et d'avoir peur en permanence qu'il me quitte.

— S'il t'a quitté une fois c'est normal d'avoir cette crainte pour aujourd'hui.

— Oui, je sais, mais à l'époque j'ai souffert, mais c'était supportable. Là, je tiens à lui d'une force que je souffre déjà à l'idée que lui et moi ça se termine.

— Aucune raison que ça se termine, il est amoureux de toi depuis si longtemps.

— Aidan se met en travers de notre chemin.

— Aidan ? Comment est-ce possible ?

— Dagon est moi voyons les esprits, et nous pouvons être blessés par eux.

— Aidan ne vous fera jamais de mal, Nelle.

— Il a blessé volontairement Dagon pourtant.

— Quoi ? Tu n'es pas sérieuse.

— Et pourtant…

Je passe une petite dizaine de minutes à tout lui expliquer la raison qui pousserait Aidan à agir ainsi et surtout le mal qu'il a fait et qu'il continue de faire à l'homme que j'aime. Son visage passe par toutes les couleurs, des injures sortent même de sa bouche. À part me conseiller d'ignorer ses propos et le fuir quand il apparaît elle n'a pas d'autre solution. Et je refuse de le détruire, c'est au-dessus de mes forces.

— Allez, ma chérie, tu as le soutien de tous tes amis vivants, on va continuer à vous épauler et être présent pour vous, et ça finira par s'arranger.

— J'espère que tu as raison.

— Du coup, il t'accompagne vendredi soir ?

— Oui et j'ai trop hâte. Y Aller au bras de mon bel homme. Et cette fois-ci, il est bien à moi, aucun jeu pour faire chier ma cousine.

— J'avoue que Dagon est vraiment pas mal. Bon, je préfère les bruns pour ma part.

— Il faut que je descende le voir danser.

— Il danse ? Dagon ? Ton Dagon ?

— Oui, et super bien il paraît, je n'ai pas eu le temps encore depuis son retour.

— On y va ensemble ?

— Si tu veux oui.

— Maintenant, je veux dire, dit-elle en souriant.

— Vraiment ?

— Oh que oui, maintenant.

Nous quittons ma chambre pour aller voir le cours de danse. Nous arrivons sur place et en effet la musique est à fond et plusieurs têtes plutôt sympas à regarder sont en train de danser.

Mon cœur bat encore plus vite et fort quand je vois ma belle tête blonde en train de bouger son corps en rythme avec les autres sur la musique. J'adore sa façon de danser. Il a un tee-shirt qui semble être greffé sur lui, ça lui met en valeur son magnifique torse. Ça semble plaire à toutes les filles présentes, vu comme il se fait regarder. Le mot mater serait clairement plus approprié.

— Comment tu veux que je ne sois pas jalouse quand je vois toutes les nénettes le mater ?
— Il ne semble pas se soucier de leur présence, tu sais. Et si tu veux pas que ton mec se fasse mater sort avec un moche.
— Merci pour ton conseil.
— Je t'en prie ma chérie, dit-elle en faisant un grand sourire.
La musique prend fin et je le vois regarder dans ma direction à travers le miroir. Il s'approche de moi tout sourire et m'embrasse à pleine bouche. Il me prend la main, m'emmène avec lui devant le miroir et se pose derrière moi. J'ai mon dos contre son torse. Mon cœur accélère en une fraction de seconde. Il pose sa tête sur mon épaule et ses mains sur mes hanches puis commence à me faire onduler le corps en rythme sur la musique. À mesure ou les secondes passes je commence à me détendre légèrement. Je ne peux m'empêcher de regarder Virgile, Nathan et les 3 autres, je suis gênée qu'on me regarde danser.

— Ne regarde que moi, bébé.
Facile à dire, toi tu assures comme un dieu. Je me rends compte qu'à présent je bouge seule, en rythme avec lui et qu'il ne m'aide plus, il a seulement les mains de posés. Il finit par en bouger une pour la poser sur mon ventre. L'autre ne me tient plus, mais sa tête est toujours posée sur mon épaule. Il me fait enfin me retourner et me fait danser en me guidant. Mon sourire arrive

enfin, je suis terriblement bien et j'oublie complètement qu'on m'observe et puis je m'en fiche, je suis tellement contente qu'il soit venu me chercher pour me faire partager ce moment. La musique prend fin et il me fait un super sourire. Virgile coupe la musique et m'applaudit. Je pense devenir rouge.

— C'était parfait, bébé.
— Merci.
Je retourne vers Scarlett qui est tout sourire.

— Ça me donne envie de danser aussi.
— Vas-y, fais-toi plaisir hein.
La musique recommence et de nouveau Dagon et les autres dansent. Je m'installe à même le sol et passe une partie de ma soirée à les observer. À ce moment-là, il n'y a plus que le plaisir de le voir bouger. Scarlett est resté pour me tenir compagnie et aura même eu le courage d'y aller à plusieurs reprises. Ma jalousie reprend le dessus quand une des nénettes danse avec lui coller serrer et ne se prive pas pour mettre une main dans le dos de Dagon et une sur son torse. Je sens alors Scarlett se rapprocher et me chuchoter de respirer. Je prends sur moi là, je ne veux pas faire d'esclandre. Je pense que mon regard à changer, car celui de Dagon aussi lorsqu'il m'observe. La musique prend fin et il s'approche de moi.

— Ta façon de danser est juste waouh, je suis fan de toi mon cœur.
— J'aimerais que tu danses avec moi bébé.
— Quoi ? Moi ?
— Oui toi, j'ai envie de partager cette passion avec toi. À défaut d'être nulle au billard, je peux au moins t'apprendre ça.

— Avec plaisir.

Il m'affiche alors un magnifique sourire et m'aide à me redresser. Il remet la musique et me fait danser avec lui. Nous restons là un bon moment et nous arrêtons quand la faim devient un peu trop présente. Le gymnase s'est totalement vidé.

— Merci bébé pour ce moment tous les deux.
— Tu danses tellement bien, je n'avais jamais remarqué ça.
— Parce que je ne danse pas pareil quand c'est une soirée.

Nous nous embrassons avec beaucoup de douceur.

— Je pensais avoir été clair chaton.

Aidan !

— Je me retourne et le dévisage méchamment.
— Depuis quand tu me regardes ainsi, chaton ?
— Barre-toi Aidan, lance Dagon.
— Non.
— Aidan arrête de venir voir Dagon, arrête de le harceler et de lui faire du mal volontairement.
— Il ne te mérite pas.
— Si, depuis le premier jour où je suis rentrée sur le campus d'Aurore il a été le seul et unique à me mériter, à être là quand j'avais besoin de lui, à m'avoir sauvé à plusieurs reprises et à m'avoir aimé sincèrement.
— Tu souffres à cause de lui je le sens.
— J'ai juste peur de le perdre, peur qu'il disparaisse, peur qu'il me quitte pour une autre femme, mais c'est ma jalousie et mon manque de confiance en moi qui me font parler.
— Bébé je ne pourrai jamais te quitter, tu devrais le savoir, et je pensais que tu l'avais compris.

— Ne l'appelle pas comme ça, elle ne t'appartient pas, lance Aidan avec beaucoup de colère dans la voix.

— Non, car Nelle n'est pas un objet, mais elle et moi c'est pour la vie, répond Dagon.

— Justement, dit Aidan en dévisageant Dagon.

Quoi ?

Aidan se transforme d'un coup en ours et bondit sur Dagon. Je pousse mon homme au dernier moment et prends sa place. Le poids d'Aidan m'expulse en derrière et je tombe avec force contre un miroir de la salle. Le bruit de verre résonne dans ma tête et la douleur dans mon dos qui grandit me pousse à fermer les yeux.

— Chaton non, pourquoi tu as fait ça ?

— Parce que je donnerai ma vie sans hésiter pour lui.

— Aidan va chercher l'ange dépêche-toi bordel hurle Dagon qui se tient près de moi.

Dagon est en larmes le pauvre, il essaye de me maintenir éveillé mais j'ai tellement mal que ça devient à chaque seconde qui passe impossible.

— Bouge ton cul, Aidan putain.

Aidan reste là, à me regarder sans agir ni parler.

— Tiens bon, bébé, je t'en prie.

Dagon se lève et part en courant.

— Je suis désolé chaton, tellement désolé.

— Disparais et ne reviens jamais, sinon je serais obligé de te détruire.

Mes yeux se ferment, mais quelqu'un semble décidé à me les faire garder ouvert. Une bouche gelée se pose sur la mienne. Et une main froide appuie sur ma poitrine.

— Virgile ?

— Tiens bon, Nelle, je t'en supplie, ils arrivent.

— Mon sang...

Plusieurs visages amicaux sont devant moi. Une chaleur envahit mon corps et la douleur semble s'éloigner tout doucement. Dagon est devant moi et me serre la main. Son regard est inquiet, et même s'il essaye de me sourire pour me rassurer j'ai du mal à avoir envie de sourire et voir du positif après tout ça.

L'ange apparaît à son tour et termine de me soigner. Il m'aide à me redresser avec beaucoup de douceur.

— Comment tu te sens Nelle ? me demande l'ange.

— Mieux merci.

— Ça faisait longtemps, me dit-il en souriant.

— En effet.

Je tourne la tête et tous mes amis sont là, devant moi, même Virgile alors que j'ai beaucoup saigné. S'il ose me redire un jour qu'il n'a pas de retenue, je ne le croirais pas.

L'ange disparaît.

— Vous avez ma parole que si Aidan ose réapparaître je le détruis.

Je me relève après avoir dit ça et quitte le gymnase pour gagner ma chambre. Bien évidemment, personne n'a rien osé répondre et personne ne me suis. Je n'ai jamais été très fan des bains, mais là j'en ai bien besoin. Je fais couler l'eau avec beaucoup de mousse et me cache dedans.

Ça frappe à la porte de la salle de bain.

— Nelle c'est moi, Dagon.

— Entre.

Il ouvre la porte et se faufile à l'intérieur puis s'installe sur le rebord de la baignoire.

— Je ne veux plus jamais parler de ça ni t'entendre dire que tu peux être désolé de ne pas m'avoir quitté avant que ce drame n'arrive. Toi et moi c'est pour la vie, Dagon.

— Je t'aime, bébé.

— Je t'aime, maintenant déshabille-toi et viens près de moi.

Il me sourit et obéis. Nous restons silencieux ce qui me va parfaitement. Je serais incapable de dire s'il a rien à dire ou s'il a compris que j'avais juste besoin de sa présence et rien de plus.

Quand j'ouvre mes yeux, je suis blotti sous ma couette. Je me suis vraiment endormi dans le bain ? Ça ne m'a même pas réveillé qu'il me porte jusqu'au lit.

Mon réveil ne va pas tarder à sonner, et je préfère sortir du lit et l'éteindre moi-même. J'enfile un sweat et gagne la salle de bain pour me préparer.

Un cri sort de ma bouche quand Aidan apparaît derrière moi. Il m'attrape aussitôt les mains et les maintient fermement dans les siennes.

— Barre-toi ou je te détruis.

Dagon a dû m'entendre crier vu à la vitesse ou il me rejoint. Quand je vois Mattieu Logan et Jacob entrer également en trombe, je me pose des questions.

— Lâche-la de suite Aidan ! lance Dagon.

— Il faut que je lui parle.

— Je t'avais prévenu Aidan que si tu revenais je te ferais disparaître à jamais.

— Je suis désolé chaton, vraiment désolé.

— J'ai failli mourir, comment peux-tu être désolé ?

— Parce que je suis jaloux comme un âne d'être mort et loin de ta vie alors que lui est vivant et qu'il t'a dans la sienne, ce qu'il a toujours voulu.

— Mais il n'a jamais demandé que tu meures.

— Je sais chaton. Je suis vraiment désolé.

Et il disparaît. J'ai ce sentiment qu'il vient de me dire adieu. Dagon me fonce dessus et me serre dans ses bras.

— Tout va bien ? demande Mattieu inquiet.

— Oui Mattieu c'est bon, Aidan a disparu répond Dagon.

— On vous attend dans le salon pour descendre manger dit Logan.

— On arrive, répond mon homme.

J'entends la porte de la salle de bain se refermer. Je reste blotti dans ses bras quelques minutes et finis par m'habiller. Nos amis nous attendent dans le salon pour manger, et on ne fait pas attendre un loup affamé.


— Aidan ne devrait plus revenir, me dit Dagon en me regardant avec beaucoup de douceur.

— Je pense aussi.

— Et il avait l'air sincère quand il s'est excusé.

— Ça ne changera en rien à ce qu'il a fait. J'ai de la haine contre lui.

— Mets-toi aussi à sa place bébé.

— Ne le défends pas, s'il te plaît, son geste n'est pas pardonnable, peu importe le motif. De vouloir faire du mal à quelqu'un d'innocent n'est pas tolérable. Et surtout, tu ne dirais pas ça si j'en étais morte.

— Effectivement, je l'aurais maudit et sûrement détruit derrière. Mais là, tu vas bien, nous sommes ensemble, nous avons des amis géniaux pour nous aider, nous soutenir et nous nous aimons.

— En parlant d'ami, pourquoi ils étaient là les loustics ?

— Pour nous surveiller et intervenir au besoin.

— Qu'est-ce qu'ils sont adorables.

Il me sourit et embrasse mon front.

— Allons manger.

Nous arrivons à table ou tout le monde semble présent.

— Tous ceux qui veulent venir vendredi peuvent, Arthur m'a donné son accord.

— Génial, on va s'éclater, répond Cécile.

— J'espère vraiment aussi.

La semaine passe à une vitesse folle, entre mes cours que je reçois, ceux que je donne et les répétitions avec Dagon je n'ai plus du tout de temps pour me détendre. Il faudrait qu'on me rajoute au moins 4 heures dans ma journée pour me laisser le temps de réviser et m'entraîner au combat également. Mes notes n'ont pas l'air d'en souffrir bien au contraire. Cette semaine m'aura permis de reprendre du poil de la bête. Dagon m'a beaucoup soutenu par sa présence et son amour. Aidan n'est pas revenu et Dagon m'a promis que s'il revient il me le dira aussitôt. Aucun secret entre nous.

C'est le jour J pour aller chez Arthur ce soir. Ma matinée se résume à réviser mes cours et l'après-midi entre filles à se préparer et se pouponner pour le soir. J'ai reçu un message de Quentin pour me dire d'être prudente, décidément il sait vraiment tout cet homme.

Je suis avec mes amis et Dagon dans la salle des professeurs quand mon téléphone se met à vibrer « Arthur : attaque à Nelune, devant la boîte de nuit ».

— Une attaque à Nelune, dis-je.

Nous nous levons tous et partons en courant jusqu'à nos voitures. Logan Mattieu Call et Virgile montent avec moi. Je roule aussi vite que possible et arrive au bout de 35 min là-bas. Arthur essaye de retenir avec son bouclier le maximum de démons possible, mais il a l'air d'être à bout de force. Quand je suis à ses côtés, j'envoie une onde aussi violente que possible pour les expulser en arrière puis les maintiens tous au sol avec mon bouclier. Beaucoup se relèvent et réussissent à le repousser. Un démon bondit devant moi et me lance un regard et un sourire qui me glace.

— Je t'emmène avec moi !

— Vous parlez notre langue ?

Il sourit et commence à vouloir me frapper, j'esquive toutes ses frappes sans exception. Les démons sont très forts, mais pas rapides. Ça se complique quand un deuxième démon bondit devant moi et qu'il essaye à son tour de me frapper. Je n'ai pas le choix que de les repousser avec ma magie. Ils sont maintenant à 5 bons mètres de moi. D'autres professeurs et guerriers arrivent enfin. Je sens une main dans mon dos c'est Jacob, il me tend un sachet que je mets aussitôt dans mon blouson. Il me sourit se transforme et fonce se battre. Les démons sont rapidement moins nombreux, mais ils sont quand même incroyablement forts. Les minutes passent, je n'ai pas une seule seconde à moi pour canaliser une onde, je suis attaquée de partout. Je vois mes amis de plus en plus en difficulté. Où est Pierrick ? Je suis sûre qu'il nous a lâchés.

Je n'ai pas le choix, il faut qu'on me débarrasse du démon devant moi pour me laisser un peu de temps pour canaliser une onde afin de tous les tuer.

Je vois alors Benjamin bondir devant moi, me sourire puis il commence à repousser le démon. Merci, Benjamin. Je laisse enfin les fleurs m'envahir et envoie mon onde en visant plusieurs démons qui mettent en difficulté mes amis. En l'espace d'une minute, il ne reste plus aucun démon. Je regarde autour de moi avec la boule au ventre de tomber sur quelqu'un que je connais de coucher au sol. J'ai toujours cette peur de voir les personnes que j'aime comme mes frères et sœurs morts, leurs corps gisant au sol sans vie. Par chance, nous avons été plus fort qu'eux cette fois encore. Seul Arthur semble blessé, mais Scarlett est déjà en train de le soigner. Je sens alors une main dans mon dos, je me retourne et c'est Dagon.

— Viens, bébé, on devrait aller s'asseoir.

Il me prend par la main et m'emmène avec lui jusqu'à sa voiture et m'installe côté passager. Il se met accroupi devant moi et pose ses mains sur mes genoux.

— Ça va aller ? Aucun vertige ?
— Non ça va merci, et toi ? Pas blessée ?
— Je vais très bien, rassure-toi.

Je prends Dagon dans mes bras et l'embrasse dans le cou.

— Je préfère que tu ne conduises pas quand même.

— Je vais donner les clés de ma voiture à Logan rassure toi.

— Je peux te poser une question ?

— Oui, tu peux.

— Je m'inquiète pour toi.

— Ce n'est pas une question.

— Tu sembles triste et ailleurs depuis plusieurs jours.

— Mon cerveau a encore du mal à passer à autre chose pour Aidan, mais je me sens de mieux en mieux chaque jour.

— Ce n'est que ça ?

— Oui.

— Rien me concernant ?

— Non rien.

— Mais j'aimerais que tu parles à l'ange bébé, je te trouve un peu blanche.

— Je dors mal ce n'est rien, demain je ferais une grâce matinée rassure toi.

Il me sourit puis avance sa bouche pour m'embrasser avec beaucoup d'amour et de douceur.


— Il se passe quoi avec Pierrick ? dis-je inquiète.

— Il semble vouloir prendre ses distances avec nous, et j'espère juste qu'il n'espérait rien avec toi.

— Avec moi ?

— Oui avec toi bébé, tu attires toujours les hommes je te rappelle.

— Mais non.

— Virgile, Arthur, Anderson.

— Joker.

— Pourquoi pas Pierrick aussi.

— Non rassure toi, et jamais je ne lui ai fait espérer quoi que ce soit, on n'a jamais été vraiment proche lui et moi. Et les rares fois où on a parlé vraiment sérieusement j'ai parlé de toi et des sentiments que je ressentais. Et dans l'autre sens, il ne m'a jamais rien montré non plus d'ailleurs.

— OK.

— Donc aucune raison de t'inquiéter là.

— Ça me va.

— Je t'aime, Namour.

— Je t'aime bébé.

— Tu m'accompagnes toujours ce soir ?

— Je ne comptais pas faire autrement.

— J'ai hâte.

Il finit par se redresser et me tendre la main. Je lui donne la mienne et il me tire contre lui et me serre dans ses bras. Les autres finissent par nous rejoindre. Je suis contente de voir qu'Arthur va très bien.


— Toujours bon pour vous pour ce soir ?

— Toujours oui.

— Tant mieux.

— Tu montes en voiture avec moi Nelle ? propose Théo.

— Euh oui d'accord si tu veux.

Je me tourne vers Logan et lui lance mes clés.


— Tu ramènes ma voiture entière hein !

— Je vais essayer.

Il me fait un grand sourire que je lui rends. Finalement dans la voiture il y aura Scarlett Theo Martin et Romain. Je sens l'interrogatoire et rapidement ça ne loupe pas.


— Vous vouliez me voir pour quoi ?


416

— Parce que tu nous manques, on ne te voit plus, répond Scarlett.

— Ça me semble bien comme raison en tout cas, dis-je en leur souriant.

— J'ai vu quelque chose Nelle et fallait que je te le dise, m'informe Théo.

— Ça fait peur.

— Non, pas maintenant Théo, lance Scarlett.

— Si vas-y.

— Je t'ai vu dans un autre campus.

— Quoi ? Pourquoi ? Le directeur me dégage ?

— Non je ne crois pas.

— Et je fais quoi dans l'autre campus ?

— Tu sembles entraîner des étudiants.

— Mais j'y suis seule ? Sans vous ? Sans Dagon ?

— Oui.

— Je ne comprends pas là.

— Je ne vois pas plus.

— Tu es sûr de toi ?

— Aussi certain que j'avais vu Nelan dans ton ventre et ensuite bébé.

Ça ne me rassure pas, mais tant que j'ignore pourquoi je suis dans un autre campus je ne compte pas flipper pour rien. Si ça se trouve, j'y serais quelques jours pour une formation ou pour aider des étudiants ou professeurs en galère. On finit par arriver sur le campus, on prend une douche rapide, nous finissons de nous préparer et filons chez Arthur qui habite à 25 min. Nous ne sommes pas nombreux à y aller, Scarlett, Cécile, Theo, Jacob, Logan, Dagon, Call et Moi. Martin a bien voulu nous prêter son monospace.

Une fois sortie de la voiture Dagon s'avance de moi et me chuchote à l'oreille.

— Ce soir, je dois encore me faire passer pour ton petit ami imaginaire ?

— Je préfère que tu sois mon petit ami officiel si c'est possible.

— Je signe où ?

Je lui prends alors la main et lui souris. Il la lâche rapidement pour poser son bras dans mon dos.

Avec les filles, nous sommes à fond sur la musique, ça me vide littéralement l'esprit. Je fais quelques danses avec Dagon et Arthur. Je suis surprise de ne pas voir ma cousine se trémousser sur la piste. Il ne l'a peut-être pas invité.

Call, Jacob et Logan restent assis sur une table à observer les gens qui dansent. Je m'approche de mes amis avec Dagon et prends place près de Call.

Mon ami approche sa bouche de mon oreille

— Tu t'amuses bien ma belle ?

— Oui très, quel bonheur de s'amuser sans se soucier de rien.

— Je vois exactement ce que tu veux dire0

— Pourquoi tu ne vas pas danser ?

— Je préfère observer et admirer la jolie brunette là-bas.

Je tourne la tête en essayant de repérer une jolie brunette, mais elles sont trop nombreuses.

— Celle avec des yeux verts et un chemisier émeraude, ajoute Call.

— Celle qui danse avec un blond ?

— Oui, celui qui danse avec elle tout en matant la pétasse pas loin.

J'explose de rire et pose ma tête sur son bras. Ce genre de fille est au goût de Call alors ? Elle est plutôt jolie, toute mince, petite et semble toute timide. Je me demande quel est son âge.

— Essaye d'aller danser vers elle et lance-lui un sourire.
— Elle est en couple, Nelle.
— Je sais.

Je me redresse, le tire par la main et l'emmène avec moi près de la brunette. Il se laisse faire, mais je vois à sa tête qu'il n'est pas à l'aise. Je fais bien évidemment exprès de bousculer la jeune fille qui s'amuse et heureusement que Call est là pour la rattraper.

— Pardon dis-je en mettant ma main sur ma bouche.
— Pas de soucis, plus de peur que de mal répond-elle en souriant à Call.

Au moins, Call a eu son sourire et je suis fier de moi. Vu la tête de son mec à la jolie Brunette, ça ne lui plaît pas trop. Les slows démarrent pile à ce moment-là et contre toute attente Call propose à la jeune fille de danser. Discrètement, je m'éclipse et file chercher mon homme pour partager ça avec lui.

Il se laisse faire et me suis.

— Petite maline, chuchote Dagon.
— Je ne vois pas du tout ce que tu veux dire mon cœur.

Le brouhaha à l'intérieur me donne rapidement mal au crâne et je préfère sortir prendre l'air deux minutes. Dagon et Logan m'accompagnent. Nous faisons quelques pas dehors pour profiter de la douceur de l'air. Un cri terrifiant nous interpelle et nous stoppe dans notre promenade.

— On dirait Lilou ! dis-je inquiète.

Je cours sans réfléchir vers l'endroit où je pense avoir entendu un cri. En effet, il y a deux mecs complètement bourrés qui la tripotent.

— Stop vous deux, dis-je sur un ton menaçant.

Je me retourne et vois Logan approcher avec Dagon, Logan essaye de me rejoindre mais Dagon le retient. Il veut que je m'en occupe seule, je leur souris et m'avance vers ma cousine.

— Lâchez-la sinon vous allez le regretter.

— Tu es jalouse ? Tu veux que je m'amuse avec toi ? demande un mec.

— Non merci.

Il s'avance de moi et essaye de m'en coller une, bien évidemment il me rate, il est tellement lent à côté d'un guerrier ou d'un démon. Il retente de me frapper mais cette fois-ci je l'esquive et lui en colle une dans la poitrine. Mon geste est radical et le fait tomber au sol. L'autre finit par s'avancer.

— Tu es violente j'aime ça.

— Pars avant de te trouver toi aussi au sol.

— Tu n'as aucune chance de me toucher.

Je m'avance de lui et lui en colle avant même qu'il ait le temps de réagir.

— Dégagez avant que je vous fasse souffrir davantage.

420

Le deuxième aide le premier à se relever et ils partent. Je m'avance alors vers ma cousine et m'agenouille vers elle, elle a les yeux écarquillés en voyant que je suis venu l'aider. Elle est en larme devant moi. Je lui souris pose ma main sur la sienne et m'avance d'elle pour la prendre dans mes bras.

— Je suis désolée Nelle, désolée pour tout.

— Ce n'est pas le moment de parler ça.

— Si, je suis une vraie garce avec toi, c'est juste de la jalousie. Tu as tout pour toi, tu es belle, gentille, drôle, intelligente, et tu as hérité des dons des Marcellus.

— Quoi ?

— Ne crois pas qu'on ignore que tu es une sorcière comme nos ancêtres.

— Tu es au courant ?

— Bien sûr, grand-père avait espéré que ce serait moi qui en hérite, mais quand il a vu que je n'avais rien en moi il a compris que c'était sûrement toi.

Je relève la tête et regarde vers Dagon et Logan. Logan s'approche de nous et enlève sa veste pour la mettre sur les épaules de Lilou. Je remarque alors une façon étrange qu'ils ont de se regarder tous les deux.

— Tu as sûrement un don toi aussi, il faut juste le découvrir et le développer, explique Logan tout en souriant à Lilou.

— On te ramène avec nous sur le campus si tu veux et on t'aidera, propose Dagon.

— Vous êtes sérieux là ?

— Mes amis sont toujours sérieux Lilou, sache-le.

Lilou me saute au cou et je sens des larmes couler sur mon visage.

— Allons-y alors stp, j'ai trop hâte.

Je me relève et Logan aide Lilou à se redresser.


— Lilou tu as ta voiture ici ? demandé-je.

— Oui.

— Parfait, on passe d'abord chez toi récupérer des affaires.

— Nelle, appel le directeur pour lui demander si elle peut intégrer le campus. Demande Logan.

— Pourquoi moi ?

— Au hasard, parce que tu as plus de chance que nous d'avoir un oui.

— C'est bon j'ai compris.

Je finis par lui téléphoner et vu à la rapidité qu'il a à répondre il était réveillé.

— Nelle ?

— Bonsoir directeur, j'ai besoin de votre accord pour ramener une étudiante supplémentaire au campus, elle paiera elle en revanche.

— Elle a quoi comme don ?

— Aucune idée encore, j'espère vite le découvrir en revanche.

— OK, présente là moi demain.

— Merci beaucoup, bonne soirée.

Je retourne vers Lilou et les gars et confirme que c'est bon.


— Tu es la meilleure, bébé.

— J'en ai profité pour donner les clés à Call et prévenir les filles, ajoute Logan.

Nous nous mettons en route quelques minutes à peine après. Dagon prend le volant et Logan lui sert de copilote.


— Nelle, m'appelle Lilou.

— Oui.

— Je ne t'ai jamais dit désolé pour le père de Nelan.

— C'est gentil.

— Je suis sincère, tu as été très courageuse de t'occuper de ton fils comme tu l'as fait.

Je lui souris et ne réponds rien.


— Vous êtes vraiment ensemble avec Dagon ?

— Oui, nous sommes vraiment ensemble.

Dagon se retourne et me lance un petit sourire.

Elle me sourit et finit par s'endormir dans la voiture. Dagon et Logan l'aident à porter ses valises jusqu'à ma chambre puis après un bisou et un câlin de Logan, il retourne dans sa chambre.


— Je t'ai gâché ta soirée, désolée, lance ma cousine qui a l'air vraiment sincère pour une rare fois.

— Mais non ne t'inquiète pas, et puis elle n'est pas finis, je compte bien abuser du corps de Dagon pour le reste de la soirée.

— Ils sont vraiment géniaux tes amis.

— Oui, j'ai beaucoup de chance de les avoir.

— J'étais vraiment persuadé la dernière fois que Dagon et toi faisiez semblant d'être ensemble.

— Pourquoi ?

— Tu avais l'air gêné avec lui.

— On faisait semblant en effet. Il a inventé ça quand il a vu que ça me faisait de la peine que tu me rabaissais.

— Et moi qui me suis empressé de dire à tout le monde que tu étais fiancé et bientôt marié juste pour encore plus t'enfoncer.

— Je ne t'en veux pas, Dagon a bien géré de son côté.

— Désolé, Nelle, je suis une pauvre cruche. J'agis bêtement avec toi, car je t'envie d'être toi. Pardonne-moi stp. Permets-moi de me rattraper et devenir une super cousine et une amie.

— C'est du passé ne t'inquiète pas.

— Et là au moins je suis convaincu pour vous deux, vous vous aimez et c'est beau à voir.

— Je vais aller le rejoindre maintenant, bonne nuit Lilou.

— Merci bonne nuit.

Il est déjà torse nu et tout sourire quand j'arrive.

— Pourquoi tu souris comme ça ?

— Parce que tu me fais rire à parler de moi.

— Je ne vois pas ce qui est drôle.

Il soulève la couette et me fait un grand sourire. Je m'approche et m'allonge après avoir enlevé ma robe et mon collant. Il saisit rapidement ma bouche et me fait l'amour durant des heures une fois de plus.

À l'heure où on arrive à table le lendemain il n'y a pas grand monde, seulement Benjamin et Logan.

— Bonjour vous deux.

— Bonjour ma belle, répond Benjamin.

— Bien dormi ? me demande Logan.

— Oui merci. Vous avez des nouvelles des autres ? Ils sont rentrés vers quelle heure ?

— 6 h du matin, je dirais.

— Ah oui, quand même.

— Call ne voulait plus partir il paraît.

— À ce point-là ?

— Apparemment, il a passé une excellente soirée avec la petite brunette, Jacob a dû bien insister pour rentrer et le ramener.

J'explose de rire.

— Et toi alors ? comment vas-tu ma petite Nelle ? me demande Benjamin.

— Ça va très bien merci.

— Ça a l'air en tout cas, ton beau blond te rend heureuse apparemment.

— Fais comme si je n'étais pas là, Benjamin, lance Dagon.

— Ah oui, tu es là effectivement.

— Benjamin soit sympa avec lui.

— Comme toujours, voyons.

Il répond en souriant et lance un regard rapide à Dagon.

— Ton programme de la journée ? m'interroge Logan.

— Bossé, j'ai pas mal de cours à réviser. Et vous ?

— J'avais espéré passer un peu de temps avec Lilou, lui faire visiter et lui présenter nos amis.

— Ben alors Logan ?

— Ben quoi ? Elle ne connaît personne la pauvre, il faut bien l'intégrer.

— Mais oui bien sûr.

— Elle est vraiment très jolie aussi.

— Avec des attributs sympas aussi c'est ça ? lance Dagon.

— Ça ne gâche rien en tout cas répond Logan.

— Ah oui tu es comme ça toi ? Tu mates ma cousine quand j'ai le dos tourné ? demandé-je en souriant, mais en étant super jalouse je dois l'avouer.

— Nelle, ta cousine porte des vêtements tellement serrés que même à 1 km un mec voit parfaitement ses mensurations. Et à son anniversaire je te rappelle qu'elle m'a kidnappé et que si je n'étais pas raide dingue de toi et qu'elle n'était pas ta cousine je ne l'aurais pas repoussé quand elle a voulu se rapprocher un peu trop près de moi !

— Quoi ! dis-je en haussant le son de ma voix.

— Elle a grimpé sur Aidan également le jour de ton anniversaire, ajoute Benjamin.

Je sens une colère m'envahir.


— C'est du passé bébé, ta cousine a changé en l'espace de quelques minutes. Elle est juste jalouse de la femme merveilleuse que tu es, ne lui en tiens plus rigueur. Sous ses airs supérieurs se cache quelqu'un de très complexé et avec un grand manque de confiance en elle.

Au même moment, je reçois un message d'elle, j'hésite à ne pas répondre et la laisser galérer. Ça lui ferait les pieds.


— Sauf que tu le feras pas hein, me dit Benjamin en posant sa main sur la mienne.

— Logan tu peux aller dans ma chambre stp, Lilou est réveillé, je te laisse la distraire pendant que je me calme, dis-je en répondant au message.

Nous finissons de manger et je file à la bibliothèque. Un dimanche après-midi rien d'étonnant qu'il n'y ait personne. Je m'installe à ma table habituelle et sors mes livres pour réviser. J'ai déjà bien avancé dans deux matières quand quelqu'un s'installe en face de moi. Je relève les yeux.


— Bonjour Nelle.
— Salut Pierrick.
— Comment vas-tu ?
— Ça va merci et toi ?

— Ça ira mieux quand j'aurai chargé le coffre de ma voiture et que je serais parti.

— Quoi ! Pourquoi ? Nous avons besoin de toi ici.

— J'ai besoin de m'éloigner de toi.

— J'ai besoin d'une explication.

— Je suis tombé amoureux de toi Nelle.

— Tu ne me connais pas.

— Je te rappelle que j'entends tout ce que tu penses. Et je me suis attaché à toi alors que ton cœur et ta tête pensent à Dagon en permanence.

— Je suis désolée, vraiment.

— Je suis venu te dire adieu.

— Nous avons vraiment besoin de tes dons ici.

— Ils seront inutiles si je n'arrive plus à les utiliser correctement.

— Dans ce cas, c'est à moi de partir pas à toi.

Je commence à me lever et je remballe mes affaires.


— Je vais faire mes valises.

— Quoi ? Nelle non pas ça.

— Stop, ma décision est prise.

Je prends mon sac et quitte la bibliothèque. Son don est bien plus important que le mien pour vaincre les démons.

J'avance en direction du gymnase pour aller voir Dagon et lui expliquer ma décision, je ne partirais que quelques mois en attendant la fin de l'année et au pire il peut toujours venir avec moi. Quand je rentre, je pense avoir une crise cardiaque. Il est là en train d'embrasser une fille sous mes yeux. Le bruit de la porte qui claque en se refermant le fait reculer. Il se retourne et vu son regard il se sent con. Je mets un bouclier devant eux et sors en courant.

J'arrive dans ma chambre et sors ma valise et commence à la remplir. Ça frappe alors à ma porte, et là je n'ai aucune envie de l'ouvrir. Mon portable se met également à vibrer.

« Quentin : viens ouvrir la porte de suite », je range mon téléphone sans répondre. Ma valise se remplit rapidement, je n'avais pas pris toutes mes affaires en venant ici, et pour le coup j'ai bien fait apparemment. Quand je sors de la chambre Quentin est dans le couloir et surtout pas seul !

— Vous êtes venu en groupe pour m'empêcher de partir ?
— Tu comptes partir ou comme ça ? me demande Quentin.
— Je ne sais pas encore, mais loin d'ici, Pierrick doit rester.
— Son aide est indispensable c'est certain, mais nous avons tout autant besoin de toi.
— Je reviendrai enseigner ici quand toute cette guerre sera finie, enfin si j'ai encore ma place.
— Nous avons besoin ici de la meilleure des médiums, répond Quentin avec un léger sourire.

Mes amies sont tristes et ça me brise le cœur de leur faire cela.

Scarlett s'approche de moi et me prend dans ses bras.

— On te retrouve à peine que tu nous quittes déjà, me dit Scarlett.
— On se verra très vite je vous le promets.

Il m'embrasse tous chacun à leurs tours.

— Et Dagon ? demande Cécile.
— C'est fini entre nous.
— Quoi ? Mais pourquoi ?

— Je te laisse aller lui demander, et j'aimerais bien avoir une explication sur son bain de bouche avec Camille, enfin quand tu auras sa version des choses.

— Sérieux ?

— Je vais me le faire, ajoute Benjamin qui commence à vouloir s'éloigner.

— Non ! Benjamin tu restes ici, dis-je énervée.

Il s'arrête, se retourne et me fixe.

— Que nous soyons bien d'accord, l'amitié qui nous unit tous ne doit pas tenir compte de l'amour et de la déception que je ressens pour Dagon, nous sommes tous OK ? Il est le même pour vous, votre ami.

Bien évidemment, Benjamin ne va pas aller dans ce sens, mais les autres même si je vois de la déception dans leurs yeux ne diront rien et ne se mêleront pas de ça.

— Je veux partir avant que mon bouclier ne disparaisse, je le sens toujours en place sur lui.

— Je vais t'emmener dans un autre campus qui t'accepteront et où tu pourras valider ta dernière année et enseigner, m'explique Quentin.

Je regarde alors Théo, c'était donc vrai je vais vraiment changer de campus.

— Ça me va, merci pour votre aide, directeur.

— Je t'accompagne, partons maintenant.

— Et ma voiture ?

— On va prendre la tienne, et je rentrerai autrement ensuite.

— Comme vous voulez.

Après un au revoir qui ressemble à un adieu, je me dirige vers le parking.

— Je vais conduire, propose Quentin.
— C'est préférable là oui.

Je m'installe côté passager et regarde par la fenêtre, je retiens de toutes mes forces les larmes.

— Le campus auquel je pense n'est pas très loin, en 1 h 30 on y est, tu pourras voir tes amis et Nelan toujours facilement.
— Merci.
— Tu auras toujours ta place ici si tu as envie de revenir.
— Tant que Pierrick et Dagon seront là, ça sera impossible.
— On verra une fois la guerre finie.

Mon portable a vibré quasiment durant tout le trajet, et j'ai fini par le couper.

Sur tout le reste du trajet, nous restons silencieux. Je préfère de loin ça. Nous arrivons enfin sur le campus. Il est encore tôt et pas mal d'étudiants sont dehors en train de s'entraîner. Quand nous remontons l'allée, beaucoup de personnes nous dévisagent.

— Je pense que tu vas très vite t'intégrer Nelle.
— Pourquoi ?
— Tu te fais dévorer du regard.
— Je n'en ai pas l'impression non.

Nous arrivons devant un bâtiment imposant et Quentin nous y fait rentrer. Nous arrivons au secrétariat et nous demandons à voir le directeur. La secrétaire après avoir bien relooké Quentin de la tête au pied appelle le directeur. Il est pas un peu jeune pour elle ? Elle approche pas loin de la retraite en plus.

— Il est disponible dans 10 min répond la dame sans quitter Quentin du regard.

— Merci.

Quentin me prend par la main et me fait reculer dans le bureau.

— Toi aussi tu pourrais vite t'intégrer.

— Je n'aime pas les baveuses.

J'explose de rire et me contente d'un pff.

— Tu me tutoies enfin, dommage que ce soit dans ce genre de situation.

— Tu n'es plus mon directeur à présent, si ?

— Effectivement.

Quand il se met à regarder ma bouche, j'avoue ne pas être sereine.

— Quentin, non, je déteste bien trop les hommes là.

— Je ne tenterai jamais rien sans ton accord avant.

— Tu es sûr qu'on va me prendre ici ?

— Certain.

Il me sourit et ne s'explique pas pour autant.

— Vous allez pouvoir monter, il vous attend dans son bureau.

Elle nous explique comment nous y rendre et nous dit au revoir.

— C'est quoi ? Un délire de mettre des tonnes d'escaliers pour rejoindre le bureau du directeur.

— Il faut avoir très envie de monter, disons.

— Super.

Après un périple pour atteindre le sommet nous sommes enfin devant une porte double avec des gravures en or.

— Gravure en or rien que ça ?

— On n'est pas tous aussi simples que moi.

— Ça va les chevilles ?

— À merveille.

Quentin toque et la porte finit par s'ouvrir. Je suis sur le cul en reconnaissant la personne qui ouvre la porte.

— Bonjour Nelle.

— Guillaume !

Il me fait un super sourire et me prend dans ses bras.

— Ça fait tellement longtemps, dis-je heureuse en le revoyant.

— 5 ans, et quel changement !

— Disons que les changements de ton côté sont bien plus impressionnants, directeur ?

— Eh oui.

— Je dois te vouvoyer ?

— Non toi tu as le droit de me tutoyer et m'appeler Guillaume.

En disant ça, il regarde Quentin.

— Pourquoi vous êtes là ?

— Je fais le tour des campus encore ouvert pour qu'à la rentrée prochaine ils récupèrent des étudiants sans familles. Il y en a une bonne centaine qui ont pris refuge chez moi et je ne pourrai pas subvenir à leurs besoins 3 ans supplémentaires.

— Pour l'instant, tu as eu combien d'accords ?

— Une petite trentaine sont déjà pris.

— Je veux bien aider dans ce cas.

— Merci.

— Il maîtrise leurs dons ?

— Si tu en prends, on t'enverra les plus doués.

— Pas besoin, j'ai d'excellents professeurs ici.

— Je n'en doute pas une seule seconde.

— Même si je convoite deux trois personnes pour qu'ils me rejoignent.

Et il me regarde en disant ça.


— Ça tombe bien, Nelle a besoin d'un nouveau campus pour finir l'année en cours, et surtout valider ses examens.

— N'oublie pas de dire que j'ai besoin d'un emploi.

— Ah oui ? demande Guillaume.

— Nous avons besoin de Pierrick et de Nelle, mais si elle restait il partait.

— Tu es la bienvenue ici dans ce cas.

— Merci Guillaume dis-je en lui souriant.

— Avec plaisir. Il faudra que je t'établisse un contrat de travail et que je t'intègre dans les cours actuels.

— Parfait.

— Tu as d'autres pépites à m'envoyer Quentin ?

— Je compte récupérer Nelle dès que possible.

— Je ne suis pas un jouet hein.

Ils me regardent tous les deux et rigolent.


— Envoie-moi principalement des étudiants loups, nous avons énormément de sorciers et sorcières d'inscrits pour la rentrée prochaine.

— Ça manque de puces ici ?

Ils tournent la tête vers moi et me lancent un regard de toi tu es de plus en plus bête.

— D'autres bêtises à rajouter ? me demande Guillaume.

— Non, non, allez-y, reprenez le cours de votre conversation.

— On en a quelques-uns, mordu par contre.

— Aucun problème. Nous avons une structure adaptée pour eux.

— Je suis venu pour autre chose.

— Je me disais aussi.

— Tu es au courant des plans du ministère ?

— Oui.

— Je veux créer une alliance avec les autres campus pour éviter ça.

— Je ne suis pas sûr que ça fonctionne, on risque notre place en jouant avec le feu.

— Je suis contre l'exclusion de certains élèves.

Ils veulent exclure des élèves ?


— Je n'ai jamais aimé les vampires, lance Guillaume.

— Ils ont tout autant le droit d'apprendre que les autres.

— Dans quel but ? Ce sont des erreurs de la nature.

— Des erreurs de la nature ? demandé-je.

— Ne te mêle pas de ça Nelle, s'enquit Guillaume.

— Si bien sûr que si, comment peux-tu parler comme ça ? Ce sont des gens bien comme toi et moi.

— Comment peux-tu les défendre ? Alors que l'un d'entre eux a essayé de te violer et un autre a réussi à te détruire de l'intérieur.

— Parce que je parle au nom de tous les autres qui sont mes amis et qui m'ont montré que je pouvais leur faire confiance.

— Ils restent un danger quand même, chaque jour il y a un accident d'évité.

— Nous sommes professeurs pour justement les aider à apprendre.

— Ils n'ont aucun avenir possible.

— Ils veulent juste être acceptés, seulement être acceptés.

— Ils n'ont pas d'âme et aucune conscience.

— C'est d'être directeur qui t'a monté à la tête et qui te rend aussi con ?

Je commence à m'éloigner et Quentin me retient par la main.

— Lâche-moi, on se retrouve dehors.

Ils finissent par se regarder tous les deux et se mettent à rire. Ça sent le complot à plein nez ou je ne m'y connais pas. Si c'est ça, ils vont me le payer. Je repense alors à la proximité entre Alex et Guillaume.

— Vous êtes quoi au juste l'un pour l'autre ?

Alex finit par apparaître.

— Vous êtes en train de la mettre en colère là, sort Alex en croisant les bras.

— Mais non, j'avais juste envie de la tester sur son intégration ici, répond Guillaume.

— Tu vois Alex ? demandé-je à Guillaume, surprise.

— Bien sûr.

OK, c'est trop là. La main de Quentin tient toujours la mienne, je l'enlève avec force et pars.

— Attends Nelle.

Je ne lui laisse pas le temps de me rattraper que je me suis mise dans ma bulle afin qu'il ne puisse pas me tenir.

— Nelle arrête toi de suite.

— Fiche-moi la paix, j'ai besoin de prendre l'air.

— Merde Nelle arrête toi ou tu risques de ne pas aimer ce que tu vas voir.

Je m'arrête net et me retourne.

— Tu oses me menacer ?

— Oui.

— Tu plaisantes j'espère ?

— Au moins, tu t'es arrêtée.

— Tu es conscient des conséquences derrière ?

— Il n'y en aura pas, car tu vas m'écouter et remonter avec moi.

— Ou remonter dans ma voiture et me barrer.

— Sûrement pas non.

— Tu me connais vraiment très mal, c'était quoi ton but là-haut ?

— J'ignore pourquoi il a dit ça sur les vampires, sûrement pour te tester et rire, car il y en a pas mal ici. Et surtout un professeur important pour lui.

— Vous êtes des bandes de gamins.

— Je ne pensais pas qu'il ferait ça, mais ce n'est pas méchant, c'est même plutôt drôle non ?

— Vous vous êtes bien foutu de ma gueule là.

— Ce n'était pas mon but.

— OK.

— Et pour ton information, Guillaume est mon petit frère.

— OK.

— Tu comptes vraiment partir ?

— Oui, j'ai besoin de sortir et surtout de souffler. On se voit plus tard, ça te permettra d'aller parler tranquillement avec tes frères.

— Je n'aime pas te savoir seule te promenant sur un campus inconnu.

— Je sais me défendre.

— Je ne connais pas la mentalité des étudiants ici, mais j'ai bien vu les regards qu'ils t'ont lancés.

— Je sors, à tout à l'heure.

— Je suis désolé.

Je ne réponds rien et continue de descendre les escaliers. Une fois à l'extérieur je respire un bon bol d'air frais. Les étudiants sont toujours en entraînement de combat. Je m'installe sur un banc et les observe. Rapidement, une personne que je pense être le professeur me regarde et me sourit. Je lui rends son sourire et continue d'observer. Mon portable se met alors à vibrer.

« Quentin : souris encore comme ça à quelqu'un et j'arrive ». Quoi ? Ah oui il la joue comme ça ? Je me lève et me dirige vers le professeur. J'ignore encore ce que je vais lui dire, mais tant pis.

— Salut, dis-je un peu gêné je dois l'avouer.

— Bonjour.

— Pas trop dure l'entraînement ?

— Ce groupe est plutôt docile.

— Docile dans le genre il ne morde pas ?

Il explose de rire.

— On peut dire ça.

— Ils ont plus l'air d'être de doux sorciers inoffensifs.

— Et toi tu es ?

— Nelle.

— Gabriel.

Il me sourit, visiblement il me connaît.


— À part du sport, tu enseignes autre chose ?

— À ne pas mordre.

— Vampire alors ?

— Eh oui !

— Je n'aurais jamais pensé que tu puisses en être un.

— Ne jamais se fier aux apparences, Nelle.

— En tout cas, c'est original comme prénom pour un vampire.

— En effet, faut croire que mes parents sont des petits marrants.

Je lui souris à mon tour.


— Tu es donc né.

— Très perspicace.

— Tu as vu ça, je ne suis pas aussi stupide que j'en ai l'air.

— Laisse-moi deviner, tu es médium, la médium du directeur de Nelune.

— La médium ? Dans le sens sa médium ?

— Ce n'est pas le cas ?

Je me mets alors à rire.


— Non, mais tu penses que le fait que je te parle ça risque de te causer des ennuis ?

— Je suis immortelle, toi non en revanche.

Il me fait bien rire ce mec. Mon portable se remet à vibrer.

« Quentin : tu as assez joué remonte. »

« Moi : tu trouves que là j'ai joué ? »

— Je peux me rendre utile ?

— Tu sais te battre ?

— Au corps à corps ?

Il me sourit. Il a un sourire canon, Nelle reste concentré.

— Oui, au corps à corps.

— Bien sûr.

— Contre moi, tu pourras combattre ?

— Ne cogne pas trop fort.

— Je sais être très doux.

Je lui souris et attends de connaître ses directives.

— Avec Nelle, on va vous montrer ce qu'est un combat, annonce Gabriel.

Les élèves ont l'air enthousiastes à l'idée de voir un vampire en duel contre une humaine.

— Vous allez la retourner comme une crêpe professeur, lance un étudiant.

Je le regarde et lui souris.

— Tu as le droit d'utiliser ta magie pour te protéger si ça devient trop délicat.

— Très bien.

— Prête ?

— Oui.

Il me bondit dessus et en une fraction de seconde je le repousse avec un bouclier, il retombe sur ses pieds à 1 m de moi.

— Parfait, on va bien rire je sens.

Il s'approche et se pose juste devant moi. Il me fait un signe de la tête rapide et commence à vouloir frapper. J'esquive tous ses coups et finis par me baisser pour lui faire un croche-pied. Mon objectif de le faire tomber à la renverse fonctionne à merveille, il est sur le dos ! Je pose mon bouclier sur lui et lui fais mon plus beau sourire de satisfaction.

— On recrute un professeur de sport, ça te tente ? me propose Gabriel en me souriant.

— Je ne suis pas assez doué pour ça.

— Tu viens de me prouver le contraire.

J'enlève mon bouclier et lui tends la main pour l'aider à se relever. Je sens en lui beaucoup d'hésitation. Il finit par me tendre sa main tout en me lançant un regard qui me surprend. Pour un vampire, il est bien plus chaud que les autres. Et encore plus que Virgile.

— Retournez-vous battre, lance Gabriel sans détourner son regard de moi.

— Merci pour cette petite recrée, je vais retourner m'ennuyer à l'intérieur.

— Attends.

Je me retourne et le regarde. Il s'approche de moi et me prend la main et me scrute.

— Tu attends quoi ? Une grimace ? Un frisson ? Un cri de peur ?

— De me tenir la main ne te fait rien ?

— Je suis très proche de deux vampires, et ça fait bien longtemps que leurs fraîcheurs ne me font plus rien.

Il reste là à me regarder, il attend quoi au juste ?

— Je dois y aller. Sauf si tu as une autre expérience à réaliser.

— Au plaisir de te recroiser, répond Gabriel avec de nouveau un sourire très charmeur.

— Si là-haut ils m'agacent de nouveau je risque de vite revenir rapidement.

Il me sourit et ne répond rien. J'arrive devant le bureau et la porte est toujours grande ouverte. Ils sont tous les deux sur des dossiers et Alex semble avoir disparu. Je m'installe devant la baie vitrée et regarde à l'extérieur. On voit très bien les étudiants et Gabriel d'ici. Je continue d'observer l'extérieur sans tourner la tête vers Quentin, je le vois bien qu'il me regarde. Je sens alors sa bouche vers mon oreille.

— Tu as réussi à me rendre jaloux, bravo.

— Il t'en faut peu.

— Il est sympa Gabriel ? demande Guillaume.

— Très oui, même pour un vampire.

— Ce n'est pas un vrai.

— Je le sais déjà, il est né.

— Et oui, il a presque tous les avantages des vampires, mais quelques inconvénients.

— Il vieillit ?

— Malheureusement pour lui oui. Il est à la recherche de l'humaine suffisamment suicidaire pour tenter quelque chose avec lui. Bien qu'il soit bien plus doux qu'un vrai vampire. La fille qui arrivera à le toucher sans grimacer ou être gelée il ne la lâchera pas.

Hey merde, lui il a vu un truc et fait exprès de dire ça.

— Je lui souhaite de la trouver.

— Je suis certain qu'il vient de la rencontrer.

Je peine à déglutir, et ma gorge me trahit.

— Tu as vu quoi, Guillaume ? demande Quentin sur un ton pas très léger.

— Moi ? Rien, voyons.

— Réponds !

— Vaut mieux pas que tu saches.

— Il t'a touchée, Nelle, c'est ça ? m'interroge Quentin.

Guillaume me regarde avec un léger sourire en coin de bouche.

— Je lui ai juste tendu une main pour l'aider à se relever une fois le combat fini.

— Tu as frissonné ?

— Je ne frissonne jamais au contact d'un vampire. Il était même chaud contrairement à Virgile ou Mattieu.

Quentin commence à s'énerver et à taper sur le bureau.

— Tout doux, j'ai l'impression d'être à toi là.

— Guillaume tu avais vu ça ?

— Bien sûr.

— Tu aurais dû refuser de la faire venir ici.

— Je ne changerai pas le cours du destin et tu le sais.

— Pourquoi ? Elle va avoir un rôle important ici ?

— Nelle est toujours importante, peu importe le lieu où elle sera.

— Et si nous allions manger ?

En espérant que ça coupe court à cette discussion qui m'agace même si elle me concerne grandement.

— Bonne idée Nelle, me répond Guillaume.

Nous descendons de nouveau cet immense escalier et rentrons dans un réfectoire.

— Le directeur mange avec les élèves et les étudiants ?

— Oui, j'aime la promiscuité avec les gens.

— Sympa.

— Mon petit frère et les règles ! lance Quentin en levant les yeux au ciel.

On se sert sur un plateau et nous allons nous installer. Guillaume l'a fait exprès de se mettre à la table de Gabriel ? En même temps, il était seul aussi le pauvre. Gabriel me regarde rapidement après un bonjour bref aux deux directeurs. Je suis assise juste en face de lui.

— Ça avance l'entraînement avec nos sorciers ? demande Guillaume.

— Pas vraiment, il faudrait que je prenne du temps avec chacun et ce n'est pas possible, il me faudrait de la main d'œuvre.

— Il te faut quoi ?

— Des personnes résistantes à la douleur ou des personnes qui savent se battre au corps à corps.

— Demandez à des guerriers, dis-je.

— Les guerriers de la nuit ? demande Gabriel.

— Oui, c'est l'un d'entre eux qui m'a entraîné.

— Et le résultat est plutôt pas mal pour une humaine.

— Ils accepteraient ? m'interroge Guillaume.

— Ça ne coûte rien de leur demander.

— Donne-moi le numéro de leur chef Nelle, je l'appelle cette après-midi, demande Guillaume.

— Bien sûr.

— C'est Benjamin qui t'a appris ?

— Non, Yann.

— Connais pas, il accepterait lui ?

— Il est mort.

— Ha ! ça risque d'être compliqué. Désolé en tout cas.

— Ne t'inquiète pas.

De mon côté, le repas continue dans le silence. Le téléphone de Quentin l'oblige à se lever et à quitter le réfectoire. Il revient quelques minutes après.

— Désolé, mais je vais devoir repartir de suite.

— Merci de m'avoir accompagné, dis-je en lui souriant.

— Merci de me prêter ta voiture Guillaume, lance Quentin en regardant son frère.

— Elle s'appelle revient.

— Tu restes sage Nelle, ne fais pas trop craquer d'homme ici.

— Ah bon ? Je ne suis pas venu pour ça ? Pour me taper tous les mecs canons du campus ?

— Ah ! ah ! très drôle.

— Elle va devoir passer du temps avec moi pour voir son niveau et lui attribuer des élèves qu'elle sera capable de former. Et puis je n'aime pas les rousses, donc elle n'a aucune chance avec moi. Explique Guillaume.

J'explose de rire.

— Tu es devenu raciste en plus !

— Je sais, je sais.

Quentin me prend par la main pour m'emmener avec lui. On sort du réfectoire.

— Sois prudente Nelle, je ne peux pas envoyer de personne pour te surveiller ici.

444

— Tu as peur de quoi ?

— Ce campus n'est pas réputé pour avoir des étudiants et professeurs super doués.

— Ne t'inquiète pas pour moi, ça va le faire. Et sous peu, j'aurais des guerriers en plus ici.

— Appelle-moi Nelle en cas de soucis.

— Je ne veux pas que mes amis sachent que je suis ici.

— Dans ce cas, je ne vais rien leur dire. Je te le promets.

— Merci.

Il me prend dans ses bras et file. Je retourne m'asseoir au réfectoire et termine mon repas. Je vois régulièrement Gabriel me lancer des petits regards rapides. Ce mec m'intrigue, ça va même au-delà de ça, il me plaît. Il a se regard et ce sourire qui ne passe pas inaperçu. Il a l'air super gentil et intelligent. Je ne pensais pas être aussi contente d'être ici. Pas après ce que vient de me faire Dagon il y a seulement quelques heures. Je devrais être en larmes là et allongée sous ma couette. Au lieu de ça je suis ici avec le sourire.

Avec Guillaume, on ramène nos plateaux et nous remontons dans son bureau.


— Tu ressens quoi pour mon frère ?

— Quoi ? Pourquoi cette question ?

— Je ne le vois pas dans ton futur et je ne te vois pas dans le sien.

— Tu vois quoi dans nos futurs ?

— Deux blonds.

— Gabriel et Dagon ?

— Oui.

— Tu vois Gabriel dans mon futur depuis quand ?

— Quand j'ai appris que tu allais venir avec Quentin, je l'ai vu en pensant à toi.

— Pourquoi tu me dis ça ?

— Parce que je vois une fille dans la vie de Quentin, une fille qu'il va rencontrer.

— Il n'y a rien entre ton frère et moi.

— Pourtant lui il espère et y croit.

— Pourquoi me raconter tout ça Guillaume ?

— Pour répondre clairement à mon frère, il ne doit pas souffrir.

— Dans ce cas, dis-lui qu'il n'y aura jamais rien entre nous.

— Tu ne me poses pas de questions ?

— Je ne veux pas connaître mon avenir.

— Je t'en ai déjà dit pas mal là.

— Tu me vois avec lui dans un futur proche ?

— Ça dépendra de toi ça.

— C'est un vampire, un putain de vampire.

— Moitié humain.

— Ça reste un vampire avec une force surhumaine et une envie de boire du sang.

— Il mange comme toi et moi, tu l'as bien vu à table.

Pourquoi je me suis lancé dans cette conversation ? Les paroles de Théo se confirment encore plus quand il ne voyait pas Dagon ici avec moi. Est-ce qu'il avait vu Gabriel en revanche ? Je ne comprends pas pourquoi il ne me l'aurait pas dit avant. Je sais qu'il ne veut pas modifier mon avenir, mais est-ce que si je l'avais su j'aurais pu peut-être empêcher ça… la trahison de l'homme que j'aime.

— Tu me pousses dans ses bras ?

— Non, enfin pas vraiment.

— Je te déteste Guillaume.

— Et ne me dis pas que tu ne meurs pas d'envie de descendre le rejoindre ? Et de lui parler.

— Eh bien, figure-toi que tu as tort.

— Pourquoi tu stress alors ?

— Parce que je ne suis de nouveau seule que depuis quelques heures, que je suis terriblement en colère et déçue de Dagon.

— Ça t'a fait quelque chose de lui parler hein ?

— Oui en effet, j'ai aimé son humour tout de suite et son côté simple.

— Tu es consciente que tu vas le revoir souvent, car il va devoir continuer à t'entraîner physiquement, pas de guerrier ici, et c'est le seul résistant au coup physique et magique.

— Je suis suffisamment entraîné.

— Si tu le dis.

— Vous avez subi des attaques ici ?

— Oui deux en peu de temps, et nous avons perdus trois étudiantes.

— Quoi ? Mais…

— Par chance, des guerriers sont venus aider et mes professeurs sont forts, même si ça ne vaut pas un Dagon, un Mattieu ou un Jacob, sans vouloir dénigrer les autres. Ça nous a permis de limiter la casse.

— Dans ce cas-là, ce sont tes professeurs que nous devons entraîner en priorité.

— Je compte sur toi pour aider.

— Je m'y attelle dès demain si tu veux.

— Ce soir à table je te donne ton nouvel emploi du temps. D'après Quentin, tu n'as pas besoin du général, et ici nous n'avons pas tous les cours comme là-bas.

— Je vais assister à quoi ?

— Astrologie alchimie et magies théoriques.

— Parfait, j'aimerais un jour enseigner l'astrologie.

— C'est sa dernière année de cours à mon professeur actuel.

— On n'en est pas là encore. Qui enseigne magies théoriques et les autres matières ?

— Magies Théoriques c'est Gabriel, astrologie c'est Justin et Alchimie Juliette.

— Juliette ? Elle est druide ? Une petite brunette avec un caractère bien trempé.

— Oui pourquoi ?

— Elle est en couple avec Jacob, et de toi à moi une proposition de poste et il débarque de suite.

— Très intéressant.

— Je n'ai bien évidemment rien dit du tout.

— Ça va de soi.

— Bon, je fais quoi maintenant ? Tu me montres ou je vais pouvoir dormir ?

Je le vois pianoter sur son téléphone et le poser. Quand il relève la tête et qu'il me sourit, je sens qu'il en a préparé une.

— Quelqu'un va t'accompagner.

5 minutes après ça frappe à la porte.

— Entre Gabriel.

Je ferme les yeux et souris. J'aurais pu m'en douter. Et j'avais raison, il manigance quelque chose.

— Merci d'être venu Gabriel. Prends cette clé et accompagne Nelle jusqu'au dortoir des professeurs, elle nous rejoint à partir de maintenant. Je compte sur toi pour la faire visiter et lui tenir compagnie cette après-midi.

— Avec plaisir. Tes affaires sont où Nelle ?

— Dans mon coffre.

— Allons-y si tu es prête.

— À plus tard, Guillaume.

Je sors de son bureau et commence le marathon des escaliers.

— Bienvenue parmi nous Nelle.

— Merci.

— Enfin une femme parmi nous.

Je me stop net.

— Quoi ? Il n'y a pas d'autres femmes ?

— Si, une seule, Juliette, mais elle ne reste jamais vers nous, elle n'apprécie pas l'humour des hommes.

— OK.

Nelle respire, tout va bien. J'hésite entre pleurer et partir en courant.

— Il y a une bonne ambiance ici ?

— Nous sommes quelques professeurs à très bien s'entendre en plus de Guillaume, par contre les professeurs qui enseigne le général sont comment dire, coincé ? Plus âgées et ne se mêle pas vraiment à nous.

— Tu me vends du rêve là c'est fou.

— Désolé.

— Pas grave, je ne compte pas rester de toute façon, je valide mon année, je tue la source des démons et je retourne chez moi.

— Dans l'autre campus ?

— Non chez moi, là où est ma famille.

— Pourquoi tu es venu ici ?

— Pour éviter qu'un professeur de l'autre campus ne se barre.

— Et c'est tout ?

— Non, pour fuir mon ex aussi.

— Ha ! désolé.

Pourquoi je lui raconte ça ? Je suis là depuis quelques heures à peine et je lui raconte ma vie… Nelle stop.

Nous arrivons à mon coffre et il est sympa à vouloir me proposer son aide.

— Je devrais gérer seule, merci quand même.

— Comme tu veux.

Je marche quelques minutes chargée. Bon OK ! entre les escaliers et les longs couloirs interminables je galère avec mon sac. Plus le choix, je suis obligée de le poser au sol.

— Deux secondes, je dois reprendre mon souffle.

Il fait demi-tour, saisit mon sac en effleurant ma main et me sourit. Son contact me procure un frisson dans le dos, pas seulement à cause de la fraîcheur.

— Allez, avance.

Il n'a donc rien senti de son côté ?

— Oui, ça va hein.

— Tu es faible c'est tout.

— Excuse-moi de n'être qu'une humaine faible et fragile.

— Ha ! ha !

Nous finissons par arriver devant une porte qu'il ouvre avec la clé.

— Le ménage n'a pas pu être fait.

— Je vois ça, mais ça aurait pu être pire, j'aurais pu ne pas avoir de lit.

— Ah oui mince.

Il se met à rire.

— Ravis que tu trouves ça drôle, car contrairement à toi, moi je dors.

— Je dors aussi Nelle. Peut-être pas autant que toi, mais j'en ai quand même besoin.

— Pardon, je ne voulais pas être désagréable.

— Je ne l'ai pas mal pris, ne t'inquiète pas.

— Désolé en tout cas, j'ai tendance à être cash. Et puis un de mes amis vampires qui est né comme toi ne dort pas. Alors j'ai cru que c'était pareil pour toi.

— Je dois être une exception, ça a des avantages et quelques inconvénients.

— Du style ?

— Du style je dors, je vieillis et donc un jour mourir. À côté de ça, je peux manger comme toi et je préfère la nourriture au sang. Je suis fort comme un vampire, mais je n'ai pas de contrôle à avoir, car le sang ne m'attire pas au point de mordre. Et je ne suis pas suffisamment pâle pour me faire remarquer et dévisager. Donc je peux vivre en dehors du campus si je le souhaite.

— D'accord, et si tu te fais mordre ? Tu ne peux pas devenir immortel et vivre comme les autres vampires ?

— Non merci, vivre et voir les autres mourir ce n'est pas pour moi.

— Je peux comprendre.

— Bon ! on fait quoi pour ce lit ?

— Je vais commencer par faire du ménage, et ensuite j'appellerai guillaume pour lui dire qu'il manque un élément essentiel dans ma chambre.

— Pour dépanner tu peux dormir dans ma chambre cette nuit, moi j'irais chez un collègue.

— C'est gentil, j'accepte volontiers si on ne trouve pas d'autres solutions avant.

— Ne bouge pas je vais chercher de quoi nettoyer ici.

— Merci.

Je le vois sortir de ma nouvelle chambre et ouvrir la porte en face. J'explose de rire en voyant ça. Guillaume va s'en prendre une ça c'est sûr ! Je m'avance pour voir si c'est sa chambre. Waouh, qu'elle est belle cette pièce, et ça sent super bon.

— Tu habites avec une femme ?

— Hein ?

— Vu la propreté et l'aménagement.

— Non je ne suis pas en couple, et c'est moi qui ai tout fait. Je suis ici depuis presque 6ans ça m'a laissé le temps de bien aménager.

— Tu as quel âge, Gabriel ?

— Tu me donnes quel âge ?

— Au moins 100ans.

Il m'envoie alors un oreiller. Et me fait un sourire de malade.

— Parfait je vais au moins avoir ça pour dormir cette nuit, à ce rythme j'aurais bientôt tout.

Il s'approche de moi tout doucement et me reprend l'oreiller. Ses yeux ne clignent absolument pas, il me fixe et c'est limite gênant.

— Même pas en rêve, Mlle.

— Aucun humour les hommes.

Il est à quelques centimètres de moi, mon cœur s'accélère, il baisse les yeux vers ma poitrine, regarde ma bouche puis fais demi-tour dans sa chambre après m'avoir fait un léger sourire.

— Du coup mon âge ?

— Tu fais jeune et à la fois non.

— Ne me ressors pas 100ans.

— Ça dépend ! tu m'envoies une couette ?

— Ton humour est à revoir Nelle.

— Pourquoi tu souris comme ça alors ?

— Parce que tu as une bouille qui me fait rire.

— Vas-y moque toi tu as raison.

Il se tourne et regarde dans son placard. À vue d'œil, il doit faire 1m77, je pense.

— J'attends toujours.

— Je dirais pas 100ans non, juste 27.

Il se retourne et me sourit.

— Pas mal.

— J'ai bon ?

— Oui.

Mon cœur s'est emballé quand il s'est rapproché, je n'ai pas rêvé et il l'a entendu ?

— J'ai le droit de te demander le tien.

— Tu me donnes quel âge ?

— 100 ans facile.

— Tu as de la chance je n'ai rien à te lancer.

— Je suis sauvé alors.

— Pour cette fois.

Il s'arrête de préparer un sac de produits et se mets droit, les mains dans les poches, il me regarde. Il semble analyser chaque partie de mon visage et de mon corps avec une lenteur angoissante.

— Tu as pris racine ?

— Non, je veux juste viser juste.

— Vise bien alors.

— 24.

— Bravo.

— Merci, merci.

— Qu'est-ce qui t'a fait dire ça.

— Ta façon de parler, de te battre, j'aurais dit 29ans, mais quand je regarde tes yeux, ta peau, tu fais jeune.

— D'accord.

— Et tu as des lèvres et une forme de bouche incroyablement belle.

— Là, ça devient très gênant en revanche.

— Allez au boulot, il y a du ménage à faire dans ta chambre.

Il me pousse gentiment pour me faire sortir de sa chambre et me faire rentrer dans la mienne. Une forme de bouche incroyablement belle ? Non effectivement jamais personne ne me l'avait dit !

Gabriel me tend un balai et me sourit.


— Au boulot, femme !

— Tu aimes les coups toi, ça se voit.

— Si tu n'as pas peur de te casser un ongle, vas-y.

— Dit celui qui a mangé la poussière ce matin.

— Je t'ai laissé gagner. Je te mets au sol quand tu veux.

— Tu me cherches là ?

— Allez, balaye.

— À vos ordres, chef.

On passe une bonne heure à rire tout en travaillant. Le sol, les fenêtres et murs sont propres.

— Tu ne comptes pas répondre à ton téléphone, Nelle ?

— Non.

— Tu devrais le mettre en silencieux alors.

— Le vibreur t'agace autant que ça ?

— Non, juste ma curiosité qui se réveille.

— Dis-toi que c'est personne.

— Personne est très insistant.

— Cette personne ne mérite pas que je réponde pour le moment, je n'en suis pas capable.

Je sens une montée de tristesse m'envahir, d'en parler ne m'aide clairement pas et je sens mon visage se fermer.


— J'ai une idée Nelle ne bouge pas.

Je le vois retourner dans sa chambre et revenir 5 min après avec deux sots et un rouleau.


— C'est quoi ça ? demandé-je intrigué.

— Un reste de papier peint et un peu de peinture, on va égailler ta chambre.

— Tu es sérieux la ?

— Très.

— Ne te donne pas autant de peine.

— Ça me fait plaisir.

Une montée de larmes envahit mes yeux et mes joues.


— Tu es extrêmement sensible ?

— Oui désolé.

— Ne t'excuse pas.

Il s'avance vers moi et pose sa main sur ma joue pour essuyer les larmes.

— Je vais être méchant avec toi à l'avenir, si tu préfères.

— Non, t'inquiète pas, c'est juste une accumulation de chose.

— Allez, viens là.

Il m'ouvre son bras et je m'avance de lui pour être enlacé. De nouveau, je ressens aucune fraîcheur gênante. Il est froid contrairement à mes amis humains, mais c'est bien plus supportable que Mattieu ou Virgile. Je sens alors son cœur battre à travers ses vêtements.

— Tu as un cœur ?

Je l'entends exploser de rire et reculer.

— Je suis à moitié humain je te rappelle.

— Mon ami Virgile ! je ne suis pas sûre qu'il bat aussi fort.

— Je suis beaucoup plus humain que les autres Nelle.

— Décidément, je suis trop.

Il ne me laisse pas finir.

— Aucun souci, ne te tracasse pas sur ce que tu peux penser des vampires.

— Je suis quand même désolé, je ne voudrais pas que tu penses que j'ai plein d'a priori.

Il ne répond rien et se contente de me sourire.

— Tu vas mieux ?

— Oui, allez, c'est parti pour l'atelier art plastique.

Il commence par faire des traits sur les murs avec du scotch puis peints à l'intérieur avec du jaune.

— Tu es sûr de toi, Gabriel ?

— Mais oui.

— OK, je te fais confiance alors.

— Jamais avoir confiance en un vampire.

— Je prends note merci du conseil.

Il est 20 h quand il termine de personnaliser le mur de ma chambre.

— Ah ben vous êtes là, nous dit Guillaume en rentrant dans la chambre.

— Oui, il a voulu donner de la couleur à ma chambre.

— Merci Gabriel, tu as raison, il faut la chouchouter des fois qu'elle parte en pleine nuit de peur.

— Par contre, tu n'as pas l'impression qu'il manque quelque chose ici ? demandé-je en toute innocence.

— Hum… non.

— Un lit je dirais ?

— Ah oui maintenant que tu le dis. Je vais te faire installer ça dans la semaine.

— Et je suis censé dormir ou en attendant ?

— Bonne question.

— Je lui laisse mon lit, j'irai chez Justin, lance Gabriel.

— Merci, Gabriel. Vous avez fini ici ?

— À l'instant, il ne manque que le lit et elle peut y vivre.

— Merci pour tout ça en tout cas, tu as réussi à sublimer la chambre.

— Avec plaisir, allons manger maintenant.

Il me lance mes clés et récupère les siennes dans sa chambre.

À table, nous nous installons sur une plus grande table ce soir. Guillaume me présente les professeurs présents. Il y a donc le fameux Justin qui va devoir partager son lit, c'est un professeur qui enseigne aux sorciers en plus de l'astrologie et il y a Antoine qui s'occupe des Loups. Plusieurs professeurs se joignent à nous au cours du repas. Quand je vois une jolie brunette arriver, je reconnais Juliette. Et vu le regard qu'elle me lance, elle m'a reconnu aussi. Mince je suis censé faire quoi ? Quand je la vois me faire un énorme sourire et approcher rapidement je me lève pour lui bonjour. Elle me fait un énorme câlin qui me fait super plaisir.

— Mais qu'est-ce que tu fais ici, Nelle ?

— Je vais terminer mon année ici.

— Jacob m'a dit que tu étais près de lui et que tu lui avais sauvé la vie. Merci infiniment.

— Il a également sauvé la mienne tellement de fois.

— Merci encore en tout cas.

— C'est normal. Nous ferions quoi sans lui ?

— Il a beau être monsieur parfait, je ne pourrai plus me passer de lui.

— Mr Parfait, j'avoue que ça lui va à merveille.

Nous nous mettons à rire puis retournons nous installer pour manger. Je suis contente qu'elle soit ici, même si à l'époque nous n'étions pas amie, elle semble avoir beaucoup changé, sûrement l'effet Jacob.

— Demain, j'appelle Jacob pour lui proposer d'intégrer notre équipe, lance Guillaume.

— C'est vrai ? demande Juliette.

— Oui, c'est une idée de Nelle.

Je la vois les yeux remplis de larmes, c'est super touchant.

— J'espère qu'il est sympa ? nous interroge Antoine.

— Oui, c'est un amour ce mec.

— Un druide quoi, répond Justin.

— Je connais des druides avec des caractères de cochon.

Ils se mettent tous à rire.


— Tiens Nelle, comme convenu je te donne ton emploi du temps.

Je le regarde rapidement.


— Des grâces matinée ?

— Oui, la majorité des cours obligatoires ici tu les as déjà validés, donc à pars 2 h d'astrologie 2 h d'alchimie et 10 h de magies théoriques tu vas avoir du temps pour t'entraîner et entraîner des étudiants.

— Ça me va, mais 10 h de mythe et légende ?

— Oui ici on a plus d'heures.

— Tu es vraiment aussi forte que ça pour pouvoir entraîner et risquer de prendre des coups ? me demande Justin.

— Je me bats contre des guerriers.

— Rien que ça ?

— Je n'ai pas trouvé beaucoup plus fort.

— Affronte Gabriel tu verras, lance Antoine.

— Je ne voudrais pas me casser un ongle.

J'entends alors le concerner rire.


— Ce serait dommage en effet, répond Gabriel en me souriant.

Nous finissons le repas dans la bonne humeur. Ils sont finalement plus sympas que je ne m'étais imaginé.

Nous quittons le réfectoire avec Gabriel et Justin quand j'entends une voix, cette voix ! ce n'est pas possible ! pourquoi il est là ? Je n'ose me retourner, je ne peux pas l'affronter. Je vois très bien Justin et Gabriel se retourner et regarder derrière moi puis me fixer. Les yeux de Gabriel semblent désolés. Je pense qu'il a compris que c'est la personne qui me harcèle d'appels.

— On t'attend un peu plus loin Nelle, me dit Gabriel avec un léger sourire d'encouragement.

Je me retourne et regarde le concerné arriver.

— Bébé il faut qu'on parle.

— Non Dagon, tu vas retourner à Nelune, tu vas continuer à laver les amygdales de Camille et me foutre la paix.

— Tu n'as répondu à aucun de messages et appels.

— Parce que je te hais.

— Il faut qu'on ait une explication.

— Retourne à Nelune, je t'en prie.

— Non, je me suis promis à l'instant où tu m'as donné une deuxième chance de tout faire pour te garder dans ma vie, de ne jamais te laisser t'éloigner de moi et je vais tenir ma parole.

— Mais tu m'as trompé Dagon là, je ne veux plus jamais entendre parler de toi.

— C'est elle qui m'a embrassé.

— Et ça change quoi ?

— Je n'y suis pour rien.

— Retourne sur Nelune, j'ai besoin de temps là.

— Si tu restes ici je vais te perdre j'en suis certain, je demande une mutation ici dès demain et je vais te montrer que je n'aime que toi Nelle.

— Pour te voir dans une semaine avec la langue d'une autre étudiante dans ta bouche ? Non merci. Je n'ai plus du tout confiance en toi.

Je le vois regarder régulièrement derrière moi.

— Je déteste la façon qu'il a de te regarder le buveur de sang.

— Comment tu sais qu'il en est un ?

— Je le sens et les reconnais !

— Il est très gentil et je ne risque rien ici.

— Vu la manière qu'il nous regarde, crois-moi, il attend plus qu'une amitié avec toi.

— Dagon c'est la dernière fois que je vais te répéter de me laisser tranquille, je n'ai pas la force de te parler. N'y le courage, je te déteste beaucoup trop pour t'écouter.

— Je dois faire quoi ? me mettre à genoux ? te supplier de me croire ?

— Retourne juste à Nelune, et on en discutera à un autre moment au téléphone.

— Promis ?

— Promis.

— Ne te mets pas avec lui.

— Quoi ?

— Je te connais Nelle, je te connais par cœur, il a tout ce que tu aimes chez un mec, et maintenant que tu sais que je le hais ça va encore plus t'attirer, et ça juste pour me faire souffrir.

— Je ne me suis jamais mise avec Aidan pour te faire souffrir.

— Non, juste avec Anderson alors qu'on se détestait et avec un guerrier qui était mon rival et qui a essayé de me tuer !

— C'est Benjamin qui t'a blessé ?

— Oui.

— Je ne le savais pas.

— Tu crois qu'au départ je le détestais et j'en étais jaloux pour quoi ?

— Dagon, on en parle plus tard.

Je vois une fois encore Dagon regarder derrière moi sauf que cette fois il lance un regard vraiment froid.

— Nelle t'a demandé plusieurs de partir, laisse-la tranquille, retourne sur ton campus, lance Gabriel.

— De quoi je me mêle ? répond Dagon.

— Il est tard et comme elle te l'a dit, vous vous appellerez à un autre moment.

— Tu écoutes la conversation des autres, toi ? Tu te prends pour qui ?

— J'ai juste une très bonne ouïe, désolé d'être un vampire.

— Barre-toi, et laisse-moi seule avec ma copine.

— Non Dagon, je ne suis plus ta copine là, je ne suis plus rien pour toi.

— Bonsoir Dagon, lance Guillaume en arrivant.

— Tiens, Guillaume, répond Dagon.

— Nelle veut que tu partes, et obéis s'il te plaît, ne m'oblige pas à demander à mes professeurs de te raccompagner à ta voiture, explique Guillaume.

— Je t'appelle demain soir Nelle, réponds, je t'en prie, dis Dagon avant de s'éloigner.

Je le regarde partir et je me sens mal, tellement mal.

— Merci Guillaume.

— Monte dormir maintenant, Nelle, il ne reviendra plus, mais réponds à son appel et sois directe avec lui si tu souhaites vraiment mettre un terme à un vous.

— Bonne nuit, dis-je avant de m'éloigner à mon tour dans le sens opposé.

Gabriel et Justin me raccompagnent jusqu'à ma chambre.

— Vous aviez peur que me perde ?

— Tu es une femme et son sens de l'orientation…, répond Justin.

Je vois bien qu'ils essayent juste d'être sympas car ils ont tout entendu de la conversation que j'ai eue avec Dagon, et qu'ils se doutent que mon moral n'est pas au maximal.

— Vous avez peur que je parte surtout.
— Oui aussi, répond Gabriel.
— Allez bonne nuit vous, à demain matin.
— N'oublie pas tu as cours avec moi à 9 h tapante, je n'aime pas le retard, me dit Gabriel.
— Je me ferais fâcher en plus je n'y crois pas.
Ils me sourient et filent.

Je rentre dans ma chambre avec la ferme intention de tout faire pour aider les personnes dans ce campus. Ils ont besoin de mon aide et je serais là pour eux. Et ça va me changer les idées, enfin je l'espère. J'ai besoin d'appeler Théo pour savoir ce qu'il a vu dans mon futur.

Je compose son numéro, une sonnerie seulement suffit pour qu'il décroche et j'entends mes amis hurler dans le téléphone, j'explose de rire. C'est toujours ça de positif.

— Je n'étais pas sourde pourtant, dommage, je vais devoir appeler l'ange.
Je les entends tous me dire que je leur manque déjà puis sa frappe à ma porte.

— Une minute, quelqu'un frappe.
Je me dirige vers la porte puis l'ouvre.

— Gabriel ?

— Désolé de te déranger Nelle, je suis venue chercher des affaires.

J'entends alors dans le téléphone Scarlett hurler qu'il est venu pour me faire l'amour. Vu la tête qu'il fait, il a très bien entendu.

— Désolé, dis-je gêné.

Je sens même mes joues devenir rouges, la honte.

Il me sourit puis je me décale pour le laisser entrer.

Je le vois aller dans son placard pour récupérer des vêtements puis une couverture.

De nouveau, j'entends Scarlett qui parle dans le téléphone et qui demande s'il est en train de se déshabiller et s'il est bien foutu.

— Je vous rappelle plus tard, je vous aime mes loulous.

Puis je raccroche.

— Tes amis sont en forme, dis-moi.

— Oui. Scarlett est, disons, très directe ?

— Scarlett ? Étrange comme prénom.

— La première fois que je l'ai entendu, je lui ai dit qu'elle avait un prénom à chier !

— Tu es encore plus sympa que moi, dis donc.

— Elle venait juste de me traiter de salope devant la moitié du campus.

— Et maintenant, vous êtes de grande amie. Comme quoi.

— Effectivement, visiblement nous ne sommes pas rancunières.

J'ai envie de rire en repensant à ce que Scarlett vient de sortir, mais je me retiens. Il pose une couverture sur mon lit.

— Je veux être sûr que tu n'es pas froid en dormant.

464

— C'est très gentil, merci.

— Tu as tout ce qu'il te faut ?

— J'ai un lit grâce à toi, donc c'est parfait oui.

Je le vois me regarder comme s'il attendait quelque chose.

— Et toi ça va ?

Il me sourit et semble surpris par ma question.

— Je vais bien oui, merci.

Il continue à m'observer et ça devient gênant.

— Il s'est passé quoi avec ton ex ?

Je ne m'attendais pas à cette question plutôt directe. Pourquoi il veut savoir ça au juste ? Je le regarde ne sachant pas quoi faire. L'envoyer chier gentiment, ou me confier à lui.

— Je l'ai surpris avec la langue d'une étudiante dans sa bouche. Mais tu l'as très bien entendu, je pense tout à l'heure si tu m'as entendu lui dire de partir.

— Je suis vraiment désolé pour toi. Je voulais que sa sorte de ta bouche et pas de la sienne.

— Je t'avoue ne pas encore avoir subi le contre coup, et je pense que ça va être compliqué pour moi quand mon cerveau va réagir.

— Je serais là si tu as besoin.

— Ce n'est pas nécessaire.

— Justin a sa chambre au bout du couloir, juste en face de la cage d'escalier. Viens si tu as le moindre souci. Je ne suis pas dans ta tête là, et même si tu as l'air très courageuse je ne peux que comprendre ce que tu endures à cet instant.

— C'est gentil, mais ça va aller. Rassure-toi.

— Je te laisse dormir, bonne nuit Nelle.

— Bonne nuit.

Il sort de la chambre et mon cœur ralentit, je ne m'étais pas rendu compte qu'il avait accéléré autant. J'appellerai Théo demain tant pis. Je prends une douche rapide et m'allonge sous les draps. Je pose ma tête sur l'oreiller et une odeur envahit mes narines. Je me redresse légèrement et respire profondément. C'est l'odeur de Gabriel ça ? Ça sent drôlement bon. Je finis par reposer ma tête et me blottis davantage sous les couvertures. Je m'endors en quelques secondes seulement.

Ce matin au réveil je suis d'excellente humeur. J'ai même de l'avance avant d'aller manger. Faut que je pense à retourner chez le coiffeur, mes cheveux ont déjà bien poussé et ils commencent à légèrement onduler. Un coup de lisseur rapide, un peu de gloss, de mascara et je suis prête.

Je suis la première au réfectoire, enfin la première à la table des professeurs de la veille. En revanche il y a déjà pas mal d'étudiants. Je prends un plateau et m'installe dans un coin. Je sors un livre remis par Guillaume hier et je commence à le lire. C'est exactement le même programme, peu importe le campus. Ça me rassure. Je commence à manger quand quelqu'un s'adresse à moi et s'installe.

— Bonjour Nelle.

— Salut Justin, bien dormi ?

— Non, c'est un glaçon, Gabriel.

J'explose de rire tellement fort que le réfectoire entier se retourne sur notre table.

— Je te préviens, ce soir soit il dort avec toi soit c'est moi qui viens.

— Le sol n'est pas confortable, je pense, mais à toi de voir.

Il me lance un sourire et ne répond rien.

— Bonjour dit Gabriel en s'installant à son tour à notre table.

— Salut, dis-je en lui souriant.

Il s'installe à côté de moi et commence à manger.

— Tu n'as pas eu trop froid ça va ? me demande Gabriel.

— Non vraiment parfait, merci encore.

J'ai envie de rire, mais d'une force en repensant au pauvre Justin.

— Souris Nelle, vas-y, tu feras moins la maline cette nuit quand il sera avec toi dans le lit.

— Je suis un vampire Justin, normal que je sois gelé.

— Je peux trouver un autre endroit pour dormir au pire, si vraiment tu as besoin de retrouver la chaleur de ton lit cette nuit.

— Guillaume le livre quand, le lit ?

— Aucune idée, sinon je vais en ville et je m'achète un matelas gonflable, ça fera largement l'affaire.

Antoine puis Guillaume finissent par nous rejoindre. On se met tous à rire quand Justin râle de nouveau pour avoir eu froid.

— Vous n'êtes pas drôle à vous moquer de moi. Je vais être grognon toute la journée.

— En même temps quelle idée d'avoir dormi nu avec lui.

Gabriel se met alors à rire ce qui me contamine et m'en fait pleurer. Dès le matin, ce genre de fou rire fait énormément de bien.

— Allez, allons en cours Nelle.

On ramène nos plateaux puis quittons le réfectoire pour rejoindre l'amphithéâtre.


— Je suis rassuré de te voir aussi souriante ce matin.

— Je t'avoue avoir été surprise de m'endormir aussi vite et surtout de me réveiller de bonne humeur.

— Tant mieux dans ce cas. Mais tu n'es pas trop stressée ? me demande Gabriel.

— Pas du tout pourquoi ?

— Tu es un cas à part, Nelle.

— Pourquoi ?

Il continue à avancer et ne répond rien. Il compte laisser ma question en suspens ? Vraiment ? Je suis obligé de l'attraper par le bras pour le faire s'arrêter. Il se stoppe enfin et se tourne pour me regarder.


— J'attends de comprendre.

— Moi je me comprends.

— Mais encore ?

— Tu ne peux pas te contenter de ça ?

— Non. Pour ton information tout comme toi, je n'entends pas dans ta tête. Et pour le coup, je ne peux pas comprendre ce à quoi tu penses.

Il se rapproche alors, son corps est à peu de choses près collé au mien. Je relève la tête pour bien le fixer droit dans les yeux, je veux qu'il comprenne que même s'il est un vampire, je n'ai pas du tout peur de lui. Il avance son visage du mien puis avec sa main caresse ma joue puis ma bouche.


— Pourquoi tu ne me repousses pas ?

— Parce que tu ne fais rien de mal.

— Tu es suicidaire Nelle d'accepter d'être aussi proche de moi. Tu aurais déjà dû reculer.

— Donc je suis un cas à part ?

— Voilà.

Il finit par reculer et après avoir enlevé ma main qui tenait toujours son bras il part en direction de l'amphithéâtre. Je reprends mon chemin à quelques mètres derrière lui. Une fois à l'intérieur je m'installe rapidement dans un coin et le plus loin possible de Gabriel qui est descendu vers le bureau. Les élèves finissent par arriver pour s'installer. La salle se remplit en 5 min à peine. Le cours démarre et de rester anonyme sera impossible.

— Pour commencer, je vais vous présenter rapidement une nouvelle. Elle a une partie de son emploi du temps en tant qu'étudiante et l'autre en tant que votre professeur de sport, et certains l'auront aussi en cours de sorcellerie. Beaucoup d'entre vous en ont entendu parler, c'est la grande médium de Nelune.

Les personnes qui m'ont vue assise dans mon coin me regardent. Pas du tout méchamment, mais ça suffit pour me mettre mal à l'aise.

— Elle s'appelle Nelle et même si elle espère passer inaperçue dans son coin c'est raté.

Cette fois-ci, c'est l'amphithéâtre entier qui se tourne vers moi.

Je souris et ne réponds rien. Ma bonne humeur de ce matin m'a quitté, au moment même où Gabriel m'a fait comprendre que je devrais le fuir. Mon cœur ne semble pas avoir envie de ça, mais ma raison me pousse à me lever et à sortir d'ici. La première heure passe relativement vite par chance. Il fait lui aussi une pause, mais je n'ai aucune envie de sortir pour me retrouver seule sur un banc. Je reste assise à ma place et bouquine mon livre en prenant bien soin de ne pas regarder dans sa direction. J'entends quelqu'un monter les escaliers et je continue à ignorer. Une ombre passe alors devant moi.

— Désolé pour ce matin.
— Je ne vois pas pourquoi.

Je commence à me lever pour sortir il me rattrape en me tenant la main.

— Le message était clair Gabriel, je suis une pauvre fille faible et fragile et je suis suicidaire de te laisser t'approcher de moi. Je vais obéir comme une gentille fifille à son papa et rester très loin de toi.

J'enlève doucement ma main de la sienne et quitte l'amphithéâtre. Je pense que ma réponse était un peu trop directe et je me déteste déjà. Je ne sais pas tenir ma langue. Je retourne dans l'amphithéâtre au tout dernier moment, afin d'être sûre qu'il n'insiste pas en venant me parler de nouveau. Je regagne ma place et continue d'entendre le cours. Il a un don pour enseigner, sa façon de nous parler et nous expliquer les choses me fait penser à Alex, c'est impressionnant. J'arrive à boire ses paroles. La fin de la matinée approche à grands pas. J'hésite à l'attendre pour aller manger au moment de ranger mes affaires. Je fais exprès de ranger tout doucement mes feuilles et stylos pour voir ce que lui fera. On dirait une gamine de 5 ans, mais tant pis. Il finit par remonter, je le vois tourner la tête dans ma direction puis s'arrêter.

— Je t'attends devant, Nelle.

Mon cœur saute un battement et un sourire se dessine sur mon visage. Cache se sourire avant qu'il ne le voie. Au moins, il n'est pas rancunier. Quand je sors de l'amphithéâtre il est bien là à m'attendre poser contre un mur, il est en pleine discussion des étudiants et étudiantes. Je m'approche de lui et lui lance un sourire gentil qu'il me rend.

— Allons-y.

Il salue les autres élèves et nous filons manger. Nous sommes seuls à table.

— Je comprends mieux d'où tu tires ta force, lance Gabriel.

— Et je la tire d'où ?

— De ton sale caractère.

Un grand sourire se dessine sur mon visage.

— Je ne suis jamais douce dans mes réflexions si juste avant on m'a fait de la peine.

— Désolé Nelle, je n'aurais pas dû te faire penser ça.

— Pas grave, c'est oublié.

— Tant mieux, surtout que tu vas devoir me supporter tout l'après-midi. J'ai besoin de toi pour entraîner des étudiants au face-à-face.

— Tu peux compter sur moi.

Les autres nous rejoignent.

— Alors ce premier cours ? me demande Antoine.

— Je suis toujours vivante.

— À défaut d'avoir le cœur froid, il enseigne bien. Il est presque parfait. Enchéri Justin.

— Tu essayes d'être drôle Justin ? lance Gabriel.

— Non, Nelle c'est un amour, elle rigole de tout pour ne pas vexer.

— J'avoue que je suis trop gentil.

— Je suis convaincu que tu mords pourtant, lance Gabriel sans me regarder.

— Peut-être ! qui sais.

Le repas continue dans la bonne humeur, mes amis me manquent beaucoup, mais les professeurs de ce campus arrivent à leur façon à combler ce manque.


— Allons-y, il y a du boulot Nelle cette après-midi.

— C'est censé me motiver ?

— Pas vraiment, j'avoue.

— Il va falloir me prendre différemment pour me motiver.

Je deviens rouge après avoir dit ça, il me lance un petit sourire coquin.


— Je vais y réfléchir pour la prochaine fois.

Et il me pousse gentiment.

L'après-midi passe à une vitesse incroyable, je me serais occupé de combattre pendant 3 h non de stop avec plusieurs élèves au corps à corps, je suis satisfaite de moi, j'ai réussi à faire progresser certains. Pour deux élèves, ils sont déjà plus rapides et réussissent à esquiver certains coups.


— Merci à tous pour votre participation, je vous dis à la prochaine, lance Gabriel.

Il arrive vers moi tout sourire.


— Waouh, excellent, Nelle ! tu es vraiment douée pour entraîner.

— Ah bon ?

— Ah oui, on a de la chance de t'avoir parmi nous.

— Merci.

Il finit par regarder sa montre.

— Désolé ma journée n'est pas finie, je dois y aller, à ce soir au repas.

— À tout à l'heure oui, dis-je.

Je range mes affaires pour aller les déposer dans la chambre, ensuite direction la bibliothèque pour travailler. Je reste plusieurs heures assise à réviser quand quelqu'un s'installe à ma table.

— Tu es drôlement studieuse, me dit Gabriel.

— J'ai envie de réussir mon examen haut la main.

— Compte sur moi pour t'aider au besoin.

— Merci c'est gentil.

— Tu voudrais faire quoi ensuite ?

— Pourquoi pas enseigner.

— Une matière favorite ?

— Astrologie.

— Tu sais que le professeur prend sa retraite à la fin de l'année scolaire ?

— Je sais oui, mais j'espère aller dans un autre campus.

— Je comprends.

— Je finis ce chapitre et ensuite j'irai manger.

— Je t'attends.

— Si tu veux.

— Oui, je le veux.

Je lui souris et replonge mon nez dans mes cours. Je le vois me fixer et ça devient gênant.

— Je vais finir par rougir si tu me fixes comme ça.

— Tu es tellement belle quand tu es sérieuse comme ça.

— Attention ou je vais croire que tu me dragues.

— C'est le cas, Nelle.

Alors la une tomate est pâlichonne à côté de moi.


— Gabriel non pas ça, tu es un vampire.

— Moitié humain.

— Mais vampire quand même.

Il continue à me fixer sans jamais détourner la tête. Je suis, je l'avoue, heureuse de lui plaire, même si je trouve ça un peu rapide. En même temps, il te plaît également et tu ne connais rien de lui non plus.


— Dagon m'a dit hier qu'il déteste ta façon de me regarder.

— Je m'en fiche de ce que ce Dagon peut penser, si j'avais écouté ma raison hier il aurait bouffé un mur d'avoir osé te tromper. Toi une fille aussi merveilleuse.

— Tu ne me connais pas Gabriel.

— Je ressens beaucoup de choses en toi, de la gentillesse, de la douceur, de la force, un grand besoin d'aimer et d'être aimé, un courage sans égal. Un dévouement pour les autres.

— Tu as l'air de mieux me connaître que je ne me connais moi-même.

— Je n'aime pas ressentir ça, car ça ne laisse pas la place au hasard et à la séduction.

— Comment ça ?

— À l'instant où tu es venue me parler hier j'ai ressenti tout ça, et j'ai aimé ressentir ça, j'ai aimé te regarder et passer ce court moment ensemble.

Je ne sais vraiment plus où me mettre. Je suis là depuis 24 h et il me balance tout ça au visage.

— Voilà finis, allons manger. Je ne préfère pas continuer de parler de ça, pas maintenant.

Même si je n'ai pas terminé de bosser je dois fuir ce moment gênant de suite. Il n'insiste pas par chance et accepte. Nous sortons ensemble de la bibliothèque quand mon téléphone vibre pour la cinquantième fois de la journée. Je sors mon téléphone de ma poche et c'est encore une fois Dagon. Il a le mérite d'être insistant.

— C'est ton ex ?
— Oui.
— Tu devrais lui répondre.
— Je sais.
— Tu lui as promis hier, et il risque de revenir sinon.

Je le regarde puis décroche.

— Nelle enfin !
— Je n'avais pas du tout envie de te répondre, tu m'as déçu.
— On devait se rappeler, tu me l'avais promis hier.
— Ça m'a encore plus déçu de te voir débarquer et ne pas respecter mon choix.
— Je te l'ai dit pourquoi je suis venue, je ne veux pas te perdre.
— C'est trop tard pour y penser.
— Nous devons nous revoir et nous poser pour en parler tranquillement.
— Ce n'est pas nécessaire, je ne veux pas savoir pourquoi Camille avait sa langue dans ta bouche.

— Elle m'a sauté dessus, je n'ai pas réagi à temps.

— Arrête Dagon, tu as énormément de réflexes pourtant.

— Oui, mais là je ne m'y attendais pas.

— Tu n'aurais pas dû te trouver seule avec elle, tu sais qu'elle tient à toi.

— Il fallait qu'on parle elle et moi, que je lui explique que je t'aime et qu'elle ne doit plus rien attendre de moi.

— C'est trop tard Dagon, tu m'as de nouveau meurtri le cœur. Aidan avait raison, tu as fini par me faire souffrir.

Je sais que de mêler Aidan dans cette conversation c'est traite, mais tant pis. Je veux qu'il souffre. Je veux qu'il prenne bien conscience de son erreur.

— Bébé, laisse-moi te rejoindre, je t'en prie.

— Adieu Dagon. Ne me rappelle plus jamais si tu m'aimes vraiment.

Je raccroche et m'effondre au sol en larmes. C'était de lui dire adieu qui est la pire chose à mes yeux, le contre coup me revient en pleine face. 24 h après… j'aurais plutôt bien tenu. Je sens alors les bras froids de Gabriel m'enlacer et me serrer contre lui.

— Désolé Nelle.

— Pour ?

— Pour toi.

— Je savais que je ne devais pas répondre, que je finirais comme ça, d'entendre sa voix et lui dire adieu.

— Crois-moi il doit être dans un pire état que toi.

— Non il doit être en train de se faire laver les amygdales par la petite étudiante voyons.

— Je suis sûr du contraire. En attendant, je peux faire quelque chose pour te remonter le moral ?

— Ça passera avec le temps, mais je commence à me demander si ça ne vient pas de moi le problème.

— Mais non tu es une fille bien et on le voit au premier regard.

Il caresse alors ma joue avec douceur et gentillesse.

— Tu veux aller un peu dans ma chambre pour t'allonger ?

— Non, laisse-moi deux minutes pour me calmer et ensuite nous irons manger.

Il essuie mes larmes qui continuent de couler avec ses pousses et me fait un magnifique sourire. Il se lève et m'aide à en faire autant. Je reste blotti dans ses bras quelques minutes.

— Tu n'as pas froid contre moi ?

— Non, au contraire je suis terriblement bien.

Mon cœur s'emballe quand je sens son visage se poser dans mes cheveux. Il me sert un peu plus contre lui et me caresse le dos. Deux minutes ne seront pas suffisantes pour effacer toute la peine déversée sur mon visage. Mais je fais confiance à Gabriel quand il me dit que mon visage n'est plus rouge et que mes yeux ont arrêté de briller.

Les professeurs sont déjà installés quand on arrive. C'est marrant, ici les étudiants ne se mêlent pas à table avec les professeurs. Je me sers un plateau et m'installe entre Justin et Antoine.

— Alors cette première journée de cours ? me demande Justin.

— Ça va.

— La première est toujours la plus dure, si tu vis jusqu'à minuit c'est bon.

— Je vais tout faire pour survivre jusque-là alors.

— Tu as quoi comme passion Nelle ? me demande Gabriel.

— Je n'en ai pas vraiment.

— Tu es doué en quoi alors ?

— Toujours aussi forte au billard ? ajoute Guillaume.

— Je me débrouille en effet.

— Ici, nous n'en avons pas, sinon ?

— La natation.

— Et je confirme qu'elle est super douée répond Juliette.

C'est vrai que nous avons eu un duel toutes les deux.


— Tu es une sirène alors, lance Justin.

— Hum, je dois le prendre comment ça ?

— Bien.

— Pas de billard n'y de piscine ici, m'informe Gabriel.

— Par contre, on a un super professeur de théâtre m'explique Justin.

— Ah bon qui ?

— Gabriel.

— Tu as envie de prendre des cours ? me demande Gabriel.

— Non, je suis très mauvaise comédienne.

— Tu es une femme, donc tu dois très bien savoir simuler, lance Guillaume.

— Ou c'est juste toi qui n'es pas très doué.

Ils explosent tous de rire.


— Nelle, tu tacles tout le monde comme ça ? Ou tu fais une exception pour moi.

— Désolé je ne suis pas sympa, je vais faire des efforts.

— Pourtant c'est tellement drôle je trouve, ajoute Gabriel.

— Parce que tu n'es pas la cible peut-être.

— Tu as perdu ton humour quand tu es devenu directeur ?

— Nelle sérieux, ils avaient du courage tes ex pour te supporter ?

Je ne relève pas et préfère finir mon repas rapidement pour aller fuir dans ma chambre. Il a raison je dis trop facilement ce que je pense et ça a tendance à être blessant par moment, même si c'est pour rire.

— Je monte, bonne soirée.

Je ne laisse pas le temps aux personnes de répondre que je suis déjà en train de déposer mon plateau. Je n'ai pas du tout envie de dormir, mais de toute façon je ne vois pas ce que je peux faire. Je n'ai toujours pas de lit dans ma chambre, mais au moins j'ai un fauteuil et une couette, je vais me contenter de ça pour la nuit. Je m'installe dessus et sors un livre pour bouquiner un peu en attendant que le sommeil me prenne. J'ignore depuis combien de temps je suis en train de lire, un bon moment je pense vu l'avancement dans les pages. Je finis par être dérangé, on frappe à ma porte. Je dois devenir devin, car je sais très bien qui est là.

— Bonsoir Nelle, me dit Gabriel avec un regard hésitant.
— Salut.
— Tu comptes dormir ici ?
— Oui.
— Il n'y a pas de lit.
— Ah bon ? Je n'avais pas remarqué.
Il me tend les clés de sa chambre.

— C'est bon le fauteuil fera l'affaire, dis-je d'un air agacé.
Ne sois pas désagréable Nelle, il essaye juste d'être sympa.
Il reste là à me regarder et ne dis rien d'autre.

— Tu es étrange, Gabriel.

Il me sourit et s'avance de moi tout doucement.


— Je sais, mais j'aimerais savoir pour quelle raison.

— Tu restes là à me fixer sans parler.

— Parce que tu me troubles.

— Désolé.

— Non j'aime ça, ne t'excuse pas.

— Très étrange même.

— J'ai envie de t'embrasser depuis la seconde où tu m'as dit bonjour.

— Pourquoi ?

— C'est ce que j'essaye de comprendre.

— Tu penses que c'est marqué sur mon front ? Et qu'en me regardant tu vas comprendre ?

— Et pourquoi pas.

— Tu comptes aller jusqu'où là ?

— Jusqu'à ce que tu m'arrêtes.

— Tu risques d'être collé à moi.

— Possible oui.

Il recommence à s'avancer de moi puis pose sa main sur mon visage et caresse ma joue puis ma bouche. Je le vois la regarder et se mordiller la sienne. J'enlève sa main ce qui lui fait remonter ses yeux vers les miens.


— Nous ne devons pas être proches, et je dois te repousser d'après tes paroles de ce matin.

— C'était ce matin.

— Et alors ?

— Nous sommes le soir.

— Ça change quoi ?

— Que j'ai envie de t'embrasser.

— Tu es un vampire.

— Tu te répètes.

— Mais tu n'es pas plus 100 % humain, et avec un doigt tu risques de me casser.

— Peut-être pas avec un doigt ou alors un très gros.

J'explose de rire et le pousse en posant ma main sur son torse. Il pose alors sa main sur la mienne et je sens son cœur battre.


— Je ne veux pas souffrir Gabriel, je ne veux pas avoir besoin de me retenir en permanence avec toi, car tu risquerais de me faire du mal involontairement.

— J'ai de la retenue Nelle.

— Tu as déjà eu une humaine dans ta vie ?

— Pas qu'une.

— Tu es allé jusqu'où avec elles ?

— Aussi loin qu'on puisse aller dans un couple.

— Pourquoi tu n'es plus avec elle alors ?

— Ma fraîcheur était un problème, et parce qu'elles n'étaient pas les bonnes.

— Je ne veux pas souffrir, je ne veux pas espérer pour rien et être une fois de plus être déçu.

— Je ne compte pas te rendre malheureuse.

— Mais tu me connais que depuis hier, comment tu peux savoir que ça va marcher entre nous ?

— Je vais tout faire pour réussir. Ça fait trop longtemps que je t'attends et maintenant que tu es là je vais te garder.

— Comment tu sais que c'est moi ?

— Je t'ai vu arriver dans mes rêves.

— Quoi ? Tu te moques de moi la ?

— Je fais des rêves prémonitoires.

— Et tu m'as vu moi ?

— Oui, comme je te vois là, enfin tu es presque pareil.

— Et pourquoi tu es sûr que ce rêve voulait dire que je suis celle qu'il te faut.

— Parce que je t'ai embrassé sans retenue, que je t'ai touché sans que tu frissonnes, et que tu n'as pas eu peur de moi une seule fois.

— Je ne suis pas sûre que ce soit suffisant pour me convaincre.

— J'ai vu un petit garçon brun aux yeux gris aussi, il te tenait la main.

Des larmes coulent sur mon visage, je sors mon téléphone et lui montre la photo de Nelan en fond d'écran. Il prend le téléphone et se met à sourire.

— Nelan.

— Tu connais son prénom ?

— Je te l'ai dit, je l'ai vu dans mes rêves.

— Donc tu m'as reconnu quand tu m'as vu m'asseoir sur le banc.

— Je t'ai reconnu quand je t'ai vu arriver avec Anderson.

— Montre-moi que tu as de la retenue.

Il avance sa bouche et pose ses lèvres sur les miennes. Mon corps entier frissonne. J'adore ce qu'il me fait. Il pose ses mains dans mon dos et me rapproche davantage de lui. Je me souviens que pour Virgile c'était très compliqué de m'embrasser du coup je ne veux pas faire fuir Gabriel et le laisse mener la danse. Nous nous embrassons quelques instants, un temps trop court à mon goût. Il finit par reculer légèrement et pose son front sur le mien. Il me sourit et pose ses mains sur mes joues.

— Merci Nelle.

— Merci ? Ça veut dire que là tu vas partir, car j'embrasse très mal et que tu ne reviendras plus ?

— Merci de ne pas m'avoir sauté au cou et augmenter mon envie d'essayer d'aller plus loin.

— Dans ce cas de rien, je sais que ce n'est pas simple pour toi dans ces cas-là.

— Un vampire t'a déjà embrassé n'est-ce pas ?

— Oui.

— Un vrai ?

— Pourquoi il existe des faux ? dis-je en souriant.

— C'était quand ?

— Il y a quelques semaines, et c'était un vampire né comme toi.

— Il s'est passé quoi ?

— Il a dû bondir en arrière, car mon baiser est allé trop loin pour lui.

— C'est pour ça que tu t'es contenté de te laisser faire.

— Oui.

Il me sourit et dépose un simple baiser et finit par s'éloigner de moi.


— Et c'est aussi dur que ça ?

— Oui.

— Tu comptes m'embrasser de nouveau un jour ?

Il se retourne pour me faire face et tout en me souriant.


— Oui.

— D'accord, et si là je bouge il se passe quoi ?

— Je ne vais pas te sauter dessus promis.

— Ouf, je peux respirer de nouveau alors.

— Exactement.

— Bon tant mieux.

Je m'installe sur mon bureau et le laisse reprendre son souffle.


— Ç'a été aussi dur pour lui que ça ?

— Trois amis professeurs à moi ont dû venir pour le faire sortir.

— Ah oui quand même, le pauvre.

— J'ai eu beaucoup de peine pour lui, et je m'en suis voulu d'une force.

Il reste là, assis sur le rebord de ma fenêtre à me regarder.


— Tu penses à quoi ? demandé-je.

— À toi.

— D'accord, et de façon plus explicite ?

— À ce que je vais faire de toi.

— Ha, et tu as des théories à ce sujet ?

— Passer le plus de temps possible avec toi pour apprendre à te connaître et pouvoir t'embrasser à mon aise.

— Tu as des étudiantes accros à toi ?

— Pourquoi cette question ?

— Parce que je n'ai pas envie d'avoir des filles qui me détestent ici, car je t'aurais volé à elle.

— Une élève, Louane.

— Elle aimerait plus ?

— C'est impossible et elle le sait.

— Pourquoi ?

— Je ne peux pas la toucher sans qu'elle frissonne.

— Juste pour ça ?

— Ça me semble une raison valable pour commencer.

— Pas pour moi non, et ensuite ?

— Parce que je ne la trouve pas à mon goût.

— Tu aimes plus le O+ ?

— Tu essayes d'être drôle ?

— Tu n'as pas d'humour faut croire.

— Je ne la trouve pas belle.

— Là, je pense que c'est valable.

— Nelle si je te fais mal ou que tu as peur je veux que tu me repousses aussi fort que possible.

— Euh oui d'accord.

— Promets-le-moi.

— Oui, c'est promis.

En une fraction de seconde il devant moi et m'embrasse de nouveau, j'avais oublié à quel point un vampire est rapide. Il m'embrasse avec plus de fougue déjà, sa langue est dans ma bouche et joue avec la mienne. Je sens du désir dans son baiser, une envie de continuer, mais à la fois une forte retenue. Nous nous embrassons bien plus longtemps cette fois-ci. Je sens qu'il a besoin de reculer, mais qu'il n'y arrive pas. Je me déteste de faire ça, mais il veut que je le repousse si je sens quelque chose de dangereux. J'utilise mon bouclier et il est projeté légèrement en arrière.

Je suis rassuré ses yeux ne sont pas rouge, mais ils sont quand même empreint d'un désir. Il ne bouge plus du tout et moi non plus, je le vois essayer de reprendre son souffle.

— Nelle, tu as fait ça, car que je t'ai fait mal ?

— Non, je t'ai senti désireux de t'éloigner vite.

— Quoi ? Tu as senti ça ?

— Oui, dans ta façon de m'embrasser.

— Tu as bien fait de me repousser.

— Tu aurais fait quoi sinon ?

— Je t'aurais emmené dans ma chambre.

— Ça va aller ?

— Oui, mais pas toi apparemment.

— Je ne te connais que depuis hier. Je ne suis pas sûre de pouvoir supporter que tu me dises que tu ne veux plus de moi, car tu ne sauras pas te contrôler.

Il s'approche de moi et me prend dans ses bras. Il avance de nouveau sa bouche de la mienne et m'embrasse, ses baisers sont remplis de douceur et de tendresse. Il a beau être un homme extrêmement fort ses gestes sont tout l'inverse. Cette fois-ci, il n'y mettra pas autant de fougue et s'arrêtera le plus naturellement possible.

— Tu fais de gros progrès, bravo !

— Si je pouvais, je passerais ma nuit à t'embrasser.

— Qu'est-ce qui t'en empêche ?

Il me sourit, me soulève et m'emmène dans sa chambre. J'explose de rire et le laisse faire.

Nous nous embrassons avec douceur depuis un bon moment. Ses mains sont sagement loin de mon corps.

Un cri à l'extérieur du bâtiment nous interpelle, il fonce ouvrir la fenêtre pour regarder et je vois au loin un portail démoniaque.

— Des démons, dis-je en criant légèrement.

Je ramasse mon gilet que j'enfile rapidement et commence à foncer à l'extérieur.

— Nelle ! non, attends.

— Quoi ?

— Reste là.

— Quoi ? Pourquoi ? Je vais aller me battre.

— Sûrement pas, non.

— On perd du temps-là, allons-y.

— Nelle je refuse que tu risques ta vie en y allant.

— C'est mon quotidien de les affronter, allez on y va ensemble.

Il ne répond rien et me laisse partir.

Nous arrivons dehors et une petite dizaine de démons sont là en train de combattre avec des étudiants et professeurs. En une fraction de seconde, je mets tout le monde dans une bulle et utilise un bouclier pour repousser les démons. Les étudiants et professeurs me regardent et semble étonnés, ils finissent par reculer et passent derrière moi après avoir insisté. Je canalise une onde aussi puissante que possible tout en continuant de repousser les démons. Ma boule d'énergie est expulsée en avant. Comme à chaque fois, ils tombent tous au sol, et six à peine se relèvent. Je vois alors Gabriel bondir en avant pour s'occuper d'un des démons pendant que les autres finissent d'achever ceux au sol qui sont inconscients. Un démon arrive devant moi et commence à vouloir me frapper, j'esquive les coups avec facilité, ça se complique quand un deuxième se met à vouloir me frapper également. Je vois alors un démon voler en arrière, Gabriel est venu m'aider.

Le combat continue encore quelques minutes. Je sens que je commence à fatiguer et j'ai de plus en plus de mal à être réactive à esquiver les coups. Il réussit à me donner une gifle qui me fait tomber à la renverse. Je me protège dans ma bulle, mais ça ne sera pas suffisant. Je vois Gabriel occupé et dos à moi. Un ours énorme passe au-dessus de moi et fait tomber le démon à la renverse. Je rêve ou c'est Jacob ? Un deuxième ours bondit également et à deux ils arrivent à tuer le démon. L'ours que je pense reconnaître arrive vers moi et se transforme en humain.

— Bonjour ma belle, ne bouge pas.

— Jacob dis-je avec les larmes aux yeux.

Il me fait un énorme sourire et pose sa main sur ma bouche. Une chaleur toute douce m'envahit. Je touche ma bouche et elle est coupée. Le démon a réussi à me faire saigner en me giflant. Gabriel ne doit surtout pas s'approcher, l'odeur de mon sang pourrait le perturber. Il finit par se retourner dans ma direction et semble inquiet de me voir sur le sol. Il commence à approcher quand je lui fais un signe de la main pour qu'il recule. Il semble vraiment décidé à me rejoindre. Il bondit à côté de moi et se mets à genoux.

— Tu es blessée ?

— Oui, je ne voulais pas que tu approches et que tu sois tenté.

— Ça ne me fait rien ton sang je te l'ai dit.

— Tu es sur ?

— Oui, j'en suis sûr.

Jacob enlève sa main de mon visage et me prend dans ses bras. Quel bonheur de le voir ici. Bon je l'ai vu il n'y a pas longtemps, mais ça n'a rien à voir.

— Il faudra raccompagner Nelle de suite dans sa chambre, je la sens épuisée, je ne voudrais pas qu'elle tombe. Demande Jacob.

— Je m'en occupe, répond Gabriel.

— Et les démons ? Ils ont besoin de nous, dis-je.

— On s'en occupe, ils sont peu à présent, dit Jacob.

Gabriel commence à m'aider à me redresser, mais mes jambes ne semblent pas d'accord.

— Je vais m'évanouir, Gabriel.

— Quoi ? répond-il surpris.

Quand j'ouvre les yeux, je suis allongée sous une couette. Je tourne la tête pour essayer de voir où je suis. Gabriel est allongé à côté de moi et dort. Il est tourné dans mon sens. Il est à croquer comme ça. Je m'approche de lui et me blottis contre son torse qui est dénudé. Mon action le fait bouger et je sens son bras m'enlacer et me tirer pour me rapprocher davantage de lui. Je sens son visage dans mes cheveux.

— Rendors-toi mon cœur.

J'ai les larmes qui me montent aux yeux en entendant ça. Je le sens se redresser et me regarder.

— Mais non ! ne pleure pas.
— Désolé, ça me touche que tu m'appelles comme ça, d'être allongé dans tes bras.

Il saisit ma bouche avec la sienne et m'embrasse avec tendresse tout en caressant mon visage. Il finit par se rallonger et me prend dans ses bras. Je pose ma tête sur son torse et ferme les yeux et m'endors rapidement.

Un réveil qui me sort de ce si beau sommeil me fait bougonner rapidement.

— Je ne veux pas y aller.
— Allez mon cœur debout.
— Tu ne préfères pas rester ici pour m'embrasser ?
— Très tentant, mais non.

Il me tapote les fesses et m'embrasse rapidement puis file dans sa salle de bain. Je finis par me lever et file dans la mienne pour me laver et me changer. Quand je sors de ma chambre, il m'attend dans le couloir tout sourire. Je m'avance de lui et dépose un baiser rapide dans son cou, je ne veux pas risquer quoi que ce soit. Il m'enlace et m'embrasse rapidement.

— Allons manger.

Il me prend par la taille et nous avançons jusqu'au réfectoire. Les autres ne sont pas encore présents. Nous nous installons et commençons à manger. Rapidement, Justin arrive et s'installe en face de Gabriel.

— Mieux dormi ? demandé-je en lui souriant.

Il voit bien mon regard moqueur, mais bon, j'ai encore en mémoire sa tête d'hier et c'était vraiment à mourir de rire.

— Je n'ai pas eu froid en tout cas. Je suppose que c'est toi qui as mal dormi du coup.

— Non, j'ai très bien dormi, pas assez en revanche.

— Tu as osé le faire dormir par terre alors ?

— Je suis un monstre ne cherche pas, dis-je en souriant.

Gabriel se met à rire et pose son bras derrière ma chaise. Je vois alors le regard de Justin passer de Gabriel à moi et se mettre à sourire.

— La rousse de ton rêve ! hein.

Oh ! il a parlé de son rêve à Justin.

Je tourne la tête et regarde Gabriel qui est tout sourire. Les autres arrivent un à un.

— Ça va mieux, Nelle ? me demande Antoine.

— Oui, oui, merci.

— J'avais sous-estimé les paroles des gens qui disaient que tu étais puissante.

— Comme quoi il y a des gens qui disent la vérité.

— Ah non, mais là ça atteint un niveau, je suis impressionné, je t'ai vu combattre au corps à corps et même là tu as dû t'entraîner.

— Énormément oui.

Quand je vois Jacob arriver, je suis tout sourire. Il s'installe à côté de moi et me prend dans ses bras.

— Merci de m'avoir fait venir ici.

— Je ne pensais pas que ça se ferait aussi vite.

— Au plus grand plaisir de Juliette et moi.

— Je suis super heureuse de t'avoir avec moi ici aussi.

— Tu manques aux autres, tu sais.

— Ils me manquent aussi.

— Pourquoi tu refuses que Dagon vienne s'expliquer ?

— Je ne veux plus le voir. Jamais !

— C'est Camille la responsable.

— Stop Jacob, il est suffisamment grand pour avoir eu le temps de la repousser, elle avait sa langue dans sa bouche hein, ce n'était pas un simple baiser.

— Nelle.

— C'est bon, c'est déjà du passé pour moi. Je lui avais dit que j'acceptai de le reprendre dans ma vie une deuxième fois pour essayer et voilà le résultat. Stop.

— Logan fête son anniversaire ce week-end.

— Ah oui c'est vrai, j'avais complètement oublié.

— Fais-lui une surprise et vas-y.

— Je ne suis pas sûr non.

— Et pourquoi ça ?

— Parce que je vais devoir y aller seule, et que je n'ai pas envie d'affronter Dagon.

— Je t'accompagne Nelle si tu veux. Me propose Gabriel.

— Ça ne te dérange pas ?

— Pas du tout, ça me donnera l'occasion de voir un autre campus.

— Tu viens, Jacob ?

— Oui, c'est prévu que je m'y rende avec Juliette en effet.

— Dans ces cas la oui j'y vais également avec Gabriel.

— Parfait, je dois l'appeler ce soir pour lui confirmer que je viens, je ne lui dirais rien pour toi.

— Merci, j'ai hâte.

Nous finissons de manger et je file en cours avec Juliette, Jacob m'accompagne jusqu'à la salle.


— Comment vas-tu ? me demande Jacob qui semble inquiet.

— Très bien.

— Et le blond qui a les yeux qui pétillent en te regardant ?

— Il s'appelle Gabriel.

— Sympa pour un vampire.

Je lui souris et ne réponds rien.


— J'attends la suite.

— J'ai eu ce qu'on appelle un coup de cœur pour lui.

— C'est un vampire.

— À moitié humain.

— Mais vampire quand même.

— Tu as bien vu hier qu'il n'a pas eu envie de me vider de mon sang.

— OK, disons que pour ça, ça simplifie certaines choses.

— Tu veux en venir où ?

— Tu n'as pas oublié avec Smith ?

— Non je ne pense pas que je puisse oublier un jour, mais ça n'a rien avoir.

— Ça reste un vampire Nelle.

— Et moi je sais utiliser mes dons maintenant.

— Ça sert à rien de discuter de ça avec toi, tu es têtue comme une mule.

— Oui en effet, j'y crois avec Gabriel, vraiment.

— Je te fais confiance Nelle, par contre si Dagon l'apprend il débarque.

— Je n'ai pas de compte à lui rendre, il a déconné pas moi.

— Mais ça reste étonnant que Dagon te fasse une crise de jalousie par rapport à Virgile, et que toi tu te mettes ensuite avec un Vampire.

— C'est un hasard.

— Oui comme de te mettre avec Anderson alors que Dagon était jaloux comme un âne de lui.

— Tu es en train de dire que je le fais exprès pour l'emmerder ?

Il me sourit et ne répond pas. Il vient de me mettre le doute là il en est conscient ? Ce que je ressens en présence de Gabriel ne semble pas fait exprès.

J'arrive en cours avec Juliette et m'installe là où il reste de la place. Jacob semble assister Juliette dans le cours. Ce qui me va grandement. Les 2 h passent plutôt rapidement à mon plus grand bonheur, car les deux heures qui suivent se passent avec Gabriel. Je me dépêche de rejoindre son amphithéâtre et m'installe à la même place que la veille. Je suis une des premières arrivées. Je vois alors Gabriel lancer un regard puis un sourire dans ma direction. Une étudiante devant lui se retourne et semble contrariée, même très contrariée. Elle monte gagner sa place et me dévisage tout le long. Quelques minutes après, le cours commence. J'ai un mauvais pressentiment pour l'interclasse. Mais vraiment mauvais. Mon téléphone a vibré deux fois pendant le cours et je profite de l'interclasse pour lire les messages.

« Logan : tu es toujours invitée, ma petite Nelle, ce week-end je te rappelle, ça me fera très plaisir de te voir » « Moi : je ne te promets rien, mais même si je ne suis pas présente je penserai fort à toi. » « Virgile : je n'ai plus personne pour me frapper quand je dis des bêtises, tu ne veux pas revenir histoire de me faire rire un peu ? C'est ma façon à moi de te dire que tu me manques énormément. » « moi : tu me manques aussi Virgile, mais je ne reviendrai pas, je ne veux plus jamais voir Dagon. »

J'ai la tête plongée dans mon livre quand j'entends une personne s'adresser à moi.

— Comment tu as fait pour l'avoir ?
Je relève la tête.

— Pardon ?
— Gabriel.
— Il va falloir m'expliquer de quoi tu parles.
— Son sourire et son regard quand tu es entrée dans la salle.
— Oui et alors ?
— Je te déteste de me l'avoir volé, ça fait deux ans et demi que je fais tout pour qu'il me remarque et toi tu arrives et il ne voit que toi.

La fameuse Louane. Il m'a dit qu'il ne la trouve pas jolie, elle est mignonne pourtant. Je ne me trouve pas mieux qu'elle en tout cas.

— Je suis désolée pour toi, mais je n'ai rien fait.

— Casse-toi, retourne d'où tu viens.

— Navrée, mais ça, c'est impossible.

— Je te conseille de toujours regarder derrière toi à l'avenir.

— Tu me menaces là ?

Elle me sourit et ne répond rien. Je ne vais pas me laisser faire comme ça. Je me lève et l'attrape par la tignasse et l'emmène jusqu'à Gabriel, il semble surpris par mon geste. Je force Louane à s'asseoir sur le bureau.

— Je veux bien être gentille et patiente, mais si on me menace de me tuer en permanence ça va être compliqué.

Gabriel se lève et se place devant Louane.

— Tu as menacé, Nelle ?

— Bien sûr que non.

— Réponds ! la vérité, Louane.

— Vous la croyez elle qui est arrivée récemment et moi que vous connaissez depuis deux ans, non.

— Nelle à mon entière confiance, et puis je t'ai vu et entendu lui parler. Je te rappelle que je suis vampire et que j'entends très bien, Je t'ai laissé une chance de me dire la vérité tant que tu en avais le temps. Je n'ai pas le choix que de t'exclure.

— Attends, Gabriel, dis-je un peu rapidement.

Il tourne la tête vers moi.

— Si elle promet de ne rien me faire, elle peut rester non ?

Elle me regarde surprise par mon intervention.

— Louane ? demande Gabriel.

— Je la déteste, mais je ne lui ferais rien.

— Retourne à ta place maintenant, mais tu n'auras pas de deuxième chance, crois-moi.

Je commence également à retourner à ma place.

— Attends, Nelle.

Il me saisit par la taille et me tire contre lui.

— Les autres élèves, ils vont nous voir.

— Ça m'est égal, je veux qu'ils comprennent bien que je suis à toi et rien qu'à toi.

— Arrête, je vais pleurer.

— Ah non, pas ça.

Il me pince la hanche et me fait signe de regagner ma place. Je suis heureuse c'est impressionnant, il a réussi à combler totalement le vide que Dagon venait de causer en le surprenant avec une autre fille. Jacob a donc tort ! du moins, je l'espère vraiment.

L'élève fille à côté de moi se met alors à me parler.

— Tu as bien fait d'emmener Louane de force vers le prof, elle se croit toute permise parce qu'elle est riche et bien gaulée.

— J'accepte d'être rabaissé, insulté et humilié, mais pas menacé.

— Je m'appelle Shelsie.

— Enchanté Shelsie, moi c'est Nelle.

— Je sais bien.

— Ah oui, il m'a présenté lundi c'est vrai.

— Tu as réussi à faire craquer notre beau professeur.

— Apparemment.

— Si ça peut te rassurer, ça fait 2 ans que je vois tout un tas d'étudiantes essayer de le draguer et aucune n'est rentrée dans sa vie.

— C'est gentil de me dire ça.

Le cours reprend et passera rapidement comme d'habitude. Je range mes affaires et sors de l'amphithéâtre pour attendre Gabriel. Des élèves sont en train de s'amuser à s'envoyer des boules d'énergie, jusqu'à ce que l'une d'entre elles soit mal lancée et dévie, quand je regarde où elle va, je vois Louane de dos et ne semble pas calculer. Mince, je l'enveloppe aussitôt dans une bulle pour la protéger. Elle se retourne et voit alors le sort lui arriver droit dessus. Elle a comme réflexe de se protéger le visage plutôt que d'essayer de l'esquiver ou même la déjouer. Heureusement que j'étais là. Je lui retire la bulle et elle s'avance vers moi.

— Merci Nelle, j'ai failli prendre cher.

— Je t'en prie.

Gabriel arrive à ce moment-là et commence à s'énerver et essaye de savoir qui a fait ça. Après avoir donné un avertissement aux élèves concernés, il m'emmène avec lui manger.

— Quel bande d'idiots, je te jure.

— Ils s'entraînent tout en s'amusant, ils ne se rendent pas compte des conséquences.

— Si tu n'avais pas été là, ça aurait viré au drame, il y avait des vampires dehors.

— Sauf que j'étais là et que tout le monde va bien.

Gabriel finit par se calmer et commence à m'embrasser avec fougue.

— Doucement, tu es énervé et ça peut vite monter.

Je le vois fermer les yeux et respirer puis recommence à m'embrasser avec plus de légèreté. Nous nous installons à table et visiblement nous serons seuls là.

— Je vais m'absenter cet après-midi.
— Si tu veux, sois juste prudente.
— Comme toujours.
— J'ai un gros doute sur ça.
— Bon ben pour une fois je serais prudente alors.
— Appelle-moi si tu as un seul souci.
— Promis.

Il est mignon et m'accompagne jusqu'à ma voiture et m'embrasse avec beaucoup de douceur.

— Je t'avoue être inquiet de te voir partir seule.
— Je sais me défendre.
— Je vais reformuler.
— Je suis inquiet qu'une aussi belle femme soit seule.
— Accompagne-moi alors.
— Tu pars faire quoi ?
— Coiffeur et boutique, je veux trouver un cadeau pour Logan pour son anniversaire.
— Coiffeur ? Tu veux passer blonde ?
— Non, juste refaire un lissage brésilien.
— Laisse-moi le temps d'aller chercher ma casquette et mes lunettes de soleil et je viens.
— Ça marche.

Il m'embrasse le front et s'éloigne. Il reviendra 5 petites minutes après avec une casquette et des lunettes, ça lui va à merveille.

— Finalement, je ne suis pas sûre de te laisser m'accompagner.

— Et pourquoi ça mon cœur ?

— Parce que tu es à tomber comme ça.

Il me fait un grand sourire et me prend dans ses bras.

En 1 h nous avons rejoint le centre commercial vers chez mes parents et ma coiffeuse habituelle m'a déjà prise en main. Gabriel se fait regarder c'est juste impressionnant. Il a retiré ses lunettes de soleil, mais pas sa casquette, ça lui cache une partie de son visage tout de même. Je le sens gêné, le pauvre, mais il reste près de moi, son téléphone à la main.

J'en profite du fait que la coiffeuse est partie pour le laisser approcher un peu plus.

— Il y en a encore pour longtemps mon cœur ?

— Non, une petite demi-heure je dirais.

— Je suis en train de me faire dévorer là.

J'explose de rire.

— Tu sais ce que ressent une jeune vierge au milieu de tout un tas de vampires affamés.

— Merci pour la comparaison, mais ça fait bien longtemps que moi je ne suis plus vierge.

Il m'embrasse le nez et me fait un grand sourire.

— Va faire des boutiques si tu préfères, et je te rejoins ensuite.

— Ça ne te dérange pas ?

— Du tout.

— À tout de suite alors.

Il se lève et quitte le salon. Les deux dindes à l'accueil se font un grand plaisir à lui dire au revoir en gloussant. Comme prévu, j'ai bien terminé 30 min après et je pars le rejoindre dans une boutique de vêtements mixte. Je le repère de loin, il est dans le rayon femme. Mais qu'est-ce qu'il fait ici ?

— Bonjour bel homme, puis-je vous aider ? dis-je en m'arrêtant à côté lui.

Le sourire de fou qu'il me fait quand il se retourne.

Bon, son visage change en découvrant ma tête.

— Elle n'a pas oublié de te rincer la tête ?

— Non, c'est normal il faut que ça pose plusieurs heures.

Il hausse un sourcil.

— Oui, je sais je suis laide comme ça, mais si tu veux il y avait deux pétasses au salon de coiffure qui seront ravis d'avoir ton numéro.

— Tu penses qu'il n'est pas trop tard pour le récupérer ?

Je lui donne un coup dans le ventre et après avoir explosé de rire, il me tire pour que je me colle à lui.

— Pouah, c'est quoi cette odeur mon cœur, me dit-il en mettant sa main sur son nez.

J'explose de rire à en pleurer et mets plusieurs minutes pour me calmer. Sa tête est excellente, dommage que je ne l'ai pas filmé.

— Je vais te doucher dès qu'on rentre.

— Non, non. Pas avant 48 h !

— C'est une blague ?

— Non, il faut que sa tienne.

— Je crois que Justin va avoir de la compagnie ce soir encore.

— Tu penses que lui va supporter mon odeur ?

Je ne me prive pas de lui faire un grand sourire après avoir dit ça.

— Même pas en rêve tu partages le lit d'un autre homme.

Il me pousse jusqu'à une allée derrière et me montre une veste.

— Tu en penses quoi ?
— Logan ne va pas aimer, je pense.
— Non, pas pour lui, mais pour toi.
— Pourquoi pour moi ?
— Je suis certain qu'elle t'ira à merveille.
— Je ne suis pas là pour moi, mais pour lui.
— Elle te plaît ou pas ?
— Je n'ai jamais eu de veste en cuir.
— Décidément, tu ne sais pas répondre à une question aussi simple ?
— Je…

Il en prend une et me la tend.

— Essaye-la, mon cœur.
— OK.

Je retire mon blouson et enfile celui que Gabriel me tend. Vu le sourire qu'il me fait, il aime.

Il me prend la main et m'emmène devant le miroir.

— Alors tu en penses quoi ?
— C'est vrai que ça me va bien, j'aime beaucoup le rendu, sauf.
— Sauf ?
— On voit mes fesses.
— Et ?

— Mes vêtements cachent mes fesses en général.

— Ben, tu feras une exception et tu vas les montrer.

— Tu essayes de me changer ?

— Non, enfin pas vraiment.

— Explique-moi.

— J'ai envie de te faire plaisir.

— Pas avec des cadeaux, c'est trop récent entre nous pour accepter.

Je le retire et le remets en rayon. Puis me dirige du côté homme.


— Tu trouves ton bonheur ?

Je me retourne et m'accroche à son cou.


— Oui, dis-je en souriant.

— Je me sens visé.

— C'est le cas.

Il m'embrasse avec beaucoup de douceur.


— Besoin de moi pour trouver ?

— Tu ne le connais pas ça va être dur non ?

— C'est quelle sorte de bête ?

— À puce.

— Je suis en couple avec l'ami d'un loup ?

— Eh oui.

— Une muselière alors.

— Mais non le pauvre, c'est une crème mon petit Logan.

— Du laxatif alors.

J'explose de rire et le pousse.

Après avoir tourné et viré dans les rayons ont optes pour un jean et un sweat. Mattieu notre indic sur place nous a donné les tailles de Logan.

Nous arrivons à la caisse et une envie de l'étrangler m'envahit quand je vois la dame lui tendre un sac avec le blouson que j'ai refusé.

Il me soûle au moment de régler pour payer une partie vu qu'il compte venir. Je refuse un peu sèchement et devant la caissière il ne bronche pas.

À peine installé dans la voiture, il pose le sac avec le blouson sur moi.


— J'espère que tu as une cousine ou une petite sœur dis-je sur un ton un peu accusateur.

— Non, mais j'ai une femme formidable dans ma vie.

— Gabriel sérieux.

— Quoi ?

— Tu essayes de m'acheter ?

— On ne t'offre jamais de cadeaux ?

— Si, pour mon anniversaire, ou noël, mais pas en dehors.

— Ben, j'avais envie de te faire plaisir vu que j'ai loupé ton anniversaire.

— Il coûte une fortune en plus.

— Accepte-le stp mon cœur.

— Mais tu es conscient que ça me gêne ?

— Tu es consciente que je suis sur un petit nuage depuis que tu es dans ma vie, ne gâche pas ce moment où j'ai envie de te faire plaisir pour un « il coûte trop cher » ou un « ce n'est pas mon anniversaire ».

— Merci beaucoup, Gabriel. Je l'adore.

Il tourne la tête et me fait un magnifique sourire.

Quel soulagement pour lui quand je me lave enfin les cheveux pour enlever le produit qui aide à les lisser ! Une odeur reste, mais moins forte que celle de départ. Je suis parée pour le week-end à venir.

Les jours de la semaine passent et se ressemblent plutôt dans l'ensemble. Je consacre chaque moment de ma journée de libre à entraîner les étudiants au corps à corps.

Le week-end est déjà là et demain je dois aller voir Logan pour son anniversaire. Il le fête pas sur le campus finalement, mais dans la cabane de Call. Plus intime.


Avec mon beau vampire, nous passons chaque nuit ensemble, nous nous embrassons de plus en plus souvent et à chaque fois ça dure bien plus longtemps. Je suis fier de lui et de sa retenue.

J'ai enfin mon lit dans ma chambre. Le fameux lit tant attendu. Il est 21 h, j'ai fini de manger et je suis dans ma chambre pour justement faire le lit. Gabriel est avec moi pour m'aider.

— Rhaa, tu as enfin un lit, je ne vais plus avoir de prétexte pour te faire dormir avec moi.

— Tu es le bienvenu avec moi quand tu veux.

— C'est une invitation à rester ça ?

— Il me semble bien oui.

— Très intéressant.

— Mais avant ça, on fait le lit.

— À vos ordres, chef !

Nous finissons rapidement de faire le lit pour mon plus grand plaisir, car je vais pouvoir profiter des bras de Gabriel à présent. Au fil des jours, nous arrivons à nous embrasser avec facilité, même s'il y met plus de fougue il arrive à reculer.

Je m'avance de lui et l'enlace et commence à l'embrasser dans le cou, il m'embrasse alors avec fougue en retour.

— Eh ben alors ?

— On va danser un peu tous les deux mon cœur.

Je lui souris et l'attrape par la nuque pour qu'il m'embrasse. Nos langues commencent à danser ensemble et rapidement je ressens son désir pour moi.

— Nelle, dis-moi si je te fais mal, et si c'est trop douloureux repousse moi.

— Chut, embrasse-moi.

Il saisit de nouveau ma bouche et me soulève pour m'emmener sur mon lit. À peine allongé qu'il retire son tee-shirt puis mon haut et mon pantalon. Je suis en sous-vêtements devant lui et sans que je puisse me l'expliquer je ne complexe pas du tout. Il commence le parcours de mon corps avec sa bouche et sa langue. J'ondule à chacun de ses arrêts sur ma peau dénudée. Lorsqu'il remonte jusqu'à mon visage je n'ai qu'une envie le sentir en moi. Je lui fais rapidement comprendre en l'aidant à retirer son jeans. Une fois nue je prends les choses en main et le fais rentrer en moi, un gémissement sort de ma bouche juste en faisant ça. J'ai envie de lui et ça devient incontrôlable. Il commence alors à onduler sur moi. Chacun de ses mouvements est un régal, rien n'est comparable. Je n'avais jamais ressenti une telle intensité. J'ai toujours aimé chacun de mes échanges, mais jamais à ce point-là. Est-ce que c'est son corps, son odeur, ou son regard qui décuple cette sensation ? Il me regarde et me sourit avec douceur.

Il se rapproche de mon oreille et se met à la mordiller.

— Hum.

Je me rends compte que je viens de parler à voix haute, il accélère ses mouvements et m'embrasse de nouveau et ne quitte plus une seule seconde ma bouche. Mes mains qui étaient dans le bas de son dos remontent jusqu'à ses cheveux et je m'agrippe dessus. Le gémissement qui sort de ma bouche n'a jamais été aussi puissant, pas dans le bruit, mais dans le plaisir que je viens de ressentir. L'expression monter au 7e ciel prend tout son sens.

Il finit par me surplomber et plonge son regard dans le mien.

— Je t'aime, mon cœur.

Mon cœur se met à battre à la chamade en entendant ça. Pas de larmes Nelle surtout pas.

— Je t'aime aussi.

Il saisit de nouveau ma bouche puis s'allonge à mes côtés. Il se tourne vers moi et me regarde.

— Tu as l'air d'avoir aimé.
— Je n'avais jamais ressenti ça.
— Tant mieux si tu as aimé.
— Fais ça à chaque fois et plus jamais je ne te laisse sortir de ma chambre.
— Je pourrai te prendre au mot attention.

Un malaise d'être nu commence à arriver, j'attrape le drap et le ramène sur nous.

— Tu as froid ?
— Non.
— Tu te caches ?
— Oui.

Il se redresse et se positionne au-dessus de moi.

— Tu essayes de cacher quoi au juste ?

Sans me laisser le temps de l'empêcher de le faire, il se redresse, je suis totalement nu et il m'observe. Il examine chaque parcelle de mon corps et caresse avec douceur mon ventre. Je prends sur moi et le laisse faire.

— Tu n'aimes pas quoi ?

Non seulement son action me gêne, mais en plus ça me rappelle Dagon qui me parlait de la même manière. Je retire sa main et croise mes bras sur mes seins pour cacher au moins ça.

— Gabriel stp allonge toi.

— Nelle non seulement je ne vois rien, et quand je te regarde je te trouve magnifique.

Des larmes finissent par couler sur mes joues. Il se rallonge en prenant soin de ramener le drap avec lui pour me cacher. Il recommence à m'embrasser avec tendresse.

— Je t'ai fait mal ?

— Pas du tout, bien au contraire, tu as eu beaucoup de retenu ?

— Un peu oui, mais moins que je ne le pensais. Tu me promets qu'à aucun moment tu n'as eu mal ?

— Aucun, j'ai même été surprise que tu me laisses prendre en main certaine action.

— Ça se fait à deux mon cœur.

Il se lève remets son jeans, sort de ma chambre puis reviens quelques secondes après et me lance un tee-shirt.

— Propre et avec mon odeur.

Je lui fais un magnifique sourire et le mets aussitôt.

— Tu m'expliques ?

— Tu mets souvent un tee-shirt qui ne t'appartient sûrement pas et ça m'agace.

— Ha ! désolé.

— Je ne veux pas savoir qui te l'a donné et pourquoi, je préfère te voir avec l'un des miens.

— Dans ce cas, je ne mettrai que les tiens.

— Ne compte pas sur moi pour mettre les tiens en revanche.

J'explose de rire et le frappe dans le ventre.

— Quelle violence Mlle Oksane.

— Je pourrais assister à un de tes cours de théâtre ?

— Bien sûr, avec plaisir.

— J'essaye de passer dans la semaine alors.

— Nelle, il est minuit on devrait dormir maintenant.

À peine allongé et blotti dans ses bras que je m'endors. Un portable qui se met à sonner me fait sortir de mon sommeil. Gabriel se lève rapidement pour récupérer le monstre qui nous a réveillés.

— Désolé, mon cœur.

Il coupe la sonnerie de son téléphone et reviens se coucher.

— Rien d'important ?

— Rien de plus important que d'être avec toi.

Il me surplombe et commence à m'embrasser dans le cou et remonte jusqu'à ma bouche.

— Tu ne préfères pas manger avant ?

— Je me connais Nelle, je ne tenterai rien s'il y a un seul risque de te faire du mal.

— OK, je te fais confiance.

Il me fait un magnifique sourire que j'aime tant puis se positionne entre mes jambes.

— Il va falloir que j'assure une fois de plus, tu me mets la pression là.

— Rhooo, mais non il ne faut pas.

Il me sourit et saisit ma bouche, nous nous embrassons maintenant avec désir et envie. Nous sommes rapidement nus. Il me soulève et m'assoit sur lui et commence à dévorer mon cou. Je suis à califourchon sur lui et là c'est moi qui crains de ne pas assurer. Un gémissement de début d'action sort de ma bouche.

Nos fronts sont l'un contre l'autre et ses mains sont sur mes hanches, bien que je sois sur lui il arrive quand même à tout gérer et à me procurer une envie de crier de plaisir.

Je le vois dans son regard et sur son visage qu'il aime tout autant que moi. Je finis par poser mes mains sur son visage et l'embrasse avant de crier et d'alerter tout le dortoir. Je m'effondre dans son cou et le serre dans mes bras.

— Apparemment, j'ai encore réussi.

— Haut la main même

Il se penche pour attraper le drap et le passe autour de mes épaules. Il finit par me soulever et m'allonge sur le lit.

— J'ai du mal à croire qu'il y a encore une semaine j'attendais désespérément que tu apparaisses dans ma vie. Et là, tu es devant moi, nu comme un ver, à ne pas craindre la fraîcheur de mon corps.

— Je t'aime.

— Je t'aime.

— Qu'est-ce que vous m'avez fait professeur !

— Donné envie de partager ta vie avec un vampire.

D'entendre de sa bouche que je suis dans la vie d'un vampire me fait peur, dans quoi je viens de me lancer ? Est-ce que je suis capable d'affronter cette vie ? Vieillir pendant que lui restera jeune et beau. Il finira par trouver une femme jeune et belle et partira avec elle.

— Nelle, qu'est-ce qu'il y a ?

— Pourquoi est-ce que j'ai se sentiments que ça va être compliqué ?

— Parce que ça va l'être.

— Ha !

— Parce que je reste un vampire, que tes amis me verront comme ça et ne me feront pas facilement confiance.

— Et tes amis ?

— Ils te prendront pour une fille suicidaire et me conseilleront de te laisser partir avant que tu ne m'aimes trop ou avant que je te tue dans un accès de violence ou de colère.

— Je t'aime déjà Gabriel, énormément, je ne pensais pas pouvoir retomber amoureuse de quelqu'un aussi rapidement après avoir été trompé. Je lui avais redonné ma confiance et mon amour. Après la mort du père de Nelan, j'étais anéanti, j'ai mis deux ans à réussir à penser à lui sans pleurer. J'étais devenue distante et froide avec les gens. Je n'arrivais plus à sourire du tout. C'est lorsque je suis retourné sur le campus que j'ai commencé à réussir à sourire de nouveau. Je me suis rapproché de Dagon, et voilà le résultat. Si on m'avait dit que le beau blond à qui je suis allée parler serait avec moi dans mon lit et me comblerait de bonheur.

Il me sourit tout en caressant ma jambe.

— Est-ce que je dois m'attendre à un mais ?

— Je ne veux pas te cacher que j'ai aucune confiance en moi, que là je viens de m'imaginer que tu allais me quitter, car je vais vieillir et pas toi, et qu'une petite jeunette te tapera forcément dans l'œil à un moment donné.

— J'y ai pensé aussi quand je t'ai vu la première fois. Mais on est tellement loin de ça.

— Oui, c'est vrai.

— Tu as eu combien d'hommes dans ta vie ?

— Tu es le cinquième.

— Il y avait des civils ?

— Non.

— Je vais les croiser ce soir ?

— Seulement Dagon et Benjamin.

— C'était sérieux avec eux ?

— Je les ai aimés oui.

— Pourquoi tu as rompu ?

— C'est eux, à part là où j'ai rompu.

— Explique.

— Quand je suis arrivé sur mon premier campus, j'avais 19 ans et je ne maîtrisais pas du tout mes dons. Il y avait une guerre contre les guerriers de la nuit. Ils avaient essayé de me tuer plusieurs fois et par chance j'ai toujours été bien entouré et j'ai survécu. Ils ont décidé de la jouer autrement et sont allés chez mes parents pour les tuer. Je me suis livrée pour leur laisser la vie sauve. À ce moment-là, j'étais avec Dagon, et quand l'un des guerriers a décidé de me libérer et de me ramener au campus Dagon m'a quitté pour se protéger, disons.

— Et pour Benjamin ?

— C'était le guerrier en question.

Gabriel se met à exploser de rire.

— Tu nous as fait le syndrome de Stockholm ?

— Tu ne peux pas rester sérieux pendant que je te raconte ça ?

— Désolé, mon cœur. Continue.

— Pas envie, tu te moques de moi et sa m'agace.

Je commence à me relever et il m'attrape par le bassin et me recouche sur le lit et se met au-dessus de moi.

— Désolé, mon cœur, raconte-moi tout.

— Non.

— Allez.

— Pousse-toi, je vais aller prendre ma douche et me préparer pour ce soir.

Il se décale et je vois dans son regard qu'il est triste et qu'il s'en veut de m'avoir vexé. Je sais que je suis susceptible, mais je lui raconte une partie de moi, mon passé et il se moque. Ça m'agace. Je ramasse le tee-shirt au sol, le mets et après avoir pris des vêtements de rechange je me dirige dans la salle de bain. Quand je ressors de ce moment rien qu'à moi il est tard et je me rends compte que je n'ai rien mangé de la journée. Gabriel n'est plus dans ma chambre. J'hésite à aller le rejoindre, je pense savoir où il peut être. Je me regarde une dernière fois dans le miroir avant d'aller au réfectoire. Robe, collant, bottes sans oublier la veste en cuir offerte par Gabriel, cheveux lisser et maquillé légèrement pour faire ressortir mes lèvres et mes yeux. J'espère qu'il reste quelque chose à grignoter. Par chance, il y a toujours des fruits, du pain et des gâteaux. Je me prends quelques trucs et m'installe à une table.

Je profite de ce moment de calme pour réfléchir, est-ce que j'y vais seule ou pas ? Je meurs d'envie que mes amis le voient, qu'on me voit heureuse avec lui. Et que Dagon bien que je l'aime toujours éperdument je ne veux plus jamais souffrir par sa faute. Voilà tu l'as ta réponse, lève-toi bouge tes fesses et fonces dans ses bras. Je suis bien décidé à aller le voir et régler ce léger différend. Mais quelqu'un en a décidé autrement, j'entends une explosion dehors qui m'oblige à sortir pour aller voir. Je vois la forêt à quelques kilomètres de là en feu. En bottes, je vais galérer pour y aller, mais tant pis. Je me dépêche d'aller voir et j'arrive au bout de quelques minutes sur place. Il y a bel et bien un portail qui a apparu. Et pour l'instant, aucun démon ne semble là. Je sens rapidement une main dans mon dos qui me fait sursauter. Je me retourne et c'est Gabriel. Je lui souris et l'embrasse rapidement.

— Tu n'es pas vraiment en tenue pour te battre.
— Je sais, mais tant pis.
— Ce blouson te va à merveille.
— Merci.

Les autres arrivent rapidement. Jacob se met à mon niveau et me donne un bouquet de fleurs. J'explose de rire.

— Je n'ai trouvé que ça.
— Merci ça devrait le faire, mais ça ne passe pas dans ma veste.

Gabriel nous regarde surpris, mais pas le temps d'expliquer, les démons apparaissent. Une trentaine sort du portail.

— Restez derrière pour l'instant.

Je sors de ma cachette et m'approche des démons. Les fleurs m'ont déjà bien envahi je me sens prête à les faire voler en arrière. Ils commencent à tous bondir en même temps sur moi que je les repousse avec violence à une cinquantaine de mettre en arrière, la plupart s'écrasent contre des arbres et d'autres contres des rochers. J'envoie aussitôt une deuxième vague pour en achever quelques-uns. Les professeurs et élèves sortent alors de la forêt, les élèves s'occupent des démons au sol inconscient et les achèves pendant que les professeurs qui ont bien plus de forces s'occupent de ceux qui sont debout. Rapidement, ceux au sol sont morts et les élèves aident les professeurs. Un démon qui a réussi à frapper un professeur s'approche alors de moi, il commence à vouloir me frapper j'esquive pas mal de coup, ceux qui m'atteignent sont forts, mais ne me font pas tomber. Le démon semble fatigué et blessé ses coups sont moins puissants. Ça fait plusieurs minutes que je lutte contre lui. J'ai beau avoir appris à me battre au corps à corps je fatigue quand même au bout d'un moment et perd en réflexe. Je doute que se démon me laisse 5 min pour me reposer. Je n'ai plus vraiment le choix, je dois utiliser mes dernières forces pour l'achever. Je canalise une onde que je lui envoie en plein dans la poitrine, ça a le mérite de le faire tomber à quelques mètres en arrière. Je recule un peu et vais m'asseoir contre un arbre avant de m'évanouir.

Je vois Gabriel avec deux démons sur lui, il est fort et pare pas mal de coups, il a beau être immortel, je m'inquiète, il pourrait réussir à le tuer en lui enlevant la tête du reste du corps. Mes amis me manquent terriblement là, ils étaient toujours présents pour m'aider. Je dois trouver la force de lui venir en aide. Je me concentre pour faire apparaître l'aura des démons pour les enlever de leurs corps. Je ferme les yeux une demi-seconde et quand je les ouvre de nouveau l'aura a apparu, un geste de la main et je retire la vie des deux démons qui frappent mon homme. Gabriel semble alors chercher quelque chose ou quelqu'un ? Quand il m'aperçoit assise contre l'arbre, il s'approche et s'installe devant moi en une fraction de seconde.

— Ça ne va pas ?

— J'ai utilisé beaucoup d'énergie, je reste là avant de tomber.

— Je peux te laisser seul pour aider les autres ?

— Oui.

Je le vois bondir dans le dos d'un démon et le mettre au sol et le tuer en un mouvement de bras. Les minutes passent et le nombre de démons ne diminue pas assez vite. De plus en plus d'élèves sont inconscients. Je n'ai plus vraiment le choix, désolé Logan, mais je ne pourrai pas être là ce soir, je le sens bien. Je reste assise et recommence à invoquer l'aura des démons. En l'espace d'une minute, je retire la vie des derniers monstres encore debout. Je commence à sentir des fourmillements dans tout le corps ainsi qu'une fraîcheur désagréable. Je n'ai plus la force de rester assise, je commence à m'allonger dans les fougères et ferme les yeux. J'entends la voix de Jacob et de Gabriel me parler, mais je n'ai plus la force de répondre ou de bouger.

Quand j'ouvre les yeux, je reconnais aussitôt l'endroit, ma chambre au campus de Nelune. Je tourne la tête et vois Dagon et Gabriel qui me regardent. Mon cœur accélère en voyant ça.

— Bonjour, me dit Dagon en me souriant.

Il s'approche de moi et m'embrasse le front. Sérieux qu'est-ce que je fais ici ? Si Dagon apprend que Gabriel est mon nouveau copain, il risque de se battre. Surtout qu'il avait été clair là-dessus qu'il ne me veut pas avec un vampire dans ma vie.

— Qu'est-ce que je fais ici ?

— Je t'ai emmené pour la soirée, je ne voulais pas que tu loupes ça. L'ange m'a donné l'autorisation. M'explique Gabriel en me souriant avec beaucoup de gentillesse.

— Merci, je vais essayer de me lever.

Dagon me tend la main que je prends. Tout un tas de sensation envahit mon corps juste avec le contact de ma peau contre la sienne. Il me sourit, car je suis certaine qu'il a senti la même chose de son côté.

— Merci.

Gabriel me regarde et me sourit, mais garde ses distances.

— Logan et les autres sont déjà dans le chalet de Call et ne savent pas que tu seras là. J'ai reçu un message de Gabriel pour me prévenir que tu arrives en mode belle au bois dormant, du coup je suis resté pour attendre que tu te réveil. Et j'ai trouvé comme excuse que Lilou voulait se préparer et que je l'attendais.

— C'est adorable, merci.

— Tu veux te rafraîchir un peu avant d'y aller ? me propose Dagon.

— Ma tête fait aussi peur que ça ?

— Non, tu es toujours magnifique.

Gabriel finit par s'approcher et enlève quelques feuilles et brins d'herbe de mes cheveux.

— Tu es très nature comme ça au moins.

Je fais quelques pas dans la chambre pour voir si je peux tenir debout et ça a l'air d'aller.

— Ça va aller ? me demande Dagon.

— Oui, ça va là merci.

Je suis incapable de le regarder dans les yeux sinon je risque de fondre en larmes devant lui. Nous finissons par quitter la chambre pour rejoindre le parking puis le chalet. Lilou est déjà devant la voiture quand on arrive. Elle s'approche de moi et me prend dans ses bras.

Lilou et Dagon sont à l'avant pendant que Gabriel et moi sommes à l'arrière. Nous roulons depuis quelques minutes et d'être si loin de Gabriel sans pouvoir lui parler me soûle. Je me détache et change de place. Je m'installe le plus près possible de lui et m'attache de nouveau.

— Bonjour, je peux vous aider, Mlle Oksane ?
— Oui, je m'ennuyais loin de vous professeur.
— Dans ce cas, tu es la bienvenue.
— Mince le cadeau de Logan.
— Je l'ai, rassure-toi.
— Tu es parfait dis-je en lui souriant

Je pose ma tête sur son épaule et ferme les yeux. Des baisers finiront par me les faire rouvrir.

— On est arrivé mon cœur.

Dagon et Lilou sont déjà sortis de la voiture. Après un baiser rapide à Gabriel, nous sortons également.

— J'espère que tu connais le chemin Nelle, lance Dagon.
— Hum on va dire que oui.

Il fait nuit et j'essaye comme je peux de me rappeler du chemin.

— Je dirais par là.

— C'est parti pour une promenade nocturne.

Nous explosons de rire et nous nous mettons en route. Je déteste Dagon d'avoir réussi en quelques minutes à me donner le sourire et à me faire réapparaître absolument tous les sentiments que je ressens pour lui. Je suis incapable de l'ignorer et le détester. Limite j'ai envie de me blottir contre lui et qu'il me kidnappe pour m'emmener très loin de tout et de tout le monde.

Quand je sens une main fraîche saisir la mienne, je comprends que Gabriel a remarqué que j'étais ailleurs dans ma tête. Et en effet il a les yeux rivés sur moi et me sourit gentiment. Je lui rends son sourire et continue de faire la guide.

Après quelques minutes, on entend de la musique au loin ce qui me rassure grandement.


— Pour cette fois, tu as de la chance Nelle, me dit Dagon en me lançant un sourire rapide.

J'entends Lilou pousser des petits cris, car avec ses talons elle galère pour marcher.

— Un de vous deux pourrait être sympa et aider Lilou ? demandé-je.

— Elle a voulu mettre ses chaussures, donc elle assume me répond Dagon.

— Elle voulait peut-être juste se faire belle ?

Je m'arrête et les regarde.


— Bon d'accord je vais la porter se propose Dagon.

Il fait demi-tour et s'avance d'elle et la soulève.

J'explose de rire en les regardant tous les deux. Gabriel les regarde également et se met à rire.

— Nelle cache ce sourire ou c'est toi qui va devoir la porter.

— Excuse-moi d'être de bonne humeur.

— Allez, avance femme.

Nous marchons encore quelques minutes et nous finissons par enfin arriver, une partie de mes amis sont dehors.


— Il paraît qu'il y a une fête ici, dis-je tout sourire.

C'est Benjamin le premier à me voir, il s'avance rapidement, me prend dans ses bras et m'embrasse sur la tête.


— Nelle !

— Salut Benjamin.

Un à un on me dit bonjour et m'enlace. Logan sautille de joie en me voyant, sa bonne humeur est toujours autant contagieuse. Je finis après quelques minutes à chercher Gabriel du regard. Ma soirée sera complète que s'il est près de moi. Il est avec Mattieu et Virgile, ils discutent. Je m'avance vers lui et essaye de me joindre à la conversation.

— Nelle on parle d'hémoglobine ça risque de ne pas beaucoup t'intéresser, me dit Mattieu.

— Tant pis, je reste quand même, mes trois vampires préférés ensemble.

— Tu enseignes quoi du coup Gabriel ? demande Mattieu.

— Sport, magies théoriques et cours de théâtre.

— Sympa, tu joues une pièce ?

— Il y a un spectacle bientôt, venez nous voir jouer.

— Super oui, dit Scarlett qui ne devait pas être loin et qui a tout entendu.

— Tu nous diras la date, Nelle, ajoute Cécile.

Ah ben Cécile était à côté aussi visiblement.

— Promis, les filles.

— Mais j'y pense Nelle, Gabriel, ce n'est pas le mec nu dans ta chambre ? demande Scarlett.

J'explose de rire.

— Si, Scarlett, c'est le mec à qui t'as demandé de se déshabiller le jour de mon arrivée.

— Il n'est pas susceptible au moins vu l'endroit où il est.

— Vaut mieux pas avec Nelle, lance Gabriel.

— Hey !

— Attention là je vais recevoir un coup.

Ils explosent tous de rire.

— Même pas tu as vu ça.

Une musique plutôt sympa, qui bouge bien gagne nos oreilles. Dagon me regarde en souriant, me prend par la main et m'emmène avec lui. Il pose ses mains sur mes hanches et commence à me faire onduler au rythme de la musique. Haha je suis en extase là. Il me reprend par les mains et me fait bouger. J'en ai même oublié que mes amis me regardent danser. À la fin de la musique, Cécile, Scarlett et Lilou se joignent à nous et se mettent à danser également. Gabriel est toujours avec mes amis, il me regarde et me sourit. À la fin d'une chanson qui bouge bien Dagon m'embrasse la tête et me laisse avec mes amies et ma cousine danser tranquillement.

— Vu les regards que vous vous lancez il n'y a pas que de l'amitié entre vous, m'interroge Cécile.

— Tu confirmes ? ajoute Scarlett.

Je leur réponds par un grand sourire. Elles me répondent par un sourire également, je les connais toutes les deux elles ne critiqueront pas, elles savent que je saurais me défendre en cas de soucis.

— Sur une échelle de 1 à 10 ?
— Au moins 12.

Cécile ouvre de grands yeux et Scarlett me demande s'il ne peut pas donner des cours à Romain. Nous explosons toutes les quatre de rire et continuons à bouger nos fesses sur la musique. Lorsque je remarque que Gabriel est tout seul, je retourne vers lui.

— Virgile et Mattieu sont où ?
— Partis se nourrir.
— Ah oui. Ils savent que tu es un vampire né ?
— Je pense que oui, mes yeux je te rappelle mon cœur.
— Et pour Virgile, ça se voit ?
— Je le vois moi en tout cas, il est moins pâle.
— J'ai le droit de rester avec toi ?
— Évidemment.
— Bon tant mieux.

Quand je tourne la tête vers mes amis, ils sont tous en train de s'amuser et danser. Ils sont une trentaine de personnes au total. Logan est en train de danser avec Lilou. Jacob et Juliette sont assis sur une chaise et discutent ensemble. Call et Benjamin sont à l'intérieur et semblent cuisiner, je me mets alors à rire toute seule.

— Tu comptes le dire que nous sommes ensemble ?
Je suis surprise par sa question.

— L'occasion ne s'est pas présentée.

— Il te suffirait de te mettre dans mes bras et m'embrasser et problème réglé.

— Gabriel.

— Quoi ?

— Tu as dit quoi à Dagon ?

— Rien, mais il n'a pas l'air idiot et a deviné qu'il y avait quelque chose entre nous.

— Je connais déjà la réaction de certains et je pense que ça va se finir en dispute. Je suis là pour voir mes amis et profiter d'eux.

— C'est bon j'ai compris ne t'inquiète pas.

Il se redresse et s'éloigne de moi. Quelle conne ! Je m'éloigne et vais m'installer au bord du lac avant de pleurer devant tout le monde. Quelques minutes après, je sens une présence tout près.

— Tu n'as pas trop froid ?

— Je ne vais pas être de très bonne compagnie Call, désolée.

Je sens son bras dans mon dos, je pose ma tête sur son épaule et laisse les larmes continuer à couler.

— Où est ton beau blond ?

— Quoi ?

Call me regarde et sourit.

— Je te connais que depuis une semaine, Nelle, c'est vrai.

— J'aurais dit deux, moi.

— C'est sérieux entre vous ?

— Autant que possible.

— Il a le cœur qui bat, il n'a pas été mordu alors ?

— Tu me surprends de plus en plus toi.

— Toi aussi, après un guerrier tu choisis un vampire.

— À moitié humain.

— OK à moitié humain, mais vampire quand même.

— Il est bien plus humain que vampire crois-moi.

— Je te crois, il a dévoré tous mes sandwichs.

J'explose de rire et lui donne un coup sur la cuisse.


— Non, mais sérieusement Nelle, si tu l'aimes vraiment et que tu crois en votre couple lève-toi et vas le rejoindre.

— Il doit me haïr là.

— Impossible de te haïr, il suffit que tu nous regardes avec ton beau sourire et tes yeux qui pétillent et on te pardonne tout.

— J'avais peur de la réaction de certains.

— Comme Benjamin ?

— Voilà.

— Il l'a lu dans tes pensées en arrivant.

— Ah !

— L'envie de te crier dessus est bien présente en lui, mais il a vu aussi que vous êtes déjà allés loin, que tu es toujours là, et surtout humaine.

— Ça veut dire ?

— Qu'il se déteste toujours de t'avoir quitté, mais qu'il n'a pas le droit de juger ce que tu fais.

— Et toi ?

— Moi je te fais confiance, je ne suis pas fan de te savoir dormir avec un glaçon qui pourrait te vider de ton sang, mais bon. Et ensuite la réaction de qui ?

— As ton avis ?

— C'est lui qui a fait le con en même temps je te rappelle.

— Oui, mais je suis passée rapidement de l'un à l'autre.

— Si ça te permet d'aller mieux rapidement pourquoi pas.

— Merci Call.

— Par contre, j'espère que tu es sincère dans ta décision, que tu ne fais pas ça que pour te venger de Dagon comme tu l'as fait avec Anderson.

— Jacob m'a dit pareil et je pense que vous vous trompez.

— Tu penses ?

— Ce n'est pas le bon mot, je suis bien et heureuse avec Gabriel.

— Tant mieux, mais tu te vois avec lui dans 10 ans ?

— Je ne sais pas.

— Profite du moment présent alors, on ne sait pas comment sera demain, me dit Call avant de partir.

Je finis par me redresser et retourne chercher Gabriel qui est assis dans un fauteuil devant le feu de cheminée.

— Attention tu risques de fondre.

— Tu essayes d'être drôle ?

— Ouais, mais ça semble raté.

Je m'approche et m'installe sur lui.

— On va nous voir.

— Je sais.

Je m'approche de sa bouche et l'embrasse avec douceur. Je le sens avec de la retenue au début.

— Je suis désolée mon cœur.

Il me sourit, mais ne répond rien.

— En plus, il faut que je te surveille, il paraît que tu manges tout.

— Tu sais qu'ils sont dégueulasses les sandwichs ?

J'explose de rire et pose ma tête dans son cou. Il finit par poser sa main dans mon dos et m'embrasse la tête.

— Tu as envie de danser ? proposé-je.

— Et toi ?

— Toujours.

— Dans ce cas, allons-y.

Nous nous relevons et allons danser pendant un bon moment.

Logan et ses idées folles proposent un bain de minuit dans le lac gelé. Les mecs y vont tous, même Gabriel se prête au jeu, en même temps il ne craint pas le froid. Pendant ce temps-là, les filles ravivent au maximum le feu de cheminée. Je m'attelle dans la cuisine en préparant des chocolats chauds pour réchauffer nos hommes courageux.

— Je peux t'aider ? propose Juliette.

— Non merci, j'ai terminé c'est gentil.

— Tu rends Gabriel vraiment heureux.

— C'est vrai ? Tu le penses vraiment ?

— Oui, c'est un homme qui est déjà très positif de base et toujours souriant, mais depuis que tu es là il a ce petit truc en plus, une joie de vivre supplémentaire.

— Je suis heureuse de savoir ça, merci.

— Tu es proche de tellement d'hommes, ça ne le rend pas jaloux ?

— Je ne pense pas non, en même temps mes amis sont arrivés avant lui et il ne se passe rien avec eux, il n'a donc aucune crainte à avoir. C'est comme avec Jacob, nous sommes amis depuis 5 ans et je l'aime comme un frère, donc il n'a aucune crainte à avoir.

— Il m'a parlé tellement de fois de toi, je sais ce qu'il pense et j'ai confiance en lui. Je pense que je peux avoir confiance en toi. Les regards que tu lances à Gabriel ne ressemblent pas à ceux que tu lances aux autres.

— Ça n'a rien avoir, Gabriel je l'aime.

Elle me sourit et ne répond rien.

— Et si on leur préparait des crêpes ? proposé-je.

— Excellente idée !

Juliette m'aide en sortant les ingrédients. En moins de 10 min, la pâte est prête et les premières crêpes sont déjà en train de cuire. J'essaye d'aller le plus vite possible pour que tout soit fini quand les hommes arrivent. Le feu en tout cas bat bien. Les filles ont préparé des serviettes et des matelas au sol. Je suis sur mes dernières crêpes quand les hommes reviennent. Cécile et Lilou distribuent les serviettes. Je vois Dagon tout sourire s'approcher de moi, il est trempé et je sens qu'il va me coller à lui pour me mouiller également.

— Dagon je sens que tu vas en faire une

Il est juste devant moi et me serre contre lui et secoue sa tête. J'essaye de me protéger comme je peux, mais je deviens à mon tour mouillée. Au moins, il a eu le mérite de me faire rire ce bougre.

— Je te déteste Dagon.

— Impossible.

— Si demain je suis malade, ce sera de ta faute.

— Je t'emmènerai par la main voire un médecin promis.

— Ha ! ha ! très drôle.

Il s'éloigne de moi pour se mettre devant le feu. Gabriel s'approche à son tour, muni d'une serviette, et me couvre avec, puis m'embrasse. Son baiser, pour la première fois, veut clairement dire elle est à moi maintenant donc on ne touche pas. Ça me fait sourire, car je suis bien contente qu'il agisse ainsi.

Je reprends la cuisson des crêpes et termine la dernière. Je les pose sur une assiette sur le bar et sers une tasse bien chaude de chocolat pour Gabriel.

— Tiens, ça fait toujours du bien.

Qu'est-ce qu'il est beau avec ses cheveux mouillés. Il est torse nu devant moi et me fait craquer.

— Merci mon cœur.
— Nelle on t'aime, merci pour les crêpes, lance Logan.
— De rien.

Ils finissent par tous s'asseoir sur les matelas près du feu.

— Tu n'as pas froid ? demandé-je par pure curiosité.
— Si, je suis à moitié humain, donc l'eau gelée je l'ai bien senti.
— Tu es fou d'avoir accepté.
— C'était drôle, on a bien rigolé tous ensemble.
— Tant mieux.
— Je comprends pourquoi tu es triste quand tu parles d'eux, ils doivent te manquer.
— Terriblement oui.
— Je vais essayer de combler au mieux ce manque jusqu'à la fin de l'année, et pour le prochain cycle on verra ce qu'on fera.
— Je ne pourrai pas me diviser.

— Je sais.

Il est 5 h du matin et à part mes amis les autres sont tous partis. La plupart des hommes se sont endormis sur les matelas devant le feu ainsi que toutes les filles.

— Tu n'es toujours pas fatiguée ? me demande Logan.

— Si je vais y aller.

Bien évidemment, Mattieu et Virgile ne dorment pas. Ils sont assis au bar et discutent ensemble. Benjamin Théo et Logan sont toujours assis sur la table et discutent entre eux. Je dis bonne nuit à tout le monde et file dormir à mon tour. Je m'allonge sur un des matelas disponibles et Gabriel m'y rejoint rapidement. Je me blottis contre lui et pose ma tête dans son cou, je ne me soucie pas une seule seconde des autres et de ce qu'ils peuvent penser de notre promiscuité.

Je chuchote alors :

— Bonne nuit, mon amour.

— Bonne nuit mon cœur.

Je ferme les yeux et sombre rapidement.

Une bonne odeur de croissants au beurre et de pains au chocolat me sort de mon sommeil. Quand j'ouvre les yeux, Gabriel est à côté de moi et dort toujours. Certains sont déjà réveillés et profitent de la terrasse. Je me lève en essayant de ne pas le réveiller pour rejoindre ceux déjà debout. Avec le bordel un peu partout je ne trouve pas mon blouson. Tant pis, je pique celui de mon homme. En plus, sa veste sent trop bon et me donne l'impression d'être dans ses bras.

— Bonjour, dis-je en gagnant la terrasse.

— Bien dormi ? me demande Romain.

— Comme un bébé, devant un feu de cheminée, c'est canon.

— Tu n'as pas froid quand tu es collée à lui ? m'interroge Cécile.

— Pas du tout non, je ne dis pas que j'ai chaud non plus, mais sa fraîcheur ne me gêne pas du tout.

— Cette fille est tarée, dit Romain.

— Je sais.

— En plus, il a une note de 12 sur 10, autant dire que… ajoute Scarlett.

— On n'a pas tous envie de savoir.

Ils explosent tous de rire et je remercie Benjamin pour son intervention, il m'a sorti d'une belle galère là.


— Vous avez subi des attaques ? demandé-je pour détourner la conversation.

— 3 en peu de jours, me répond Théo.

— Deux nous, et s'ils arrivent plus nombreux nous y passerons tous.

— Quoi ? demande Théo.

— Elles ne sont pas assez nombreuses les personnes capables de se battre là-bas.

— Il faut que je t'envoie des guerriers pour prêter main-forte, propose Benjamin.

— Le directeur devait t'appeler pour ça.

— C'est lui qui me harcèle d'appels ?

J'explose de rire et récupère son téléphone qu'il vient de sortir de sa poche.


— Tu ne réponds pas quand on t'appelle ?

— Pas les numéros inconnus. Il se prend pour qui à cacher son numéro ?

— Je ne sais pas, mais en tout cas ton aide n'est pas de refus.

— Je vais voir avec Call pour qu'il te rejoigne et qu'il emmène une petite dizaine de guerriers avec lui.

— Parfait ! Merci, Benjamin.

— Je t'en prie, comment vas Nelan ?

— Ça fait un moment que je ne l'ai pas vu. Mais faut que j'organise un week-end pour aller le voir.

Dagon finit par se lever et me demande d'aller marcher un peu avec lui. Je sais que nous devons avoir une discussion tous les deux, mais j'ai peur de l'entendre. J'accepte tout de même et nous commençons à marcher en direction du Lac.

— C'est sérieux avec Gabriel ?

— J'essaye de rendre cette relation la plus sérieuse possible.

— Tu ne fais pas ça pour te venger de moi ?

— Dagon.

— Tu m'as remplacé vite je trouve, pour quelqu'un qui disait m'aimer.

— J'ai eu un coup de cœur pour lui.

— Un vampire, alors que quelques semaines avant je t'ai fait une crise de jalousie pour Virgile, oh tiens un vampire, c'est étonnant.

— Dagon.

— J'espère que c'est vraiment un coup de cœur même si j'ai un gros doute.

— Tu penses que c'est quoi alors ?

— L'hypothèse de la vengeance reste la plus forte dans mon esprit, mais celle du vampire qui charme sa proie pour être certain de la garder arrive juste derrière.

— Je ne pense pas qu'il puisse être ainsi.

— Ce n'est pas un non catégorique en tout cas, donc l'idée est possible hein.

— Je ne sais pas quoi te dire.

— C'est définitivement fini entre nous ?

— Ce n'est pas moi Dagon qui a blessé l'autre.

— Tu ne m'as pas fait confiance.

— Elle avait sa putain de langue dans ta bouche.

— Non, elle m'a embrassé à peine une seconde et je l'ai repoussée direct.

— Je ne sais pas quoi te dire là.

— Tu m'aimes toujours ?

— Oui Dagon, je t'aime depuis le premier jour où tu as fait battre mon cœur à une vitesse folle.

— Dans ce cas, reviens avec moi.

— Non, je t'avais dit que je ne voulais plus souffrir, plus jamais par ta faute.

— Nelle putain je n'y suis pour rien, tu imagines ce que je ressens là ?

— Et toi tu imagines ce que j'ai pu ressentir ?

— Je dois faire quoi pour que tu me croies quand je te dis que je n'ai jamais voulu ça. Que Camille m'a pris au dépourvu. Je l'ai repoussé aussitôt.

— Je n'arrive pas à te croire je suis désolée.

— Ça n'aboutira à rien cette conversation.

Je ne dois pas céder, même si là j'ai envie d'avoir sa bouche contre la mienne, ses mains chaudes sur mon visage. Sentir son odeur que j'aime tant.

— Nelle je te vois dans tes pensées là, explique-moi.

Je m'approche de lui rapidement et me mets à le cogner sur le thorax tout en pleurant.

— Pourquoi tu m'as fait ça, mon amour ? Je t'aimais plus que tout, je ne me voyais pas vivre sans toi, j'aurais donné ma vie pour toi.

Après quelques instants à se laisser faire il saisit mes poignets avec une main et pose l'autre sur mon menton.


— Je donnerais ma vie pour toi si ça me permettait d'espérer qu'un jour très très proche tu m'acceptes de nouveau dans la tienne.

— Je ne voulais pas te redonner de chance et pourtant je l'ai fait. Et regarde le résultat.

Quand je le vois regarder mes lèvres, mon cœur accélère.


— Ce sera très mal de faire ça.

— Rien à faire, bébé.

Il saisit ma bouche à une vitesse impressionnante et s'amuse avec ma langue. Il n'imagine même pas la quantité de sensation que je peux ressentir là, l'envie et le désir qui me saisit. Quand il me soulève et qu'il m'oblige à croiser les jambes autour de sa taille, je fonds. Il m'emmène un peu plus loin dans la forêt et m'allonge dans les fougères. Il me retire rapidement mes bottes et mon collant et il est déjà en moi. C'est tellement bon et intense que je suis déçue quand ça s'arrête. Mon envie qu'hier il me kidnappe loin d'ici se confirme. Il est allongé sur moi et à sa tête dans mon cou. Cette odeur qui se dégage de lui me caresse les narines et j'ai l'impression que mon cœur se guérit vitesse grand V.


— Reviens dans ma vie bébé, je t'en prie.

— Je vais retourner sur le campus de l'Odyssée, là où je suis, je vais finir l'année et voir.

— Quitte Gabriel et je viens te rejoindre.

— Tu ne peux pas t'amuser à faire tous les campus.

— Je veux juste être près de toi.

— Je ne vais pas quitter Gabriel, j'ai besoin de temps pour savoir ce que je veux.

— Pose-lui la question directement, pour savoir s'il te manipule le cerveau ou pas.

— Il va super mal le prendre.

— Mais tu seras fixée.

Il a raison, mais je ne me vois quand même pas faire ça.


— Tu devrais te rhabiller bébé, je ne veux pas que tu attrapes froid.

Il a raison et je ne perds pas une seconde pour le faire.

Nous retournons au chalet et beaucoup sont déjà installés dehors. Je m'installe à ma place de tout à l'heure et recommence à discuter comme si de rien n'était. Je ne regrette pas ce qu'il vient de se passer, juste que vis-à-vis de Gabriel c'est mal. Je compte bien lui en parler en rentrant. Mon homme arrive à son tour justement. Il se met à genoux à côté de moi et plonge son regard dans le mien.


— Aussi étonnant que ça puisse paraître il y a un voleur dans cette maison, on m'a pris mon blouson.

— Je suis innocente.

— Il te va très bien, je te le prête.

— Je n'ai pas trouvé le mien au milieu de tout ce bazar.

— Fais-toi plaisir et va ranger Nelle me propose Call.

— Hummm non.

Gabriel finit par se redresser puis me soulève et me pique ma place.

— Fais comme chez toi hein.

Il me sourit et me tire par le bras pour m'asseoir sur lui. Je sens alors sa bouche contre ma nuque.

— Call il faudrait que tu prennes 10 de tes meilleurs hommes et que tu rejoignes le campus où est Nelle, ils ont besoin d'aide là-bas.

Call me regarde et sourit.

— Tu te rends compte tu t'étais enfin débarrassée de moi et il va de nouveau falloir me supporter.

— Pauvre de moi.

— Ça veut dire oui ?

— Ça veut dire, on part quand ?

— Avec Gabriel, on part dans l'après-midi, mais tes guerriers et toi venez quand vous pouvez.

— On arrivera ce soir. Et ça me va parfaitement, je commençais déjà à me languir de toi.

— Tu n'imagines pas la joie que j'ai de t'avoir bientôt près de moi.

Cette ambiance bon enfant me fait énormément plaisir. On rigole, discute et ne pense à rien d'autre qu'à ce moment de tranquillité entre amis. Après un bon petit déjeuner bien copieux, Gabriel me propose de rentrer pour aller préparer des chambres pour accueillir les guerriers. J'embrasse tout le monde puis nous nous dirigeons vers la voiture. Je sens alors la main de Gabriel saisir ma taille et me tirer vers lui.

— Eh ben alors mon cœur.

— Ta bouche me manque.

Il la saisit alors et m'embrasse avec désir et fougue.

— Tu risques de me faire mal si tu me prends avec un tel désir.

Il recule et ferme les yeux quelques instants puis saisit de nouveau ma bouche avec plus de douceur.

— Vu l'odeur sur toi Dagon tu ne l'as pas stoppé lui !

Hey merde, je n'avais pas pensé à ce détail. Il attend quoi comme réponse de ma part au juste ? Que je m'excuse ? Je ne regrette pas ce qui s'est passé avec Dagon.

— Retournons au campus et prends une bonne douche stp. Ensuite, nous oublierons ce dérapage pour continuer ce qui me semble beau et fort entre nous.

Quoi ? Il est prêt à tirer un trait là-dessus ? Je le regarde avec curiosité. Et me mets à le suivre quand il marche en direction de la voiture.

Nous montons enfin en voiture et roulons en direction du campus de L'Odyssée.

— J'ai fait le con, j'ai précipité le début de notre relation, car je savais que tu allais coucher avec Dagon dans cette putain de forêt. Et j'avais pensé que tu m'aimerais suffisamment pour ne pas succomber.

— Je t'aime Gabriel, ça n'a rien à voir.

— Je sais, sauf que lui tu l'aimes bien plus. Et je ne peux pas lutter face à ça.

— Ça ne se reproduira jamais.

— Ça, je le sais et je l'ai vu aussi.

— J'ignore ce qui m'a pris.

— Sauf que tu ne regrettes pas pour autant n'est-ce pas ?

— Je suis navrée de te faire subir ça.

— Ne romps pas avec moi, je sais qu'il te l'a demandé, laisse-nous une chance.

— Je n'avais pas prévu de rompre, mais j'avais prévu de t'en parler.

Sur tout le trajet, il ne m'aura pas regardé une seule fois, ni même souri.

La première chose que nous faisons en arrivant et de monter prévenir Guillaume, il est ravi à l'idée d'accueillir de la main d'œuvre. Il attribue rapidement des chambres pour tout le monde et envoie du personnel pour nettoyer les pièces.

— Non seulement moi je n'avais pas de lit et en plus j'ai dû faire le ménage, tu m'expliques ?

Guillaume ne répond rien à pars un grand sourire.

— Tu plaisantes là ? C'était fait exprès pour que je passe du temps avec Gabriel ?

Je regarde Gabriel qui sourit également. Depuis le début, ils ont joué avec moi tous les deux, ils avaient tout organisé pour que je finisse dans les bras de Gabriel bien plus vite. J'aurais dû coucher avec Dagon célibataire.

— Je vous déteste les mecs là.

Gabriel s'approche de moi et me prend dans ses bras.

— Désolé.

Je ne sais pas si je dois dire merci ou me barrer. Ils jouent avec moi et je déteste ça.

— Ça ne suffira pas.

Je quitte le bureau de Guillaume pour rejoindre ma chambre.

— Nelle attend moi.

Il me rattrape avec facilité bien que je prenne tout mon temps pour descendre les escaliers.

— Mon cœur, ne m'en veux pas.

— Vous m'avez prise pour une idiote et ça m'agace.

— J'avais envie de te connaître rapidement, et je savais que si je passais mon après-midi avec toi, j'arriverais à te cerner.

— Tout était prémédité ?

— J'ai demandé à guillaume de te filer la chambre en face de la mienne oui, car je savais qu'il y aurait du ménage à faire dedans et que je serais avec toi pour t'aider.

— Pourquoi avoir fait ça ?

— Parce que mon cœur s'est mis à battre dès que je t'ai vu et que je te voulais rapidement dans ma vie.

— OK, retournons dans nos chambres.

Je peux difficilement lui en vouloir après ce que j'ai osé lui faire. Et en même temps… la phrase de Dagon sur le fait qu'il a sûrement pris possession de mon esprit me revient en tête.

Nous regagnons nos chambres pour ranger nos affaires et moi surtout pour me doucher. Quelques minutes après, Gabriel me rejoint dans la mienne. Il ne me laisse pas le temps de parler qu'il est déjà en train de retirer ma robe.

— Tu as une idée derrière la tête toi.

— Pas qu'une seule. Mets-toi dessus mon amour, je pense que je vais avoir du mal à me contrôler sinon.

Je lui souris et le pousse sur mon lit et lui monte dessus. Nous sommes rapidement nus et je le fais rentrer en moi. Un sourire de bonheur s'affiche sur mon visage. Il m'aide en me faisant onduler sur lui et au bout de plusieurs minutes il se redresse et me couche sur le dos.

— Ça va aller ?
— Oui.

Il m'embrasse dans le cou et les seins tout en bougeant sur moi. Il est plus rapide que les deux dernières fois, c'est différent et j'ignore si c'est mieux ou pas, c'est plus fougueux et intense que d'ordinaire. Par moment, il donne des à-coups plus forts qui me font légèrement mal, mais rien d'insupportable.

— Plus doucement stp.

Il se redresse légèrement pour regarder mon visage puis dépose un baiser tendre et je le sens plus doux. Ce changement rend l'acte de nouveau terriblement bon et rempli d'amour. Une fois le plaisir total atteint, il s'allonge à côté de moi et pose sa main sur mon ventre.

— Je t'ai fait mal ?
— Oui.

Il se redresse au-dessus de mon visage.

— Où ça ?
— C'est bon, je vais bien là.
— Où ça, mon cœur ? Je veux regarder.
— Ce n'est pas nécessaire.
— Stp, montre-moi.

Je lui montre alors ma hanche qu'il a serrée un peu fort et l'entrée de mon vagin en donnant des à-coups.

— Je suis désolé, je ne pensais pas que ça te ferait mal.

— Je n'ai plus mal là.

— Tant mieux.

— Au moins, je vois que tu es capable de t'arrêter quand je te le dis.

— N'hésite jamais à me repousser en utilisant ta magie.

— Je le ferais seulement si je n'ai pas le choix.

— Je t'aime tellement mon cœur, je serais détruit si je te faisais mal.

— Ça n'arrivera pas.

— J'ai besoin de savoir pour Benjamin.

— Tu ne rigoleras pas cette fois ?

— Promis.

Il me regarde avec un sérieux qui me convainc plutôt rapidement.

— Je vais devoir t'expliquer pas mal de choses, et des choses que tu risques de ne pas aimer entendre.

— Vas-y.

— Après Dagon, j'ai eu une histoire rapide avec un professeur, le frère de Guillaume.

— Quentin ?

— Non, Alex.

— OK.

— Et pendant que j'étais avec lui, un autre professeur a pété les plombs et m'a violée.

— Quoi ? Qui ça ?

Je vois alors Gabriel monté en pression, ses yeux ont l'air de changé de couleur.

— Mon cœur, stop ! Regarde-moi stp, respire.

— Je veux le nom de cette enflure Nelle.

— Il est mort.

— Son nom.

— Smith.

— Le vampire ?

— Tu le connais ?

Gabriel sort du lit et donne un coup dans le mur.

— Putain, j'aurais dû le tuer il y a quelques années déjà, de savoir qu'il a posé ses mains sur toi.

— Reviens vers moi, Gabriel stp, j'ai besoin de toi là.

— Continue, faut que je me calme.

— Non, la suite ne va pas te plaire.

— Continue.

— Gabriel, regarde-moi stp.

— Il ne vaut mieux pas.

— Il m'a causé plusieurs déchirures à l'intérieur, et j'ai failli mourir. Alex m'a sauvé en arrivant à temps.

De nouveau, je le vois donner un coup dans le mur. Il respire super fort et a l'air de s'énerver.

— Gabriel parle-moi stp, dis quelque chose.

Il ne répond rien et reste dos à moi.

— Gabriel stp.

Les larmes commencent à couler.

— J'ai peur là, ne me force pas à me lever et quitter la chambre.

Il se retourne et je me retiens de reculer, il a les yeux rouge vif et à une tête d'un vampire près à attaquer. Il me regarde et ne bouge pas d'un poil. J'ai toujours les larmes qui coulent.

— Je dois faire quoi ? Dis-moi, si je peux t'aider à te calmer.

Il me regarde, mais ne répond rien. Je n'ai pas le choix, je ne dois pas prendre le risque qu'il me saute dessus.

— Retourne-toi stp.

Il s'exécute et pose ses mains contre le mur et baisse la tête. Je me rhabille rapidement et quitte la chambre.

Désolée, mon cœur.

Je reste quelques minutes dos à la porte de ma chambre et j'entends de nouveau un coup contre un mur. Je m'en veux de lui avoir raconté tout ça. Je remonte le couloir sans vraiment savoir où aller. J'arrive à l'extérieur du bâtiment et vois Call au loin arriver avec les guerriers. Je cours vers lui et lui saute au cou. Il a largement eu le temps de voir que j'avais les yeux rouges et remplis de larmes.

— Il t'a fait du mal ?
— Non c'est moi qui viens de lui en faire.
— Tu as osé le mordre ?
— Call.

Je ne peux m'empêcher de sourire à sa connerie. Il finit par regarder les guerriers et leur dit de rentrer dans le bâtiment.

— Raconte, ma belle.
— Il a voulu savoir pour Benjamin et moi, j'ai commencé à parler de ma liaison avec Alex et de Smith.

— Et il s'est énervé.

— Oui, il s'est tourné pour pas que je voie ses yeux rouges. Je n'ai pas voulu prendre de risque et je l'ai laissé dans ma chambre.

— Tu as bien fait. Emmène-moi je vais monter le voir.

— Non surtout pas, il va me haïr de t'avoir tout raconté.

— Nelle, tu es mon amie la plus précieuse, je serais malheureux qu'il t'arrive quelque chose, je vais aller le voir pour essayer de le calmer, je ne risque rien. Au pire, je lui en colle une.

— Tu vas lui dire quoi ?

— Que tu l'aimes et que tu l'attends dans le réfectoire.

— Non, je préfère aller me poser dans le parc.

— Si tu veux, mais déjà accompagne-moi jusqu'à ta chambre ou jusqu'à la sienne.

— Nos chambres sont juste en face, il est dans celle où tu entendras du bruit.

— Ça ne rassure pas ton truc.

— J'essayais de me faire rire, mais ce n'est pas une grande réussite.


Je l'accompagne jusqu'à ma chambre et je file dans le parc. Je reste là un bon moment à contempler le ciel rempli d'étoile. J'entends alors des bruits de pas se rapprocher, je continue à observer ce qui m'entoure quand je sens qu'on pose sur mes épaules une couverture. Des lèvres fraîches se posent sur ma nuque et des bras m'enlacent.


— Désolé, mon cœur.

— Je ne vois pas pourquoi.

— Tu as dû me fuir.

— Je suis partie pour t'aider à te calmer et je préfère te voir t'énerver que rire et te moquer. Ça me montre que tu tiens à moi.

— Tu es sûre d'être humaine ?

— Non, je suis une extraterrestre mouahahahhaa.

— Je me disais aussi.

— Tu aurais pu me mordre tout à l'heure ?

— Je ne sais pas, je n'ai jamais ressenti autant de colère.

— J'ai bien fait de partir ?

— Oui.

— Call est venu ?

— Oui.

— Vous avez parlé de quoi ?

— Toi.

— Étonnant, mais j'aimerai savoir de quoi.

— Principalement, il m'a dit la chance que j'avais de t'avoir dans ma vie, qu'il était persuadé que tu m'aimais énormément, que tu étais malheureuse de me voir avec les yeux rouges et ne rien pouvoir faire.

— Pas faux.

— Et que tu m'attendrais ici jusqu'à ce que je puisse venir sans te mettre en danger.

— Tu es vite venu en fait.

— Il a un truc Call, pour ressentir les émotions et les calmer.

— C'est vrai que quand je suis près de lui, il le voit quand je vais bien ou mal et il arrive toujours à m'apaiser.

— Je pense que lui et moi serons de bon pote, il arrive à me faire sourire et rire.

— Et tu vas l'aimer encore plus en sachant que c'est lui qui a détruit Smith.

— Effectivement, je l'aime encore plus.

— Guerrier et vampire ami ? Je rêve.

— C'est de ta faute tout ça.

— Je sais.

— Allez au dodo, demain on a cours.

— Ah oui c'est vrai, j'ai cours avec un professeur super canon en plus.

— Tu oses mater ton professeur ?

— Ah oui, mais lui ce serait du gâchis de ne pas le faire. Ça se voit que tu n'as jamais vu son regard et son sourire.

— Il va falloir me le présenter, qu'il me donne des cours de sourire et de regard.

J'explose de rire et l'embrasse dans le cou.


— Scarlett aimerait que tu donnes des cours à Romain.

— Quoi ?

— Tu as eu une note de 12 sur 10.

— Je suis flatté.

Le lendemain, je ne sens plus du tout mon corps, j'ai mal partout et je suis épuisée. Au petit déjeuner, je me prends un café très long et manque de m'endormir deux fois. La matinée me semble vraiment très longue, impossible de me concentrer et de nouveau heureusement que j'ai une voisine de classe sympa qui me réveille quand je sombre. Ça va que Gabriel est cool, car il ne me fera aucune remarque.

À l'heure d'aller manger, Gabriel me rejoint devant le bâtiment.


— Je t'emmène dormir.

— Pourquoi ?

— Parce que tu as des cernes, on dirait que tu n'as pas dormi depuis 2 ans et tu t'es endormie au moins 20 fois dans mon cours.

— Désolée mon cœur, mais j'ai réussi à prendre des notes.

— Je te ferais un cours privé ce soir, mais là tu vas te reposer.

Il m'accompagne jusqu'à mon lit et me demande de prendre ma température. Quand les 40 s'affichent sur l'écran, il m'apporte une aspirine, me couvre davantage et après quelques baisers, il file.

Je m'endors à une vitesse impressionnante. Ce sont des baisers dans mon cou qui me sortiront finalement de mon sommeil. J'ouvre doucement les yeux et mon beau blond est là, avec son magnifique sourire.

— Tu dors depuis un moment ma belle au bois dormant, tu ne dormiras plus cette nuit sinon.

— Je dormais tellement bien.

Il reprend ma température et elle semble revenue à la normale.

— Je me doute, mais là il est 16 h.

— Encore deux trois jours de sommeil et je me lève.

Je me retourne sur le ventre et mets ma tête dans l'oreiller. Je l'entends alors exploser de rire et avec facilité il me remet sur le dos et commence à soulever mon tee-shirt et embrasse dessous.

— Si tu utilises des arguments de ce genre aussi.

— Je sais être très convaincant.

— Tu n'as pas cours là ?

— Si, mais les guerriers sont impressionnants, Call a pris le relais pour que je vienne te chercher.

— Me chercher ? Ou me faire l'amour.

— Maintenant que je suis là et que j'ai un peu de temps devant moi, autant l'utiliser à bon escient.

— Dans ce cas, je suis toute à vous professeur.

— Je vous remercie, Mlle Oksane.

Il retire avec douceur chacun de nos habits et après un long moment de caresse le vrai plaisir démarre. Quand il est calme et doux avant de commencer ses vas et viens sont de vrai régal. J'ai l'impression qu'il lit en moi, il accélère toujours au bon moment et augmente les sensations ressenties au fil des minutes. Un dernier baiser intense avant la délivrance.

— Je crois que c'est l'heure de la sieste.
Il explose de rire et m'embrasse avec douceur.

— Tu as vraiment autant sommeil que ça ?
— Oui.
— OK, repose-toi, et on s'entraîne demain. Tu fatigues vite devant les démons et tu risques de te prendre un sale coup un jour.
— Demain, je m'y attelle.
Et c'est exactement ce qu'on fera le lendemain après les cours à 16 h.
Nous arrivons dans le gymnase main dans la main. Une cinquantaine d'élèves se battent. Les guerriers les entraînent. Call me fait un grand sourire quand il me voit approcher.

— Je vais t'entraîne,r Nelle.
— Pourquoi je sens que je ne vais pas rire.
— J'espère que tu t'es bien reposée hier.
— J'aurais bien dormi plus longtemps, mais un beau mec m'a obligé à me lever ce matin pour aller en cours.
Call regarde Gabriel et sourit.

— Je vous laisse je vais entraîner d'autres étudiants, nous dit Gabriel avant de s'éloigner.

Call me prend par la main et m'emmène un peu plus loin dans une zone où il n'y a personne.

— Seulement du corps à corps Nelle, pas de magie.
— D'accord.

Il commence alors à me frapper, plutôt doucement pour commencer et augmente le niveau de rapidité au fil des minutes.

— Je veux que tu me tapes Nelle.

Je dois essayer de lui faire la même chose qu'a Gabriel, un croche-pied. J'esquive plusieurs coups et réussis à lui en donner quelques-uns. Il m'en donne aussi, mais les frappes ne sont pas insupportables, je suis persuadée qu'il se retient dans la force. Les minutes passent et je n'arrive pas à le faire tomber.

— Allez Nelle avant d'être trop fatiguée.

Il croit quoi ? Que je n'essaye pas là. Il m'agace je vais lui en mettre une. Aussitôt dit aussitôt fait, il est maintenant sur le cul et rigole. Je lui tends la main pour l'aider à se redresser.

— Pas mal, mais tu aurais dû faire ça bien plus tôt.
— La prochaine fois.
— Ça suffira pour aujourd'hui, repose-toi un peu.
— Je ne suis pas fatiguée.
— Ne prenons pas le risque que tu le sois et qu'ils attaquent.

Je m'installe sur une chaise et regarde Gabriel se battre avec un étudiant. Sûrement vampire aussi vu la rapidité dans ses gestes. On voit rapidement les gens qui savent se battre un minimum et les novices. Ils n'ont pas appris les autres années ? Ou alors pas assez de professeurs pour leur apprendre. Je sais que moi j'ai eu de la chance d'avoir Yann. Il m'a appris pas mal de techniques. Le cours prend fin, les étudiants remercient les guerriers et Gabriel et quittent le gymnase.

Call s'installe à côté de moi pendant que les autres rangent la salle.

— Ça s'est passé comment du coup l'autre soir ?

— Très bien, merci pour ton aide.

— Tant mieux. Il allait déjà beaucoup mieux quand je suis arrivé.

— Ne t'étonne pas qu'il te demande en mariage d'ailleurs.

— Quoi ? Répond mon ami en haussant un sourcil.

J'explose de rire et pose ma tête sur son bras.

— Il t'apprécie, c'est tout.

— Et c'est réciproque, pour un vampire il est sympa.

— Genre tu n'apprécies pas Mattieu.

— Il n'est pas méchant, mais ne sera jamais mon ami.

— Sérieux ?

— Sérieux.

Gabriel finit par nous rejoindre et s'accroupit devant moi et pose ses mains sur ma cuisse.

— Pas trop fatiguée ?

— Non ça va la merci.

— On ne va pas tarder à aller manger, tu as sauté pas mal de repas ses derniers 24 h.

— Ne t'inquiète pas ça va. Je suis loin de mourir de faim.

Surtout, ne lui parle pas des jours de torture dans le cachot du manoir Agonis.

— Tu n'as pas de cours de théâtre là ?

— Si, tu te joins à moi ?

— J'ai du boulot à rattraper, je viens, mais je bosse hein.

— Ça me va.

— Tu viens Call ? demandé-je à mon ami en espérant qu'il accepte.

— Voir des gars simuler ?

— Tu dois avoir l'habitude.

— Nelle !

J'explose de rire à en pleurer, il finit par me décoiffer et me pousser.


— Il y a des filles aussi.

— Dans ce cas-là.

Gabriel m'aide à me redresser, me prend rapidement dans ses bras et me vole un baiser. Une fois dans la salle de Théâtre nous nous posons avec Call dans un coin de la pièce.

— Tu aurais pu prévenir qu'on serait aussi bien installé.

— Chochotte.

— Tu as de la chance qu'une des filles est vraiment très jolie à regarder.

— Laquelle ?

— La rousse.

Je regarde rapidement un peu partout dans la salle et plisse les sourcils.


— Il n'y a pas de rousse là-bas Call.

Il me regarde et sourit, je ne peux m'empêcher de le pousser.


— Tu es bête.

— Je sais, sinon celle aux yeux verts est vraiment très jolie.

— S'est Shelsie, elle est avec moi en cours de magie théorique.

— Par contre l'autre avec ses cheveux gras mon dieu, elle ferait même peur à un mort.

J'explose de rire ce qui fait retourner les personnes présentes. Je me mords la lèvre et arrête de parler. Je sors mon livre de cours et lis de temps en temps une ligne ou un paragraphe. Je ne peux m'empêcher de regarder vers Gabriel.

— Tu aimes les filles aux yeux verts apparemment.

— Énormément, elles ont quelque chose en plus. Ce côté mystérieux, doux et rêveur.

— Ah oui quand même, dis-je surprise par ses propos.

— Ne te moque pas Nelle, tu es la seule à savoir ça.

— Léa avait les yeux verts ?

Il tourne la tête vers moi et sourit. Je prends ça pour un oui alors.

— Et finalement avec la jeune fille brune aux yeux verts ?

— Joyce.

— Joyce, c'est mignon comme prénom.

— Elle porte son prénom à merveille.

— Et donc ?

— Nous avons pas mal discuté, et Jacob m'a obligé à rentrer.

— J'ai appris ça.

— Tu lui as laissé ton numéro ?

— Non Nelle, même si l'envie était bien présente. Je ne préfère pas qu'elle rentre dans notre monde, elle ne le mérite pas.

— Je suis désolée pour toi.

— Rassure-toi, ça va. Elle m'a fait passer un très bon moment.

Je lui souris et pose ma tête sur son bras. Il ne semble pas malheureux, mais j'ai tout de même de la peine pour lui. Tomber sur une fille qui lui plaît et ne pas pouvoir aller plus loin, je sais à quel point cela peut être frustrant.

Les jours et semaines passent, et avec Gabriel nous n'avons jamais reparlé de mon dérapage avec Dagon, nous nous apprivoisons mutuellement et nous apprenons à vraiment nous connaître. Je n'ai jamais réussi à lui demander s'il m'avait charmé ou pas. J'ai trop peur de sa réaction et qu'il le prenne mal. Je ne réponds plus au message de Dagon, enfin seulement ceux où il me dit m'aimer et que je lui manque. Je commence à prendre des cours de Théâtre avec les gars et les filles et j'adore vraiment ça. J'ai demandé en douce à Shelsie de m'apprendre une des pièces pour pouvoir faire la surprise à Gabriel.

Justement ce soir il y a une représentation et je dois me joindre à eux et lui faire une surprise. Nous sommes la veille du réveillon de Noël et juste après je dois monter en voiture et rentrer chez moi pour le fêter avec Nelan et mes parents. Je suis morte de traque. Je suis censée jouer plusieurs minutes. Je vais devoir prendre la place de Louane, qui est au courant et qui a accepté de me laisser son rôle ce soir. Nous nous entendons beaucoup mieux toutes les deux bizarrement, nous ne sommes pas non plus amies contrairement avec Shelsie. D'ailleurs en parlant d'elle, elle a un gros coup de cœur pour Call et sa semble réciproque, mais aucun des deux ne semblent vouloir faire le premier pas. Il l'aura trouvé sa brunette aux yeux verts, c'est chouette. Même si je pense qu'il aurait aimé que ce soit la petite Joyce.

Je suis à quelques heures du spectacle, et je me sens tellement nauséeuse que je souhaite passer voir l'ange pour qu'il me donne un petit calmant.

Par chance, il n'y a personne, et je n'ai pas à attendre.

— Bonjour Nelle.

— Bonjour Ange.

— Comment puis-je t'aider ?

— Je suis en stress, j'ai envie de vomir et ce soir il y a le spectacle de théâtre.

— Tu es drôlement blanche, tu dors bien en ce moment ?

— Je dors beaucoup, mais je bosse beaucoup aussi, ça n'aide pas.

— Et ton appétit ?

— Je n'ai jamais été une grande mangeuse, et j'ai mes périodes.

— Allonge-toi je vais t'examiner.

— Je veux juste un calmant svp, après la représentation j'irais déjà mieux.

— Allonge-toi quand même.

J'obéis en râlant. Il palpe mon ventre à plusieurs endroits pendant plusieurs minutes puis me fixe.

— C'est bon je peux avoir mon cachet ?

— C'est déconseillé dans ton état.

— Mon état ?

— Tu ne t'es pas fait mettre un implant ?

— Si pourquoi ?

— Je te prends un rendez-vous dans l'heure pour te le faire enlever, c'est mauvais pour le bébé.

— Quoi ?

Je ne sais plus quoi faire ni quoi penser. Je suis enceinte de qui ? Et depuis quand ? Oh non mon Dieu pas ça. Je me relève et tourne en ronds dans la pièce. L'ange finit par me tendre un bout de papier et m'invite à foncer au rendez-vous. L'adresse est notée dessus.

En 15 min, j'y suis. Je n'ai même pas prévenu Gabriel, en même temps pour lui dire quoi ?

J'arrive au rendez-vous et je suis accueillie par une sage-femme. Un homme ? Stéphane Blanchet.

1 h d'examen et je ressors anéantie. Je suis enceinte depuis presque 5 mois et la petite fille que j'ai en moi est une vraie coquine à s'être cachée, moins d'un 1 % des grossesses et un déni. Et visiblement, j'en fais partie. Si ça fait 5 mois, c'est Dagon le père.

Il me faudra plus d'une heure pour me décider à appeler Dagon afin de lui dire que j'ai besoin de lui parler et que c'est important. Il m'a dit qu'il est occupé en ce moment, mais qu'on peut se voir le 31 décembre à la soirée organisée par Jacob et Juliette sur mon campus. Je n'avais pas prévu d'être là, mais tant pis, je vais revenir.

Après le spectacle, je dois annoncer à Gabriel que je le quitte, je ne peux pas le laisser me voir mourir. Je vais lui avouer ma grossesse et ensuite je partirais profiter des dernières semaines avec Nelan. Je dois tout préparer pour la venue de ma fille, cette petite merveille que je ne pourrai pas voir grandir.

Je me retiens depuis le rendez-vous avec la sage-femme de pleurer. De toute façon, ça ne va pas résoudre mon problème.

Je suis à quelques minutes de monter sur scène, je tremble de partout, Gabriel essaye comme il peut de me détendre, mais à vrai dire, il galère le pauvre. Contrairement à lui moi j'ai une surprise à lui faire donc ma peur se décuple. Mes amis sont tous dans la salle en plus, Jacob a craché le morceau et pour rien au monde ils auraient manqué une occasion de se moquer de moi. Par chance, quand on arrive sur scène, la lumière dans le public est éteinte et je ne vois absolument personne. J'entends tout de même des voix bien familières m'appeler.

Je sens la main de Gabriel dans mon dos qui me caresse gentiment.

La musique démarre et s'est maintenant qu'il faut rentrer en scène. Bien évidemment, même si à tous les entraînements je ferme les yeux, là c'est impossible. Je me sens concentrée comme jamais, les mouvements et les paroles sont dans ma peau, je connais tout par cœur et c'est comme mon don c'est en moi. Je suis fière de moi lorsque mon passage se termine et qu'aucune erreur de ma part n'a été commise. Je me retire de la scène et attends patiemment le moment où je vais devoir revenir. Je vais être la seule fille avec les trois mecs. Louane et Shelsie sortent et viennent vers moi.

— Ça va aller Nelle ? me demande Shelsie.
— Oui, enfin je crois.
— Ne t'inquiète pas, tout va bien se passer, tu connais tout par cœur.
— Je sais.
La pression monte d'un cran.

— Si tu as vraiment peur, je le fais, me propose Louane.
— Non, non, c'est bon. Ça va le faire.
Allez, Nelle, pour Gabriel. La musique se termine et Shelsie me dit d'y retourner maintenant. Gabriel est de dos quand je reviens et ne se rend pas compte que c'est moi qui pose ma main dans son dos. Justin qui était face à moi me lance un super sourire. Julien remarque rapidement ma présence et sourit également. La musique commence et quand Gabriel se retourne, il est vraiment surpris vu la tête qu'il fait. Il prend ma main et
554

commence à réciter son texte. J'adore ce passage, vu les yeux des trois hommes qui me donnent la réplique je pense qu'ils aiment mon énergie sur scène. Je dois me mettre dans la peau d'une fille qui joue avec trois hommes, et à la fin je dois en choisir un, par chance je peux vraiment choisir qui je veux à la fin. J'ai envie d'être vilaine et choisir Julien ou Justin, mais non, je suis tellement contente de partager ça avec Gabriel que je vais le choisir lui.

La pièce arrive à sa fin et je dois faire mon solo sous les faux yeux amoureux des trois hommes. C'est tout naturellement qu'à la fin je m'avance vers Gabriel et me pose devant lui. Il saisit alors mon bassin et on exécute la fin du spectacle ensemble.

Des applaudissements et des bravos résonnent partout dans la salle à en devenir rouge. Les lumières s'allument et tout le monde est debout. Les filles reviennent sur scène et font des petits déhanchés en guise de merci.

Je pense avoir le cœur qui s'illumine en voyant Nelan dans le public avec mes parents. Gabriel me regarde alors et affiche un magnifique sourire, c'est lui qui les a fait venir ? Nous quittons la scène et des larmes de joies coulent sur mon visage. Je suis tellement contente d'avoir surmonté mon stress et d'être allée au bout de ce défi.


Gabriel me soulève et me fait tourner sur moi-même.

— Merci mon cœur pour cette super surprise. Tu as été incroyable.

— Je suis contente que ça t'ait fait plaisir.

— Excellent Nelle, tu as fait des progrès incroyables en si peu de temps, me dit Justin.

— Je te veux à chaque entraînement maintenant, tu fais partie des nôtres, ajoute Julien.

— Bienvenue parmi nous, Nelle, renchérit Shelsie.

Shelsie me serre dans ses bras et me félicite pour mon solo.


— Allons rejoindre Nelan maintenant, propose Gabriel.

Quand Nelan me voit, il me fonce dans les bras. J'ai le droit à un énorme câlin de sa part.


— Tu es la meilleure des mamans.

Je le reprends dans mes bras et le couvre de bisous.

— Tu rentres avec nous maman après ?

— Oui et je passe deux semaines avec toi.

Nelan saute de joie, je suis tellement contente qu'il soit là.

Mon fils finit par aller faire un câlin à ma mère pendant que je discute avec mon père, Gabriel prétexte devoir aller voir des personnes, mais j'ai bien compris qu'il souhaite que je sois tranquille avec mon père.

— Tout se passe bien à la maison ? demandé-je.

— Il commence à utiliser sa magie.

— Quoi ?

— Il invoque des auras vertes assez régulièrement, et surtout il parle souvent avec des esprits.

— De vrais esprits ?

— Oui, je le surveille de près. Aidan veille sur lui régulièrement.

— Je suis contente de savoir qu'Aidan participe à la vie de Nelan.

— Tu comptes faire entrer ce vampire dans la vie de ton fils aussi ?

— Je l'avais envisagé oui, mais demain j'aimerais avoir une discussion sérieuse avec maman et toi.

— Vu ton regard, c'est sérieux.

— Très oui, je vais encore abuser de vous.

Je vois au regard de mon père qu'il est inquiet. Et quand il regarde rapidement mon ventre et qu'il remonte à mes yeux, je suis contente de ne pas avoir besoin de lui expliquer ce qu'il a déjà compris.

— Ça ne sera pas un petit mec !

— Non, dis-je en guise de réponse, même si ce n'était pas une question de sa part.

Il ferme les yeux et me prend dans ses bras. Je reste blottie dans contre lui quelques minutes, mais je ne veux pas passer ma soirée à me morfondre, je veux profiter de mes amis avant de disparaître chez mes parents. Personne ne doit savoir. Sauf Dagon, je veux qu'il puisse voir son enfant et s'en occuper, enfin seulement s'il le souhaite.

— Pourquoi vous êtes ici au fait ?

— Dagon nous a invités.

— Je suis heureuse de vous voir.

— Tu devrais aller voir tes amis, on repart ensemble quoi qu'il arrive de toute façon et on te chouchoute pendant deux semaines.

— Plus, je pense.

— C'est encore mieux alors.

J'abandonne mon père pour aller dire bonjour à mes amis et surtout remercier Dagon qui est seul et qui me regarde arriver. Je regarde rapidement autour de moi et pas de Gabriel. Tant mieux je vais pouvoir m'éclipser avec Dagon.

— Nelle, wahouuuh.

— Merci.

Je regarde vers Nelan, Dagon suit mon regard puis me sourit.

— Je t'en prie.

— J'ai besoin de te parler, Dagon.

— Maintenant ?

Je le regarde avec beaucoup d'intensité et de tristesse dans mes yeux.

— Vu ton regard, j'ai ma réponse.

— Sortons si tu veux bien.

Il me suit le pas et je l'emmène se poser près du lac. Il est mignon de me passer sa veste en quittant le gymnase.

— La dernière fois par ma faute tu étais tombé malade.

— Comment tu sais ça toi ?

— Call.

— Ah oui c'est vrai que tu es ami avec Call.

— Eh oui, c'est un indic génial.

Je respire un bon coup pour lui avouer. Ça me semble plus facile, car je n'attends rien de lui, je n'ai pas peur qu'il me quitte, car nous ne sommes pas ensemble.

— Je t'écoute Nelle.

Je prends sa main qui est bouillante et la pose sur mon ventre. Il me regarde bizarrement et ne semble pas comprendre. Enfin pas de suite. Je me rends compte qu'il a compris quand son visage se décompose.

— Putain non Nelle, je t'emmène de suite le faire enlever.

Il est déjà en train de me tirer par la main.

— C'est trop tard, Dagon, j'ai dépassé la date pour.

— Non Nelle pas ça.

Les larmes envahissent aussitôt son visage. Et il tombe de tout son poids sur ses genoux. Je me demande si j'ai bien fait de lui annoncer. Visiblement pas.

— Je te le dis, car tu es le père, et si je meurs je veux que tu puisses venir t'occuper de ce bébé.

— Non Nelle, ce bébé risque de te voler ta vie.

— Dagon, je t'en prie. Je suis égoïste de te demander ça, je sais, mais je veux que Nelan grandisse aussi près d'un homme que j'aurais aimé qu'il ait comme père.

— Nelle, dit-il d'une voix détruite.

— Je t'aime Dagon, je t'aime plus que tout.

— Tu es enceinte depuis quand ?

— Juillet, tu m'as mise enceinte quand nous l'avons fait le jour de mon retour.

Il repose sa main sur mon ventre ainsi que sa tête et se met à caresser. Je le serre contre moi et le laisse se réconforter à sa façon.

— Je suis sûr que nous pouvons encore trouver une solution pour te retirer ce bébé.

— Je refuse de faire ça, Dagon, je passe ma vie à protéger les gens, et de tuer ce petit être c'est au-dessus de mes forces.

— Nelle, on ne sait rien de ce bébé, on l'oubliera.

Je force Dagon à lever la tête pour me regarder. Il se relève et ça sera plus simple.

— L'idée d'être père, et d'avoir un enfant de moi ne te fait pas plaisir ?

— Je serais un menteur que de dire non, mais.

— Donc là tu es très bien placé pour comprendre le choix d'Aidan.

— Nelle.

— Dagon, je t'en prie, ne repousse pas cet enfant qui n'a rien demandé, qui n'est pas responsable de la défaillance de mon implant.

— Bébé tu m'en demandes trop, beaucoup trop.

— Aime ce bébé comme tu m'aimes moi, dit toi que c'est un petit bout de nous deux. Un bout de notre amour. Prends-le comme un cadeau de ma part.

— Tu connais le sexe ?

— Non.

Je mens c'est moche, mais je ne préfère pas qu'il soit anéanti davantage que maintenant.


— Mais j'aimerais quand même connaître tes choix en prénoms, demandé-je.

— Tu crois que c'est le moment de parler de ça peut-être ?

— Il n'y a pas de meilleur moment, la lune est pleine, elle nous éclaire, nous sommes rien que tous les deux et dans quelques mois tu seras papa. Mes parents vont s'occuper du bébé jusqu'à ce que tu sois prêt à le faire toi-même.

— Jacob si c'est un petit gars.

Je suis contente qu'il fasse cet effort en choisissant un prénom.


— Très bon choix.

— Il nous a sauvé la vie à tous les deux à plusieurs reprises. Et il a une grande place dans notre vie, je pense.

— C'est vrai. Et si c'est une petite pisseuse ?

Il me sourit et pose ses mains sur mon visage. Je le vois réfléchir pendant un instant.

— Ellen.

— Ellen ?

— Ton prénom à l'envers bébé.

— Tu acceptes alors ?

— Oui, évidemment.

Je me mets à sa hauteur et dépose un baiser tendre sur sa bouche. Son baiser est tout humide, car son visage est en larmes. Mais je suis heureuse qu'il accepte à sa façon de s'occuper de notre fille. Je refuse qu'elle grandisse sans aucun parent.

— Tu vas faire quoi après la soirée ?

— M'installer chez mes parents jusqu'à la naissance du bébé, je veux voir Nelan jusqu'au bout.

— C'est une fille n'est-ce pas ?

Les larmes envahissent mon visage à une vitesse impressionnante. Je suis trop mauvaise en cachotterie.

— Tu es en train de me dire adieu là c'est ça ?

— Non, tu peux venir avec moi les quelques mois qu'il me reste avant d'accoucher.

— Je viens, je vais retourner au campus faire mes valises et je te rejoins, on se marie et j'adopte Nelan.

— Quoi ?

— Je t'aime bébé. Et je veux prendre soin de notre fille et de Nelan, et leur donner tout l'amour dont ils ont besoin.

Je pose ma tête dans son cou et fonds encore plus en larmes.

— Ça veut dire oui ?

— Dans quel monde je pourrai refuser de me marier avec toi, je t'aime depuis la seconde où j'ai posé mes yeux sur toi.

— Tu sais que tu es la première personne à m'avoir dit m'aimer. Et surtout que tu es la première et la seule à qui je l'ai dit en retour.

— Vraiment ?

— Vraiment bébé oui.

— Et Claire ?

— Je n'ai jamais réussi, je n'ai jamais réussi à l'aimer comme je t'aime toi. Tu as une place tellement forte dans ma vie et mon cœur, et même si tu as décidé de me quitter il y a quelques semaines je refuse de passer à autre chose. Je garde l'espoir de t'avoir de nouveau que pour moi.

— Sauf que là, dans quelques semaines je vais de nouveau disparaître, mais à jamais.

— Dans ce cas, il nous reste encore quelques semaines pour être heureux et amoureux.

— Ne dis rien à personne stp, je ne veux pas gâcher la soirée et celle du 31.

— Promis.

Nous avons tous les deux besoin de quelques minutes ensemble pour effacer la trace sur nos visages de notre tristesse. Et surtout pour être ensemble, comme nous aimons le faire. Nos baisers n'ont plus rien avoir, ce sont des baisers de personne qui sont heureux de se retrouver et se dire qu'ils vont passer du temps en amoureux même si ce n'est pas éternel.

Nous retournons ensemble dans le gymnase et nous joignons à l'ambiance. Gabriel est vers Mattieu, je dois lui parler à lui aussi je n'ai pas le choix. Il me sourit quand il me voit approcher. Il me tend un bras et je me blottis contre lui. Il m'embrasse le dessus de la tête et me mêle à la conversation.

Il faut que ce bon moment soit gâché par l'apparition d'un portail à l'extérieur, je confie Nelan à mes parents et leur demande de le protéger autant que possible.

Nous nous dirigeons tous vers le portail. Nous sommes une cinquantaine de notre côté. Mais les démons sont au moins trois fois plus. Heureusement qu'ils viennent ce soir où nous sommes beaucoup plus nombreux. Jacob arrive quelques secondes après avec des fleurs. En une fraction de seconde, je déborde d'énergie. Je ne laisse pas le temps aux démons d'attaquer que je leur lance deux ondes à la chaîne, une première pour les coucher au sol et une deuxième pour en achever certains. C'est plus qu'insuffisant, ils sont encore trop nombreux à être éveillés, j'essaye de les maintenir au maximum au sol, mais il y a une centaine qui se débat ; ça devient rapidement compliqué. Mes alliés se mettent alors à combattre et détruisent rapidement un certain nombre, mes forces au fil des secondes diminuent jusqu'à ce que je rompe le contact.

Oh non il me faut plus de force, beaucoup plus. Je sens alors une main se poser dans mon dos ce qui me fait sursauter. Je me retourne et c'est Lilou. Elle a les yeux fermés et semble canaliser quelque chose, je sens alors une énergie m'envahir de nouveau. Quoi ? Elle se place alors à côté de moi et me prend la main.

— Mets-nous dans ta bulle, Nelle.

J'obéis et me concentre pour lancer des ondes ciblées en fonction des personnes en danger. J'ai suffisamment d'énergie pour en tuer une dizaine assez rapidement. Lilou reste à côté de moi, les yeux fermés. J'ai l'impression qu'elle recharge mes batteries à mesure où de mon côté je me fatigue. Les démons sont toujours trop nombreux et de plus en plus d'innocents sont au sol. Pas le choix, je vais devoir envoyer une grosse onde pour en tuer un grand nombre, ils se sont fatigués et ça devrait être plus simple.

— Lilou donne-moi tout ce que tu peux.

Je sens alors davantage d'énergie, j'enveloppe mes alliés dans une bulle et ils comprennent qu'ils doivent reculer et se positionner derrière moi. Je lâche la main de Lilou et je m'avance de quelques pas et lance vers l'avant une onde bien plus puissante que les deux premières confondues. Je veux en tuer le maximum. Les démons volent tous en arrière et retombent un peu partout. Cette fois, ils ne sont pas nombreux à se relever. Le peu qui s'en sort disparaît dans un portail.

Je sens la main de Lilou reprendre ma main.

— Je vais te redonner un peu d'énergie pour pas que tu tombes.

Je vois alors autour de moi beaucoup de blessés, beaucoup trop. Je retire ma bulle et cherche Gabriel lorsqu'une main prend la mienne.

— Nelan ? Mais qu'est-ce que tu fais la ?
— Je suis venu t'aider maman.
— C'est trop dangereux pour toi ici.

Il s'assoit alors par terre et pose ses mains au sol. Une aura verte sort du sol et tourbillonne autour de tout le monde, aussi bien les gens blessés au sol que ceux encore debout. Cette aura finit par rentrer dans chaque personne. Petit à petit, les gens reprennent connaissance et se redressent. Même moi, je me sens moins fatiguée.

— Nelan ? Comment as-tu fait ça ?

— Papa qui m'a appris.

Je prends Nelan dans mes bras et le serre aussi fort que possible.


— Ça, c'est un bout d'homme drôlement fort, me dit Gabriel.

— Soin de zone puissant, ajoute Martin.

— C'était donc lui qui l'avait fait quand tu étais enceinte, lance Dagon en me souriant.

Je suis étonnée par son don qui est juste super puissant. Mon cœur se serre quand j'entends la voix de Romain qui appelle Scarlett. Je me retourne et il a l'air complètement affolé. Où est Scarlett ?


— Ce n'est pas possible, ils l'ont enlevé dit Romain.

— Qui l'a vu en dernier ?

— Je l'ai vu au début et ensuite j'étais trop occupée, répond Cécile.

— Il faut que je trouve un moyen d'y aller et de la récupérer, lance Romain complètement paniqué.

— C'est du suicide Romain, répond Théo.

— Tu crois une seule seconde que je vais la laisser là-bas ? Je vais tout faire pour la ramener.

— Seul tu n'as aucune chance, Romain, explique Martin.

— Même si on y va tous on a aucune chance, on ignore combien ils sont là-bas, ajoute Enzo.

— On ramène tout tes guerriers là-bas Benjamin.

— Je ne prendrais pas le risque qu'ils meurent tous, surtout que nous ne sommes pas sûrs qu'elle est encore vivante ni même qu'elle a été enlevée.

— Ça aurait été Nelle tu y serais allé ? demande Romain malheureux.

Benjamin me regarde quelques instants, tout le monde se tourne vers lui, Gabriel y compris.

— Je serais déjà en train de trouver une solution pour aller la chercher.

Je ne m'attendais pas à ce qu'il réponde ça, je suis à la fois touchée et à la fois triste de me dire que pour moi il prendrait le risque, mais pas pour Scarlett.

— Avant de flipper, on va la chercher partout ! Si on ne la trouve pas, on va devoir étudier une solution pour aller la chercher, dis-je.

— Merci Nelle, me répond Romain.

Nous nous mettons tous à la chercher, on forme des mini groupes. Je suis avec Gabriel et Dagon et nous nous promenons dans la forêt. J'espère de tout cœur qu'elle se soit réfugiée ici, mais au fil des minutes l'espoir de la revoir s'amenuise.

Quand un nouveau portail apparaît juste devant nous, il repousse en arrière Dagon et Gabriel. Je fonce sur eux, Dagon est inconscient. Rhoo non pas ça, par chance il respire toujours, il est juste assommé. Plusieurs démons apparaissent et foncent sur Gabriel et le maintiennent avec force. Deux énormes démons approchent alors vers moi et m'attrapent avec une grande rapidité. Je n'ai pas le temps de réagir que je me sens disparaître.

J'entends Gabriel hurler. Je ferme les yeux, j'ai bien trop peur de savoir où je vais atterrir. On maintient mon poignet. C'est un mouvement qui m'obligera à ouvrir de nouveau les yeux. Nous sommes dans un jardin immense et aussi étonnant que ça puisse paraître c'est très joli à voir. Il y a beaucoup de montagnes, de rochers au loin et un palace. Un démon bien plus grand et costaud finit par arriver dans notre direction. Il parle dans une langue que je ne comprends absolument pas. Je comprends qu'il parle de moi lorsqu'il me regarde de la tête au pied et qu'il pose sa main sur mon visage. Par réflexe, je l'enlève avec force et lui lance un regard mauvais. Mon geste à l'air de bien l'agacer. Je vais m'en prendre une je le sens bien. Il me cri alors dessus dans son dialecte, je ne comprends pas, mais je pense que ce n'est pas très gentil. Ferme ta bouche Nelle et ne le regarde pas, ne le provoque pas, pas ici. Il m'attrape par le bras et m'emmène avec lui après avoir fait signe à ses hommes.

Nous marchons plusieurs minutes et arrivons devant le palace. Il a beau être plus costaud et grand il me tient beaucoup moins fort.

Nous nous arrêtons devant une porte immense en fer. Il l'ouvre et me pousse à l'intérieur puis me donne un coup derrière la tête.

Quand mes yeux s'ouvrent, je suis allongée au sol, avec une énorme douleur à la tête. Je me redresse pour voir où je suis enfermée. Il y a une centaine de filles assises un peu partout dans la pièce. Mon cœur accélère en les voyant, et surtout en voyant dans quel état elles sont. Je pense tomber quand j'en vois certaines enceintes.

J'entends une voix familière m'appeler, je me retourne et c'est Gaëtanne. Elle se lève et me fonce dans les bras.

— Gaëtanne !
— Nelle tu es enfin réveillée. Ils t'ont capturé toi aussi ?
— Oui, et maintenant que je suis là je vais tout faire pour t'aider Scarlett et toi à vous sortir d'ici.

— Nous ne sortons jamais d'ici à part quand notre démon nous veut dans son lit.

— Quoi ?

— Oui, ils font de nous des mères porteuses, et celles qui survivent font des bébés en boucle.

— Mais c'est horrible, tu es en train de me dire que vous êtes ?

— Violées.

— Mon Dieu, où est Scarlett ?

— Avec un des démons.

— Ça va toi ?

— J'ai beaucoup de chance, je suis tombée sur un démon moitié humain, il est plus doux. Nelle il faut que tu arrives à tomber sur un humain, tu arriveras peut-être à le charmer et nous faire libérer.

— C'est mon but de faire ça, mais s'il y a des démons moitié humains, ça va me simplifier la tâche.

Gaëtanne me resserre dans ses bras et se met à pleurer à chaude de larmes.


— Pourquoi ils font ça ?

— Pour se reproduire, il n'y a presque plus aucune femme démon.

— Pourquoi ça ?

— Je ne sais pas.

— Je ne pourrais pas t'aider physiquement contre eux, mais au moins je serais là pour te remonter le moral au mieux.

— Avec un peu de chance, personne ne voudra de toi rapidement, comme pour moi.

— Et pour Scarlett ?

— À peine arrivée qu'elle est repartie, ses yeux bleus et ses cheveux blonds ont fait la différence. Une brune aux yeux marrons ça ne plaît pas autant.

— Espérons qu'il n'aime pas les rousses.

Nous nous installons dans un coin avec Gaëtanne et elle pose sa tête sur mon épaule.


— Nous sommes quand sur terre ?

— Quand j'ai été enlevé, nous étions le 23 décembre, je me suis endormie depuis longtemps ?

— Non depuis hier soir.

— OK.

— J'ai l'impression d'être là depuis des années.

— Deux mois c'est très long.

L'idée que je vais avoir les mains de l'un d'eux sur moi me fait terriblement peur. Je voulais profiter de mes dernières semaines près de Nelan et je devais avoir Dagon près de moi. Au de lieu de ça ? Je suis ici et je vais mourir dans ce monde et ils auront en plus mon bébé. Une angoisse face à ça me saisit à une vitesse impressionnante. J'essaye de me rassurer en me disant que si c'est comme sur terre je n'aurais pas beaucoup de succès avec mes cheveux.

Les heures passent et deux démons finissent par rentrer dans la pièce. J'essaye de me faire la plus petite et discrète possible, mais faut se rendre à l'évidence je suis la seule rousse ici. Et on me repère facilement au milieu des brunes. J'espère de tout cœur qu'ils ne sont pas là pour moi. Quand je les vois chercher et que l'un d'eux pose ses yeux sur moi, ça me confirme qu'ils sont bien là pour moi. Il me fait signe d'approcher. Je me lève, je ne veux aucun conflit. Je vais faire tout ce qu'on me demande très gentiment. Ils m'attrapent par le bras et me poussent vers l'extérieur. Ils me mènent jusqu'au Palace puis dans une petite salle à l'arrière du bâtiment.

Quand ils me font rentrer à l'intérieur, ils sont déjà trois, ils ne semblent pas le moins du monde humains. L'un des démons m'assoit de force sur une chaise et se positionne derrière moi. Un autre s'avance alors vers moi et m'attrape par les cheveux et me penche la tête en arrière. Ils ont beau tous se ressembler, j'ai l'impression de l'avoir déjà vu, lui. Il relève la tête et se met à parler d'une façon sèche avec celui derrière moi. Vu le regard qu'il me lance, la réponse de l'autre ne semble pas lui plaire. Il relâche mes cheveux et me donne une gifle tellement forte que j'en tombe de la chaise. La gifle ne semble pas le satisfaire, car il continue à me frapper dans le bassin et dans le bas du corps et je commence à perdre connaissance quand je reçois un coup sur la tête. Une douleur horrible me fera ouvrir les yeux. J'ai quelqu'un en moi et ses mouvements me font terriblement mal. Je fonds rapidement en larmes et je suis obligée de mordre ma manche pour ne pas hurler de douleur. Cette horreur ne fait que commencer, ils me passent tous les quatre dessus. J'ignore combien de temps je reste dans cette pièce chaque jour, mais ce calvaire dure depuis de longues semaines. Je suis frappée régulièrement sur le visage et dans les jambes. Ma gorge en a pris un coup j'ai terriblement mal. Ils font clairement en sorte que je ne puisse pas fuir, jamais ils ne frapperont mon ventre, je pense qu'ils ne veulent pas prendre le risque de tuer un bébé si je venais à tomber enceinte. Ils ignorent que je le suis déjà et qu'il va être compliqué de tomber une deuxième fois enceinte d'eux.

Je me sens mourir chaque jour qui passe. Je suis en train de subir une nouvelle torture quand j'entends quelqu'un rentrer dans la pièce. Le démon s'éloigne de moi et se met à parler.

J'entends une voix que je ne connais pas s'énerver et des bruits de pas se rapprocher. Je tourne la tête et vois un démon qui lui a clairement un air humain. Je ressens de la pitié dans son regard. Il fait signe aux monstres de sortir. Il retire sa veste et la pose sur moi puis me soulève. J'ignore pourquoi, mais je le laisse faire. Il fait quelques pas et je sens mes yeux se fermer.

Quand je les ouvre je suis allongée dans un lit, dans une chambre immense et une fille est à côté de moi et me sourit.

— Tu te réveilles enfin, me dit la jeune femme.

— …

Je me rends compte que je n'ai plus du tout de souffle, que je n'arrive plus à parler. Je n'ai pas essayé de le faire depuis tellement longtemps.

— Nous sommes dans la chambre de Kaiscko, repose-toi tu es en sécurité ici. N'essaye pas de parler.

Me reposer ? Je suis dans la chambre d'un démon, dans quel monde je pourrai réussir à me reposer ?

La porte de la chambre s'ouvre et le démon qui m'a sorti de ce calvaire entre. Il a un plateau dans les bras et le pose sur une table à côté du lit.

— Elle est enfin réveillée, dit le démon.

— Oui, à l'instant.

Il parle ma langue ?

— Tu as réussi à la sauver c'est très bien Pauline.

— Elle est restée un mois dans le coma je n'y croyais plus.

— Au final, elle a quoi ?

— Elle a bien souffert, plusieurs déchirures bien plus importantes que les miennes. Des fractures aussi. Ils ne l'ont pas loupé. Mais comme pour moi, ça finira par cicatriser.

Il fait un oui de la tête et tend le plateau à la fille.

— Mangez ! lance le démon.

— Merci.

Elle prend le plateau et le pose vers moi. Elle me tend une assiette, j'hésite quelques secondes et finis par dévorer son contenu. Je n'ai presque pas mangé depuis mon arrivée. Mon bébé a survécu jusque-là et c'est un miracle que je n'ai pas grossi d'un coup. Ils n'ont rien dû voir. Je touche mon ventre et mon ventre est plat. Oh, mon Dieu ! non pas ça. Je l'ai perdu ?

Quelques minutes après, elle reprend le plateau et le pose de nouveau sur une table. Pendant tout le repas, le démon n'aura pas cessé de me regarder une seule fois.

— Tu en veux un peu plus ?

Je fais non de la tête, car je n'arrive toujours pas à prononcer un seul mot.

— Elle ne peut plus parler, elle a pris de mauvais coups dans la gorge et sur le visage.

— Retourne dans tes quartiers Pauline.

Il reste là à me regarder pendant que Pauline s'éloigne.

— Je m'appelle Kaïscko.

Il attend que je lui donne mon CV ou quoi. Je continue à fixer mes mains sans parler. Je le vois alors me tendre du papier et un crayon.

— Inscris-moi ton prénom dessus.

Je le marque et lui rends le tout.

— Bonjour Nelle.

Il reste là à me regarder sans parler et bouger. Je lui fais signe de me donner de nouveau le papier, j'ai besoin de savoir ce qu'il compte faire de moi maintenant.

— Rien du tout.

Ça a le mérite d'être clair. Des larmes coulent sans vraiment le vouloir.

— Je ne suis pas une brute contrairement à mes semblables.

Il s'installe à côté de moi et pose les feuilles sur mes jambes. Je lui demande s'il compte me violer.

— Je ne connais pas ce mot.

Je lui explique ma définition du mot, forcer une femme à coucher avec vous alors qu'elle ne veut pas s'appelle un viol.

— De m'avoir dans ton lit est un honneur pour toi.

— Pas dans mon monde, il n'y a pas d'honneur à faire du mal à quelqu'un.

— Tu n'as pas d'homme dans ton lit dans ton monde ?

— Si j'en ai un, et lui je l'aime, donc il a droit d'y être.

— Ici, on n'aime pas, c'est banni.

Nous restons là sans parler. N'oublie pas que tu dois le mettre dans ta poche, que tu dois te tirer d'ici au plus vite et au passage sauver Scarlett et Gaëtanne.

— Tu es courageuse pour une humaine.

— Je suis censé faire quoi là ?

— Repose-toi, ton corps a souffert.

— Qui me dit que vous n'allez pas venir me violer pendant mon sommeil.

— Rien.

Sa réponse ne me rassure pas, mais je suis tellement fatiguée que je n'ai clairement pas le choix de toute façon.

Je finis par m'allonger et m'endors très rapidement. Un claquement de porte me fera sortir de mon sommeil. Le soleil brille et je semble seule dans la pièce. J'en profite pour regarder mon ventre, il est presque plat, et j'ai une énorme cicatrice en bas. Des larmes coulent sur mon visage en pensant à tout ce que je viens d'endurer. J'ai vraiment perdu ma fille, si j'arrive à revenir je vais décevoir Dagon. Je me déteste tellement d'avoir proposé de chercher Scarlett.

Mon cerveau me renvoie au visage de Dagon et à son odeur, cette odeur qui me berce. Qu'est-ce que je ne donnerai pas pour le voir débarquer et me sauver de cet endroit. Je sens quelque chose de tellement différent en moi, Gabriel, je ne ressens vraiment plus rien, en pensant à son visage et son caractère je ne peux pas dire qu'il ne me plaît plus, mais ce n'est pas de l'amour, juste de l'attirance.

Je dois essayer de fuir d'ici de suite, je tends ma main en avant et essaye de faire apparaître une onde. Elle apparaît de suite, ça veut dire que je suis capable de me battre alors ? Et de me défendre. Je décide d'essayer de me lever. Je fais quelques pas et tombe de tout mon poids au sol. Je pousse un cri de douleur, car je me suis tordu la cheville en m'écroulant. Je n'arrive plus à me redresser, je n'ai aucune force dans les bras. La porte finit par s'ouvrir et Kaiscko entre. Quand il me voit au sol il s'avance rapidement dans ma direction. Il essaye de me soulever pour me recoucher dans le lit, je le repousse et le frappe.

— Je veux juste te recoucher dans le lit, Nelle.

Je dis non de la tête et fonds en larmes.

— Je ne compte pas te faire de mal.

Toutes les douleurs ressenties un peu partout dans mon corps sont insupportables là, tellement horribles que je me sens m'endormir.

Ma tête me tourne et je lutte de toutes mes forces pour ne pas laisser mes yeux se fermer.

Quand mes yeux voient de nouveau la lumière du jour, je suis de nouveau dans le lit. Pauline est là et me nettoie certaines plaies dans des endroits du corps très gênant. Je regarde dans la pièce et Kaiscko est de dos assis à son bureau.

Je repousse alors Pauline.

— Il faut que je te soigne Nelle, tes plaies semblent s'infecter.

Je dis non de la tête et de nouveau des larmes envahissent mon visage.

— Laisse la tranquille, elle a besoin de repos et de confiance en nous, lance Kaiscko à Pauline.

— Oui monsieur.

Elle quitte la chambre me laissant de nouveau seule avec lui.

— Tu ne devrais pas essayer de te lever. Tu es encore faible.

Effectivement, mon corps ne me laisse pas me lever et je serais incapable de m'enfuir seule. Il n'y a que lui qui va pouvoir m'aider et je ne pense pas que ça fasse partie de ses projets.

Je pense être dans sa chambre depuis une semaine, je ne sors plus d'ici. Je sens son besoin de parler avec moi et je fais en sorte d'être gentille et de répondre à toutes ses questions. Il parle peu de lui en revanche. Je sais juste que sa mère était humaine. J'essaye de lui faire comprendre ce qu'est l'amour et la gentillesse. C'est compliqué quand on est élevé dans la dureté sans amour et compassion. Et encore plus quand je dois tout écrire.

— Ma mère avait les mêmes cheveux que toi.
— Tu l'as connu longtemps ?
— Mon père l'a tué quand elle ne pouvait plus faire d'enfants.
— Je suis désolé Kaiscko, vraiment, ça a dû être horrible pour toi.
— Je pense comprendre ce que tu ressens d'être ici, je l'ai ressenti quand j'ai vu mon père la tuer.
— C'est elle qui t'a appris à parler ma langue ?
— Oui.
— Elle était comment avec toi.
— Elle n'avait pas le droit de me toucher. Mais elle le faisait en douce quand elle était seule avec moi.
— Je sais que moi je ne pourrai jamais vivre sans pouvoir toucher mon fils.

Il se bloque en lisant ça.

— Tu as un enfant ?

— Oui, un petit garçon de 3ans, et j'étais enceinte en arrivant ici, ou est mon bébé ?

Je vois alors de la tristesse dans ses yeux.

— Il s'appelle comment ?
— Nelan.
— Ça ressemble à ton prénom
— Oui, c'est un mélange du prénom de son père et du mien.
— Il est avec son père là ?
— Non, son papa est mort.

Il ne répond rien et part à son bureau et se met à travailler. Il ne m'aura pas répondu pour mon bébé.

Les jours continuent de passer et je n'arrive toujours pas à parler. J'ai terriblement peur que ces monstres aient cassé mes cordes vocales.

J'ai toujours très mal aux côtes et à plusieurs endroits dans mon corps. Mes fractures ne guérissent pas, bien que Pauline passe tous les jours pour me soigner et changer mes bandages.

— Pauline, tu as soigné Nelle depuis qu'elle est là. Est-ce qu'elle a été enceinte ?

Cette conversation me concerne et je tourne la tête pour entendre.

— Elle était enceinte en arrivant dans la chambre, mais le bébé est mort-né.

Kaiscko tourne la tête vers moi et me fait un regard de désolé.

J'ai tué mon bébé, mais c'est peut-être mieux comme ça pour elle, elle aurait fait comment ici ?

— Je m'inquiète pour tes fractures, elles ne semblent pas guérir. Tu as mal ? me demande Kaiscko.

— La douleur dans ma tête est nettement pire, je me sens mourir de l'intérieur un peu plus chaque jour.

— Tu ne mérites pas ça.

— Personne ne le mérite.

Il me regarde et ne répond rien.

— Ma meilleure amie est ici aussi, j'aimerais bien la voir.

— Elle est comment ?

— Blonde aux yeux bleus, elle s'appelle Scarlett.

— Je vais voir ce que je peux faire.

Les jours et semaines passent et il ne me touche vraiment jamais. Mon entrejambe ne me fait presque plus mal. En revanche, les fractures que j'ai me font de plus en plus mal, je ne peux plus du tout bouger du lit. Je suis comme paralysée. La douleur physique j'arrive à la supporter. Mais moralement, je suis au plus mal, je cauchemarde chaque nuit et je prends peur dès qu'un autre démon rentre dans sa chambre. J'essaye d'imaginer le visage de Gabriel pour me rappeler de bons souvenirs, mais rapidement c'est celui de Dagon qui me revient en tête. Il ne quitte pas mon esprit, je l'aime et si un jour je sors d'ici, j'espère pouvoir me blottir contre lui et y rester aussi longtemps qu'il faudra pour qu'un sourire réapparaisse sur mon visage.

Kaiscko passe de plus en plus de temps avec moi à me parler de ses souvenirs avec sa mère. Je ressens de plus en plus de tristesse en lui. Je suis allongée sur le lit quand la porte s'ouvre. Je me redresse avec difficulté et manque un battement en voyant Scarlett. Il l'emmène et l'installe à côté de moi. Elle répond à mon étreinte et fond en larmes dans mes bras. Elle est en larmes devant moi, dans une telle détresse et tristesse que ça me brise le cœur. Je n'ose imaginer ce qu'elle vit chaque jour, ça a été horrible au début, mais depuis que je suis ici je ne vis plus aucune torture physique, même si la nuit je pleure encore et que la peur qu'un autre démon ne vienne me prendre dans mon sommeil est bien présente.

Quand je regarde vers Kaiscko je vois vraiment beaucoup de peine dans son regard.

— Si je la garde avec moi, il va falloir qu'un autre démon te choisisse.
— Tu prendras soin d'elle sans jamais la toucher ?
— Oui.
— J'ai ta parole ?
— Oui.
— Dans ce cas d'accord.
— Mais tu ne peux même pas te lever ou bouger, tu seras rapidement tuée, car tu es faible.
— Je sais, mais si elle est en sécurité avec toi ça me va.

Par chance, je suis toujours dans la chambre avec lui les jours qui suivent et j'ignore pourquoi. Scarlett a beau manger et dormir, elle ne va pas mieux du tout. Elle est en train de mourir de chagrin. Il fait nuit noire dehors quand Kaiscko nous réveille.

— Viens, Nelle.
Je le sens me soulever. Je montre Scarlett du regard.

Il la regarde puis un autre démon s'approche d'elle et la soulève, elle commence à se débattre et à hurler. Je pose ma main sur sa bouche pour lui faire comprendre qu'elle doit se taire, elle me regarde les larmes aux yeux, sa détresse me brise le cœur, mais mon geste semble la calmer pour le coup. Ils nous font passer par des souterrains, il n'y a absolument personne dans les couloirs. Nous arrivons dans le jardin ou j'ai apparu. Je le regarde et comprends ce qu'il est en train de faire. Il me libère. Il pose Scarlett au sol et me fait un léger sourire. Il me tend alors un objet.

— Tu pourras revenir avec ça pour récupérer le reste des femmes.

Je lui fais signe pour qu'il me donne quelque chose pour écrire, il sort alors son calepin et un crayon de sa poche

— Une autre amie est là, Gaëtanne.
— Gaëtanne ?
— Une amie à moi, elle est brune aux yeux marrons, toute petite et apparemment elle est prise par un démon moitié humain.
— Dépêche-toi de partir avant qu'on ne te voie.
— Merci Kaïscko.
Il s'approche de moi et caresse mon visage.

— Protège Nelan.
Je lui fais oui de la tête et lui souris légèrement.

Il fait alors apparaître un portail que Scarlett et moi traversons. Scarlett est à bout de force et moi je ne peux toujours pas me lever. Je reconnais ce lieu, c'est ici que j'ai franchi le portail. Nous sommes enfin chez nous.

J'entends alors cette voix si familière dans mon dos, je me retourne et vois Gabriel juste là les larmes aux yeux. Les larmes coulent alors sur mes joues.

— Nelle.

Il s'approche alors de moi, mais il a bien compris qu'il ne vaut mieux pas me toucher pour le moment. Je lui fais signe de me donner son téléphone. Je lui écris un message pour lui dire que je suis brisée à plusieurs endroits et que je ne peux plus parler. Je le vois alors tendre son téléphone à Call et ce dernier part en courant. L'ange apparaît devant moi quelques secondes après. Call réapparaît et s'installe à côté de moi.

Call s'avance alors de Scarlett et la soulève, de nouveau elle hurle de peur. Ce cri qui me brise le cœur. Call ne la repose pas et part rapidement avec elle.

L'ange pose sa main sur ma gorge et une chaleur qui me brûle me fait pousser des petits gémissements. Aucune douleur ne pourra être aussi forte que celle ressentie là-bas.

Après une bonne minute, il pose sa main sur mon ventre et par réflexe je le repousse.


— Nelle, je veux te soigner.

Les larmes coulent en comprenant que je viens de repousser un ange inoffensif. Il repose sa main sur mon ventre et de nouveau une chaleur m'envahit rapidement. Il pose sa main derrière ma tête et une main sur mon front et m'incite à m'allonger.


— Ferme les yeux, je suis désolé Nelle, mais ça va te faire très mal.

J'obéis et attends. De nouveau, j'ai mal, j'ai même terriblement mal, mais je n'ai pas la force de crier, je me contente de grimacer et plier les jambes. J'ignore combien de temps je reste ici, allongée à même le sol en train de me faire soigner.

— Je continuerai demain, je vais te laisser te reposer maintenant.

— Vous avez réussi à la guérir un peu ? demande Gabriel.

— Elle devrait pouvoir parler et marcher, je pense.

— Essaye de parler.

Je ne me sens pas la force du tout. Je lui fais non de la tête.

— Gabriel amène-la à l'infirmerie, stp.

Je fais non de la tête, je ne veux pas être portée ni touchée.

— Nelle je ne peux pas te porter, je serais à côté, m'explique l'Ange.

Je vois dans le regard de Gabriel que ça lui fait de la peine que je le repousse. Mais là, c'est trop pour moi, je ne peux pas. Je n'ai pas assez de recul avec lui pour pouvoir accepter. Je vois alors Call revenir. Les imagines d'Agonis, de guerriers qui torturent et qui tuent des innocents me reviennent en plein visage. Quand il approche, les larmes coulent encore plus. Qu'est-ce qui m'arrive ?

— Et Call peut ? me demande l'Ange.

J'ai les larmes qui coulent et je vois Call se mettre à genoux devant moi. Je fais non de la tête, je ne peux pas, je ne veux pas qu'on me touche.

L'ange se met alors à genoux à côté de moi. Ce sont tes amis, ils ne te feront rien, ce sont les mêmes qu'avant ton départ. Je continue de dire non de la tête et ferme les yeux.

— Je veux bien essayer de la convaincre, propose Jacob.

Je reconnais la voix de mon ami. J'ouvre les yeux et lui tends une main. Il me sourit puis me soulève.

— Je vais faire doucement pour pas que tu souffres avec les mouvements.

Je lui souris et pose ma tête dans son cou et continue de laisser les larmes couler.

— J'ai tué le bébé de Dagon, dis-je sans vraiment le contrôler.

— Tu es vivante toi, c'est tout ce qui compte ma belle. Ferme tes yeux maintenant, tu es en sécurité près de moi.

J'ai dû m'endormir sur le chemin, car quand j'ouvre les yeux je suis dans un lit et Gabriel est juste à côté sur un fauteuil, la tête dans les mains. Il fait jour et le soleil semble vouloir briller.

— Bonjour.

Le mot semble être sorti tout seul, mon souffle est de nouveau là et plus aucune douleur ou présence dans ma gorge semble présente. Il se redresse tout d'un coup et s'approche de moi.

Je sursaute face à sa fougue.

— Doucement.

— Pardon.

Il me regarde et me sourit doucement.

— Comment vas-tu ce matin ?

— Mal.

— Tu as des douleurs où ?

— Partout.

— Je vais chercher l'ange.

Il quitte la chambre et de nouveau des larmes coulent, des images d'horreur envahissent mon esprit et une crise de panique m'envahit. Quand Gabriel revient, l'ange est avec lui. Je suis en train de trembler littéralement sur le lit.

— Sors Gabriel stp, demande l'ange.

Gabriel obéit aussitôt.

— Nelle ça va aller, tu es en sécurité ici avec moi. Et Gabriel ne te fera rien.

— J'ai peur.

— Je sais.

— J'ai terriblement peur, ne me laisser pas seule je vous en prie.

— Nelle je vais continuer à te guérir un peu et ensuite tu pourras sortir d'ici.

— Non, par pitié je ne veux pas sortir d'ici.

— Il le faudrait pourtant, tu dois reprendre ta vie.

— Ma vie est foutue.

— Mais non, tu es vivante regarde.

Je finis par m'allonger et je ferme les yeux. Une douleur m'envahit de nouveau et je me retiens de crier. Cette torture dure quand même plusieurs minutes. Au moins, elle a le mérite de me montrer que je suis toujours vivante.

— C'est bon ça suffira pour aujourd'hui. J'aimerais t'ausculter maintenant.

Je dis oui de la tête. Ça ne lui prendra que quelques minutes.

— Bon, ça semble propre.

— Tant mieux.

— Pourquoi tu as une cicatrice sur le bas du ventre ?

— J'ai perdu mon bébé, Pauline a dû la faire sortir par là.

— Je suis désolé, mais je suis heureux que toi tu sois toujours vivante.

— Je vous remercie.

584

— Tu vas pouvoir sortir maintenant.

— Et si je refuse ?

— Dans ce cas, reste si ça te rassure. Mais je suis de très mauvaise compagnie.

— Je n'ai pas la force de sortir.

— Et voir tes amis ?

— Je…

— Et de voir Dagon ?

J'en meurs d'envie, en effet de le voir me fera du bien. Mais je refuse qu'il me voie comme ça. Je refuse de lui dire pour le bébé. Il va me détester.


— OK, je n'insiste pas et je retourne surveiller Scarlett.

— Elle va comment ?

— Très mal. Son corps va beaucoup mieux que le tien en revanche son cerveau a été gravement endommagé.

— Aidez là svp.

— C'est ce que je fais déjà. Tu devrais recevoir du monde, ça te ferait du bien, vraiment.

— Je ne veux voir personne.

— Très bien, je refuse les visites pour toi alors.

Je reste à l'infirmerie quelques jours et finis par demander à Gabriel de m'aider à sortir d'ici. L'ange a raison et je dois reprendre ma vie d'avant. Je ne me sens pas prête, mais là j'ai besoin de respirer l'air frais et surtout être dans une pièce qui me rassure comme ma chambre. Quand on sort de l'infirmerie, pas mal de professeurs sont là et semblent ravis de me voir revenir vivante. Je suis vivante, mais je ne serais plus jamais la même. Jacob s'avance de moi et par réflexe je recule. Je connais Jacob, je sais qu'il ne me fera pas de mal, mais ça reste un homme, et j'ai peur, j'ai terriblement peur. J'ai accepté qu'il me porte et qu'il m'accompagne à l'infirmerie, car l'ange, Gabriel et Call étaient là, il n'aurait rien tenté avec eux.

— Je ne veux pas qu'on me touche.

Je croise les bras, j'ai besoin de m'isoler à ma façon.

— J'ai besoin d'être seule.

Personne n'ose parler, ils doivent se douter que ce qu'on a vécu n'était pas simple. Une fois dans ma chambre je fonce dans ma salle de bain pour me changer, je veux enlever ses vêtements qui me donne encore l'image d'être une soumise. En enlevant les vêtements, je sors de la poche le talisman pour invoquer un portail. Je le regarde puis le cache dans un tiroir de la salle de bain. Je prends une bonne douche et cherche les vêtements les plus larges possible. Mais rien, ils me semblent tous terriblement moulants. Je fonds en larmes au sol. Je sens le sol bouger en tombant.

— Mon cœur, ça va ? me demande Gabriel qui a dû m'entendre m'écrouler.

— Non ça ne va pas et ça n'ira jamais.

— Je rentre.

Je n'ai même pas la force de le repousser. Il pose une serviette sur moi pour me couvrir.

— Prête-moi un sweat à toi et un jogging stp.

— D'accord, je reviens.

Même pas deux minutes après je le vois déposer des vêtements devant moi.

— Je t'attends à côté.

Je mets plusieurs minutes à me rhabiller. Mais pour le coup les vêtements de Gabriel sont tellement grands que je pourrai y mettre trois comme moi dedans. Quand je ressors Gabriel fait des vas et viens dans la chambre, il se stop net en me voyant, je vois dans son regard qu'il n'ose pas du tout bouger.

— Je ne sais pas quoi te dire là, je ne pense pas pouvoir imaginer ce que tu as enduré.

Je m'avance de lui et pose ma main sur sa bouche.

— Je veux oublier ça, et ne plus jamais en reparler.
— D'accord.

Je n'ai même pas la force d'aller me blottir dans ses bras. Et reste là un sacré moment à le regarder. J'ai beau être dans ma chambre, avec un homme que j'ai aimé, je me sens toujours en danger.

Je finis par m'asseoir sur mon lit et je fonds en larmes, Gabriel se met devant moi et pose ses mains sur ma jambe sans les bouger.

— Tu devrais essayer de dormir maintenant, je reste à côté, tu ne risques plus rien, mon ange.

Je m'allonge et lui fais signe de s'allonger à côté de moi. Il n'est pas du tout collé comme d'ordinaire, mais cette distance est le minimum du supportable pour moi. Son odeur et sa fraîcheur me saisissent tout de suite et je m'endors en une fraction de seconde. J'ignore pendant combien de temps j'ai dormi, mais à mon réveil Gabriel n'est plus dans le lit. Je le cherche rapidement et il est à mon bureau en train de bosser.

— Gabriel.

Il se retourne puis vient s'installer près de moi.

— Comment ça va ?

— Où est Scarlett ?

— Avec Romain.

— Elle va comment ?

— Très mal.

— Il faut faire appel à Pierrick, qu'il efface sa mémoire.

— On n'y a pas pensé, mais c'est une excellente idée.

— Même à ma pire ennemie je ne lui souhaite pas ça.

— Je me doute, tu ne veux pas m'en parler ? Ça te fera du bien.

— Non, tu n'as pas du tout envie d'entendre ça.

— Nelle je suis prêt à tout entendre, quand j'ai vu ces démons t'attraper et de m'imaginer jamais te revoir m'a fait beaucoup changer.

— Je suis partie combien de temps ?

— 4 mois.

— J'avais l'impression d'être là-bas depuis bien plus longtemps.

— Tu es ici avec moi maintenant, c'est tout ce qui compte.

— Je ne suis plus la même Gabriel.

— Je me doute, mais je t'aime toujours autant peut-être même plus.

— J'allais te quitter avant d'être enlevée, j'étais enceinte de Dagon, d'une petite fille et j'allais mourir.

— Je suis au courant.

— Quoi ?

— J'ai entendu une nuit pendant que tu dormais un autre cœur battre, je pensais rêver, ou entendre le mien et non c'était bien le sien. Et Dagon après avoir insisté pour savoir, me l'a confirmé.

— Comment tu peux me dire que tu m'aimes et rester près de moi sachant ça ?

— Parce que j'ai besoin de toi dans ma vie, Nelle.

— Tu ne devrais pas, je ne pourrai plus jamais t'apporter ce que tu attends de moi. J'ai peur de quitter cette chambre, peur de voir les gens, de ne plus être capable de me défendre.

— Tu es vivante c'est bien que tu aies réussi. Et ta présence me suffira aussi longtemps qu'il le faudra.

— J'ai eu la chance de tomber sur le bon démon, il nous a relâchées avec Scarlett. Son côté humain a pris le dessus.

— Nelle ils vous ont touchés ?

— Oui.

— Ils vous ont fait mal, beaucoup de mal vu l'état dans lequel tu es revenue ?

— Oui. Ils me laissaient en permanence dans un état comateux pour éviter que j'utilise mes pouvoirs. Mais j'étais suffisamment réveillée pour tout sentir. Et pour les détester pour toutes les douleurs ressenties.

— Leur but ?

— Se reproduire avec des humains.

— OK, maintenant tu es avec moi et plus personne ne posera ses mains sur toi.

— Je ne suis pas sûre de réussir à avoir tes mains non plus sur moi.

— Dans ce cas, je ne te toucherai plus non plus mon cœur.

— Je ne veux pas que tu aies à endurer ça. Tu ne le mérites pas.

— Toi non plus tu n'aurais jamais dû endurer ça, je vais porter ce fardeau avec toi.

Les larmes recommencent à couler et j'ai besoin d'être réconfortée, mais je ne peux aller me blottir dans les bras de

Gabriel, c'est au-dessus de mes forces. Dagon ! Son visage, son odeur, sa chaleur, son humour, j'en ai besoin.

— Les autres doivent être en train de répéter pour un nouveau spectacle, ça te dit qu'on les rejoigne et que tu nous regardes ? Je sais que tu adores ça.

— Oui, mais ne reste pas loin de moi.

— Personne ne t'approchera, Nelle.

— Par pitié, je ne veux pas qu'on me parle ou encore pire qu'on s'approche de moi.

— Je te le promets.

Je le vois dans ses yeux que mes paroles sont fortes. Nous nous levons et nous rejoignons la salle de théâtre. Je m'installe avec lui dans un coin de la pièce, puis il se relève et va rejoindre les autres qui sont en train de s'entraîner. Quatre mois dans un monde où je n'avais pas entendu de musique, ça fait un bien fou. Et de les voir s'amuser et rire m'aide à oublier pour un court instant. Les scènes s'enchaînent et mes yeux restent bloqués sur Gabriel, seule sa présence semble réussir à me sécuriser. À la fin, il s'approche de moi et s'accroupit.

— Tu as envie de venir jouer avec moi ?

— Non, désolée je n'y arriverai pas.

— D'accord, reste ici alors.

Il se redresse et retourne sur scène avec les autres. Nous restons là un bon moment, j'assiste à un entraînement ensuite et vois de nouveaux élèves essayer d'apprendre. Ça me rappelle moi à mes débuts. À la fin du cours, Gabriel me rejoint et m'aide à me relever.

— Tu as envie de faire quoi maintenant ?

— Allez voir Scarlett.

— Tu es sûre de toi ?

— Oui.

— Dans ce cas.

Il me tend sa main et ça aussi c'est au-dessus de mes forces. Il me sourit et me fait signe de passer devant lui. Il m'emmène à l'infirmerie.

— Pourquoi elle est ici ?

— Elle va très mal Nelle, je te l'ai dit.

Il finit par ouvrir la porte.

— Bonjour Nelle, me dit l'ange.

— Bonjour, je veux voir Scarlett.

— Comment vas-tu toi ?

— Je respire toujours.

— Ça ne suffit pas pour vivre.

— Je me contente de ça pour l'instant.

— Scarlett est dans la chambre 3.

— Merci.

Je me dirige vers sa chambre et je toque à la porte. J'entends Romain me dire d'entrer. J'ouvre la porte et rentre à l'intérieur. Romain se lève et commence à venir vers moi, Gabriel le stop avant qu'il n'approche trop près.

— Non, garde tes distances encore avec Nelle, stp Romain.

— Je suis désolé Nelle, je n'aurais jamais dû te laisser chercher Scarlett, nous savions qu'elle avait été enlevée et nous savions que même en la cherchant ici on ne la retrouverait pas.

— Elle est là maintenant, je compte sur toi pour lui redonner son sourire et sa joie de vivre. La femme qui est là n'est pas Scarlett, Romain. Ce n'est pas ta Scarlett.

Je tourne alors la tête vers mon amie, en effet elle est blanche comme la mort et reste immobile dans le lit. Je m'avance vers elle et m'installe sur une chaise. Je pose ma main sur la sienne et elle la retire aussitôt, sans même tourner la tête vers moi.

— Elle refuse de parler et de manger, m'explique Romain.

Sa voix est remplie de tristesse, au vu de ses yeux il doit passer beaucoup de temps à la surveiller, oubliant de manger et de se reposer.

— Je vais appeler Pierrick, qu'il efface sa mémoire.

— Tu crois que ça peut l'aider ?

— Je l'espère en tout cas, mais tu ne devras plus jamais lui parler de ça.

— Nelle est ce que tu envisages toi aussi de ?

— Non, je compte bien y retourner et les détruire tous un à un et libérer toutes les filles encore prisonnières.

— Nelle tu es consciente que jamais je ne te laisserai te faire reprendre ? me dit Gabriel avec beaucoup de tristesse dans sa voix.

— Tu n'as pas la moindre idée de la souffrance physique qu'on endure à chaque fois qu'ils posent leurs mains sur nous ni la torture morale qu'on subit. On est frappée, violée jour et nuit, et même plusieurs fois par nuit, on arrive à un point ou ne dort plus, et si on arrive à manger c'est un miracle. Donc s'il y a une lueur d'espoir de sauver les autres filles, je le ferais. Ma vie-là n'a plus aucun goût. J'ai réussi à revenir avec Scarlett, je t'ai rendu la femme que tu aimes. Maintenant, je vais sauver les autres avec ou sans ton aide.

Je vois Gabriel avec des larmes aux yeux.

— À présent, je vais appeler Pierrick et lui dire de supprimer la mémoire de Scarlett. Et ça devrait la guérir.

Je sors de la chambre et me dirige dans les jardins du campus. Gabriel est sympa et m'a rapporté mon téléphone et il est retourné à ses occupations. J'ai besoin d'être seule et au calme. J'appelle alors Pierrick, en deux sonneries il décroche.

— Scarlett a besoin de toi, viens stp.
— Ou ça ?
— Campus de l'odyssée.
— Je viens au plus vite.

Je raccroche, et compose le numéro de Dagon, j'ai besoin d'entendre sa voix. Une sonnerie complète n'a pas le temps de passer qu'il a déjà parlé.

— Bébé.
Je ferme les yeux et laisse les larmes couler.

— Je suis à bout.
— Je peux venir dans l'heure si tu veux.
— Non, je préfère venir.
— Je prépare ta chambre et je t'attendrai sur le parking.
— Je ne suis plus la même.
— Ne me dis pas que tu es brune ?

Je souris pour la première fois depuis des mois.

— Non, mais mes cheveux ne ressemblent plus à rien.

— On fera venir un coiffeur tu verras, deux coups de brosse et tu seras la mannequin du campus.

— C'est tellement dur de respirer, de vivre, je n'en ai plus la force.

— Je voulais venir mais on me l'a interdit. À présent je veux que tu te lèves, que tu grimpes en voiture et que tu reviennes près de moi.

— Et Gabriel ?

— Qu'il vienne aussi si tu le souhaites. Je lui fais préparer une chambre dans les cachots.

— Dagon !

— Très bien seulement un cercueil alors.

— Je te dis à ce soir.

— Je t'aime bébé à tout à l'heure.

— Je t'aime.

Je coupe le téléphone et laisse les larmes continuer à couler. Je suis soulagée qu'il me parle toujours ainsi et qu'il ne me rejette pas. Il va vite le faire quand il apprendra pour notre bébé. J'ai perdu notre bébé… les larmes refusent de s'arrêter. Mais je dois faire ce que Dagon m'a dit. Me lever pour le rejoindre à Nelune.

J'envoie alors un message à Gabriel, j'ai besoin de lui parler. 2 minutes après il est là. Il s'installe à côté de moi et ne bouge pas. Il ne parle pas non plus et patiente tranquillement. Je lui fais vivre un calvaire le pauvre et pourtant il reste là.

— Je t'aime, mon ange.

Il me dit m'aimer, mais là j'ai besoin de Dagon et de ses bras, il avait été là toutes les fois où j'avais été anéantie.

— J'ai besoin de voir Dagon.

— Tu veux que je te prépare un sac ?

594

— Accompagne-moi, s'il te plaît.

— Tu veux y aller quand ?

— Maintenant.

— Je vais chercher nos affaires et je t'emmène le voir.

Il se relève et me laisse seule dehors quelques instants. Quand 1 h 30 après on arrive sur le campus de Nelune, Dagon m'attend bien sur le parking. Son visage semble tellement fatigué, en même temps heureux de me retrouver, mais si malheureux de me voir dans un tel état. Il a coupé ses cheveux, ils sont courts, ça le change, mais il est encore mille fois plus beau comme ça. Quand il me voit, il s'approche et attend que je fasse les quelques mètres qui nous séparent. Dagon et moi avons toujours ce lien depuis toujours, ce lien terriblement fort qui fait que je ne le vois pas comme les autres hommes. Je me jette à son cou et pose ma tête contre son torse et fonds en larmes. Je sens alors ses mains se poser dans mon dos avec douceur et il se met à le caresser.

— Ma petite Nelle tellement forte.

— Je ne suis pas vraiment forte là.

— Tu es debout et tu parles pourtant.

— Je suis trop bavarde pour me taire.

Je l'entends rire et me serrer davantage contre lui. Son odeur ne met pas longtemps à envahir mes narines. Son souffle qui caresse mon cou et qui en temps normal me rend toute chose ne me fait plus rien.

— Tu peux être fière de toi, tu as sauvé la vie de Scarlett et la tienne.

— Mais pas de toutes les autres.

— Ce n'était pas ton objectif là-bas en étant emmenée, et si tu avais pu toutes les ramener tu l'aurais fait.

— Je suis censée faire quoi maintenant ?

— Te rétablir, te remettre à vivre et à sourire. Et quand tu seras prête, on ira les envahir avec notre propre armée et tous les détruire pour sauver les innocentes prisonnières.

— Et si je n'ai pas la force ?

— Si toi tu ne l'as pas, personne ne l'aura.

— J'ai peur Dagon, j'ai terriblement peur de ne plus jamais être de nouveau moi.

— À part le sourire et les yeux qui pétillent, je vois toujours la même personne : moi. Belle, intelligente, très sensible, prête à aider les autres.

Il me prend alors le visage entre les mains.


— Allez ma belle, je sais que ça a été atroce ce que tu as vécu, mais tu n'es plus seule ici, on est tous là pour toi. On était en train de préparer une armée pour venir te chercher, on a même capturé un démon pour nous ouvrir le portail.

— Vous alliez venir me chercher ?

— Oui, hors de questions de te laisser là-bas, dans moins d'une semaine on allait envahir leur monde.

Les larmes reprennent le chemin de la liberté et envahissent mon visage.


— Les autres meurent d'envie de te voir, je sais que tu ne veux voir personne et que personne ne doit te toucher, mais ça te fera du bien de voir les bêtises de Logan, la douceur de Cécile ou encore le côté imbuvable d'Enzo.

— Je ne suis pas sûre que.

— Moi je suis sûr que c'est une très bonne idée.

— Mon ancienne chambre est prête ?

— Son cercueil surtout.

— Dagon !

— Tu as refusé seulement pour le cachot.

— Merci.

— Tu prêtes, on y va ?

— D'accord, mais je ne promets pas de rester.

— Si la proximité avec les gens t'est difficile, tu remonteras en voiture avec Gabriel et il t'emmènera là où tu te sens le mieux.

C'est dans ses bras à lui que je me sens le mieux, dans ceux où je suis blottie depuis quelques minutes. Gabriel doit me détester d'avoir refusé d'être dans les siens et d'accepter ceux de Dagon.

Je sens alors la présence de Gabriel derrière moi. Je recule des bras de Dagon et prends la main de mon homme. Enfin celui qui était dans ma vie avant que je ne me fasse enlever.

— Allons-y.

Une montée d'angoisse m'envahit à mesure ou j'avance vers le dortoir. Ce sont mes amis, les mêmes qu'il y a 5 mois, ceux qui me connaissent mieux que personne, ceux qui m'ont vu rire et pleurer, m'amuser et m'ennuyer, jouer, danser, dormir, me baigner, ils savent me parler et me faire me sentir bien en leur présence. Ils ne sont en rien coupables de ce qui m'est arrivé. Nous sommes enfin à l'intérieur quand j'aperçois un peu plus loin assis sur le canapé tout le monde.

— À tout moment, tu me le dis et on s'en va, m'affirme Gabriel.

— Promis ?

— On fait tout ce que tu veux mon cœur, je suis à ta disposition.

On est plus qu'à quelques mètres et je vois Cécile et Benjamin se lever aussitôt. Ils s'approchent tout en laissant de la distance.

— Bonjour, ma petite Nelle, lance Cécile.
— Salut.

Je dois avoir une mine épouvantable vu la façon qu'ils ont de me regarder.

— Détrompe-toi, tu es toujours très belle, me dit Benjamin en me souriant.

C'est mal de mentir. Mon reflet dans le miroir est juste insupportable. Il se contente de me sourire.

— J'ai enfin une voiture à moi, si tu as envie de rouler des heures durant n'hésites pas, me propose Logan.

Je lui souris, mais n'ai pas du tout envie de répondre.

— Nous sommes très heureux de te revoir, et fiers de toi d'avoir réussi à revenir en prenant Scarlett avec toi, me dit Martin.

— Je ne pouvais pas la laisser là-bas.
— Le soulagement pour Romain quand il a appris cela, ajoute Théo.

— Gaëtanne y est toujours elle. Je n'ai pas pu... dis-je en fondant en larmes.

— Nelle, lance Cécile avec tristesse dans la voix.
— Même si tu étais revenue seule personne n'aurait rien pu te dire. Tu as fait ce que tu pouvais là-bas.

Ils essaient tous d'être gentils mais ça ne suffit pas à me faire rire ou même sourire. Je me rends bien compte que je n'en ai pas envie. Les minutes passent, et même si les larmes ne se versent plus sur mon visage, je souffre. Une douleur en moi qui me donne envie d'être loin d'ici.

Mon téléphone se met alors à sonner, c'est Romain, je me lève du canapé après m'être excusée et sors du dortoir pour répondre.

— Oui Romain.

— Ça a marché Nelle, Scarlett quelques minutes après le passage de Pierrick a repris connaissance et ne se souvient vraiment de rien.

— Tant mieux. Comment va-t-elle à présent ?

— Elle va bien, elle a encore quelques fractures à soigner. On va rester ici quelque temps pour que tu puisses prendre du temps pour toi à Nelune, je vais prendre le relais sur les cours de Gabriel pour qu'il reste avec toi. Et Pierrick reste aussi un peu ici.

— D'accord, j'espère que ce sera suffisant là-bas en cas d'attaque.

— Avec Pierrick avec nous on a nos chances.

— Et pour Scarlett, tu es sûr que ce qu'il a fait sera efficace ?

— D'après Pierrick, il a tout supprimé même de son inconscient.

— Je suis contente pour vous deux, prends soin d'elle.

— Nelle, Pierrick peut t'aider également.

— Je dois y retourner avec cette haine en moi pour être plus efficace.

— Je comprends, merci en tout cas pour tout.

— Je t'en prie, je dois te laisser on m'attend.

— Je te rappelle plus tard pour te donner des news de Scarlett et prendre de tes nouvelles à toi.

— À toute.

Je retourne vers mes amis.


— Scarlett va très bien, encore quelques fractures en cours de guérisons.

— Génial, répond Cécile.

— Ça a donc fonctionné de lui supprimer ses souvenirs ? m'interroge Théo.

— Oui.

Je les vois tous me regarder et je comprends bien ce qu'ils essayent de me faire passer comme message.


— Je ne ferais pas ça, j'ai besoin d'être moi pour aller les détruire un par un et les faire souffrir comme moi j'ai souffert.

— Nelle tes yeux sont flippants, tu dégages une haine qui fait vraiment peur, me dit Théo.

— Je suis envahie d'une haine qui est sans égale. Et quand je pense à toutes les femmes mortes jusque-là, et toutes celles qui vont mourir pendant que moi je mange tranquillement ça me tue de l'intérieur.

— Tu n'es pas responsable de ces personnes Nelle, tu n'y es pour rien si elles sont là-bas, tu dois juste tout faire pour avoir la force et la capacité d'y retourner afin de les aider. La haine engendre la haine. Je te connais suffisamment pour savoir que ta douceur et ta gentillesse sont tes plus grandes forces. Tu m'as sauvé il y a plus de 5 ans d'une vie que j'utilisais pour détruire des gens bons comme toi, tu es la plus humaine des personnes que je connais Nelle, et c'est pour ça que je serais toujours là pour toi.

Les mots de Benjamin me touchent énormément il n'a pas idée.

— Elles ne m'ont servi à rien là-bas.

— Tu crois qu'un démon t'aurait relâché s'il n'avait pas apprécié ta compagnie ?

— Benjamin a raison, ajoute Dagon.

Et je sais qu'ils ont raison. Mais j'ai besoin de temps-là, et de les accompagner s'ils comptent attaquer, se sera sans moi pour le moment, la peur des démons est encore trop présente.

— Je suppose que vous n'avez pas mangé ? sort Cécile coupant cours à la conversation.

— Elle n'a quasiment rien mangé depuis qu'elle est revenue, répond Gabriel.

— Dans ce cas, allons tous ensemble manger. Il paraît qu'il y a des pizzas ce soir, lance Dagon en me souriant.

— Non, je veux monter dans ma chambre.

— D'accord, allez manger je vous rejoins dans une minute, conclu Dagon.

Gabriel et Dagon restent devant moi.

— Il faut que tu manges Nelle, me dit Dagon.

— Non, là je veux juste être dans ma chambre stp.

Mon corps se met à trembler de peur.

— OK, je vais te ramener à manger là-haut alors, allez-y tous les deux j'arrive.

Je hoche la tête et quitte le salon des professeurs.

À peine arrivée dans ma chambre que je m'effondre en larmes sur mon lit. Je sens Gabriel me couvrir. Un bruit de chaise qui bouge me fait comprendre qu'il s'est installé à mon bureau.

— Tu ne devrais pas me voir comme ça, va manger.

— Dagon va nous ramener de quoi nous nourrir ici.

— Je n'ai pas faim.

— Tu n'as rien mangé depuis que tu es revenue.

— Je vais mal Gabriel là, je n'ai envie de rien.

Il faut que je parle à Gabriel. Que je profite de l'absence de Dagon.


— J'ai besoin de rester ici encore quelque temps, j'ai besoin de mes amis, de mon confort, de mes habitudes et mes repères pour aller mieux.

— Je me doute bien oui.

— Je peux comprendre que tu aies envie de retrouver tes habitudes à toi, ta vie dans l'autre campus. Mais Romain est prêt à te remplacer là-bas pour que tu puisses rester ici avec moi.

— Mon ange écoute moi bien, même si Romain ne m'avait pas remplacé je serais resté avec toi. Tant que je ne te verrais pas sourire, je ne te laisserais pas du tout tranquille.

— Merci.

— Tu sais que j'ai eu peur quand tu as voulu me parler, je t'ai vu me quitter.

— Je ne prendrais pas ce genre de décision vu l'état d'esprit dans lequel je suis. Je ferais des choix pas raisonnables ni réfléchis. Mais il va falloir que tu sois extrêmement patient, je n'ai pas encore la force de pouvoir t'embrasser. J'arrive seulement à te prendre la main.

— Tu es devant moi et tu es vivante c'est tout ce qui compte. Plus jamais je ne veux m'imaginer sans toi dans ma vie.

— Mais je vais te poser une question Gabriel, et je veux la vérité.

— Je t'écoute.

— Tu m'as charmé en arrivant au campus ?

— Quoi ?

— La vérité s'il te plaît.

— Oui.

Dagon avait donc raison, il m'a forcé à le désirer et à l'aimer.

J'entends la porte de ma chambre s'ouvrir. Ça met un terme à notre conversation au moins.

— Elle dort ?

— Non.

J'entends de nouveau la chaise bouger.

— Je te laisse avec elle, essaye de la convaincre de manger un peu.

— Tu peux rejoindre les autres à table si tu veux.

— Appelle-moi, si besoin.

— OK.

J'entends alors la porte se fermer et quelqu'un s'installer sur mon lit. Dagon lui ne garde pas ses distances.

— Alors bébé on refuse de manger ?

— Si je n'avais pas Nelan, j'arrêterais de respirer aussi.

— Ta phrase déborde de joie de vivre.

— Je n'ai pas envie de rire.

— Et moi j'ai envie de te voir sourire, alors je vais insister jusqu'à ce que je vois tes yeux pétiller de nouveau.

— J'ai perdu notre fille mon cœur, je suis un monstre, je n'ai pas réussi à la protéger.

— Je m'en suis douté depuis le départ qu'il serait impossible pour elle de survivre.

— Je suis tellement désolée, dis-je en pleurant encore plus.

— Tu n'y es pour rien bébé, je ne t'en veux pas. Et je te rappelle que j'étais prêt à retirer notre bébé pour que toi tu vives.

Je me retourne et l'observe. Il ne m'en veut vraiment pas alors ? À la vue de son visage, ça n'en a pas l'air en tout cas.

— Tu ne m'en veux pas ?

— Du tout.

— Tu me le promets ?

— Nelle, comment est-ce qu'il faut que je te le dise pour que tu comprennes ? De te voir ici et respirer et le plus beau cadeau que l'on pouvait me faire.

— Merci.

Il pose sa main sur ma joue et la caresse avec beaucoup de douceur, il n'insiste pas quand je lui enlève en sentant mon corps trembler.

— Je t'ai ramené plein de trucs gras et sucré à manger.

— Je n'ai pas faim.

— Moi non plus, mais pour vivre il faut manger.

— Merci Dagon.

— Encore ? C'est pour quoi cette fois ?

— M'avoir tenu compagnie quand j'étais dans l'autre monde.

— Comment ça ?

— Tu étais en permanence dans mon esprit. Je passais mes journées à voir chaque détail de ton visage. L'espoir de te revoir ne m'a jamais quitté.

Ma main se promène sur son visage et touche chaque parcelle de peau.

— Dans ce cas-là de rien.

— Tu as coupé tes cheveux ?

— Et oui.

— Tu es encore plus beau.

— Tant mieux si je te plais toujours.

— Je t'aime tellement.

— Je t'aime aussi bébé.

— Pourquoi a-t-il fallu que je propose de chercher Scarlett ?

— Parce que tu es un ange avec le cœur sur la main.

Les larmes coulent et Dagon approche sa bouche et dépose un baiser sur mon front. Mon corps frissonne à se contact, pas au point d'avoir envie de reculer et fuir, mais je ne me sens pas bien.

— Désolé, Nelle.

— Je ne serais plus jamais la même.

— Tu seras encore mieux qu'avant.

— Je ne pense pas, rien que ton baiser m'a fait peur.

— Je patienterai pour pouvoir en déposer de nouveau sur ton front.

— Et si je n'y arrive pas ?

— Dans ce cas, je me contenterai de ta compagnie uniquement.

— Je suis un monstre.

— Pas à mes yeux non.

— Ne t'éloigne pas de moi.

— Ce n'était pas dans mes projets.

Je lui fais un léger sourire et continue à promener ma main sur son visage.

— Maintenant, redresse-toi et mange s'il te plaît.

Je me redresse et il me pose le plateau sur mes jambes. Je grignote deux trois trucs et le repousse.

— Tu veux faire quoi maintenant que tu as dévoré une portion réservée à un hamster ?

— Rester ici.

— Tu veux que je te tienne compagnie ?

— Oui.

Je passe mes journées à pleurer, et à me réveiller en sursaut en hurlant de terreur. Dagon et Gabriel ne me quittent jamais d'une seule semelle. Ils se relaient pour travailler. Même si je ne pense pas que ce soit Quentin qui l'impose, ils doivent avoir besoin de se changer d'air.


Un mois que je suis revenue et aucune amélioration. Bien au contraire, j'ai l'impression que c'est pire chaque jour. Ce matin, Gabriel et Dagon insistent pour que je sorte de la chambre et que je descende manger à table. Je finis par accepter, ils ont raison, je dois autre chose que ma chambre. Nous sommes devant le réfectoire et je ne bouge plus. Gabriel le voit, se retourne et s'approche de moi.


— Tu veux partir ?

— Non, une minute stp, juste une.

— OK.

Il pose alors ses mains sur mon visage et m'embrasse sur la tête. Mon corps à ce contact tremble littéralement.


— Désolé, mon cœur.

— C'est moi qui suis désolée.

— Tu n'as pas à l'être.

— Je pense que c'est bon, dis-je avec une voix paniquée.

Nous arrivons quelques minutes après vers les autres et plein de bonnes choses sont déjà posées sur la table. Croissants, pains au chocolat, que des aliments qui m'auraient fait envie en temps normal. Il y a une place entre Dagon et Benjamin. Je m'installe entre eux, peut être que Benjamin réussira à me faire oublier un cours instant ce que j'ai pu vivre là-bas. Ils commencent tous à manger dans la bonne humeur. Je me force également à manger même si l'appétit n'est pas là. Le repas touche à sa fin, mais nous restons tout de même à table.

Quand je vois Quentin approcher de notre table, je me demande qui il vient voir.

— Bonjour, dit le directeur en s'adressant à tout le monde.
La politesse oblige et tout le monde répond.

— Nelle j'aimerai m'entretenir une minute avec vous svp.
— Vous pouvez parler devant mes amis.
— J'ai eu vos parents au téléphone ce matin, il souhaite venir vous voir. J'ai besoin de votre accord pour ça.
— Pas encore svp.
— Très bien, je vais continuer à les appeler avec Dagon pour leur donner de vos nouvelles chaque jour alors.
Je tourne la tête vers Dagon puis vers Quentin, ils font vraiment ça ?

— Nelan a besoin de savoir sa maman en sécurité, il a eu très peur. M'explique Dagon.
— Faites venir mon fils svp, mais seulement lui.
— Avec plaisir Nelle, je le ferais venir dans mon bureau, montez quand il sera là.
— Merci.

Au fil des heures, en compagnie de mes amis je commence à me détendre très légèrement. Je le ressens, car j'ai moins envie de fuir et me cacher dans ma chambre.

— Nelan va être heureux de te voir me dis Dagon.

Je me contente de sourire, il a raison, et si je veux le voir lui c'est parce qu'il n'a rien demandé et qu'il n'a déjà plus de père.

— Je vais monter, merci pour ce petit déjeuner copieux.

On se dirige vers ma chambre avec Gabriel et Dagon après avoir dit à plus tard à tout le monde. Pendant qu'il file prendre sa douche j'en profite pour parler encore un peu avec Dagon qui a pris possession de la chambre de disponible dans mon appartement.

— Merci, Dagon, d'être toujours présent pour moi.

— Tu seras toujours la petite Nelle que j'aime.

— Je veux aller mieux, je veux pouvoir sourire de nouveau, mais j'ai toute cette violence et cette douleur subies qui me reviennent comme des flashs. J'ai peur de fermer les yeux et de faire des cauchemars. Je crains de m'endormir et de me réveiller encore là-bas et d'avoir rêvé mon retour.

— Pourtant tu es bien là.

— Les sentiments que je ressens à présent ne me rassurent pas. Je ne pense plus pouvoir satisfaire un homme, et je ne parle pas sexuellement. Je n'arrive pas à être touchée par quelqu'un d'autre que toi. Et Gabriel est tombé amoureux d'une femme forte et courageuse, tu as vu ce que je suis devenue. Un zombie avec de la haine en elle et un dégoût de la vie.

— Mais Nelle ouvre les yeux et tu verras à quel point il t'aime. Aidan ne t'aurait jamais laissé être dans mes bras comme on l'a fait jusque-là pendant une crise. Pour espérer te voir aller mieux, il est prêt à te voir proche de moi, car il sait que je te connais et que je sais comment te réconforter.

— Mais ce n'est pas réciproque, et pourtant j'ai besoin qu'il reste près de moi.

— Quoi ? Tu ne ressens rien pour lui ?

— Tu avais raison, il m'a charmé.

— Quoi ? Je vais le défoncer.

— Non tu ne feras pas ça, j'ai besoin de lui.

— Et pourquoi ça ? Tu ne ressens rien pour lui et à moi tu me dis m'aimer.

— Parce que j'ai besoin de guérir, et qu'il fera tout pour m'aider. Sa présence me rassure d'une certaine façon.

— OK.

— Mais j'aurais dû lui demander de suite s'il m'avait charmé, j'ai traîné et je te déteste d'avoir eu raison.

— Tu m'as déjà vu avoir tort ?

— Quand tu m'as quitté Dagon tu as eu tort.

— Et je m'en mords encore les doigts.

Gabriel finit par nous rejoindre. Et je prends le relais à aller me laver. Une angoisse au moment d'allumer l'eau me saisit, là-bas je ne me lave jamais vraiment seul. Kaiscko était toujours à côté à surveiller. Une crise de panique m'envahit, des larmes coulent et un accès de violence me saisit. Je me mets alors à taper dans le mur et brise le miroir au passage. Mon corps se met à trembler de toute part.

— Nelle, arrête ! hurle Dagon.

Je sens des bras chauds m'attraper par-derrière et saisir mes poignets.

— Va chercher l'ange Gabriel, vite.

Mes bras sont en sang. Dagon me force à m'éloigner du danger. Les minutes passent et je n'arrive pas à me détendre. Je suis assise dans un coin de la pièce en larmes. Je suis en train de devenir folle, mes peurs me submergent. Elles prennent effectivement de plus en plus de place. Jusque-là, je n'avais pas peur d'aller seule pour me laver. Dagon me tient fermement les poignets et me regarde. L'ange apparaît et pose ses mains sur mes avant-bras pour stopper le sang qui coule.

— Tu deviens suicidaire, Nelle ?
Je regarde le sol, je n'ai aucune envie de lui répondre.

— Il ne faut plus la quitter des yeux une seule seconde. Demande à Benjamin, Logan et Théo de vous relayer. Ne restez pas plus de 3 h chacun avec elle. Ne devenez pas déprimé en la voyant ainsi.
— Je vais m'occuper d'elle nuit et jour, je vais tenir, propose Dagon.
— Je n'en doute pas, mais obéis Dagon, ne reste pas plus de 3 h d'un coup avec elle. À part la nuit si elle dort paisiblement.
J'entends les voix autour de moi, mais je n'ai pas envie d'y prêter attention. Dagon et Gabriel sont en train de discuter pendant que l'ange termine de me soigner les bras.

— Allez-vous-en, je veux être seule.
— Même pas en rêve Nelle après ce que tu viens de faire. Tu es un danger pour toi-même, me dit l'ange.
— Sortez ou je vous dégage de force.
— Nelle si tu deviens menaçante je vais devoir te donner un somnifère.
L'esprit d'Aidan apparaît devant moi.

— Sortez, je ne risque rien, dit Aidan.

— Elle peut te détruire à tout jamais, lance Dagon.

— Elle ne le fera pas.

Dagon après avoir expliqué à Gabriel que le père de mon fils est dans la pièce et qu'il me surveille, ils finissent par sortir de la salle de bain. Aidan se met à genoux devant moi et me sourit.


— C'est quoi ce regard flippant, chaton ?

— Je te déteste toujours.

— Tant pis chaton.

— Laisse-moi Aidan.

— Non, je veux m'assurer que Nelan a toujours une maman.

— Plus pour longtemps.

— Nelle.

— Arrête de me regarder comme si rien n'était grave, comme si demain j'allais de nouveau sourire et vivre normalement, je me suis fait violer nuit et jour pendant plusieurs semaines par quatre démons Aidan, pas un, mais quatre, tu as une idée de la souffrance physique que j'ai subie ?

— Non je ne sais pas, et il faut te ressaisir pour y retourner et te venger. Fais leur mal comme toi tu as souffert. Tu es forte chaton, et là ce n'est pas toi.

— Laisse-moi seule, Aidan, je t'en prie.

— Non.

Je baisse ma tête dans mes genoux et reste ainsi un moment. La nuit dans la pièce finira par me faire redresser la tête. Aidan est toujours présent en train de m'observer.


— Debout maintenant chaton.

Je me relève et je le vois me sourire.

— Gabriel et Dagon dorment, et j'aimerais que tu files te coucher aussi.

— J'ai peur de faire des cauchemars.

— Dors avec Dagon, sa présence va t'aider.

— Tu es en train de m'inciter à aller dormir avec lui ?

— Oui, car je n'ai jamais vu un homme aimer autant une femme, à part moi peut-être.

— Gabriel ne va pas apprécier.

— Ce n'est pas la question. Je ne te demande pas de coucher ou d'embrasser Dagon, juste dormir.

Je sors de la salle de bain et l'appartement est dans le calme. Il est minuit quand je rentre dans la chambre où dort Dagon. Ma présence dans la chambre le réveil, il se redresse et me sourit. Il ouvre sa couette et se décale. Je m'avance vers le lit et après avoir retiré mes chaussures je m'allonge à côté de lui. Il garde ses distances. Je prends sa main et la mets sous mon visage. Je m'endors rapidement et aucun cauchemar ne viendra me perturber. Quand j'ouvre les yeux, Dagon n'est plus là. Gabriel est assis dans un fauteuil et me regarde.

— Bonjour, lance Gabriel sans qu'aucune émotion ne transperce son visage.

— Salut.

— Comment ça va ?

— Très mal, je suis tellement désolée.

— Arrête de t'excuser.

— Si, je me fais peur à moi-même.

— Je suis sûr que tu finiras par aller mieux.

— Je suis en train de devenir folle.

— Tu sais quoi je vais te faire couler un bon bain chaud avec plein de mousse et tu vas te détendre dedans. Et une fois à l'intérieur je m'assoirais à côté pour te tenir compagnie. Je ne regarderai pas dans ta direction pour ne pas te mettre la pression.

Je hoche la tête pour accepter cette merveilleuse proposition.

— Je veux que tu me dises tout ce qui se passe dans ta tête. Je ne pourrai pas t'aider sinon.

— D'accord.

Dix bonnes minutes après, le bain est prêt et Gabriel m'aide à me lever. Il m'invite à me déshabiller après s'être tourné. Je me déteste de lui faire vivre ça, je nous fais reculer à des années-lumière dans notre relation. Je m'installe dans le bain et le préviens qu'il peut revenir près de moi. Il s'installe de dos à la baignoire et se met à me parler de danse, de théâtre et des nouveaux et nouvelles qui ont eu envie d'apprendre après ma prestation. Une vingtaine d'étudiants souhaitent nous rejoindre Dont certains aimeraient m'avoir moi comme professeur. Il aura réussi à me décrocher un léger sourire.


— Est-ce un sourire que j'entends la ?

— Oui, merci.

— À votre service, Mlle Oksane.

— Je te remercie d'être là, près de moi à tout faire pour me redonner envie de vivre.

— Je t'en prie, je m'en suis tellement voulu de ne pas avoir réussi à te protéger.

— Tu en avais plusieurs sur toi, tu ne pouvais rien faire.

— Je suis soulagé que tu ne m'en veuilles pas pour ça.

— Retourne-toi stp, ça me perturbe de parler à tes cheveux.

Je le vois se retourner et plonger son regard dans le mien. Je reste dans la baignoire un bon moment et en sors quand mes yeux se ferment. Il me passe une serviette et une fois que je l'ai enroulé autour de moi, il me soulève et m'allonge dans mon lit.

Je me blottis alors près de lui et m'endors rapidement. Au réveil, je suis contente de ne pas avoir été perturbée par des cauchemars. Benjamin est là et me sourit. Je me lève et commence à prendre un livre de cours pour essayer de rattraper mon retard. Je m'installe à mon bureau et commence mes révisions.

Je sens alors du mouvement près de moi. Gabriel revient avec de la nourriture.

— Bonjour mon cœur.

— Bonjour, il faut que je me trouve une occupation la journée.

— Tu veux que je te donne des cours de magies théoriques pour ton examen qui arrive ?

— Oui stp.

— Dans ce cas, on fait ça.

— Je vais vous laisser maintenant nous dit Benjamin.

Et c'est exactement ce qu'on fera les jours qui suivent. Révision et révision, mon esprit est donc plongé ailleurs ce qui me convient parfaitement. On ne peut pas dire que je souris, mais je pleure déjà moins. Gabriel arrive avec sa présence à me donner de la chaleur bien qu'il soit froid comme de la glace. Il est 16 h et nous travaillons depuis 10 h ce matin, à part une pause déjeuner nous n'avons rien fait d'autre.

— Je veux faire une pause s'il te plaît, dis-je à Gabriel en me frottant le visage.

— Si tu veux oui.

— Je vais aller faire un petit tour pour m'aérer l'esprit.

— Tu veux que je t'accompagne ?

— Non je préfère être seule si ça ne te gêne pas trop.

— Non, vas-y, pas de soucis.

Ça fait deux semaines qu'on est là que tous les deux dans ma chambre et qu'il me fait réviser non seulement magies théoriques, mais aussi astrologie et alchimie. Martin passe 2 heures chaque jour aussi pour nous aider. J'ai des amis en or et je sais que j'ai de la chance de les avoir.

Nelan est bien passé, il y a deux jours comme prévu, j'ai passé mon après-midi avec lui, on a dessiné et joué à son jeu favori. Le jeu de l'oie offert par Dagon il y a quelques mois. J'ai essayé d'être aussi souriante que possible et positive.

Je suis dans le parc quand j'entends de la musique venant du gymnase, est-ce que Dagon est là et danse ? Quand j'ouvre la porte, il est bien là et seul. La musique est à fond et il bouge à la perfection.

Je ne suis pas très discrète quand je rentre et que je m'installe dans un coin du gymnase pour l'observer. Il me lance alors un petit regard et sourire et continue à se mouvoir. La musique prend fin et il me fait signe de m'approcher. Je suis hésitante, mais j'ignore pourquoi je meurs d'envie de danser avec lui. Je m'avance et me positionne de dos. Je lui prends sa main pour la poser sur mon ventre. Il pose alors sa tête sur mon épaule. Après un super sourire, il me fait me déhancher. Sa main est posée sur moi et pourtant je ne la sens presque pas. Nous dansons de longues secondes comme ça et il finit par me faire me retourner et me fait bouger sur tout l'espace disponible. Les musiques s'enchaînent. Je commence enfin à me lâcher au point de sourire. Il voit que pour une durée indéterminée je vais mieux, car il se met à me sourire en retour.

Je commence à être fatiguée et préfère aller m'asseoir quelques minutes. Il se dirige vers son téléphone et éteint la musique.

— Laisse la musique stp.
— Si tu veux.

Il revient et se positionne devant moi et pose sa main sur ma joue. Je ferme les yeux pour savourer ce moment de chaleur.

— Comment vas-tu ?
— Je pleure moins déjà, mais je n'arrive plus à être proche de Gabriel, je me sens distante, je refuse qu'il me touche ou m'embrasse.
— Pourquoi ?
— Je l'ignore, j'ai ce blocage qui persiste.
— Je te touche pourtant là.
— Ça a toujours été différent entre nous, Dagon.
— Et ça sera toujours différent et fort entre nous.
— Prends-moi dans tes bras, stp.

Il s'approche alors de moi et me serre contre lui. Des larmes coulent d'être à ce point mal et perdue dans ma tête.

— Finalement, il s'est passé quoi ensuite avec Camille ?
— Je lui ai fait comprendre qu'elle avait détruit mon couple et que même pas dans ses rêves les plus beaux je n'en ferais pas partie.

Je le vois alors approcher son visage du mien tout doucement. Il s'arrête à quelques millimètres, nos bouches sont presque liées, ça me rappelle le merveilleux souvenir de la première fois où nous nous sommes embrassés.

— Dagon non, je ne peux pas faire ça à Gabriel.

Il me sourit gentiment et recule.

— Tu m'aurais laissé faire si Gabriel n'était plus dans ta vie ?

— Oui.

— D'accord.

— Je m'attendais à te voir apparaître quand j'étais à l'infirmerie en revenant de chez les démons

— Guillaume nous a prévenus de ton retour quelques minutes après que tu sois à l'infirmerie, et nous a fait comprendre que ce n'était pas le moment de venir te voir, que t'allais très mal et qu'il préfère que tu prennes toi-même contact avec nous.

— J'aurais aimé te voir pourtant, toi.

Il me sourit et dépose un baiser sur mon front.

— Mon coffre était chargé, j'étais presque parti quand Logan et Benjamin m'ont stoppé. Ils venaient d'appeler Jacob et Call et ils ont confirmé que ça n'était pas du tout le bon moment.

— Est-ce que tout ça se serait passé si Pierrick était parti sans rien dire plutôt que de venir me faire culpabiliser ?

— Peut-être, mais ça ne nous le seront jamais.

— Merci pour ton temps, je vais retourner travailler maintenant.

Je retourne dans ma chambre et Gabriel n'a pas bougé. Il est sur mon lit et s'amuse sur son téléphone. Sa valise est posée également sur mon lit. Mon cœur se met à battre en la voyant, j'ai très bien compris son intention. Il se lève et s'approche de moi.

— Je vais retourner sur l'Odyssée.

— Je m'en suis doutée en voyant ta valise.

— Si tu veux rentrer avec moi dans ce cas je continuerai à être patient avec toi. Mais je pense, et non en fait, je sais que tu vas préférer rester ici. Tes amis et l'homme que tu aimes bien plus que moi sont ici aussi.

— Je…

Il pose un doigt sur ma bouche.

— Nelle, tu avais raison quand tu m'as dit que d'avoir été là-bas ça t'a changé. Je suis persuadé que là-bas Dagon n'a pas quitté une seule fois tes pensées. Je me trompe ?

— L'emprise que tu avais mise sur moi là-bas a disparu, Gabriel.

Son visage se ferme complètement.

— Tu ne ressens plus rien pour moi c'est bien ça ?

— Je ne sais pas, je vais tellement mal.

— Je t'aime comme ce n'est pas permis, mais je veux te voir et te savoir heureuse. Et Dagon va réussir j'en suis certain.

Les larmes commencent à couler, je me sens abandonnée, une fois de plus. Et là, ce n'était clairement pas le bon moment pour ça.

— Va-t'en vite, je ne tiendrais pas longtemps avant de sombrer.

— Nelle.

— Casse-toi, Gabriel.

Je l'entends claquer la porte. J'attends quelques instants et sors à mon tour et me dirige vers la bibliothèque, je vais aller me mettre dans la pièce secrète, ça ne viendra pas à l'idée à mes amis de me chercher là-bas. J'espère juste ne croiser personne jusque-là. Par chance ou pas, je m'y rends sans être arrêtée par qui que ce soit. À peine devant le mur que la porte apparaît. Je

618

me faufile à l'intérieur et m'installe dans un coin de la pièce la tête dans les jambes et laisse sortir les larmes. Il s'imagine quoi que de me laisser là je vais sauter dans les bras de Dagon ? Mon téléphone se met alors à vibrer.

« Cécile : Gabriel vient de venir nous dire qu'il partait, il avait sa valise à la main, il n'avait pas l'air bien, tu es où ? ». Je pose mon téléphone et ne réponds rien. Quelques minutes après, mon téléphone vibre de nouveau. « Benjamin : tu es où Nelle là ? On a retourné le campus et tu es introuvable ». Les larmes continuent de couler, j'ai une haine mélangée à une colère qui m'envahit. Il m'a quitté dans une période où j'avais vraiment besoin de lui. Je le déteste de compliquer ma vie comme ça. Mon téléphone vibre une troisième fois. « Gabriel : Cécile vient de me téléphoner, ils sont morts d'inquiétude tu as disparu, tu es où Nelle ? Ne m'oblige pas à faire demi-tour, je peux t'assurer que ça va chauffer pour toi » Pour qui il se prend de me parler comme ça après ce qu'il vient de me faire.

De nouveau, mon portable vibre, ils ont décidé de tous m'écrire ou quoi.

« Dagon : stp Nelle, répond nous, on est inquiet. »

Je finis par éteindre le téléphone et le range dans ma poche.

Quand je regarde sur ma montre il est 22 h, je commence à fatiguer, je m'allonge à même le sol et ferme les yeux. Les larmes qui refusent de s'arrêter m'empêchent de m'endormir. Il est 3 h du matin la dernière fois où je regarde ma montre. Je suis complètement gelée, mais je ne veux pas quitter cet endroit. Des mains chaudes qui se posent sur moi me font sursauter.

— Laisse-moi ici, Benjamin.

— Sûrement pas, je déteste cette pièce.

— Tu as fait comment pour entrer ?

— Je t'ai juste imaginé en danger et elle s'est ouverte.

— Traîtresse de pièce.

— Allez, je vais te porter viens.

Il pose sa veste sur moi et me soulève. Je pose ma tête dans son cou et me laisse faire.


— Tu aurais pu répondre à nos messages.

— Je n'en avais pas envie.

— Au moins, dire que tu allais bien.

— Je vais très mal. Tous les hommes me quittent, une fois encore j'avais raison.

— Gabriel te quitte pour te laisser une chance de te remettre avec ton grand amour Nelle.

— Je me suis fait quand même rejeter.

Quand j'entends la voix de Gabriel, je fonds de nouveau en larme, je veux qu'il dégage.


— Je ne veux pas le voir, je t'en prie Benjamin.

Je sens Benjamin bouger son bras et faire un signe.


— Je prends le relais et c'est non négociable, lance Gabriel.

— Elle n'en a pas envie.

— Elle n'a pas vraiment le choix en fait.

Je sens alors des bras plus frais me soulever, j'hésite entre me débattre ou me laisser faire. Je le laisse faire, j'attends de savoir ce qu'il a à me dire. Je pose ma tête dans son cou et ferme les yeux. Il me ramène dans la chambre où mes amis font les 100 pas à l'intérieur.

— Nelle, dit Dagon en me voyant entrer.

— Elle va bien, c'est bon, merci de l'avoir cherchée.

— Elle était où ? demande Cécile.

— Elle s'est roulée où pour être aussi sale ? s'interroge Théo.

— Allez voir Benjamin, c'est lui qui l'a trouvée.

— Laissons-la dormir, on lui parlera demain, ajoute Cécile.

— Tu devrais la coucher dans son lit puis te barrer, si elle s'est cachée, c'est de ta faute.

— Écoute, Dagon, tu ne sais pas ce qui s'est passé entre nous, alors ne juge pas.

— Si, si, je juge, tu n'es pas le seul à l'aimer.

— Pourquoi tu l'as quitté une fois et trompé il y a quelques semaines ?

— Apparemment pour la même raison que toi. Tu as fait la même connerie que moi. Elle ne pardonne pas facilement.

— Je vais aller la coucher. Elle est épuisée.

Je continue à garder les yeux fermés jusqu'à ce qu'il m'allonge dans mon lit. J'entends alors le bruit de la porte de ma chambre se fermer et des pas se rapprocher.


— Tu n'es pas obligée de faire semblant de dormir.

Je me retourne sur le côté et regarde le mur. Il pose alors une main sur ma hanche que j'enlève aussitôt.


— Nelle.

— Tais-toi.

— Non, ça ne me ressemble pas.

— Tu m'as quitté, et je ne pourrai jamais te pardonner, Dagon a raison. J'avais besoin de toi et tu m'as abandonné.

— Je voulais juste que tu essayes avec Dagon et que tu te rendes compte que tu avais besoin de moi et pas de lui.

— Je te l'ai déjà dit que j'avais besoin de toi. Que mon cerveau allez mal à cause de tout ça. Au lieu de me laisser du temps toi tu m'enfonces et tu me quittes. Faut croire que tu es plus vampire qu'humain.

— Non, pas ce genre de phrase venant de toi.

Il me retourne alors avec force et se positionne au-dessus de moi.

— Tu m'as détruite, Gabriel là, de la pire des façons.

— J'ai fait ça pour toi, pas pour moi. Tu crois que j'étais content de te laisser là en te sachant dans les bras de Dagon, est-ce qu'une seule seconde tu crois que j'étais heureux ?

— Tu me vois dans les bras de Dagon là ? Tu croyais quoi ? Que j'allais lui foncer dans les bras une fois que tu étais dans ta voiture ?

— Je l'ai envisagé oui.

— Ben, tu avais tort, j'ai préféré fuir et te détester en silence.

— Je suis désolé mon cœur.

— Ça ne suffira pas.

— Je dois faire quoi alors ?

— Tu ne peux pas me faire ça et ensuite revenir comme une fleur en espérant que je passe à autre chose.

— Dis-moi ce que tu attends de moi.

— Pourquoi es-tu revenu ?

— Parce que Cécile m'a téléphoné et qu'elle était inquiète, tu étais introuvable.

— Et ? En quoi c'était ton problème ?

— J'avais peur que par ma faute tu fasses une connerie.

— Tu crois que je vais mettre fin à ma vie ?

— Avec toi, tout est possible, je t'ai vu dans un tel état il y a un mois, je ne pensais pas te voir un jour ainsi. C'était flippant.

— Je me doute oui, donc je vais mal, tu me vois au plus bas où je puisse être, je sors difficilement la tête de l'eau et toi tu m'y replonges.

— Ce n'était pas mon but, et tu le sais.

— Le résultat final est le même.

— Nelle, je dois faire quoi pour me rattraper.

— Pour quoi faire ? Tu ne veux plus me quitter maintenant ? Tu veux juste jouer avec mes sentiments ?

— Tu ne comprends rien ou tu le fais exprès.

— Je dois être bête oui.

Il finit par se lever et me tourne le dos. Je ne sais pas quoi dire ou quoi penser là. Il ne peut pas faire ça et revenir comme une fleur en pensant que je vais ouvrir mes bras pour le reprendre dans ma vie. Comme si de rien n'était. Les larmes commencent à couler d'être autant perdue. Il est 4 h 30 et je peux difficilement aller voir Cécile pour avoir son conseil.

— Passe la nuit ici et on discutera demain.

— Je vais prendre la route maintenant.

— Si c'est ce que tu veux, fais-le alors.

Il se retourne et revient vers moi.

— C'est de toi que j'ai envie là, bon faudrait te laver avant par contre.

Je me mets alors à sourire.

— Tu es bête.

— Je sais, mais j'ai réussi à te faire sourire une deuxième fois depuis ton retour.

— C'est vrai, bravo.

Il reste là, son visage à quelques centimètres du mien.

— Reste cette nuit ça va me rassurer, pars que demain si vraiment tu penses que c'est le mieux.

— OK.

Je me lève et prends une couette dans le placard.

— Je vais dormir sur le canapé à côté, reste ici.

— Je peux aller dormir à côté.

— Je préfère y aller.

Je sors de ma chambre et m'installe sur le canapé. Je ferme les yeux ou du moins essaye, mais le sommeil refuse de venir me chercher. Je vois les heures défiler et rien ne se passe. Dagon finit par sortir de la chambre et semble surpris de me voir allongée là. Il s'approche de moi et se met accroupi.

— Bonjour ma belle.

— Salut.

— Vu les cernes tu n'as pas dormi de la nuit.

— Je n'ai pas réussi à trouver le sommeil.

— Tu devrais rester ici pour te reposer aujourd'hui et tu retourneras en cours demain.

— Non, je vais en cours, j'ai juste astrologie et alchimie aujourd'hui, je dormirai ce soir.

— Mais une bonne douche s'impose pour toi là.

— J'attends que Gabriel se lève pour récupérer mes affaires dans la chambre.

— Il s'est passé quoi entre vous ?

— Il m'a quitté pour que j'essaye quelque chose avec toi pour que je puisse faire un choix.

— Il te connaît aussi mal que ça lui aussi.

— Pourquoi ?

— Tu as un caractère trop rancunier pour lui pardonner et accepter de le reprendre.

— Je t'ai quand même repris au final.

— Je n'aurais jamais dû te quitter quand tu es revenue, j'aurais dû te sauter au cou et t'embrasser à pleine bouche.

Je me retiens de toutes mes forces possibles de ne pas pleurer.

— On a fait la même bêtise avec Gabriel et surtout pour la même raison, et il va s'en mordre les doigts un moment.

— Je ne sais pas quoi faire là je t'avoue.

— Je ne vais pas pouvoir t'aider Nelle là, ne comptes pas sur moi pour te dire de te remettre avec lui. Et je ne vais pas te sauter dessus pour te reconquérir.

— Je ne sais pas quoi te dire à ça non plus.

— Tu étais amoureuse de moi à quel point quand tu es revenue de chez les guerriers ?

— Terriblement fort, tu es conscient que tu as été le premier à m'embrasser et le premier à me faire l'amour, je me voyais avec toi pour une durée sans fin.

— Je vais aller me laver, j'ai cours dans 40 min, on discute plus tard si tu veux, le seul conseil que je peux te donner c'est d'écouter ton cœur Nelle, il t'a apporté du bon dans ta vie, Aidan et Nelan.

— Il aurait dû apporter une petite fille aussi.

— Tu serais morte si elle avait survécu.

— Mais tu aurais été père.

— Une vie sans toi est pire à mes yeux que de ne jamais être père.

Je vois alors Dagon retourner dans sa chambre et en ressortir quelques minutes après avec des vêtements.

Gabriel sort de ma chambre et s'approche de moi.


— Je vais partir Nelle, mon téléphone reste allumé nuit et jour.

Il m'embrasse le front et ne me parlera pas plus. De le voir partir ne me fait absolument rien. Je lui en veux, mais ce n'est déjà plus pareil. J'entends alors l'eau de la douche s'allumer. Il a raison Dagon, je serais toujours avec lui s'il ne m'avait pas quitté, même si sa jalousie m'a agacé. Mais on était plus ensemble à ce moment-là, il n'était jaloux que d'Alex, car il voyait que je le trouvais beau.

Un vent de folie me saisit alors, je ferme la porte de l'appartement à clé et espère de tout cœur que Dagon a laissé la porte de la salle d'eau ouverte. J'appuie sur la clenche et la porte s'ouvre. Mon cœur accélère alors. Je rentre doucement et reste là quelques instants à le regarder se laver. Nelle, tu le mattes à son insu et ce n'est pas très très catholique ça. J'enlève mon pantalon et mes chaussettes et m'avance de la paroi de douche. Je suis en tee-shirt et sous-vêtements.

— Il y a un peu de place pour moi ?

Il sursaute et se retourne puis me sourit. Il me tend la main que je prends de suite et me glisse avec lui sous l'eau. Il prend alors mon tee-shirt et le retire. Il pose une main dans mon dos et l'autre sur mon menton et caresse ma bouche.

— Embrasse-moi Dagon.
— Tu es sûre de toi ?
— Certaine.
— Je ne te laisserai plus jamais partir à présent bébé.
— Si Camille t'approche, je veux que tu l'enfermes dans le cachot
— Ça marche et dans l'autre sens interdiction de fuir comme tu l'as fait avant même de m'avoir parlé et surtout écouté.
— Promis.

Il me sourit et avance son visage et finit par sceller nos bouches en un baiser. Je le laisse faire, j'ai envie de voir ce qui se passe dans ma tête. Et après plusieurs secondes, mon cerveau apprécie ça, il n'a aucune envie de le repousser. Mon corps entier frissonne et des papillons apparaissent dans mon ventre. Je resserre ma main dans ses cheveux. J'en veux plus je veux qu'il m'embrasse avec plus de désir. Je rentre ma langue dans sa bouche pour qu'elles se mettent à danser ensemble. Le but escompté est là, je sens du désir à travers son baiser. Nous restons là un bon moment à nous embrasser. Plus de six mois sans avoir ressenti ça.

— L'étape des baisers sans te fuir, validée.
— Haut la main mon ange.

L'eau continue de couler sur nos corps. Je le sens alors dégrafer mon soutien-gorge puis il m'enlève ma culotte. Il déplace ses baisers de ma bouche à mon cou. Je le vois alors éteindre l'eau et m'envelopper dans une serviette.

— Pas ici, pas comme ça.

Sa phrase me fait sourire, car c'est exactement ce que je lui ai dit il y a quelques années quand je n'étais pas prête à le faire pour la première fois.

Il me soulève et m'emmène dans sa chambre puis m'allonge avec douceur sur le lit. J'ai beau ne plus être avec lui depuis seulement quelques mois j'ai pourtant l'impression de le redécouvrir il est encore plus beau et mieux foutu. Il promène alors ses lèvres et sa langue tout partout sur mon corps et finit par remonter jusqu'à ma bouche. J'ai le malheur de fermer les yeux une fraction de seconde que le visage des démons qui m'ont violé me vient à l'esprit. Mon corps se met à trembler et des larmes se mettent à couler.

— Stop Dagon.

— J'embrasse aussi mal que ça ?

— Je ne peux pas, je n'y arrive pas.

— Ce n'est pas grave mon cœur.

Les larmes continuent de couler, je me sens minable là, ça m'angoisse à l'idée qu'il me repousse à la suite de ça. Il me recouvre avec la serviette puis me soulève et me ramène sous la douche. Il allume l'eau et nous met dessous. Il recommence à m'embrasser de nouveau avec plus de douceur. Sa bouche et ses baisers m'avaient énormément manqué. J'aime toujours autant sa façon de faire danser nos langues.

— Je ne te reconnais plus dans ta façon d'embrasser bébé.

— C'est moins bien ?

— Non bien au contraire, c'est tellement bon.

Je lui souris et termine de me laver. En 5 min on est propre séché et rhabiller.

— Je suis désolée mon cœur pour tout à l'heure.

— Tu n'as rien fait de mal, il te faut juste du temps pour reprendre confiance en toi.

— J'ai ces images horribles qui me reviennent en tête, le visage de ses démons en train de me faire du mal.

— Nelle, mon amour, je m'en fiche que tu m'aie demandé d'arrêter, je m'en fiche si je n'ai plus le droit de te toucher pendant plusieurs années. Garde-moi dans ta vie, laisse-moi pouvoir dire aux gens que je suis à toi et toi à moi et je suis comblé.

Il a réussi à me faire pleurer de nouveau, mais cette fois de joie d'entendre ça.

— Je t'aime.
— Je t'aime.
Il me sourit et m'embrasse le front.

— On va descendre manger maintenant.
— Je vais prendre cher, je pense, vu l'inquiétude que vous avez eue hier par ma faute.
— Mais non, nous sommes habitués maintenant.
— Tu seras là pour me protéger de toute façon.
— Comme toujours bébé.
— Tu veux qu'on montre aux autres qu'on est de nouveau ensemble ou pas ?
— Tu veux quoi toi ?
— Je ne veux plus rester une seule minute loin de toi.
— Dans ce cas, on y va main dans la main, mon ange.
Il m'embrasse puis finit par ouvrir la porte. Nous arrivons au réfectoire.

— Ne souris pas autant Nelle, ça ne sera pas crédible avec l'état dans lequel tu es revenue hier soir.
— Ah ben faut savoir, je dois pleurer et être malheureuse ? Ou sourire et être heureuse pour ce début de journée qui commence très bien.
— Choix draconien j'avoue, aller ? Garde ce superbe sourire et rentre ici.

Nous sommes les derniers à arriver et après avoir pris un plateau nous mangeons en speed.

— Je sais que tu n'as pas envie de parler Nelle, mais comment vas-tu ce matin ? m'interroge Cécile.

— Beaucoup mieux merci.

Je vois très bien qu'ils me regardent tous avec curiosité, et passe de Dagon à moi. J'essaye d'ignorer leurs regards, mais ça devient vite compliqué.

— Gabriel est parti hier soir, car il m'a quitté. Il a bien vu que j'étais toujours autant amoureuse de Dagon, et qu'à part lui personne ne pouvait m'approcher et me toucher.

— Tu n'as pas essayé de lui dire que tu l'aimais et que tu voulais qu'il reste ?

— Sauf que je lui ai dit que mes sentiments n'étaient pas réciproques, que mon cerveau va mal et que j'ai besoin de temps. Que j'étais incapable de prendre une décision.

— Et il est quand même parti ?

— Il a choisi pour moi en faisant ça. Il souhaite me voir heureuse. Il espère que je me rendrai compte que je le préfère à Dagon et que je le rejoigne.

— C'est très gentil de sa part.

— Sauf que je ne compte pas me remettre avec Gabriel.

— Il t'a quitté et tu as quand même les yeux qui pétillent, me demande Martin.

— J'ai fait une nuit blanche déjà, donc je suis crevée.

Je vois très bien ton sourire Benjamin. Et oui, je me suis bien remise avec Dagon, je sais pertinemment que tu préfères lui à Gabriel.

— Tu restes drôlement silencieux, Dagon, ça ne te ressemble pas, lance Logan.

— Je n'ai pas à interférer dans son jugement, je lui ai déjà dit.

— Ah ? Ça veut dire que vous vous êtes remis ensemble ou je ne m'y connais pas en sous-entendu.

Je vois bien Dagon me regarder.

— J'ai demandé à Dagon de me reprendre dans sa vie ce matin.

Cette fois, tous les yeux se tournent sur mon beau blond.

— Et j'ai dit oui.

— Vous vous êtes reconciliés sur l'oreiller quoi, lance Mattieu.

Dagon manque de s'étouffer avec son café et le recrache sur la table. Ça fait rire tout le monde sauf mon pauvre homme qui visiblement n'apprécie pas la remarque de Mattieu.

— Mattieu sérieux, dit Dagon en lui lançant un regard froid.

— Tu fais ton coincé depuis quand ?

— C'est bon vous deux, Mattieu disait ça en rigolant, dis-je en posant ma main sur la cuisse de mon homme.

— C'est trop beau, le beau blond imbuvable qui faisait peur aux filles sauf à Nelle, tu te souviens ma belle ? lance Cécile.

— Je me souviens très bien oui.

— Enfin, quelque chose de sympa à entendre, ajoute Enzo.

Cette fois-ci, c'est moi qui manque de m'étouffer avec mon thé. Benjamin se met à exploser de rire. Enzo qui sort ça ? Il est malade ?

— Tu deviens sympa avec Nelle depuis quand Enzo ? demande Dagon.

— Depuis que nous avons failli perdre Nelle, alors qu'elle ne faisait pas sa suicidaire. Je veux la voir heureuse et avec quelqu'un qu'elle mérite.

— C'est adorable, merci infiniment, Enzo.

— Allons en cours Nelle, propose Martin.

— Excellente idée.

On file déposer nos plateaux et nous dirigeons vers la salle de cours.


— Je suis désolé pour tout ce que tu as dû endurer ces derniers mois. Années même.

— Je pense que j'ai la poisse sur moi. Mais d'avoir été enlevée et torturée m'a permis de me rendre compte à quel point j'ai besoin de Dagon dans ma vie, à quel point il fait partie de moi. Je m'étais promis de lui avouer vouloir le récupérer et qu'il me pardonne.

— Qu'il te pardonne de quoi ?

— J'étais enceinte de lui quand j'ai été enlevée, et j'ai perdu notre bébé.

Martin s'arrête et me retient par le bras, bien évidemment j'ai un mouvement de recul et mon cœur accélère rapidement.


— Nelle, je suis tellement désolé.

— Pas autant que moi Martin, crois-moi.

— Il l'a pris comment ?

— Très bien, dès que je lui ai dit être enceinte il voulait m'emmener me faire avorter, mais c'était trop tard de toute façon.

— Je vois. Tu connaissais le sexe ?

— Une fille.

— Je me répète, mais je suis vraiment désolé pour ça qui se rajoute au reste.

— Bon, tu n'es pas trop dur aujourd'hui en cours, j'ai très peu dormi.

— Je vais être chiant comme d'habitude pour pousser mes étudiants à leur maximum, dans deux mois tu as ton examen je te rappelle.

— Comment oublier.

— Je passe te voir ce soir, et on passe encore 2 h à bosser si tu veux.

— Seulement si ça ne te dérange pas.

— Avec plaisir, comme toujours.

Nous arrivons en cours et je m'installe à ma place habituelle. Bien que je sois fatiguée, j'arrive à me concentrer et réussis mes trois potions haut la main. Le cours passe rapidement. Au moment de sortir de la salle, mon téléphone vibre.

« Dagon : Je t'aime Bébé », mon cœur se met à battre en lisant ça « Moi : pas autant que moi ».

« Dagon : je vais te montrer ce soir lequel des deux aime le plus l'autre » j'explose de rire, seule dans le couloir « Moi : hâte de voir ça ».

Théo assure le cours d'astrologie pendant l'absence de Pierrick. Il est excellent même dans cette matière, ça me donne encore plus envie de l'enseigner à mon tour un jour. Alors je n'ai pas envie d'avoir de lacune. Les deux heures passent rapidement et tant mieux, je suis ko et vu que j'ai deux heures pour déjeuner je vais en profiter pour aller dormir. Cette après-midi, j'ai entraînement de combat avec Dagon et les guerriers, il faut que je sois en forme sinon je ne pourrais pas riposter. « Moi : je ne viendrais pas manger, je m'endors debout et préfère me reposer le temps du repas, je viendrais vous rejoindre en cours d'entraînement directement ».

Je n'ai pas de réponse de sa part. J'arrive dans ma chambre et m'allonge et m'endors comme une masse. Une main dans mon dos me sort doucement de mon sommeil. Je me retourne et Dagon est là, assis sur le lit à me regarder tout sourire.

— Il est quelle heure ?
— L'heure d'aller t'entraîner bébé.
— Déjà ? J'ai l'impression d'avoir dormi 5 min.
— Non juste 2 h environ.
— D'accord, d'accord, je me lève et je viens.
— Nous avons encore 5 min pour nous deux.
— Je suis preneuse.

Il s'allonge à côté de moi et me caresse le bras avec tendresse. Les cinq minutes passent tellement vite.

— Alors comme ça tu m'as demandé que je te reprenne dans ma vie ?
— Je ne me suis pas vu leur dire que je t'ai rejoint sous la douche pour te demander si je pouvais me remettre avec toi.
— Ça aurait pu être drôle.
— Mais je voulais juste qu'il comprenne que je t'ai pardonné, et que je te crois pour Camille, je suis convaincu que tu n'y es pour rien, et je m'en veux d'être partie comme une voleuse sans attendre ta version. La peur constante de te perdre m'a monté la tête et je cherchais la moindre faille pour te quitter avant que tu le fasses.
— Et aujourd'hui ? Vis-à-vis de nous.
— C'est pour la vie, et je n'ai aucun doute là-dessus.

Il me sourit, et approche pour m'embrasser.

— Tu viens de m'ouvrir ton cœur alors je vais en faire autant. Je te l'ai déjà dit, mais je vais te le dire une fois encore pour être certain que tu as bien compris. Tu dois être consciente que tu ne vas plus jamais te débarrasser de moi. Je vais t'interdire de fuir et s'il le faut je te suivrais n'importe où tu iras. Tu veux me quitter ? Je ne te laisserai pas faire. Quand sa sera le moment je t'offrirai une magnifique bague qui ira à merveille avec tes doigts longs et fins, je me mettrai à genoux devant toutes les personnes qui comptent pour toi et je te demanderai en mariage. Tu vas bien évidemment accepter, car tu es dingue de moi, on ira s'offrir une magnifique maison au bord de la mer, ou sur une montagne, ou en plein cœur d'une forêt et on vivra heureux Nelan toi et moi.

— Tu es sûr de toi que je vais accepter ?

— Certain, oui.

— Tu verras dans ce cas-là. J'attends la babague pour voir.

— Tu l'auras.

Il se redresse puis m'aide à me relever. Je prends ma veste et sors de la chambre pour rejoindre l'entraînement. Je suis dans la salle quand Benjamin s'approche de moi.

— Tu n'as pas utilisé ton don depuis combien de temps ?

— Depuis le soir où il y a eu l'attaque et que Scarlett a disparu.

— On va aller dans la clairière pour t'entraîner.

— Tu n'as plus le courage de m'affronter en duel ?

— Je me souviens encore de la douleur que tu m'as mise quand je t'ai énervé, on va éviter.

— Dans ce cas, allons dans la clairière.

Dagon et Benjamin m'accompagnent. Ils reculent au maximum et me laissent au milieu du champ.

— Bande de fillettes.

— Tu es sûre de vouloir me voir en homme en vrai Nelle ? me dit Dagon tout sourire.

— Évidemment que oui.

Il me sourit et s'avance de moi rapidement et saisit mes lèvres et m'embrasse à pleine bouche.

— Pas besoin d'être un homme pour embrasser comme ça.

— Allez, défonce les arbres au lieu de me chercher.

Benjamin me regarde et sourit.

Je les mets dans ma bulle et canalise une onde, je veux la faire la plus forte possible, mais pas au point d'être épuisée et tomber derrière. Une fois l'énergie en moi je la libère droit devant afin qu'elle s'abatte sur les arbres. Elle part à une vitesse impressionnante et ne casse pas un arbre, mais une grande quantité, de là où je suis, je suis incapable de voir sur quelle distance. Ce qui est sûr c'est que le bruit de l'impact est puissant.

— Oula, il va nous falloir beaucoup de druides là, lance Dagon en approchant.

— J'ai bien fait de ne pas vouloir t'affronter, ajoute Benjamin.

— Tu as trouvé cette force où ? me demande mon homme.

— Aucune idée.

— Allons voir les dégâts ! propose Benjamin.

Nous marchons 30 bonnes minutes pour arriver jusqu'aux derniers arbres abîmés. Heureusement, seuls des arbres ont souffert, aucun humain ou animal présent. Mon onde a foncé sur plusieurs kilomètres. Comment est-ce possible ?

— Impressionnant, Nelle, me dit Benjamin.

— Ça fait limite peur.

— Refais ça le jour j et tu n'auras pas besoin de nous pour détruire les démons, ajoute Dagon.

Mon corps frissonne en repensant à eux.

— Désolé, bébé.

Il s'approche de moi pour m'enlacer. Je pose ma tête contre son torse et il referme notre étreinte avec ses bras. Je sens alors la bouche de Benjamin à l'arrière de ma tête.

— Rentrons maintenant avant qu'on se rende compte que Nelle s'est plus fatiguée qu'on ne le pensait.

Nous retournons jusqu'au gymnase et Quentin est là à nous regarder.

— Hey merde je vais prendre cher.

— Nous avons entendu ton attaque d'ici et je pense que les villes à 50 km aux alentours aussi. M'informe Quentin.

— Désolée je m'entraînais et je n'ai pas pensé pouvoir faire un tel dégât.

— C'était impressionnant, vraiment, tu peux être fière de toi.

— Vous pensez que je pourrai refaire ça un jour ?

— Certain.

— Ce n'est pas juste une haine en moi qui avait besoin de sortir ?

— Je ne pense pas non. Mais là, je vais devoir envoyer mes druides pour aller soigner les arbres.

— Je suis vraiment désolée pour ça.

— Je sais. Retourne t'entraîner au corps à corps, tu n'as aucun besoin d'entraînement sur ton pouvoir, même s'ils ont bien fait de vouloir vérifier que tu savais toujours les contrôler.

— D'accord.

Nous retournons dans le gymnase et Dagon souhaite être mon adversaire. Nous nous battons une bonne heure non-stop et je ne ressens aucune fatigue bien qu'avant j'ai utilisé beaucoup d'énergie. Je ne me reconnais plus et mon corps me semble comme différent.

J'esquive tous ses coups sans exception et je réussis à lui en donner plusieurs en revanche et à le faire tomber au sol.

— Tu es à fond ?

— Presque.

— Sois à ton maximum stp.

Les coups de Dagon sont alors plus rapides, je sens que ça se complique, mais je préfère ça, j'ai légèrement plus de mal à tous les esquiver, je me prends quelques coups, mais rien de bien méchant. Il maîtrise sa force et ce n'est pas son but de me faire mal, juste me faire progresser.

— Ça suffira pour aujourd'hui, m'informe Dagon.

— Non, je veux encore me battre.

— On s'arrête, ça fait plus d'une heure que tu combats, il faut te reposer.

— Je ne me sens pas fatiguée.

— Va boire un verre d'eau et repose-toi sur un banc.

— Tu n'imagines pas le bien que ça me fait là.

— Une pause et on reprend.

— Parfait.

Je file au vestiaire me rafraîchir et boire un verre d'eau.

— Ça va ? me demande Benjamin.

— Ça va.

— Pour la première fois depuis longtemps je suis enfin content que tu sois avec un mec.

— Comment ça ?

— Dagon et toi vous êtes fait l'un pour l'autre, et ton sale caractère et ton côté rancunier ont fermé ton cœur pour lui. Et je pense que de penser mourir t'a ouvert les yeux et a fait ressortir tes sentiments pour lui.

— Tu penses que c'est ça ? Et pas que mon cerveau va mal et me fait croire des choses ?

— Non, tu aimes Dagon depuis toujours, même quand tu étais avec moi tu pensais à lui très souvent.

— Je ne m'en suis pas rendu compte.

— Tu pensais sans t'en rendre compte je confirme.

— Désolée, mais je t'aimais vraiment Benjamin, tu en es conscient ?

— Je le sais aussi, mais ça n'a jamais été comparable avec ce que tu ressentais pour Dagon.

— Et pourquoi tu ne m'as pas dit ça quand je me suis remise avec lui il y a quelques mois ?

— Car ça n'était pas le moment, tu avais encore de la rancœur contre lui et ça ne pouvait pas coller. La moindre contrariété vous vous enflammiez.

Ce n'est pas faux.

Une explosion en dehors du gymnase me fait sursauter.


— Allons-y et voyons si tu seras capable de recommencer.

Nous retournons dans le gymnase, mais il est déjà vide. Mon cœur s'emballe en imaginant déjà là-bas Dagon en danger. Je cours aussi vite que possible et vois ma tête blonde à quelques centaines de mètres devant. Je fonce dans sa direction et m'arrête à sa hauteur. Je glisse ma main dans la sienne, il tourne la tête et me sourit. Mes amis, les guerriers, professeurs et étudiants arrivent chacun à leur tour. J'avais oublié la quantité de monde ici. Le portail est là et un démon finit par en sortir.

Kaiscko ? Gaëtanne ?

Je fonce alors vers eux, Gaëtanne est dans ses bras. Il la dépose au sol et me fait un sourire.

— Je l'ai enfin trouvé.
— Merci Kaiscko.

Il me sourit.

— Tu as réussi à retrouver ta voix.

C'est vrai qu'il ne l'a jamais entendu.

— Oui, merci pour tout.

Gaëtanne est inconsciente, mais respire. Dagon se met debout à côté de moi avec la ferme intention d'attaquer. Je me redresse et pose ma main sur son torse.

— Non Dagon, c'est lui qui m'a permis de revenir.
— C'est l'homme qui a le droit de partager ton lit ? demande Kaiscko.

Je vois Kaiscko fixer Dagon avec curiosité.

— Oui, c'est lui.
— Prends soin d'elle et de Nelan !

Dagon ne répond rien, mais le regarde avec beaucoup de mépris.

— Kaiscko, je te remercie, mais tu ne peux pas rester, mes amis ne te feront rien, mais pas les autres.

Il réactive son portail et disparaît à l'intérieur.

Tout le monde me regarde presque méchamment. Benjamin approche et soulève Gaëtanne.

— Que ce soit bien clair, il m'a sauvé la vie à l'instant où il m'a tiré du lit des autres démons, il m'a soigné et a fini par me libérer. Il n'a jamais posé ses mains sur moi. Les démons qui m'ont fait souffrir eux vont me le payer, mais Kaiscko nous a ramené aussi Gaëtanne, une vie sauvée pour une autre sauvée.

Mes amis restent, mais les autres partent sans rien répondre.

— Nelle, m'appelle Gaëtanne.

— Oui Gaëtanne je suis là.

— Merci.

Elle referme les yeux.

— Benjamin emmène-la à l'infirmerie stp.

— J'y vais de suite.

J'ignore si j'ai bien fait ou non d'avoir laissé partir Kaiscko, mais je ne pouvais pas lui faire de mal, c'est un démon, mais un démon qui m'a aidé. Je sens alors la main de Dagon dans mon dos.

— Je suis fier de toi bébé.

— Je pense que tu es le seul à penser ça.

— Pas grave, je ne compte pas embrasser les autres.

Il passe un bras dans mon dos et pose sa main derrière ma tête et me fait me blottir dans ses bras.

— Il est peut-être temps que tu nous dises ce qu'il s'est passé là-bas, lance Théo.

— Allons au réfectoire et vous saurez tout.

Nous nous installons à une table et attendons le retour de Benjamin et surtout l'arrivée de Call et Jacob. Ils doivent nous rejoindre. Une fois-là je prends une grande inspiration et commence à parler.

— Pour faire plaisir à Romain je me suis dit qu'on allait chercher Scarlett en sachant pertinemment qu'elle ne pouvait être dans la forêt ou cachée quelque part. C'est une femme très courageuse et elle n'est pas du genre à fuir. Et deux démons me sont tombés dessus, je n'ai pas eu le temps de me défendre que je me sentais déjà disparaître. Quand je suis arrivée là-bas, j'ai tout de suite été mise dans une espèce de cachot où toutes les filles étaient installées à même le sol. J'y ai trouvé Gaëtanne. Elle m'a alors vendu du rêve en me disant qu'elle espérait qu'un démon moitié humain me choisirait pour partager ses nuits, sinon un démon 100 % démoniaque j'allais souffrir. Ça met dans l'ambiance tout de suite. Je suis restée dans le cachot un petit moment et quelqu'un est venu me chercher. Et là, le cauchemar a commencé. Je pense clairement que des démons m'avaient reconnu. Ils m'ont fait payer cher la quantité de démons que j'ai tués. Ils m'ont frappé jusqu'à ce que je perde connaissance. Et à mon réveil, j'étais à plat ventre sur une table et un démon était en moi.

— C'est bon, Nelle, on a compris l'idée. Continue en sautant cette partie stp, me demande Dagon.

Les larmes commencent alors à couler.

— La douleur était juste insupportable, la douleur ressentie par Smith me semblait bien plus douce. Les humains et les démons ne sont pas censés pouvoir partager le même lit. Ils m'ont torturé et m'ont laissé dans un état comateux en permanence pour ne pas que j'essaye de fuir ou me défendre en utilisant mes dons. Les démons qui m'ont fait subir cette torture se sont fait prendre par chance, et pas par n'importe qui. Par le fils du chef.

— Le démon de tout à l'heure ? me demande Cécile.

— Oui. Il m'a trouvé en train de me faire torturer dans une salle du palace, il a dégagé tout le monde, il m'a porté et m'a emmené dans sa chambre. Sur le chemin, j'ai perdu connaissance. Quand j'ai ouvert de nouveau les yeux, une humaine était en train de me soigner. Au fil des journées mon corps allez légèrement mieux physiquement, mais moralement c'était de mal en pis. J'essayais de garder des images, des odeurs, des voix agréables que j'aimais. Kaiscko a alors décidé de me garder comme soumise fictive et a pris soin de moi. Il parle notre langue, car sa mère était humaine et lui a appris. Il m'a recueilli car je suis rousse et que je lui faisais penser à sa mère qui l'était également. On a beaucoup communiqué par écrit, car je ne pouvais plus du tout parler et un jour je lui ai demandé si je pouvais voir Scarlett et il a fini par la trouver et la ramener dans sa chambre. Elle était dans un état lamentable, et je ne pouvais pas la laisser retourner avec son démon, alors j'ai voulu prendre sa place. Par chance, Kaiscko a pu nous garder un temps toutes les deux et une nuit, il nous a ramenées. Je lui ai parlé de Gaëtanne et il l'a ramenée ce soir. Maintenant, vous comprenez pourquoi je ne veux pas lui faire du mal. Il a beau être un démon, il a sûrement dû faire du mal à une femme ou plusieurs même, mais au final moi il m'a sauvée d'une mort certaine.

Ils sont tous là à me regarder les larmes aux yeux.

— Je pense que j'aurais sauté d'une fenêtre pour mettre fin à ma vie, dit Cécile avec les larmes qui débordent de ses yeux.

Quand je vois Greg la prendre dans ses bras et la réconforter, ça me fait chaud au cœur.

— Beaucoup de filles se laissent mourir de faim. Sauf que moi j'ai Nelan, et l'espoir de revenir ici de revoir mon fils et Dagon ne m'a jamais quitté.

— On est content que tu sois parmi nous, on n'avait plus personne avec un sale caractère à table, sort Martin avec un sourire tout gentillet.

— Et personne pour me battre au billard ! ajoute Théo.

— C'est gentil. Mais j'ai autre chose à vous avouer.

Il me regarde tous surpris.

— J'étais enceinte quand ils m'ont enlevée. D'un peu plus de 5 mois, et je l'ai perdu là-bas.

Cécile se lève et vient me prendre dans ses bras et me sert super fort.

Personne ne prononce aucun mot, mais je vois à travers leurs sourires et leurs regards toute la peine qu'ils ressentent pour moi à cet instant. Je ne voulais pas entendre de mots, juste qu'ils sachent qu'à tout moment je peux m'effondrer en larmes pour ça, pour avoir perdu un bout de moi. Un bout de mon Dagon.

— Nelle compte sur nous tous pour aller là-bas et t'aider à te venger, me dit Call.

— Ils vont me le payer très cher les démons qui m'ont fait ça.

— Ils étaient combien ?

— 4.

— Je veux être là pour te voir les achever et le faire si tu ne t'en sens pas capable, comme j'ai fait quand j'ai détruit Smith !

Cécile a toujours les larmes qui coulent. Je sens la main de Dagon se poser sur ma cuisse.

— Je vais mieux chaque jour, j'ai de la chance, car j'ai des amis formidables, et j'ai Dagon dans ma vie. Sans l'amour que j'ai pour mon fils et lui je me serais laissée mourir en revenant. Il m'a sauvé la vie avec sa présence.

Théo me prend alors la main et me sourit. Et je sens la bouche de Dagon se poser contre mon épaule.

— On t'aime tous à notre façon, et on sera tous là pour t'aider à te venger Nelle. Ils vont le payer très cher les 4 démons qui ont osé mettre leurs mains sur toi. Ils n'ont pas l'air d'avoir bien compris à qui ils s'en sont pris, me dit Théo pour m'encourager.

— Merci.

— Finalement, ce n'est pas plus mal que Gabriel soit parti, tu as pu enfin te remettre avec ton premier et grand amour.

— Oui, et ne me dites pas que je suis passée trop vite de l'un à l'autre et que c'était que de la vengeance.

Ils explosent tous de rire et ils arrivent à me décrocher un léger sourire.

— Cet sous merde de buveur de sang l'avait charmé, enfin retourner la tête, lance Dagon avec un ton méprisant.

— Merci pour moi, répond Mattieu.

— Toi j'ai réussi à te tolérer quand j'ai compris que tu voyais en Nelle qu'une petite sœur, répond Dagon.

— Mouais.

— Et j'arrive à te supporter, car même pour un buveur de sang tu es sympa comme mec.

— Dagon soit gentil avec mon petit Mattieu stp, demandé-je en lui souriant.

— Je ne compte pas être méchant avec lui, mais c'est le seul vampire à avoir le droit à ça.

Mattieu lui sourit, mais ne répondra rien.

Nous décidons de continuer à papoter au billard, histoire de joindre l'utile à l'agréable. Je préfère m'installer sur le canapé et les regarder jouer. Cécile semble vouloir me tenir compagnie. Elle s'installe à côté de moi et me prend dans ses bras.

— J'ai appris que tout à l'heure tu as fait vibrer la planète.

— J'ai utilisé énormément d'énergie, j'ignore d'où elle est sortie, mais en tout cas, les pauvres arbres sont en piteux états.

— Sur plusieurs kilomètres apparemment.

— Oui, faut que j'arrive à refaire la même chose le jour où je mettrai les pieds sur leurs planètes.

— Entraîne-toi et essaye de recommencer.

— Vu les dégâts commis je ne préfère pas non, s'il y avait eu des civils dans la forêt ou des animaux je les aurais tués sur le coup.

— Oui en effet.

— Nelle ? Dagon perd, il a vraiment besoin de toi là, m'informe mon ami Théo.

Cécile me sourit, je sais qu'ils ont raison, de jouer me fera du bien.

— J'arrive.

Je me lève et me dirige vers eux.

— Allez donne-moi ton arme, mon cœur.

— Laquelle ?

— Celle qui te gênera le moins à me donner ici.

Ils explosent tous de rire et Dagon me tend sa queue.

— Tu as lesquels, mon cœur ?

— Toutes celles qui restent.

— Ah oui, en effet. Je vais être gentille et ne faire aucune réflexion.

— Si, si, Nelle, vas-y, tacle-le, lance Théo.

— Il a trop une tête d'ange pour ça.

— Allez, joue au lieu de te moquer, bébé.

Allez, Nelle, courage, tu n'as pas joué depuis des mois, c'est comme le vélo ça ne s'oublie pas. Je réfléchis quelques instants puis commence à rentrer les boules une à une. Ils me regardent tous, grosses pressions. Il ne reste que la noire.

— Allez, bébé.

Je ferme les yeux deux secondes pour me concentrer. Allez Nelle fonce. Je me penche en avant et visionne le parcours des deux boules, en un mouvement le plus précis possible je vois les deux boules se déplacer avec force et rapidité sur le tapis. Après une angoissante attente, la boule atteint sa cible. La boule blanche sera la dernière à rentrer et je fais gagner Dagon.

— Bravo, Nelle, tu comptes devenir nulle un jour ? me demande Théo.

— J'essaye pourtant.

Je repose la queue et me blottis dans les bras de Dagon et pose ma tête dans son cou. Sa bouche est collée contre mon oreille.

— Merci bébé.

Des pas s'approchent de nous, je vois Théo et Martin regarder derrière moi.

— Bonjour, dit Scarlett.

Je me retourne.

— Scarlett.

Elle s'avance de moi et me prend dans ses bras. Romain nous regarde et nous fait signe de nous taire. Il va falloir supprimer les souvenirs de Gaëtanne si elle en a besoin ou alors lui dire de se taire.

Elle enlace tout le monde et se pose sur un tabouret.

— J'ai dormi un peu plus de 4 mois, il va falloir me raconter tout ce que vous avez fait.

Hum comment dire, en effet là ça va être compliqué pour moi de lui expliquer mes 6 derniers mois. Ils essayent tous de tourner ça à la rigolade, pour esquiver le sujet. Au visage de Romain il semble totalement épuisé.

— Vous êtes revenus, car Gabriel est retourné sur l'autre campus ?

— Oui, il nous a gentiment foutu dehors.

— Sympa.

— Il avait l'air détruit, vous vous êtes séparé ?

— Non il m'a quitté.

— Quoi ? demande Romain.

— Pourquoi ? insiste Scarlett.

— Parce que je suis toujours amoureuse de Dagon.

— Ah oui je ne m'attendais pas à ça.

Dagon s'avance alors de moi et me prend dans ses bras.

— Mais j'ai du mal à comprendre pourquoi tu es là Nelle. Et pourquoi Romain a dû rester là-bas ? Il n'a pas voulu m'expliquer, pareil pourquoi Pierrick reste là-bas ?

— Pour moi, répond Dagon.

— Et Gabriel est venu sachant ça ?

— J'avais besoin de voir Dagon j'étais fatiguée et déprimée, et il sait toujours me remonter le moral, et Gabriel m'a accompagné.

— Tu as eu quoi, ma chérie ? me demande Scarlett.

— J'étais enceinte de Dagon et j'ai perdu notre bébé, dis-je en laissant sortir quelques larmes.

— Je suis tellement désolée, Nelle.

— Ça va un peu mieux chaque jour, rassure-toi.

— Je commence à comprendre, et pourquoi j'étais là-bas dans le coma ?

— Parce que tu étais là-bas quand tu t'es fait frapper par un démon, et c'était plus simple pour Romain de rester là-bas vu la charge de boulot qu'il a ici. Dans l'autre campus, c'est bien plus light.

— Ah, ben voilà.

Je ne suis pas certaine vu sa tête qu'elle soit totalement convaincue. M'enfin, elle n'insiste pas. Je sens alors la bouche de Dagon dans mon cou. Romain me lance alors un regard gentil pour me remercier.

— Je dois faire deux trois choses avant de manger, on se rejoint à table ?

— Tu veux que je vienne avec toi ? me propose Dagon.

— Oui stp.

Il me sourit et me prend la main.

Nous nous éloignons du salon professeur et quittons le bâtiment.


— Très convaincante, bébé.

— Je pense qu'elle n'est pas convaincue à 100 % non.

— On verra avec le temps. Mais tu dois aller où là ?

— Voir Gaëtanne.

— J'ai bien fait de te proposer de venir.

— Oui.

Il m'arrête et me colle à lui et m'embrasse avec douceur. Je pose ma tête dans son cou et respire son odeur.


— Tu as toujours cette odeur que j'aime tant.

— Je suis toujours le même, j'ai juste vieilli et pris de la confiance en moi.

— Tu n'avais pas confiance en toi ?

— Tu as toujours été la seule à me faire douter autant de moi. La confiance que j'avais semblait disparaître à l'instant ou je posais mes yeux sur toi. Tu m'intimidais et je ne savais pas comment m'y prendre.

— Je n'aurais pas de crise de jalousie et de bagarre avec d'autres professeurs ou élèves ?

— Aucun risque, je serais là pour te défendre si tu as un souci mais je ne prendrais pas le risque de te perdre.

— Le Dagon imbuvable et jaloux, c'est fini alors ?

Il explose de rire, et m'embrasse avec plus de fougue. Je lui donne un coup dans le ventre ce qui le fait encore plus rire.


— Ça ne m'avait pas manqué ta violence.

— Genre.

650

— Allons voir Gaëtanne maintenant.

Nous arrivons dans l'infirmerie ou l'ange s'occupe d'une malade.

— Bonjour Dagon, Nelle.
— Bonjour, on est venu voir Gaëtanne.
— Chambre 5.
— Merci.

Nous avançons puis après avoir frappé à la porte nous rentrons.

Elle est assise dans le lit la tête dans ses jambes.

— Bonjour Gaëtanne.

Elle relève la tête et fond en larmes. Je m'installe à côté d'elle et la prends dans mes bras.

— Je peux t'aider en supprimant tout de ta mémoire.
— Je ne pense pas pouvoir oublier ça un jour.
— Un professeur peut enlever les 7 derniers mois de ta vie Gaëtanne.
— Tu penses que c'est mieux ?
— Oui.
— Pourquoi tu ne l'as pas fait toi ?
— Parce que je souhaite y retourner et les tuer tous un par un, et j'ai besoin de garder mes souvenirs pour décupler ma haine.
— Comment tu fais pour être debout là ? Avoir un homme qui pose sa main sur toi.
— Cet homme c'est Dagon, c'est le premier homme que j'ai aimé dans ma vie, j'ai une confiance aveugle en lui. Il ne me fera jamais de mal volontairement.

— Je ne suis pas sûre de pouvoir un jour redevenir la Gaëtanne d'avant.

— Regarde je suis en train de réussir, il faudra juste être bien entourée.

— Tu seras là pour moi ?

— Évidemment.

— C'est qui l'homme qui m'a porté pour m'emmener ici ?

— Benjamin, un ami à moi en qui j'ai très confiance également.

— J'aimerais le remercier, il a été tellement gentil. Il est resté pendant que l'ange me soignait, je ne voulais pas me retrouver seule.

— Benjamin c'est un amour oui, je suis contente qu'il ait pris soin de toi. Je lui dirai de passer te voir.

— Merci.

— Scarlett a perdu la mémoire sur tout ça, donc aucun mot devant elle, je sais que c'est dur pour toi, mais elle ne doit pas se souvenir sinon elle va se laisser de nouveau mourir.

— D'accord, après à côté d'elle moi j'avais la belle vie quand même, le démon n'était pas méchant, ne me frappait pas et ne me touchait pas à longueur de journée.

— Tant mieux.

— J'ai cru revivre quand ce démon m'a demandé mon prénom et qu'il m'a dit qu'il allait me ramener là où tu étais Nelle.

— C'était Kaiscko, le démon qui m'a libéré également.

— J'ai cru que tu étais morte quand tu as disparu du jour au lendemain.

— J'ai passé plusieurs semaines horribles, mais quand Kaiscko m'a trouvé ça a changé, j'ai eu de la chance dans mon malheur de tomber sur lui.

— Merci, Nelle, merci pour tout.

— Repose-toi maintenant, je repasserai te voir. Et j'emmènerai Benjamin avec moi.

— D'accord.

Nous sortons de l'infirmerie.

Les jours passent et je ne me lâche pas, je n'y arrive pas, Dagon est patient avec moi. Il me surveille nuit et jour et m'aide à réviser pour rattraper mon retard. Romain a pris le relais et Martin passe aussi me voir.

J'appelle de nouveau mes parents et Nelan chaque soir avant d'aller manger pour les rassurer et leur dire ce que j'ai fait.

Le seul moment où je suis moi c'est quand je danse avec Dagon. D'ailleurs ce soir nous sommes dans le gymnase en train de danser. Plusieurs personnes sont là, même des guerriers semblent prendre du plaisir à apprendre.

— On devrait aller manger, et ensuite encore des révisions. Proposé-je à mon homme.

— Ton appétit revient, c'est vraiment chouette.

Je lui fais un léger sourire et le tire par la nuque pour qu'il m'embrasse avant de quitter le gymnase.

Mes amis ne sont pas encore là quand nous arrivons à table. On se prend un plateau et allons nous asseoir. Je me colle à Dagon et me mets en mode j'admire mon beau blond.

— Pourquoi tu me regardes comme ça ?

— Je veux mémoriser chaque petit détail de ton visage.

— Tu as toute la vie pour ça.

— Ça ne suffira pas. Ça va passer trop vite.

Il me sourit et dépose un baiser tout tendre sur ma bouche.

— On dirait que de danser t'a vraiment fait du bien.

— Oui, ça me permet de faire sortir la colère en moi.

— On y retourne chaque jour jusqu'à ce que tu arrives à te sentir légère.

— Bonsoir les amoureux, lance Théo en s'installant en face de moi.

— Salut Théo, répond Dagon.

Je lance un léger sourire à Théo et arrête de dévorer du regard mon homme.

— Ça avance tes révisions ?

— Oui, je pense que je serais prête pour le jour J.

— Je n'en doute pas une seule seconde.

Cécile et Grégoire arrivent à leur tour, Cécile se met alors à me fixer.

— Il y a quelque chose de changé sur ton visage ma petite Nelle.

— Je n'ai rien fait pourtant.

— Tes yeux ont l'air plus heureux.

— Plus les journées passent et mieux je me sens, la route sera encore longue, mais déjà je vois un changement.

— C'est génial ma belle, je suis très contente pour toi.

Nous sommes maintenant tous à table et nous discutons de la prochaine soirée organisée. Les étudiants ont prévu un feu dans le parc et une soirée dansante. Je n'ai pas le goût à faire la fête, mais pourquoi pas y aller juste pour profiter des lieux. La fête est dans une semaine.

Après le repas, nous nous posons dans le salon des professeurs. Ils ont envie de faire une partie de billard et me proposent mais le cœur n'y est pas du tout. Je suis fatiguée et j'ai envie de monter. Mais Dagon à l'air de passer un bon moment et je ne veux pas le priver de ça. Il me surveille nuit et jour en oubliant de penser à lui. Les minutes passent et ça devient compliqué pour moi de garder les yeux ouverts. Je finis par aller le voir pour lui dire que je monte dormir, mais que je veux qu'il reste ici avec nos amis à s'amuser et qu'il me rejoindra plus tard. Il refuse au début, mais finit par accepter.

Je m'allonge dans mon lit après avoir pris une douche et avoir mis le tee-shirt de mon homme. Mes yeux se ferment rapidement. Quand ils s'ouvrent, je revois ce démon qui m'a violé avec force à plusieurs reprises au point de me faire terriblement mal et de saigner. Je me mets à hurler de toutes mes forces.

— Nelle, réveille-toi.

Je sursaute dans mon lit et m'agrippe au cou de Dagon qui est là devant moi, torse nu et en mode dormeur décoiffé.

— Tu viens de me foutre une peur bleue là.
— Désolée, je suis vraiment désolée.

Il avance son visage du mien et caresse ma joue.

— Ça va aller ?

J'ignore pourquoi, mais j'avance ma bouche de la sienne et l'embrasse. Il pose alors une main derrière ma tête et l'autre dans mon dos. Un désir pour mon homme m'envahit en une fraction de seconde.

— Tu veux vraiment aller plus loin ?
— Oui.

Il se positionne alors au-dessus de moi et commence à m'embrasser dans le cou tout en passant sa main sous mon tee-shirt. Il le soulève et le retire. Commence alors le parcours de sa bouche sur mon corps entier. Ses baisers me font totalement oublier tout le reste, chaque contact de ses lèvres sur ma peau me fait émettre un gémissement. Il s'attarde un moment là ou mon corps et le plus sensible, je sais pourquoi il fait ça et j'en suis heureuse. Il veut être sûr que je ne souffre pas du tout. Il remonte jusqu'à ma bouche et m'embrasse avec un désir contagieux que j'aime à en mourir.

Il se redresse et me regarde comme s'il attendait une nouvelle fois un accord de ma part. Je prends alors les choses en main et le fais rentrer moi-même en moi. Je retrouve ce sentiment plaisant que j'aime tant et qui m'indique le début d'un long moment de bonheur intense. Il me sourit et pose son front contre le mien et se mets à onduler. Au fil des minutes, il accélère de plus en plus à mon plus grand bonheur.

— Je t'aime bébé.
— Je t'aime.

Il sait à quel moment il doit m'embrasser pour m'éviter de pousser un cri qui pourrait faire débarquer quelqu'un. Il s'allonge alors dans mes bras et caresse ma cuisse qui est toujours sur lui.

— Comment tu te sens ?
— Vivante.
— J'espère que tu n'as pas eu mal.
— Non absolument pas, aucune douleur.
— Tant mieux. Essaye de te rendormir maintenant bébé.

Il avance son visage du mien et dépose un baiser sur mon front. J'essaye de fermer les yeux, mais le sommeil ne semble pas vouloir revenir. Mon cerveau bouillonne et je ne sais plus du tout quoi penser. Je finis par me relever pour aller me laver. Je ne me sens pas sale, mais j'ai besoin d'eau chaude pour me soulager l'esprit.

Une fraîcheur qui se colle à moi me fait sursauter.

— Ça ne va pas mon cœur ?

J'ai le cœur qui bat à la chamade.

— Non.

— Tu as encore fait un cauchemar avec les démons ?

— Je n'arrive pas à dormir.

Il m'enlace et me caresse le dos.

— Nelle tu n'aurais pas dû me dire de continuer, je ne veux pas que tu le regrettes ensuite.

— Je ne le regrette pas, je pense que je n'étais peut-être pas prête finalement.

— Allez, on devrait dormir bébé maintenant.

Il éteint l'eau et après m'avoir enveloppé dans une serviette me prend par la main et me ramène jusqu'à mon lit. Après plusieurs longues minutes à tourner et virer dans mon lit je finis par m'endormir.

J'ouvre les yeux et je suis dans le gymnase où Dagon est en train de danser avec Camille, ils sont enlacés et se mettent à s'embrasser. Ils me regardent et semblent heureux de me voir souffrir et en larmes. Je me relève en sursaut et Dagon est allongé à côté de moi. Mon geste brusque le sort de son sommeil.

Il se redresse et passe sa main dans mon dos. L'image de leur sourire me bloque, je n'arrive plus à voir autre chose.

— Bébé, ça va ?
— Ne me touche pas.
— Quoi ? Qu'est-ce qu'il y a ?

Je commence à me relever en me battant contre les draps. Une crise de panique m'envahit et je m'en rends compte, mais mon esprit ne répond plus.

Je suis debout dans ma chambre et commence à faire les cent pas.

— Nelle qu'est-ce qui t'arrive ?
— Tu l'aimes Camille ?
— Quoi ?
— Tu ne comprends pas quoi dans ma phrase ?
— Tu as fait un cauchemar c'est ça ?
— Non, si ça se trouve j'ai vu mon futur proche.
— Nelle mon cœur, arrête de laisser ton cerveau prendre le dessus, tu as fait un cauchemar, ce n'est pas la réalité.

Où est son téléphone ? Je suis certaine qu'il a des messages compromettant à l'intérieur. Je tourne dans la chambre et le vois sur mon bureau. Je m'approche et le prends et essaye de le déverrouiller.

— Tu fais quoi Nelle là ?
— Ton code pin !
— Ta date de naissance bébé.

Je relève les yeux vers lui une fraction de seconde puis tape ma date de naissance et le téléphone réagit. Je trifouille dedans et rien ! Aucune trace de message ou autre de Camille.

— Tu ne trouveras rien bébé dedans, car je n'ai plus aucune nouvelle d'elle depuis des mois, je te l'ai dit.

Je refuse d'entendre, je commence à sortir de ma chambre, mais Dagon en a décidé autrement et m'attrape le poignet fermement.

— Lâche-moi.
— Nelle non.
— Laisse-moi partir.

Je le vois alors commencer à s'énerver, et les images des démons qui m'ont frappé à plusieurs reprises me reviennent en tête et je m'écroule au sol, tétanisée par la situation.

— Ne me frappe pas, je t'en prie. Je vais t'obéir.
— Nelle je ne vais pas te frapper, dit-il en s'avançant.

Des cris incontrôlables sortent de ma bouche, je sens la main de Dagon se poser dans mon dos, je l'entends me parler, mais je n'arrive plus du tout à réfléchir. La porte de ma chambre finit par s'ouvrir avec force et je reconnais la voix de Benjamin et Call. Puis une deuxième main se pose dans mon dos. Je suis en larmes et des cris se remettent à sortir.

— Va chercher l'ange Call vite.

Je sens des mains qui essayent de me porter et non ce n'est pas possible de me toucher je ne peux pas, je me débats et donne de grands coups.

— Nelle c'est Benjamin, ton ami, tu ne risques rien.

Les larmes coulent de plus en plus fort au point où je commence à perdre mon souffle et j'ai l'impression de commencer à étouffer. Je sens alors un picotement dans le bras et un liquide froid envahir mon corps. J'ai cette sensation que quelqu'un appuie sur mes paupières et m'obligent à les fermer.

— Dagon.

Je me sens m'endormir et je n'arrive pas à lutter, des bras me soulèvent et m'installent sur quelque chose de confortable, je commence à ne plus rien entendre.

Des voix me sortiront de mon sommeil, quand j'ouvre les yeux je suis complètement pâteuse, et encore épuisée. Je me lève comme je peux pour essayer d'écouter ce qui se dit.

— Elle a su être forte depuis qu'elle est arrivée dans ce monde, elle vit une très mauvaise période, mais ça va finir par passer dit Benjamin, enfin on dirait sa voix.

Il parle avec qui ?

— Dagon, tu sais Benjamin a raison, elle est incroyablement forte, ajoute Cécile.

— Cécile tu n'étais pas là quand elle est devenue hystérique et a hurlé, ni quand elle donnait de violents coups dans un mur et dans le miroir, tu ne peux même pas imaginer ce que j'ai ressenti de la voir ainsi.

— Je pense que le campus entier l'a entendu. Greg m'a déconseillé de venir voir, pour lui Nelle était entre de bonnes mains. Et d'être vu dans cet état n'allait en rien l'aider, répond Cécile.

— Elle a encore plus besoin de toi que jamais, ajoute Benjamin.

— Je sais et je serais là pour elle. Mais j'avais vraiment l'impression qu'elle allait beaucoup mieux. Cette nouvelle crise ne me rassure pas.

— Elle a eu peur de ses cauchemars.

— Elle me pense vraiment capable de la tromper, elle n'imagine même pas à quel point je l'ai dans la peau. Elle fait partie de moi maintenant et personne ne pourra jamais la rivaliser.

— Tu lui as dit ?

— Oui Cécile, je lui ai dit en permanence depuis son retour au campus en juillet dernier à quel point je la veux dans ma vie, et je suis toujours là après tout ce qui se passe autour d'elle, elle devrait comprendre non ?

— Tu sais ce qu'il te reste à faire, répète-lui jours et nuits.

— Elle a le cerveau en compote, je ne suis même pas sûr que son désir pour un homme puisse revenir. J'étais là quand un vampire l'a tripoté le soir d'Halloween, au final à part lui arracher son tee-shirt et avoir un peu promené ses mains sur son corps ce n'était pas comparable à ce qu'elle a vécu là. Et elle a mis plusieurs jours avant de réussir à refaire confiance à un homme. Elle n'accepta que ma présence masculine. Là, elle revient et me demande, dans sa tête je suis plus qu'un ami, je suis son pilier, son protecteur. Qui me dit qu'elle ne va pas me quitter dès qu'elle ira mieux ?

— Aucun risque, tu te souviens de son regard la première fois où elle t'a vu ? Avec Lucie, on a vu de suite qu'elle a eu un coup de cœur pour toi. Elle nous parlait sans arrêt de toi. Alors que nous ont lui disait en permanence du mal de ce que tu représentais à l'époque, et pourtant elle refusait d'y croire et s'est quand même attachée à toi et a risqué sa vie pour toi à plusieurs reprises.

— Laisse-lui du temps, car comme tu l'as dit elle a son cerveau en compote, ajoute Benjamin.

— On devrait faire appel à Pierrick, propose Cécile.

— Non, elle a confiance en nous, elle doit avoir son esprit et sa haine contre eux pour les affronter, répond Dagon.

— Bon on devrait aller dormir maintenant, va la rejoindre, elle sera perdue si elle se réveille et que tu n'es pas là.

— Vu la dose qu'il lui a mise, elle est dans le pâté pour un moment. Mais je vais y aller.

Hey mince, j'essaye de retourner dans mon lit, mais il est bien trop loin et je n'ai aucune force. Je m'installe dans le fauteuil à côté de la porte et mène mes jambes jusqu'à mon visage pour le cacher.

Je sens alors des mains chaudes se poser sur moi. Je relève la tête et plonge mes yeux dans ceux de Dagon. Il a les yeux tout rouges.

— Qu'est-ce que tu fais là, bébé ?
— Je vous espionnais.

Il me sourit et dépose un baiser tout tendre sur mon front.

— Je te ramène dans ton lit.

Il me soulève et m'allonge. En une fraction de seconde, je suis dans un monde rempli de douceur et de sécurité. Quand mes yeux s'ouvrent, je suis de retour dans ce grand jardin ou plusieurs démons avancent dans ma direction. J'appelle alors Dagon pour qu'il vienne m'aider, il n'arrive pas et j'ai terriblement peur, quand les démons sont sur moi je tombe au sol et hurle de toutes mes forces.

Une fraîcheur m'envahit et une voix que j'aime tant entre dans ma tête, j'ouvre les yeux et comprends qu'une fois de plus je suis dans mon lit et que je faisais un cauchemar.

Dagon est là et me surplombe, il caresse mon visage avec douceur.

— J'en ai marre de faire des cauchemars.

— Je sais mon cœur, je peux faire quelque chose pour t'aider ?

— Reste près de moi.

Il se rallonge et se serre davantage contre moi. Je me retourne pour voir son beau visage. Je pose ma main sur sa joue et la caresse puis descends jusqu'à sa bouche. Il avance alors ses lèvres des miennes et m'embrasse avec tendresse. Je conserve ma main sur sa joue et passe une jambe par-dessus ses hanches. Les minutes passent et nous nous embrassons avec de plus en plus de désir.

Je me redresse et m'installe à califourchon sur lui et commence à onduler. Je l'embrasse alors dans le cou et sur son thorax. Il me retire mon tee-shirt et commence à son tour à embrasser mes seins et mon cou. Nos langues sont de nouveau en train de danser ensemble. Je le fais entrer en moi et me mets de nouveau à bouger. Nous arrêtons de nous embrasser et posons nos fronts l'un contre l'autre et restons comme ça à nous regarder droit dans les yeux jusqu'à ce qu'un gémissement sorte de ma bouche. Dagon pose alors sa tête dans mon cou et m'enlace en posant ses mains dans mon dos. Je me sens bien pour la première fois depuis 6 mois.

Il reste ainsi encore quelques secondes et finit par me soulever pour m'allonger dans le lit. Il ramasse mon tee-shirt et me le donne.

Nous nous endormons ainsi, Dagon, allongé dans mes bras. Le reste de la nuit a été un peu plus calme, il a quand même dû me réveiller, car j'avais un sommeil agité et je semblais me débattre en dormant.

Les jours et semaines continuent de passer, je suis revenu depuis 3 mois et je commence à lâcher vraiment prise. Je fais moins de cauchemars et j'ai l'impression de réussir presque à revivre comme avant. Je retourne en cours et mon retard n'est que du passé. Mes journées se résument à de la danse, des cours et des moments de détente dans les bras de Dagon. J'ai encore du mal à être prise dans les bras de mes amis à part Benjamin et Call avec qui j'ai toujours un lien fort. Call est encore plus présent pour moi. Quand Dagon donne des cours et que moi je n'en ai pas, je reste vers lui, il est mon protecteur, mon confident, mon grand frère. J'ai vu avec Guillaume et Quentin pour finir mon année ici.

Ce matin, j'ai cours avec Benjamin. Cours particulier de combat, le deuxième que je fais depuis mon retour.

— Bonjour Nelle.
— Bonjour.
— Tu es prête pour combattre ?
— Non.

Il me sourit et s'approche de moi.

— Tu n'as pourtant pas le choix.
— Je sais.
— Allez, je vais commencer doucement.

Il commence alors à vouloir me frapper et j'ai l'impression de ne plus avoir aucun réflexe.

— Tu peux faire beaucoup mieux.

Il recommence à vouloir me frapper et de nouveau je ne bouge pas.

— Nelle stp.
— Je te l'ai dit que je n'étais pas prête

Il s'avance de moi et me prend alors dans ses bras. Son odeur envahit mes narines et me fait frissonner le corps entier.

— Tu sembles aller mieux, qu'est-ce qui te bloque ?

— Pourquoi je fais tout ça pour aller mieux ? Alors que je sais que sous peu j'aurais encore une merde qui va me tomber dessus et une fois encore je vais souffrir.

— Parce qu'on te met au défi pour voir ta nature profonde, voir si tu es digne de ses dons.

— Ben écoute je préfère qu'on me retire tout et que l'on me fiche la paix. Je prends Dagon et Nelan et nous partons loin tous les trois et je deviendrai enfin heureuse.

— Indirectement tu l'es, car tu continues à vouloir plus, tu continues à vouloir aimer et être aimée. Tu continues à faire en sorte de plaire à Dagon et à être féminine.

— Si ça se trouve sous peu je vais me réveiller et je serais encore chez les démons, je suis juste endormie profondément.

— Tu veux que je te pince ?

— Je n'arrive plus à rire comme avant ni à être heureuse.

— Ça reviendra. Et quand Dagon est près de toi, tu as le regard qui pétille, il a fait des miracles avec toi.

— Tu es sûr ?

— Certain.

— Merci d'être mon ami Benjamin, même après toutes ses années.

— Merci à toi de me permettre de vivre cette vie-là.

Il m'embrasse fort sur la tête.

— Maintenant battons-nous.

— D'accord.

Je sens plus de motivation et commence à retrouver mes bons vieux réflexes. Les heures passent et je suis de plus en plus rapide et forte.

— Allez, ça suffit pour aujourd'hui. Je suis fier de toi.

Je me sens bien là, et heureuse, un sourire apparaît sur mon visage. Un sourire qui n'était pas revenu depuis longtemps.

— On va manger ?

— Oui, je meurs de faim.

— Parfait.

Quand on arrive à table, Dagon est déjà installé. Je me sers un plateau et m'assois à côté de lui.

— Tu t'es bien entraînée ?

— Oui, je suis vidée.

— Tu vas bien dormir ce soir au moins.

— Ah oui, je pense aussi.

— Ton cours de ce matin a l'air de t'avoir rendu le sourire.

— Ça m'a fait du bien de me battre.

— Je devrais peut-être t'entraîner aussi.

Il aura réussi à me faire sourire lui aussi.

— Et pourquoi pas, dis-je tout en mangeant.

Je sens alors la main de Dagon dans mon dos, je tourne ma tête dans sa direction et lui souris gentiment. Cette après-midi, j'ai cours avec Romain au moins je suis certaine que ça va passer extrêmement vite. Nous terminons notre repas, Dagon prend nos deux plateaux et va les ranger. Je patiente devant le réfectoire en l'attendant. Nous avons 15 min avant le cours et j'ai envie de profiter de sa bouche et de ses bras. Je le vois enfin arriver dans ma direction, toujours avec sa démarche de mec assuré, il a ce sourire qui apparaît à mesure où je l'observe.

— Attention mon ange tu baves.

— Oui, j'ai vu un beau mec arriver vers moi, je n'ai pas pu faire autrement que de le regarder.

Il saisit alors ma bouche avec douceur.

— Allons-nous poser dans l'amphithéâtre pour patienter jusqu'au début du cours.

— Ça me va.

Je m'installe sur mon bureau et Dagon se met entre mes jambes. Je le vois me regarder et attendre. Comme toujours, je suis incapable de savoir à quoi il peut bien penser. Son visage ne montre aucune émotion.

— Oui ?

— Tu es tellement belle.

— Merci.

— Est-ce que je t'ai déjà dit que je t'aime ?

— Non.

— C'est con.

Je lui souris et pose ma tête sur son torse.

— Je t'aime tellement bébé. Je ne me vois plus vivre une seule seconde de ma vie sans toi.

— Je t'aime aussi, mon amour, et quand j'irai mieux je t'aimerai encore plus. Je ne veux plus vivre sans toi. Et je suis désolée de te faire subir tout ça. Je ne comprends pas ce qui m'arrive et j'ai peur. J'ai très peur même.

— Ça ira mieux quand tu te seras vengée de ces monstres, tu verras.

— J'espère.

— Le cours va commencer. Je vais devoir y aller.

Il caresse ma joue puis sort de l'amphithéâtre après m'avoir embrassé. Le cours passe bizarrement tout doucement là. Je passe 3 h à réfléchir sur ce que je ressens et ce qu'il faudrait que je fasse pour aller mieux. Est-ce que mes sentiments pour Dagon sont vraiment sincères ou ils sont juste liés à mon besoin de sa protection, car je le vois toujours comme mon pilier. J'ai beau y penser, je suis certaine de ce que je ressens, mes sentiments pour lui sont tellement forts depuis toujours.

Il est 18 h et c'est la fin des cours. En sortant de l'amphithéâtre, Dagon m'attend devant. Je suis tellement heureuse pour son petit geste qui peut paraître si banal, et pourtant tellement important pour moi en ce moment.

— Bonsoir bébé.

— Tu m'as manqué mon cœur.

— Toi aussi.

— Ton après-midi ?

— Ce n'est pas passé assez vite.

— Pareil.

— Et maintenant, tu veux faire quoi ?

Je l'attrape par la nuque et l'embrasse à pleine bouche.

— C'est une invitation à te faire monter dans notre chambre ?

— Je veux juste passer du temps avec toi, j'ai 5 ans à rattraper, je veux tout savoir sur toi et sur ce que j'ai loupé.

— Allons nous poser dans le parc, il fait beau.

— Parfait.

668

Dagon s'installe alors contre un arbre et me prend dans des ses bras.

— Je suis tout ouïe, vas-y bombarde de questions.

— Mais non.

— Ah ben, il faut savoir.

— Là comme ça je n'ai pas forcément de question.

— Ah ben voilà, si tu ne fais aucun effort aussi.

Je lui donne un coup dans le ventre, ce qui le fait rire.

— Je m'en mords les doigts depuis longtemps de t'avoir quitté, à chaque fois que je te vois avec un homme je suis anéanti, j'aimerais être à sa place.

— Tu l'es maintenant.

— Oui.

— Et je t'aime.

— Pas autant que moi.

— Ça m'étonnerait ça.

— Il faut bien que je t'embête un peu.

— Contrairement à toi, je n'ai pas gagné la confiance en moi, même si j'ai confiance en toi il n'empêche que je peux être par moment jalouse.

— Je serais patient et je ferais mon maximum pour te rassurer.

— Ne me compare jamais à tes ex stp.

— Les pauvres, ce ne serait pas flatteur pour elles.

— Tu es bête, mais merci beaucoup.

Il me soulève et m'installe sur lui à califourchon. Il avance son front du mien. J'avance ma bouche de la sienne et l'embrasse. Un bruit qui résonne et qui fait vibrer le sol nous arrive aux oreilles.

Nous nous relevons et filons voir. En cours de route, nous sommes rejoints par nos amis. Un portail est bien là dans la forêt. Des démons sont déjà sortis.

— Dagon ! dis-je d'une veux tremblante.
— Quoi ?
Il se tourne vers moi et voit que je vais très mal.

— C'est l'un d'eux ? N'est-ce pas ?
Je suis comme paralysée. Mes amis m'entourent, j'entends des voix, mais je n'arrive plus à les analyser, mes yeux restent bloqués sur ce démon, le mal incarné, celui qui a commencé à me frapper et qui était en moi quand j'ai ouvert les yeux. Il nous scrute tous un à un et quand ses yeux se posent sur moi, il me regarde avec un air moqueur.

— C'est donc lui, il va me le payer, dit Dagon d'un ton méprisant.
— C'est un des démons qui ? demande Théo.
— Oui, répond Dagon.
— On le capture et on le torture, propose Cécile.
Le portail finit par disparaître et une centaine de démons sont là. Une colère mélangée à une haine m'envahit à une rapidité sans égale.

— Reculez tous svp.
J'enveloppe mes amis avec mes bulles, et j'envoie l'onde en plein sur le démon. Mon onde est tellement puissante qu'ils n'ont pas le temps de bouger, le démon explose sous nos yeux ébahis et tous ceux autour de lui prennent très cher également, les plus éloignés sont éjectés en arrière et restent au sol. Mes

alliés foncent tous sur les démons et les achèvent. Peu auront réussi à se relever.

Je m'effondre par terre en larmes. Je sens alors des mains m'enlacer.

— Tu as fait ce qu'il fallait Nelle, tu vas te sentir mieux déjà, me dit Cécile tout en caressant mon dos.

— Il en reste 3.

— Ils n'étaient pas dans le lot ?

— Non, je les verrai à plusieurs kilomètres à la ronde.

Les larmes coulent toujours autant. Une main chaude se pose alors dans mon dos.


— On va retourner se poser dans le parc au soleil, ça te fera du bien, propose Dagon.

Je hoche la tête et le laisse me soulever et m'emmener avec lui. Je pose ma tête dans son cou et laisse les larmes couler.


— Je suis là mon bébé, je ne laisserai plus jamais personne poser ses mains sur toi.

L'arbre est pris quand on arrive et il décide de nous emmener dans la clairière à côté, il m'allonge dans l'herbe et se couche à côté de moi.


— Tu as été impressionnante, tu as dégagé une telle énergie.

— J'ai bien vu oui, je l'ai fait exploser.

— Pas de trace, pas de témoins de leur côté.

— Je ne suis pas passée pour un monstre là ?

— C'est eux les monstres, après ce qu'ils font endurer aux femmes.

Je me tourne pour regarder Dagon et pose ma jambe sur lui. Il pose sa main sur ma cuisse et la caresse avec douceur.

— On ne va pas tarder à aller manger.

— Je veux rester encore un peu ici.

— Si tu veux.

Il se tourne à son tour vers moi et lie nos bouches. Nous restons là, à nous embrasser un moment puis décidons d'aller manger. Mon téléphone se met à vibrer quand nous sommes en route pour le réfectoire.

« Gabriel : tu me manques trop c'est insupportable. » Dagon me regarde, j'ai les larmes aux yeux.

— Qu'est-ce qu'il y a ?

Je lui donne mon téléphone.

— Dis-lui qu'en partant il s'est condamné à te laisser seule avec moi, et que tes sentiments pour moi étaient trop forts pour les ignorer.

— Je ne pourrai jamais marquer ça.

— Dans ce cas, je le fais.

— Marque ce que tu veux, mais ne sois pas trop dure.

— T'inquiète.

Je fais les 100 pas dans la clairière.

— Fais-moi lire avant d'envoyer.

— Trop tard.

— Donne mon téléphone stp.

— Non, on va manger et je te le rends ce soir, comme ça s'il vibre tu ne l'entendras pas.

— Non Dagon pas ça.

— Avance mon cœur.

— Laisse-moi voir ce que tu as marqué.

— Non.

— Je te déteste là.

— Je sais.

Je me dirige vers le réfectoire, Dagon à mes côtés. Je lui prends la main et me rapproche de lui.

— Pas autant que ça finalement.

— Je t'aime trop pour te haïr.

— Je t'aime aussi.

Nous arrivons à table ou tous mes amis sont installés.

— Nelle c'était quoi cette onde ? me demande Martin.

— Je pense avoir développé encore un peu mon don.

— Un peu ? Tu as fait exploser une dizaine de démons là, ajoute Théo.

— Exploser ? m'interroge Scarlett.

— Tant mieux ce sont des monstres de toute façon.

— Ça ne te ressemble pas d'être aussi dure avec quelqu'un. Tu essayes autant que possible de trouver une solution pour que les gens changent. Qu'est-ce qui t'arrive ?

— Mon bébé est mort par leur faute, et tant qu'un seul respira encore je ne serais pas en paix, ce sont des monstres c'est tout.

Je continue mon repas et je n'ouvrirai plus une seule fois la bouche du repas. Les autres savent très bien pourquoi je dis ça, mais ne peuvent pas m'aider à me justifier. Le repas se termine et certains proposent d'aller se poser dans la salle des professeurs. Dagon me regarde et attend avant de prendre position.

— Je vais monter bosser, j'ai un examen à obtenir dans quelques jours.

Je me lève et quitte le réfectoire. Dagon me rattrape dans le couloir.

— Bébé, attends.

— Qu'est-ce qu'il y a ?

Je lui souris tout en caressant son visage.

— Je suis censé faire quoi moi là ?

— Ce que tu veux, je vais monter bosser, on se retrouve plus tard.

— Je monte avec toi.

— Amuse-toi, passe une bonne soirée avec nos amis.

— Elle sera encore meilleure si tu es là.

— D'accord si tu veux.

Il me prend la main et nous avançons en direction de la chambre. Je m'installe sur mon bureau et commence à bosser. 2 heures que je suis à fond dans mes révisions. Dagon est sur le canapé et s'amuse avec son téléphone.

— Je vais aller me laver mon cœur.

— Je suis invité ? me demande Dagon.

— Bien sûr.

Il me sourit et se lève. Douche rapide, car je suis épuisée. Une fois allongés dans le lit il me tend mon téléphone. Mon cœur accélère en voyant un message. « Moi : tu me manques aussi, mais nous en sommes là par ta faute, tu as voulu que je sois sûre que tu es mon choix numéro un ? Ben là, je ne sais plus du tout, tu m'as laissé seule avec Dagon alors j'essaye de voir s'il deviendra mon premier choix ou alors seulement un ami très proche. »

« Gabriel : merci pour ta franchise, et oui j'espère que tu me reviendras et que je sois vraiment celui qu'il te faut, même si je commence à être convaincu que Dagon soit celui qui est le plus compatible à toi. »

— Alors.

Je lui donne mon téléphone et monte sur lui à califourchon et commence à l'embrasser sur le torse et dans le cou. Je le vois lire le message puis il verrouille le téléphone et le pose au sol. Il se redresse et commence à m'embrasser à son tour.

Il saisit alors ma bouche et m'embrasse rapidement avec désir et fougue. Je commence à onduler sur lui. Et lorsque je le sens près je le fais entrer en moi. Il pose ses mains sur mon visage et m'embrasse comme j'aime être embrassée. Je continue à onduler sur lui et accélère au fil des minutes. Sa bouche sur ma peau est un vrai régal. Les yeux et le regard de Dagon sur moi sont juste indéchiffrables, il aime ce que je fais et je le vois. Nous sommes dans la dernière ligne droite, il pose enfin ses mains sur mes hanches et m'aide à aller plus vite et plus fort. Il saisit ma bouche et de nouveau je l'entends gémir. Il pose alors sa tête dans mon cou et continue d'y déposer de petits baisers tendres. Nous restons ainsi quelques minutes. Mes bras enlacent toujours sa tête et cette promiscuité me plaît énormément. Il finit par redresser la tête.

— Je confirme, la petite Nelle qui m'a fait craquer il y a quelques années est très loin de là.
— Je dois prendre ça comment ?
— Très bien.

Il me soulève et m'allonge sur le dos avec douceur.

— J'aime encore plus ce que tu es devenue aujourd'hui. Ton côté fragile et timide que j'aime tant est toujours bien présent, mais à côté de ça, tu excelles dans d'autres domaines ce qui rend nos échanges encore plus sympas.

— Ça me va comme réponse.

Nous nous embrassons quelques minutes et finissons par nous endormir blottis l'un contre l'autre.

Les journées passent et se ressemblent plus ou moins, il y a très peu d'attaques, mais quand il y en a ils sont vraiment nombreux. Ma haine semble toujours décupler mon don, je pourrai les tuer seule quasiment. Sauf que d'achever des démons je ne peux pas. Je me contente de lancer une seule onde.

Ce matin, c'est le jour des examens, toute la matinée c'est magies théoriques et cette après-midi astrologie puis alchimie. Je suis complètement angoissée, impossible d'avaler quoi que ce soit. Call m'accompagne jusqu'à la porte de l'amphithéâtre, avec sa capacité à calmer les émotions il m'aide et je le sens.

— Allez ma belle tu vas réussir ne t'inquiète pas.

— Je te dirais ça le jour où j'aurais les résultats.

Je finis par m'installer et commence directement quand on nous le donne le droit de retourner nos copies. C'est Martin, Théo, Romain et Dagon qui surveillent les examens. Je sens alors une présence devant moi je lève la tête et sursaute. Alex est là et s'assoit sur mon bureau. Je me penche sur le côté, car il me gêne pour regarder vers Dagon. Bien évidemment, je ne peux pas parler.

— Besoin d'aide ? me demande Alex.

J'ai envie de rire, mais je me retiens de toute mes forces, je lui fais non de la tête.

— Tu es bien certaine ? insiste Alex en souriant.

Je le vois alors contourner le bureau, se positionner derrière moi et se mettre à lire les énoncés. J'envoie un regard d'aide à Dagon, qu'il vienne le faire partir. Dagon rigole tout seul en bas, Théo, Romain et Martin sont surpris. Il finit par monter vers moi et fait signe à Alex.

— Ah oui le beau blond me voit aussi, ça va être compliqué de t'aider.

Alex suit alors Dagon à l'extérieur. Quelques instants après, Dagon rentre, me sourit et retourne s'asseoir. Je peux enfin travailler tranquillement pendant 4 h. Le temps imparti est fini et je dois rendre mes copies. Je descends les déposer vers les garçons, je suis la dernière encore dans la salle.

— Alors ? me demande Romain.
— On verra.
— Tu m'as habitué à partir beaucoup plus vite.
— D'habitude, je n'ai pas d'examen à réussir, et je ne suis pas embêtée par des esprits tricheurs.
— C'est-à-dire ? m'interroge Théo.
— Alex est venu pour m'aider, mais vu que je ne pouvais pas parler je n'ai pas pu le faire partir.
— Heureusement que je le vois aussi explique Dagon.
— Merci pour ton aide.

Je vois Romain lire ma copie et ça me stress énormément.

— C'est toi qui vas corriger Romain ?

— Évidemment, il y aura normalement une relecture par un autre professeur, mais ma note est quasiment à chaque fois déterminante.

— Ne lis pas devant moi alors, je sors.

— J'ai lu une page sur 4 et c'est excellent Nelle, ne te fais pas de soucis.

— Chut, chut, chut, je vais me poser au soleil à tout à l'heure pour la suite.

Ils explosent de rire et me laissent partir.

Je m'installe pour mon heure de pause au soleil, allongée dans l'herbe. Un baiser me sort de ma tranquillité.

— Nelle on y retourne.

— Dans 5 h, je suis tranquille et en vacances.

— Voilà.

— Un combat à mener et ensuite j'espère que nous serons enfin tranquilles.

— J'espère aussi bébé.

— Tu voudras faire quoi pendant les vacances ?

— Nelan, toi et moi ensemble, à la mer ou à la montagne.

— Ou les deux.

— Si tu veux.

Je retourne dans l'amphithéâtre et prends place. Je pense que les esprits se sont donné le mot pour venir m'aider. Je suis heureuse de revoir Aidan, mais ce n'est pas du tout le moment.

— Bon courage chaton. Je reviens te voir après.

Je fais un oui de la tête et il disparaît. Dagon est de nouveau en train de se marrer sur le bureau. Je hoche les épaules et lui fais un grand sourire. Les deux heures d'examen passent rapidement, le sujet est celui abordé par Aidan lors du premier cours donné. Et c'est celui qui m'avait autant inspiré et donné envie d'en savoir davantage. On en avait parlé souvent ensemble. Je note tout ce dont je me souviens, aussi bien sur les notes prises en cours que sur les échanges que j'avais eus en parallèle. Le temps est écoulé et je descends donner ma copie puis sors pour 30 min de pause avant l'examen d'alchimie. Cette fois-ci, c'est dans une salle à part, et on passe chacun notre tour. Je ne passe pas avec Martin vu qu'on se connaît trop, un professeur d'un autre campus est là. J'espère juste ne pas tomber sur un vieux con. Quand j'entends mon nom dans le couloir, je me lève et entre dans la salle. Le professeur est jeune, mais n'a l'air pas très sympa.

— Bonjour professeur, dis-je aussi poliment que je peux.
— Mlle Oksane.

Respire Nelle, tout va bien se passer. Il me tend un sac et me demande de tirer au sort une potion. Il en existe tellement et j'en ai fait si peu que j'ai très peur. Je tire un papier et l'ouvre. Potion de l'oubli. Je souris intérieurement.

— Vous avez laquelle ?
— La potion de l'oubli.
— Pas de chance.
— Pourquoi ?
— Une des plus dures.
— Et dangereuse.

Il me sourit et me montre le plan de travail. Il reste là à m'observer. Je ferme les yeux et me concentre, j'essaye de me souvenir déjà des ingrédients et ensuite l'ordre. Le même flash ressenti il y a quelques années me revient. Je me dépêche de prendre les bonnes fioles tant que c'est dans ma tête et les positionne dans l'ordre dans laquelle je vais les utiliser. OK, c'est parti.

— Il vous reste 5 min.

Il m'agace lui. Il se met alors à sourire. Ah non pas un télékinésiste. Je le vois alors rire.

— Allez, Mlle Oksane.

Je finis ma potion dans les temps. Il prend une goutte qu'il pose sur un bout de papier. Ce dernier vire au rose.

— Excellent, finalement cette potion était plutôt une chance.

— C'est la première que j'ai faite il y a 4 ans.

— 4 ans ?

— Oui, c'est long à expliquer. Mais il était temps que je passe mon examen.

Il me sourit et ne répond rien. Pourquoi j'ai l'impression de l'avoir déjà vu. Arrête de penser Nelle, il écoute ce qui se passe dans ta tête.

Il commence alors à me poser des questions sur moi.

— Ça fait partit de l'examen ?

— Non, mais en arrivant j'ai sondé ton esprit et les questions que je devais te poser tu connaissais déjà les réponses.

— Sérieux ?

— Sérieux.

— Je peux y aller alors ?

— J'ai le droit à 30 min avec toi, il me semble.

— Vous étiez sur le campus avec Martin, Enzo et Romain ?

— Exactement.

— Vous faites partie des survivants alors ! C'est chouette.

— Je n'ai jamais eu l'occasion de te remercier.

— Ce n'est vraiment pas nécessaire croyez-moi.

Nous restons là pendant 30 min à parler de ce qui se passe dans ma tête.

— Tu peux y aller, Nelle.

— Au revoir, merci pour votre temps.

Je quitte le bâtiment et file m'asseoir sur un banc et je souffle un bon coup.

« Moi : j'ai fini mon cœur. »

« Dagon : tu es où ? »

« Moi : devant le dortoir sur un banc ».

« Dagon : j'arrive. »

Cinq minutes après, il est là et me prend dans ses bras.

— Alors ?

— Je pense que ça s'est bien passé. J'ai réussi à faire la potion.

— Et les questions de cours ?

— Il n'y en a pas eu.

— Pourquoi ?

— Il a lu dans mon esprit et s'est amusé à voir tout ce que je connaissais, et a estimé que ce n'était pas nécessaire.

— Et vous avez fait quoi ?

— Nous avons discuté.

— Pourquoi ça ne m'étonne pas ?

— Parce que tu me connais par cœur et que tu sais que les gens aiment me parler.

— Comment oublier ça.

— Est-ce de la jalousie que je vois dans ses magnifiques yeux ?

— Juste un tout petit peu, mais vraiment pas beaucoup.

Je lui souris et l'embrasse.

— Je t'aime mon cœur, reste comme ça.

— Je croyais que tu n'aimais pas ça quand je suis jaloux.

— Je n'aime pas que tu te battes, après j'aime te voir jaloux, ça me montre que tu m'aimes et que je suis à toi. Après faut me faire confiance.

— Je t'aime tellement, mon ange.

Je vois alors nos amis s'approcher de nous et s'installer un peu partout là où il y a de la place.

— Alors ? me demande Martin.

— J'attends les résultats.

— J'ai corrigé ta copie déjà Nelle, m'informe Romain.

— Et moi la tienne, ajoute Théo.

— Pourquoi ça ne m'étonne pas de vous ?

— Parce qu'on t'aime et qu'on veut connaître les résultats vite, répond Romain.

— Faut juste m'expliquer comment tu fais pour rendre des copies comme ça alors que tu n'as pas assisté à la moitié des cours durant l'année ? me demande Théo.

— Je crois que j'ai eu de la chance.

— Explique.

— En magies théoriques c'est ce que j'ai révisé avec Gabriel pendant des heures la dernière fois, en astrologie c'était le premier cours que j'ai eu avec Aidan et qui m'avait fasciné, on en avait parlé ensemble des heures durant. Et en alchimie, j'ai eu la potion d'oubli.

— Et les questions ? me demande Martin.

— Aucune, elle n'en avait pas besoin répond le professeur qui arrive vers nous.

— Bonjour John, tu as eu le plaisir de voir Nelle préparer sa potion d'oubli dit Martin.

— Exactement.

— Pourquoi elle n'a eu aucune question ? demande Théo.

— Elle savait déjà tout. Je vais voir le directeur pour lui remettre les notes de la journée.

— Entre nous ? Elle a réussi ?

Il me regarde et sourit.

— Haut la main.

— Parfait répond Martin.

— Finalement, je suis plus sympa que j'en ai l'air.

Je deviens rouge rapidement et après un signe de tête et un sourire il s'éloigne de nous.

— Tu n'avais pas précisé qu'il était jeune et séduisant, me dit Dagon en me souriant.

— Ah bon ? J'ai omis ce détail ?

Il me pince la hanche, ce qui me fait drôlement rire.

— On fête ça ce soir, propose Logan.

— Fêter la fin des cours et des examens ?

— Voilà.

— Dans deux jours, on attaque.

— Tu es sûre de toi ? me demande Dagon.

— Oui certaine, je dois juste aller récupérer le talisman dans l'autre campus.

— Le talisman ?

— Oui, j'ai un talisman pour invoquer le portail.

— Pourquoi ne pas l'avoir dit avant ?

— Parce que je voulais être prête et ne pas me sentir forcée.

— Il faut je réunisse tous les guerriers. Et que je demande à tous les campus de se joindre à nous et de venir ici dans deux jours. M'explique Benjamin.

— Oui d'accord.

— Tu veux aller te reposer un peu ou on reste là ? me demande Dagon.

— Je veux juste être dans tes bras.

— Ça me va.

— Benjamin.

— Oui ?

— Gaëtanne aimerait te voir pour te remercier, je n'ai pas eu le temps de te le dire ou alors pas la force de retourner la voir.

— Je vais passer la voir, je pense qu'elle n'est plus à l'infirmerie.

— Je t'accompagne quand tu iras, je veux être sûre qu'elle n'ait pas peur.

— On y va maintenant ?

— J'avais prévu de rester dans les bras de Dagon.

— Vas-y bébé, je vais aller aider les autres à préparer la fête de ce soir.

— Tu ne vas laisser personne te draguer ?

— Allez, file au lieu de dire des idioties.

Benjamin me tend une main pour m'aider à me relever. Nous nous dirigeons vers l'infirmerie pour voir si elle est toujours là.


— Je pense qu'elle a eu une espèce de coup de cœur pour toi, comme si tu étais son sauveur.

— Ha.

— Surtout, garde tes distances avec elle, si c'est comme pour moi elle aura peur.

— Ne t'inquiète pas.

Finalement, elle est toujours là et semble avoir repris un peu de son sourire. Elle est heureuse qu'on soit là tous les deux, elle dévore benjamin du regard et vu la manière qu'il a de la regarder il ne semble pas indifférent. Je préfère les laisser ensemble parler et faire connaissance et je retourne dans le parc en espérant y trouver Dagon.

Aucun visage amical là-bas. Je rebrousse chemin quand je vois Camille venir à ma rencontre, elle a l'air très énervée.

— Tu m'as volé Dagon.

— Non.

— Si tu n'avais pas réapparu, on serait encore ensemble.

— Je suis désolée, ce n'était pas prémédité.

— Tu parles, il passe son temps à me parler de toi, mais au final j'avais réussi à le faire rester quand même, car je lui faisais penser à toi.

— Dagon et moi on se connaît depuis presque 6 ans, ça a toujours été fort entre lui et moi.

— Tu étais où quand Claire a rompu, car il a refusé d'aller plus loin dans leur relation ?

— Comment ça ?

— Il ne te l'a pas dit ?

— Dis quoi ?

— Pourquoi Claire l'a quitté.

— Non, nous n'en avons jamais parlé.

Elle me sourit comme si elle essayait de me faire peur.

— Peu importe les raisons, ce que je sais c'est qu'il m'aime et qu'il me veut dans sa vie.

— Tu parles.

Je la vois alors regarder derrière moi. Je me retourne et Dagon arrive dans notre direction.

— Bonjour professeur.
— Bonjour Camille.
— Je vais vous laisser je pense que vous avez beaucoup de choses à vous dire.

Elle regarde Dagon avec un petit sourire en coin et part.

— Tu m'expliques ?
— Pourquoi Claire t'a quitté ?
— Parce qu'elle en voulait trop et trop vite.
— Du style ?
— Elle voulait un bébé. Et se marier.
— OK, merci de ta franchise.
— C'est tout ?
— Oui, c'est tout, ta réponse me va parfaitement.
— Je t'aime, tu le sais ?
— Oui, mais n'hésite pas à me le dire encore et encore.

Il m'embrasse avec beaucoup d'amour et me prend par la main.

— Maintenant à mon tour de te demander quelque chose.
— Quoi donc ?
— Suis-moi bébé.

Il m'emmène jusqu'au gymnase. Quand on rentre, tous mes amis sont là. Même Jacob et Juliette sont venus. Ils sont tous assis sur une table et me regardent. Pourquoi mes amis morts et en esprit sont là aussi ? Je n'ai pas revu Lucie et Yann depuis tellement longtemps. Ils me sourient. De tous les revoir me donne envie de pleurer. Aidan a toujours ce regard que j'aimais tant. Et Léo et tout sourire tenant la main de Lise, ce sourire qui me motive à me lever et à aller en cours. Quand je vois Amber que je n'avais pas revue depuis ma première année, je souris. Elle tient la main d'un homme brun, d'une simplicité qui me surprend.

Pourquoi ils sont tous là et semblent attendre ? J'ai du mal à comprendre.

Je me tourne vers Dagon et il me regarde avec un merveilleux sourire.

— Ça tombe bien que tu m'aies parlé de ça dehors mon cœur. En effet, Claire m'a quitté, car je n'étais pas prêt à m'engager avec elle quand elle me l'a demandé. Et finalement heureusement, car je me rends compte qu'avec elle je ne l'aurais jamais été. Une question est restée sans réponse depuis plusieurs années. J'ai bien été fiancé sans mon accord à mes 15 ans. Elle s'appelait Céline et je n'ai jamais rien ressenti pour cette fille. Amber pourra te le confirmer. Un jour, elle m'a surpris avec ma langue dans la bouche d'une autre fille et j'ai pris mon courage à deux mains pour lui dire que je ne voudrais jamais d'elle dans ma vie. J'ai mis du temps pour réussir à appeler son père et lui dire également. Mais en arrivant à Aurore, même si pour mon père j'étais toujours fiancé, dans ma tête, ce n'était pas le cas. J'avais été clair avec ma mère, que le jour où je rencontre cette fille, avec un sourire, un regard et un caractère qui arriverait à me faire taire et me rendre humain, c'est elle que j'épouserai, car je serais dingue d'elle. Et c'est arrivé, j'ai vu en premier tes yeux, ton sourire, ton regard, et quand quelques heures après j'ai entendu le son de ta voix, mon cœur s'est mis à battre. Et depuis je n'ai jamais réussi à te supprimer de ma tête. Je te l'ai déjà dit, mais devant nos amis je veux encore te dire que tu es la seule personne à m'avoir entendu dire que je l'aime et tu es la première personne à me l'avoir dit. Et ce jour a été le plus beau après celui où nous nous sommes embrassés la première fois.

Je le vois alors se mettre à genoux devant moi. Oh mon dieu, il n'est pas en train de ?

— Nelle je t'aime depuis le premier jour où j'ai posé mes yeux sur toi, et je sais que jusqu'à ce que là-haut on me rappelle tu feras toujours partit de moi. Je veux que chaque jour qui passe on soit ensemble et que nous formions une famille Nelan, toi et moi.

J'ai les larmes qui coulent sur mon visage. Il m'ouvre alors un petit écrin et me tend une bague.

— Tu m'as demandé en rigolant que tu voulais une babague, la voilà bébé.

Elle est magnifique, je ne pouvais pas espérer mieux.

— Tu veux bien devenir Mme Lukas ?

Je fonds encore plus en larmes et lui saute au cou.

— Oui, oui, oui, oui.

Il se relève et me soulève et me fait tourner sur place. Sa bouche rejoint alors la mienne et l'embrasse avec douceur et joie. J'entends mes amis applaudir et se rapprocher. Dagon me prend la main et glisse la bague à mon doigt.

— Pour toujours, me dit Dagon en caressant ma main.

— Pour toujours.

Il pose sa main dans mon dos et le caresse avec douceur. Cécile me prend dans ses bras et verse des larmes pour moi.

— Je suis trop contente pour toi ma petite Nelle.

J'ai le droit à un bisou et un câlin de tout le monde. Je suis surprise, car à ce moment présent, aucun stress d'être enlacée.

— Félicitation cousine.

— Merci Lilou.

— Tu n'as pas trouvé le plus moche des maris.

— En effet.

— En même temps, il ne pouvait pas trouver mieux comme femme.

— Merci.

Elle me prend dans ses bras et me fait un énorme bisou.

— Il manque juste l'autorisation de tes parents maintenant.

— J'ai déjà eu l'accord d'Aidan pour que Nelan porte mon nom si Nelle en a envie.

De nouveau, je saute au cou de Dagon et le sers aussi fort que mes pauvres petits bras peuvent le faire.

— Tu vas m'étrangler mon ange là.

— Tant pis, je suis trop heureuse.

Il finit par s'éloigner de moi et part vers Logan et Call qui discutent ensemble.

— Salut ma belle, me dit Jacob tout sourire.

— Salut.

— Tu as l'air d'aller mieux que la dernière fois où nous nous sommes vus.

— Bien mieux.

Je m'avance de lui et pose ma tête sur son torse. Il me serre alors dans ses bras.

— Je suis heureux de revoir ce visage souriant.

— Je suis contente d'aller mieux jour après jour.

Je fais un signe à Jacob pour m'excuser de l'abandonner, mais j'ai envie d'aller voir Aidan pour le remercier. Il discute avec Léo et Yann. Quand j'approche, Aidan me regarde de la même manière que la première fois qu'il a posé ses yeux sur moi.

— Bonjour Aidan.

— Bonjour chaton.

— Je suis contente de te voir.

— Je suis heureux pour Dagon et toi.

— Vraiment ?

— Vraiment oui, ma jalousie a disparu je te rassure.

— Merci d'avoir accepté que Nelan porte son nom.

— Avec plaisir.

— J'aimerais qu'il garde Dias également, Nelan Dias Lukas.

— Tu ne pouvais pas me faire plus plaisir chaton.

Je sens alors une main dans mon dos et une bouche sur ma nuque.

— Ça va, mon amour ?

— Oui, je suis fiancée dis-je en lui montrant ma bague.

Il explose de rire et me confirme que je le suis bien.

Nous restons ici quelques minutes à discuter entre nous de tout et de rien. Je vois alors Scarlett arriver vers nous avec un visage blanc. Je m'approche d'elle.

— Qu'est-ce qu'il y a Scarlett ?

— Pourquoi il y a un démon dans le sous-sol du bâtiment ?

— On l'a capturé pour pouvoir aller les combattre chez eux.

690

— En le voyant, j'ai des images qui me sont revenues au visage.

— Tu es comme nous tous tu as besoin de partir en vacances je sens.

Je sens que le pouvoir de Pierrick a quand même des limites.

— Nelle on peut sortir une minute pour parler ?

— Maintenant ?

— Oui, maintenant s'il te plaît.

— Très bien, si c'est ce que tu veux.

Nous sortons du gymnase et allons nous installer sur un banc.

— Je fais de plus en plus de cauchemars, où je me vois torturée et violée par des démons.

— Une guerre approche et ça doit te travailler.

— Non Nelle, ça à l'air tellement vrai.

— Tu en as parlé à Romain ?

— Dès que je lui parle de démon, il me coupe et me fait l'amour.

— Faudrait que j'essaye avec Dagon.

Elle explose de rire. Mais moi ça ne fait que reculer ce que refuse de lui avouer. Est-ce bien à moi de le faire ?

— Nelle j'ai besoin de savoir.

— Scarlett, je ne suis pas sûre d'être la personne la mieux placée pour.

— Tu es ma meilleure amie stp.

— OK, nous avons été enlevées par des démons il y a plusieurs mois et j'ai réussi à nous faire revenir. Nous avons vécu des choses horribles là-bas et ton cerveau n'a pas supporté.

Pierrick t'a supprimé tes souvenirs. Mais faut croire que ce n'est pas définitif.

— OK.

— Je suis désolée d'avoir dû faire ça, mais tu étais en train de mourir.

— Je comprends.

Elle a les larmes qui lui montent aux yeux.


— Romain va me tuer de te l'avoir dit.

— Tu as bien fait, maintenant je comprends pourquoi tu avais l'air si malheureuse et effrayée depuis quelques semaines.

— Oui.

— Je suis désolée de ne pas avoir été là pour t'aider.

— Ce n'est pas grave, Dagon a été là nuit et jour.

— C'est génial pour vous deux.

— Je suis aux anges qu'il ait demandé ma main.

— J'aimerai tellement que Romain puisse en faire autant.

Scarlett m'attrape la main pour admirer la bague.


— Elle est vraiment très belle.

— J'avoue qu'il a bon goût.

Je la vois regarder devant elle, dans ses pensées.


— Ça va aller ?

— Oui, ne t'inquiète pas.

— Je vais rejoindre Dagon, j'ai besoin de sa présence près de moi aussi souvent que possible.

— Accro ?

— Le mot est faible, c'est surtout que quand je le vois je me sens en sécurité et j'oublie une partie de tout le reste.

— Fonce. Et envoie-moi Romain s'il te plaît.

— D'accord.

En route pour le gymnase que je vois Gabriel et Guillaume arriver au loin. Je sais pourquoi ils sont là, ils viennent pour se battre. Je tourne la direction de mes jambes et m'avance dans leur sens.

— Bonjour Nelle, lance Guillaume.

— Salut.

Je vois Gabriel me regarder et me lancer un petit sourire, il regarde rapidement ma main et voit la bague puis remonte à mes yeux.

— Vous êtes venus pour le combat ?

— Oui, beaucoup d'autres arriveront dans deux jours. Je voulais venir avant pour être au courant de vos plans, m'explique Guillaume.

— Tu as bien fait. Il y a une petite fête à l'intérieur il paraît que c'est la fin d'année et que les examens sont finis.

— Félicitation en tout cas.

— Pour ?

— Je vois la tête que tu as devant ton diplôme et ta note.

— Guillaume.

— Désolé c'était trop tentant pour moi.

— Allons-y.

Une vingtaine de personnes ont rejoint le gymnase, Camille est de nouveau vers Dagon, mais Jacob est avec eux. Elle ne va pas le lâcher ce n'est pas possible. Guillaume fait le tour des personnes présentes et semble heureux quand il salue certains anciens étudiants devenus professeurs.

Je demande à Romain de rejoindre Scarlett dehors puis vais me poser sur une table.

Je suis hésitante à aller voir Dagon. Il m'a vraiment demandé en mariage devant tous mes amis proches ? Je me sens sourire toute seule en revoyant la scène où il se met accroupi devant moi. Je monte ma main légèrement pour admirer la bague. Je suis tellement bloquée sur elle que je ne me rends pas compte que quelqu'un s'est rapproché de moi.

— Elle te plaît ? me demande Dagon.

— Elle est parfaite.

Il me sourit et s'approche de moi et m'embrasse.

— Mme Lukas.

— Pas encore.

— Bientôt.

— Je peux te poser une question ?

— Tout ce que tu veux.

— Elle te voulait quoi encore Camille ?

— Elle espère encore et toujours que tu me quittes.

— Je devrais peut-être lui montrer ce beau bijou.

— Bonne idée.

Il me prend par la main et m'emmène avec lui.


— Je plaisantais mon cœur.

— Pas moi.

Camille discute toujours avec Jacob quand on arrive.


— Camille, je n'ai jamais vraiment eu l'occasion de te présenter ma future femme.

Elle se retourne et me dévisage. Elle lance un regard vers la bague et après m'avoir insulté elle quitte le gymnase.

Jacob se met à rire.


— Ça manque de musique ici.

Il me reprend par la main, m'emmène avec lui, allume la chaîne à fond et me fait danser.

Il ne m'aura pas quitté une seule seconde de la soirée et on aura dansé jusqu'au bout de la nuit.


Les deux jours suivants seront utilisés pour organiser le combat, pour faire venir le maximum de personne possible.

Le jour J est là, nous sommes à quelques minutes d'utiliser le talisman, Jacob me l'a rapporté. Nous sommes 1 500 personnes capables de se battre et prêtes à se joindre à moi pour le combat final.

Je monte sur le banc.


— Vous avez tous accepté d'être là et je vous en remercie. Quand je vais faire apparaître le portail, je vais le franchir seule d'abord. Je veux pouvoir utiliser mon don et le faire partir tout autour de moi sans risquer de vous blesser également, attendez 5 min et ensuite vous venez. Un groupe devra foncer avec moi dans le cachot et faire sortir les femmes. L'autre groupe achèvera les démons au sol et ceux qui auront résisté.

Ils semblent tous d'accord.

Dagon me prend dans ses bras et me serre terriblement fort.


— Je t'aime ne l'oublie pas.

— Jamais.

— Promets-moi d'être prudente, bébé.

— Promets-moi de rester à portée de moi, mutuellement nous veillerons sur l'autre.

— Promis, bébé.

Je sors le talisman de ma poche, respire un bon coup puis appuie dessus. Je le tends à Dagon et lui un fait un signe de tête.

Un portail apparaît alors et je disparais à l'intérieur. Nous sommes en plein jour là-bas aussi. J'atterris en plein milieu du jardin. Les démons me voient alors là, en plein milieu, et commence à m'approcher, je regarde rapidement ce qui m'entoure, aucune humaine et pas de Kaiscko. Je canalise mon onde et l'envoie aussi loin que je peux un peu partout autour de moi, mes amis vont arriver. Je vois l'onde foncer à plusieurs centaines de mètres en détruisant tout sur son passage. Je vois les démons tomber un à un. Quelques instants après, une alarme retentit et mes alliées apparaissent. Le groupe qui est censé m'accompagner se met à courir avec moi. Dagon et Pierrick en font partie. Je récupère le talisman et le range dans ma poche. Le chemin est presque libre jusqu'au cachot. Nous rencontrons quelques démons ici et là, mais nous sommes bien plus forts. Un guerrier défonce le verrou du cachot puis l'ouvre. Il y a encore plus de filles, elles sont au moins 300. Quand elles nous voient, je ressens une lueur d'espoir.

— Que toutes celles qui peuvent se lever suivent ce guerrier en montrant Call, les autres vous serez portées.

Certaines ont des mouvements de recules en voyant des guerriers avancer. Je me souviens très nettement ce que moi j'ai pu ressentir face à mes propres amis qui venait juste m'aider.

— Je sais que c'est atroce ce qui se passe dans votre tête, mais ils sont là pour vous aider, aucun d'entre eux ne vous veut du mal croyez-moi, j'étais ici aussi il y a quelques semaines. Fermez les yeux et imaginez-vous dans votre maison avec les gens que vous aimez.

Une grande partie semble suffisamment forte pour se déplacer. Une centaine seulement seront portées.

À peine sortie de ce cachot que j'active le talisman, je veux que les femmes soient sur terre aussi vite que possible. Deux personnes sont sur places pour supprimer la mémoire des femmes civiles. Et surtout des anges pour les soigner.

— Allons-y, dis-je aux personnes qui ne portent pas. Et qui sont toujours là.

Dagon reste toujours proche de moi. De retour dans le jardin il y a facilement deux mille démons en train d'attaquer. Les alliés près de moi foncent aider. Je ne peux pas utiliser mon don ici, ils sont tous mélangés et je risquerai de blesser. Mes yeux se posent alors sur un des démons qui m'a fait du mal. Il s'approche alors de moi et se met à me parler dans son langage.

— Je ne te comprends toujours pas connard !

Il commence alors à vouloir me frapper. J'esquive tous ses coups. J'ai envie de lui envoyer une onde, mais je ne suis pas sûre de pouvoir contrôler la force, il y a des amis derrière lui et je ne veux pas les blesser. Deux autres démons s'approchent de moi et commencent à vouloir me frapper. Ça devient rapidement compliqué. Surtout que Dagon aussi est attaqué de toute part.

— Ça va aller bébé ?

— Pour l'instant oui, mais j'ignore combien de temps je vais tenir.

Je vois une main vouloir s'abattre sur mon visage pendant que j'esquive d'autres coups, cette main est alors repoussée par quelqu'un, je tourne la tête.

— Kaiscko !

En faisant ça, il se met en danger. Il commence alors à parler dans son dialecte. Et les trois démons se tournent vers lui et change de cible. Je me concentre pour faire apparaître leur aura. Ce monstre doit mourir et de ma main. Quand je le vois s'écrouler de tout son poids je sens un poids en moins dans ma poitrine. Plus que deux.

— Les démons avec un gilet rouge vont combattre avec vous, m'explique Kaiscko.

Benjamin, si tu m'entends, transmets l'information à autant de monde que possible, les démons en gilet rouge sont nos alliés. D'ici, j'entends parfaitement Benjamin hurler de ne rien faire au gilet rouge.

Une bonne centaine de démons en rouge foncent alors dans le tas et frappent les démons. Je cherche alors du regard en espérant voir les deux derniers. Quand j'en repère un, il est en train de se battre avec mon homme. Je cours vers lui et le frappe aussi fort que je peux.

— C'est un des quatre n'est-ce pas ?
— Oui.

Je vois Call foncer vers nous et attraper le démon par le cou. Il a compris que ce démon est l'un des monstres qui m'ont torturé.

— Venge-toi Nelle. Et fais-toi un énorme plaisir à le faire.

Si je pouvais le faire exploser, je serais encore plus satisfaite. Je me contente de lui retirer son aura. Quand il s'écroule la seule chose que je sais c'est qu'il en manque un.

— Le dernier ressemble à quoi ? me demande Call.

J'essaye de me souvenir de son visage, que Call puisse m'aider à le retrouver. Je sens une main dans mon dos puis une bouche contre mon oreille.

— Vu comment lui te regarde ça ne m'étonnerait pas que ce soit lui, me dit Dagon.

Je tourne la tête et en effet c'est lui. Il fait un sourire sadique. J'ai envie de le voir souffrir.

— Attrapez-le et faites-le souffrir.

Il n'en faut pas plus à Dagon et Call pour lui foncer dessus. Il est fort, mais pas autant qu'eux. Ils le maintiennent fermement et je m'approche et le cogne aussi fort que je peux dans le visage. Ça a le mérite de le faire grimacer et saigner. Je vois Benjamin arriver et il me pousse et lui donne un coup puissant dans le ventre puis dans le visage.

— Achève-le, bébé, tu n'es pas un monstre toi.

Je lui retire son aura et me sens enfin soulagée d'avoir pu me venger.

Je vois beaucoup de gens tomber au sol, alliés et ennemis. Je cherche Kaiscko et fonce vers lui. Dagon ne me quitte pas d'une semelle.

— Kaiscko, tu es le prince. Arrête ce massacre, stp.
— Seul mon père le peut.
— Il faut le convaincre de suite.
— Il refusera, il aime faire souffrir. Détruire les mondes.
— Dans ce cas, tuons-le et tu reprends le pouvoir.
— Je…
— Il faut mettre un terme à ça, dis-je en montrant les combats.

— Allons-y.

Je tue le démon qui tape Dagon et l'emmène avec moi, je fais de même pour Pierrick.

— Venez avec nous.

On court jusqu'au palace, les couloirs sont vides, tous les démons sont dans le jardin. Seulement deux gardes du corps devant la porte du roi.

Kaiscko parle alors dans son dialecte et les deux démons font non de la tête.

— Recule, dis-je à Kaiscko en posant ma main sur son bras.

J'envoie alors une onde sur les deux démons qui s'écroule par terre. Nous entrons dans la chambre du roi, il est assis avec Pauline qui est en larmes.

Le roi se lève et montre du doigt son fils, puis se met à lui crier dessus. Ils discutent alors quelques instants.

— Qu'est-ce que vous vous dites ?

— Il veut prendre possession de toutes les planètes, et les détruire une à une.

— Fais-le changer d'avis sinon je vais devoir le tuer.

Kaiscko s'énerve alors sur son père et vu le sourire que fait son père je doute qu'il accepte.

— Alors ?

— Il refuse.

Le roi finit par prendre la jeune fille et la mettre devant lui. Il me regarde droit dans les yeux.

— Si tu bouges, je la tue.

— Vous êtes un monstre, et vous êtes un minable d'utiliser une innocente pour bouclier.

— Et toi tu as rendu mon fils faible. Si je meurs, les démons finiront par vouloir le détrôner.

Je ferme les yeux un cours instant, son aura doit apparaître et il ne me verra pas bouger en lui ôtant la vie. Quand j'ouvre les yeux l'aura est bien là, bien plus grosse et grande que celle des autres. D'un mouvement de tête, j'essaye de lui retirer, mais ça semble très compliqué, ça le blesse à peine, suffisamment pour qu'il lâche la fille et qu'elle vienne dans les bras de Kaiscko.

— Dagon, ramène-la sur terre.

— Je reste avec toi.

— Obéis stp, dis-je en lui tendant le talisman.

— Nelle, notre promesse.

— Ramène-la, je t'en prie.

Je le vois alors partir, le roi est à genoux et finit par se relever. J'enveloppe Kaiscko et Pierrick dans une bulle et je commence à envoyer des ondes les plus fortes possibles en avant. Chaque onde le blesse davantage.

— Je ne peux pas t'aider, Nelle, son cerveau n'est pas assez faible.

Il bondit alors devant moi et commence à me frapper, il est bien plus rapide et fort que les autres démons, j'ai beaucoup de mal à esquiver tous ses coups, je m'en prends pas mal, mais la rage que j'ai en moi me maintient debout. Je transforme alors cette rage en une onde aussi puissante que possible et la lance en avant, cette fois-ci ça a le mérite de le coucher au sol. Kaiscko s'approche alors de son père et l'achève. Je le vois récupérer quelque chose dans un bureau puis ouvrir la fenêtre et se mettre sur le balcon. Il souffle alors dans un objet, je vois au loin les démons arrêter de se battre et revenir vers le palace. Je sors de la chambre en courant, suivi par Pierrick et Kaiscko.

Kaiscko se positionne en haut d'un escalier et se met à parler alors aux démons qui se tiennent là et qui le regardent avec mépris.

— Fuis Nelle, ils n'attaqueront plus.
— Et pour toi ?

Il ne répond rien et m'ordonne de fuir. Nous nous remettons à courir jusqu'au jardin. Beaucoup de blessés, trop à mon goût. Je ne vois pas les visages de mes amis. Les alliés sur pied soulèvent nos blessés et je vois un portail s'invoquer pile à temps pour qu'on puisse tous rentrer. Plusieurs anges sont là à attendre notre retour. Il s'occupe aussitôt des blessés. Je cherche alors Dagon du regard, et commence à avoir terriblement peur quand je ne le trouve pas. Je me déplace pour avoir un meilleur angle de vue. Une main et une chaleur se posent sur mon épaule. Je me retourne et c'est lui. Les larmes coulent et je lui saute dans les bras.

— Content que tu sois vivante aussi.

Il passe sa main dans mes cheveux et m'embrasse tendrement dans le cou.

— Dagon, tu n'imagines même pas le soulagement de te voir devant moi, je t'aime tellement mon amour.
— Je t'aime aussi mon ange.

Je le sers plusieurs longues secondes dans mes bras. Nous sommes tous les deux vivants, blottis l'un contre l'autre. Les larmes ne semblent pas vouloir s'arrêter, mais ce n'est pas grave elles me font beaucoup de bien.

— Allez, bébé, on devrait aller se rendre utile, et chercher nos amis ensuite.

— Il y a eu des morts parmi nos amis ?

— Je ne sais pas bébé.

— Tu as vu qui reprendre le portail ?

— Il y avait trop de monde, je ne sais pas, et je t'ai cherché tout de suite en revenant.

— Allons nous rendre utiles.

Nous passons les deux heures suivantes à accompagner les blessés ici et là. J'ai croisé Benjamin et Call déjà ce qui me rassure. À mon habitude, ils ont le droit à un bisou et à un coup.

Alors qu'avec Dagon nous sortons de l'infirmerie Logan et Jacob sont là, debout, et semblent en bonne santé, je leur saute dessus et laisse les larmes couler.

— On est content de te voir aussi Nelle, me dit Logan en caressant l'arrière de ma tête.

Quel bonheur de les voir, debout, et ensemble !

— Vous allez bien ?

— Oui, avec Logan on ne s'est pas lâché une seule seconde de vue, notre alliance nous a sauvés, m'explique Jacob.

Je pose mes mains sur leurs joues et leur fait un super sourire puis nous nous faisons un câlin à trois.

— Qu'est-ce que je vous aime tous les deux.

— Nous t'aimons aussi répond Jacob.

Logan me fait un super sourire que je lui rends.

— Vous avez vu les autres ?

— Non

— OK, allons-y Dagon, à tout à l'heure vous deux.

Nous sortons de l'infirmerie et Dagon se rapproche alors de mon oreille.

— Regarde là-bas.

Je tourne la tête et vois Mattieu Virgile et Gabriel posé autour d'un banc. Je fonce vers eu le cœur serrer de les voir également.

Mattieu se retourne en m'entendant arriver et me prend aussitôt dans ses bras.

— Ça va, ma belle ?

— Très bien oui.

Virgile s'approche de moi me prend dans ses bras et caresse mon visage puis m'embrasse la tête. Je ne laisse pas le choix à Gabriel que je le prends lui aussi dans mes bras. Il me sert contre lui et embrasse ma tête. Je sens son cœur battre à la chamade à travers nos vêtements.

— Vous allez bien tous les trois. Ça me rassure.

— On est des vampires Nelle, me dit Mattieu pour me rassurer.

— Oui, mais ils auraient pu enlever votre tête du reste de votre corps.

— Les démons l'ignorent ça bébé, m'explique Dagon.

— Allons essayer de trouver Cécile, Greg, Théo Martin et Enzo maintenant. Vous les avez vus ?

Ils me disent tous les trois non de la tête.

— Allez, Nelle on va les trouver, respire.

Nous marchons dans le parc et dans les allées du campus à la recherche de mes cinq amis. Et les heures tournent et rien. J'ai essayé de les appeler régulièrement en vain. La nuit commence à tomber quand mon portable vibre.

— Martin ? Tu es où, tu vas bien ?

— On est dans le salon des professeurs.

Je raccroche et pars en courant direction le dortoir. Dagon n'a pas d'autre choix que de me suivre le pauvre. Lorsque j'ouvre la porte du dortoir, je cherche du regard mes amis. Je vois alors la main de Martin me faire un signe. Je fonce vers eux. Théo et Enzo semblent blessés.

— Vous avez quoi ?

— Ça va allez Nelle juste un peu blessé me répond Théo.

— Allez à l'infirmerie.

— Il y a de plus gros blessés que nous.

Je vois Cécile et Grégoire arriver dans notre direction, Greg n'a pas l'air à son maximum. Je fonce dans les bras de Cécile heureuse de la voir vivante.

— Ça va, ma petite Cécile ?

— Moi oui, mais pas Greg.

— Emmène-le à l'infirmerie.

— Il refuse.

Nelan, que mes parents l'emmènent, je suis sûre qu'il va pouvoir les aider. J'appelle mes parents et ils se mettent aussitôt en route. Une petite heure après ils sont là. Après avoir fait un gros câlin à Nelan, je lui demande de soigner d'abord Grégoire.

— Non Nelle ce n'est pas nécessaire, me dit mon ami.

— Oh que si, ce n'est pas négociable avec moi.

— Je ne fais pas mal dit mon fils en souriant à Greg.

— OK.

Nelan pose sa petite main sur la tête de Grégoire et une aura verte l'envahit. Moins d'une minute après la plaie se referme et il se sent déjà beaucoup mieux. Je l'emmène vers Théo et Enzo. Il pose alors une main sur la tête de chacun des deux et en quelques secondes ils sont totalement guéris. Je prends la main de Nelan et l'emmène à l'infirmerie. De nouveau, je lui demande de m'aider et d'utiliser encore son soin de masse. Il s'assoit par terre ferme les yeux et une aura verte sort de toute part de lui et se déplace dans tout le local. Je vois alors l'ange venir vers moi.

— C'est toi qui as fait ça Nelle ?
— Non pas moi, lui.
L'Ange regarde alors Nelan et se met accroupi devant lui.

— Je vais te garder comme assistant toi.
— C'est bien payé ?
J'explose de rire et soulève mon fils pour le prendre dans mes bras. On retourne dans le dortoir et j'enlace mes parents.

— Tu vas nous tuer à force de nous faire peur comme ça, me dit mon père en me serrant fort contre lui.
— Désolée.
— Tu es vivante et là c'est tout ce qui compte, ajoute ma mère qui me prend à son tour dans ses bras.
— Et je vais enfin très bien.
— Laisse-moi deviner, le blond qui est toujours là depuis le début où tu as rejoint un campus, me dit mon père.
— Quoi ?
— Celui qui te dévore du regard à chaque fois qu'il te voit, celui qui devait te surveiller et qui ne l'a pas fait.

Je me retourne et en effet Dagon me regarde, je lui fais signe de s'approcher. Il s'avance de nous et serre la main à mes parents.

— Pour lui tu as mon accord de suite, me dit mon père.

— Papa.

— Il ne mord pas, il ne t'a jamais kidnappé, et toutes ses années après il est toujours là et te supporte.

Dagon se met alors à rire.

— Vous m'autorisez à la demander en mariage alors ?

Mon père sourit alors à Dagon et lui tend de nouveau sa main.

— Bienvenue dans la famille fiston.

Je suis sur le cul d'entendre ça. Ma mère s'approche alors de lui pour lui faire la bise.

— Tu es bien plus observateur que je ne le pensais.

— Tu es ma fille et je te connais.

— Il va devenir mon papa alors ? demande Nelan.

Dagon se baisse vers Nelan et pose sa main sur sa tête.

— Seulement si tu en as envie, mais d'abord faut que tu me connaisses un peu.

— C'était la chérie que tu avais laissé partir ma maman ?

— Oui, c'était elle.

— Ma maman, c'est la meilleure de toutes.

— Je suis bien d'accord.

Les larmes coulent en voyant ça. Nelan saute au cou de Dagon. Mon homme se redresse avec mon fils dans les bras et le garde contre lui blotti.

— Vous êtes beaux mes amours.

Nelan finit par réclamer de descendre et file s'amuser dans un coin de la pièce.

— Merci d'avoir pris Nelan dans tes bras.

— Il me rappelle quelqu'un d'aimer sauter dans les bras.

— Je ne vois pas de qui tu parles là.

La pression de tout ça semble sortir de mon corps. Tous mes amis sont là, vivants et entiers. Des larmes commencent alors à couler et mes jambes ne semblent plus vouloir soutenir mon corps. Dagon me retient avant que je ne touche le sol.

— Ça ne va pas mon cœur ?

— Emmène-moi m'allonger stp.

Il me soulève et m'emmène jusqu'à ma chambre.

— Un trop plein d'émotion ?

— Oui.

— Repose-toi un peu.

— Prends-moi dans tes bras stp.

Il s'allonge à côté de moi et me serre contre lui.

— Tu es mon ange, mon amour, ma raison de vivre. Et j'ai même le droit de t'épouser.

— Je n'ai pas encore dit oui.

— Je ne te laisse pas le choix, future Mme Lukas.

— Nelle Lukas, mouais.

— Ha si ça claque.

— Ton père est au courant pour nous deux ?

— Oui, et il est ravi que la plus douée et forte des médiums soit avec moi.

— Il est conscient que tu n'auras jamais de descendance ?

— Ce n'est pas son problème ça.

— Ça va vite le devenir quand il saura.

— Je ne compte pas lui dire, il sait que tu as Nelan dans ta vie et a hâte de faire la connaissance de ce petit aux talents prometteurs.

— Vraiment ?

— Vraiment, là il prépare les invitations.

— Et toi, tu es vraiment prêt à ne jamais avoir de descendance ?

— Je le sais depuis plusieurs années que la femme que j'aime ne pourra pas avoir d'enfants sinon elle risque de mourir, alors ne pas avoir d'enfants de toi ne me pose aucun problème bien au contraire. Et puis nous avons Nelan.

— Je pense m'endormir sous peu.

— Je serais là à ton réveil.

Après un dernier baiser, mes yeux commencent à se fermer, je me sens légère et sereine. Mes yeux s'ouvrent le plus naturellement du monde. Ni un réveil, ni des voix, ni un rayon de soleil pour m'obliger à sortir de mon sommeil. Je tourne la tête pour chercher Dagon du regard. Mon beau blond est posé sur le rebord de la fenêtre et regarde vers l'horizon.

— Bonjour beau blond.

Il tourne la tête, me sourit, puis se redresse et vient me rejoindre dans le lit.

— Bien dormi ?

— Très bien oui, aucun cauchemar et dormi d'une traite.

— Tant mieux, car maintenant je vais te faire l'amour.

J'explose de rire puis le tire par la nuque pour qu'il m'embrasse. Nos bouches et nos corps ne font maintenant plus qu'un. J'aime tout ce qu'il est ce qu'il m'apporte et ce qu'il fait de moi. Je sens son amour dans chacun de ses regards, dans chacun de ses mots et gestes. Il me comble de bonheur. Notre échange prend fin.

— Une fête s'organise dehors.

— Encore, et c'était pas demain ?

Il me sourit.

— J'ai dormi aussi longtemps que ça ?

— Oui, j'ai fait venir l'ange quand j'ai cru ne plus entendre ton cœur battre. Tu as dormi 24 h, ton corps était épuisé et sûrement ton esprit.

— Désolée de t'avoir fait peur. Et tu es resté là tout ce temps ?

— Oui.

— Tu as dû drôlement t'ennuyer.

— Tu as pas mal de messages plutôt sympas sur ton téléphone que tu reçois d'admirateur.

— Tu oses regarder dans mon téléphone mon cœur ?

— Oui, j'ai osé, tu as encore sauvé beaucoup de monde mon cœur, répond-il tout en rigolant.

— Et j'en ai aussi de toi ?

— Non moi tu m'as en direct dans ta vie.

— La fête a déjà commencé ?

— Elle ne commencera que quand la personne la plus importante sera présente.

— Tu as invité une star ?

— Ha ! ha ! ton humour est toujours aussi pourri.

— Moi aussi je t'aime.

— Allez debout maintenant.

— On est obligé d'y aller ?

— Oui, en plus Anderson veut te donner tes résultats.

Il me dit ça en faisant un énorme sourire lourd de sens.

— Toi tu as ma note.

— Ouais.

— Alors ?

— Je veux que tu la découvres par toi-même.

Je le tire par la nuque et l'embrasse de nouveau à pleine bouche. Il ne se fait pas prier et se remet entre mes jambes et me rend mes baisers pleins de désir. Nous restons deux bonnes heures de plus dans ma chambre à roucouler et décidons de nous lever, de nous laver et de descendre rejoindre mes amis. Je me suis faite aussi belle que possible pour Dagon ce qui semble lui faire énormément plaisir. Robe blanche serrée au buste et pouffante en bas. On voit bien mes jambes, mais ça ne me gêne plus du tout maintenant que je sais que je suis avec Dagon et que je vais devenir sa femme.

— Mon cœur, tes cheveux ont repoussé, tu ne veux pas les couper comme la dernière fois ? demandé-je un peu timidement je dois l'avouer.

— Je prends rendez-vous demain.

Je lui fais un grand sourire et l'embrasse dans le cou.

Quand on arrive dans le parc, il y a au moins 2 500 personnes présentes. Je m'accroche au bras de Dagon ce qui semble le faire drôlement rire. Il passe alors son bras autour de ma taille et me colle à lui. On essaye de se frayer un chemin pour rejoindre mes amis. Ils sont tous là en train de danser, ou de discuter. Même Gaëtanne est sortie de l'infirmerie et s'accroche au bras de

Benjamin. Quand elle me voit arriver, elle s'avance vers moi et me prend dans ses bras.

— Merci Nelle.

— Pour ?

— M'avoir sauvé la vie deux fois.

— De rien.

— Je vais avoir besoin de toi pour le prochain cycle, je veux que tu sois mon professeur de sorcellerie.

— Je ne sais pas encore Gaëtanne ce que je fais à la rentrée.

— Je te suivrais dans le campus où tu iras.

— Je ne suis pas encore sûr d'entraîner, je dois voir avec Dagon et mon fils ce qu'on fait.

— Je te suivrais ou tu voudras et tu le sais, me dit Dagon.

— Mais Nelan ne peut pas grandir dans un campus, il doit aller à l'école et suivre des cours comme un enfant normal.

— On va en discuter en privé tous les deux.

Gaëtanne me sourit et patiente.

— Je te dirais ça ne t'inquiète pas.

— Merci.

— Et avec Benjamin ?

— Il me plaît terriblement, et j'espère que c'est réciproque.

— J'espère aussi, c'est un mec génial prend soin de lui stp.

— Promis.

Elle finit par retourner vers lui. Je suis terriblement heureuse pour lui, mais j'ai tout de même un petit pincement au cœur. Je sens alors la main de Dagon se poser sur mon menton et m'oblige à le regarder.

— Tu es bien sûre de toi ?

— Pour ?

— Nous deux.

— Certaine, si j'ai refusé de me remettre avec toi la première année ce n'était pas à cause de mes doutes sur mes sentiments. Je ne voulais pas que tu puisses souffrir une fois de plus par ma faute.

— Vraiment ?

— Oui vraiment. Je t'en ai voulu de m'avoir quitté, mais j'ai compris pourquoi et j'ai préféré te protéger.

— Je suis vraiment désolé de t'avoir fait de la peine à l'époque.

— C'est oublié aujourd'hui. Et ce qui est certain c'est que tu es mon oxygène. Je me ressens revivre et je n'avais pas ressenti toutes ses choses depuis longtemps.

— Ça me va. Autant je n'avais aucun doute par rapport à Gabriel autant pour Benjamin si. Il y a un lien fort entre vous, et c'est le seul qui pourrait te voler à moi.

— J'aime Benjamin, mais plus de la même manière, je ne me vois pas vivre sans le voir, sans l'avoir dans ma vie.

— Dans ce cas, garde des contacts avec lui et va le voir aussi souvent que ton cœur en aura besoin.

Je tourne la tête vers lui et il me regarde avec douceur. Je lui fais un sourire qu'il me rend et finit par s'approcher de moi pour me prendre dans ses bras.


— Ma petite Nelle.

— C'est moi.

— Je suis content pour Dagon et toi. J'aurais aimé vous voir ensemble de nouveau il y a bien longtemps.

— Je ne regrette pas mon passé, je ne serais pas là aujourd'hui sinon.

Il me prend par la main et m'emmène danser.

— Depuis quand tu danses toi ?

— Depuis que tu as mis sur ma route une fille extra et que je suis amoureux, j'avais envie de partager ça avec toi.

— Je suis heureuse pour toi, vraiment.

Nous dansons ensemble quelques minutes et je propose à Benjamin de changer de partenaire et passer du temps avec Gaëtanne. Il me sourit, m'embrasse la tête et retourne vers elle. Je suis heureuse à présent, comme jamais. Je vois alors le regard de Gabriel, je prends ma respiration et m'avance de lui.

— Bonjour Gabriel.

— Bonjour Nelle.

— Comment vas-tu ?

— Bien.

— Tant mieux. Tu sembles heureuse c'est bien.

Je tourne la tête pour regarder vers Dagon, il discute avec Logan et Jacob et il est tout sourire.

— Oui, il a réussi à me redonner le sourire.

— Vous allez vous marier ?

— Oui.

— Je suis content pour toi.

Je sens alors une main dans mon dos, je me retourne et c'est Quentin.

— Bonjour Nelle.

— Bonjour Quentin.

Il dépose un baiser sur ma joue.

— Enfin.

Je lui souris et ne réponds rien. Il me tend alors un livret et me sourit à son tour. Je lui prends des mains et respire un bon coup. Je sens alors une tête se poser sur mon épaule et des mains m'enlacer. Je reconnais l'odeur de Dagon. J'ouvre le livret et me mets à sourire.

Admis est écrit en gros en bas de la page. Mention très bien est inscrite à côté. Aucune note de marquée en revanche.

— Bravo Nelle.

— Merci beaucoup.

Me voilà diplômée à présent, je vais pouvoir enseigner officiellement dans n'importe quel campus à la rentrée prochaine. Mais d'ici là, il me reste une seule chose à faire. Je dois m'assurer que Kaiscko va bien, et qu'il a bel et bien repris le pouvoir.

— Bravo bébé.

— J'ai un contrat à te faire signer si tu souhaites travailler pour moi dès la rentrée prochaine.

— Je n'ai pas encore réfléchi à ça.

— J'attends ta réponse, réfléchis y bien.

— Si je signe ici, il faudra aussi une place pour Dagon, et des horaires adaptés pour que je puisse avoir une vraie vie de famille avec Nelan.

— Tout ce que tu veux Nelle, et sache qu'un professeur d'astrologie à nettement moins de travail que la majorité des professeurs. Du coup, je te donnerai uniquement des cours le matin et en début d'après-midi au besoin.

— Je vais en parler avec mon fiancé ce soir et je te dis ça rapidement, dis-je en regardant Dagon.

Deux semaines que tout ça est fini. Il n'y a aucune attaque. Je suis dehors dans le parc avec Dagon et mes amis, on se dit au revoir avant de retourner chacun chez soi pour l'été. Avec Dagon, on a décidé de rester sur Nelune et d'inscrire Nelan dans une école privée pour enfant à 30 min en voiture d'ici, nous pourrons l'emmener le matin et aller le chercher le soir.

Au moment de partir, il y a un pop de portail. Nous nous dépêchons d'aller voir. C'est Kaiscko.

— Kaiscko ?
— J'ai besoin de toi Nelle.
— Pourquoi ?
— Elle ne viendra pas avec vous dit Dagon.
— Explique-moi Kaiscko ce que je peux faire.
— Pas là.
— Je ne suis pas sûre d'avoir la force de retourner là-bas.
— Tu ne risques rien avec moi.

Je sens la main de Dagon prendre la mienne et la serrer fort.

— Je t'interdis d'y aller, Nelle, me dit Dagon d'une voix autoritaire.
— Je suis désolé Kaiscko, je ne peux pas.

Il me tend un talisman et me demande de bien réfléchir, et qu'il m'attendra chaque soir à la même heure que maintenant. Je le prends et ne réponds rien. Il disparaît dans son portail sans me quitter une seule seconde du regard.

Une semaine que sa venue me ronge de l'intérieur. S'il a pris le risque de le faire, c'est qu'il a vraiment besoin de moi. Dagon le voit à mon attitude qu'il y a quelque chose qui ne va pas. Si je lui dis que j'y retourne, il le prendra forcément mal. Vu l'état dans lequel je suis revenu, il y a de quoi.

Dagon parle de plus en plus de notre mariage, il a envie de programmer une date pour l'été prochain.

— Bébé tu m'écoutes ?

— Quoi ? Pardon ? Tu disais quoi ?

— Je parlais juste de notre mariage.

— Désolé j'étais ailleurs.

— Comme depuis une semaine.

— Désolé.

— Écoute, vas-y.

— Quoi ?

— Oui, prends ce foutu portail, va voir ce qu'il te veut et quand tu reviendras on pourra peut-être enfin penser à nous.

— Tu es sérieux ?

— Oui très, je m'occuperai de Nelan bébé.

— Merci.

— Tu as intérêt de revenir très vite.

— Promis.

Je prépare mon départ pendant quelques jours. C'est le jour J, j'embrasse fort Dagon et Nelan et disparais dans le portail à 18 h tapante.

Quand j'apparais dans l'immense prairie Kaiscko est bien là à m'attendre. Je suis surprise par son élan de tendresse. Il me prend dans ses bras et semble soulagé de me voir ici.

— J'ai promis à Dagon de revenir vite, explique-moi.

— Mon peuple va se rebeller sous peu.

— Et tu veux que je fasse quoi au juste ?

— Sans descendance, ma lignée est fichue.

— D'accord et le rapport avec moi ?

— Ils ont peur de toi Nelle, ils ont vu l'étendu de tes dons et un enfant avec toi me permettrai d'être respecté.

— Non Kaiscko c'est impossible, j'ai ma vie sur terre, j'ai mon conjoint et mon fils.

— Fais venir Nelan dans ses cas là jusqu'à ce que notre bébé naîtra.

— Notre bébé ?

— Oui, je veux que tu donnes naissance à un bébé. À notre bébé.

— C'est impossible, déjà parce que je vais me marier avec l'homme que j'aime sur ma planète, ensuite parce que ma vie est là-bas. Et que je risque de mourir en donnant la vie.

— Nelle stp.

— Kaiscko, tu m'en demandes beaucoup là.

— Ça m'a beaucoup coûté aussi de te ramener, et de faire revenir Gaëtanne.

— Kaiscko non stp.

— Si je ne donne pas naissance rapidement à un bébé, je serais détrôné et la guerre risque de faire surface.

— Trouve une autre femme.

— Tu es la seule humaine à me plaire.

— Non, non, c'est impossible.

— Reste quelques jours avec moi pour y réfléchir.

— C'est tout réfléchi, désolée.

Je commence à vouloir invoquer le portail pour rentrer quand je vois dans ses yeux tout un tas d'émotions passant de la tristesse au désespoir.


— Tu as gagné, je reste deux jours.

Une lueur d'espoir brille dans ses yeux.

À mesure ou j'avance dans la prairie mon cœur se serre, je déteste cet endroit, d'être ici me fait beaucoup de mal. Allez, respire Nelle, tu es avec Kaiscko et il t'a prouvé que tu pouvais lui faire confiance et qu'avec lui tu es en sécurité. Au pire, je m'éclipse durant une nuit et j'utilise mon talisman pour repartir.

Il souhaite me faire visiter son palace et les lieux, son monde est vraiment très beau, dommage qu'il soit peuplé par des êtres abominables. Même si à présent je ne ressens plus aucune hostilité, je ne suis pas sereine d'être ici. Je me vois mal me promener seule dans les jardins. Je croise pas mal de démons, mais je préfère les ignorer. Les quatre qui m'ont fait du mal sont bel et bien morts mais il n'empêche qu'il en reste encore plein d'autres qui ne méritent pas de vivre. Nous avons marché plusieurs heures avant de gagner l'étage du Palace. Quand il me fait entrer dans une des pièces, je suis impressionnée par la taille et la beauté de la pièce.

— C'est ta chambre.
— Seulement pour deux jours.
— Et plus si tu acceptes de m'aider.
— Kaiscko stop stp.
Quand sa frappe à la porte mon cœur accélère. Une humaine rentre.

— Pauline ?
— Bonjour Nelle.
— Tu es toujours ici ?
— Oui.
— Mais pourquoi tu n'as pas fui ?

— C'est ici chez moi, et ils ont besoin de moi pour être soignés.

Je suis surprise par ses propos.


— Je dois te laisser Nelle, je reviens dans moins d'une heure pour le dîner m'annonce Kaiscko.

— À tout à l'heure.

Pauline reste là à me regarder.


— Tu es bien traitée ici ?

— Depuis que Kaiscko m'a prise sous son aile oui.

— Tu n'as pas envie de revoir tes amis et tes proches ?

— J'ai grandi dans un orphelinat, je n'ai ni famille ni ami, je faisais des cours de médecine quand j'ai été kidnappée.

— Je suis désolée.

— Pourquoi tu es revenue ?

— Il est venu me chercher, il a besoin de moi.

— Je vois.

— Tu es ici depuis quand ?

— Je dirais un an.

— Ah oui quand même.

— Tu ne devrais pas rester ici et lui faire espérer que tu prendrais le pouvoir avec lui.

— Je refuse de porter son enfant.

Les yeux de Pauline se mettent alors à briller comme si elle était soulagée par mes propos.


— Il te plaît c'est ça ?

— Je l'aime en effet.

— Tu lui as dit ?

— Non, l'amour est pour les faibles ici.

— Il est à moitié humain, il sait aimer faut juste lui montrer comment faire.

— Je ne pourrai pas, je ne suis pas toi.

— Il voit sa mère à travers moi, et je ne suis pas elle.

Je comprends pourquoi Pauline est toujours ici. Elle espère que Kaiscko l'accepte dans sa vie.

Je suis là depuis deux jours et j'ai tenu parole, mais il est temps que je rentre.

Je suis à la recherche de Pauline pour lui dire adieu et l'inciter à parler à Kaiscko. J'entends alors un bébé pleurer derrière une porte. Je ne devrais pas, mais tant pis, je rentre et il y a un énorme berceau à côté d'un lit double. Je m'approche et deux petits bébés sont allongés. Ils sont humains, comment est-ce possible ? L'un des deux est une petite fille, l'autre est tellement petit que je ne suis pas sûre. Je m'approche de la magnifique petite fille de quelques mois à peine. Quand elle me voit, elle arrête de pleurer et se met à babiller. Je la prends dans mes bras et lui fais de grands sourires.

— Ben alors ma poupée, qu'est-ce que tu fais là ?

Elle est trop mignonne avec ses areuh. Cette petite fille est toute blonde aux yeux bleu très clair. Elle est à croquer.

La porte de la pièce s'ouvre alors et Pauline entre.

— Nelle ?

— À qui sont ces bébés, Pauline ?

— Je…

Je la vois alors super mal à l'aise, elle ne semble pas réussir à trouver ses mots.

— Pauline, cette petite fille semble 100 % humaine. Et le deuxième bébé aussi.

— Je sais.

— Qui est sa maman ?

— La petite fille dans le berceau, sa maman est morte en lui donnant la vie la veille de votre attaque.

— Et elle ? demandé-je en lui montrant la petite blondinette.

— C'est ta fille.

— Quoi ? mais tu m'as dit qu'elle était morte.

— Je t'ai menti, je suis tellement désolée.

Je regarde de nouveau cette magnifique petite fille qui me sourit. Je n'ai donc pas tué mon bébé, Ellen est bien vivante, juste là devant moi. Je suis mitigée entre insulter Pauline ou la remercier d'avoir pris soin de ma fille pendant que moi j'étais incapable de le faire. Elle a l'air en pleine forme.


— Je devrais être morte je ne comprends pas.

— Pourquoi ?

— Si je donne la vie à une petite fille, je meurs, j'ai une malédiction en moi.

— Peut-être que d'avoir accouché ici la malédiction ne fonctionne pas.

— Pourquoi ne pas m'en avoir parlé avant ?

— Tu étais trop mal pour t'en occuper, et je me suis dit que je pourrai m'en occuper comme ma propre fille.

— Tu n'avais pas à faire ça Pauline, c'est mon bébé.

— Je sais, je suis désolée.

— Je ne sais plus quoi faire, si je la ramène avec moi et que la malédiction refait surface je vais mourir, mais si je la ramène Dagon aura un bébé à lui.

— Je peux la garder si tu veux.

— Et vivre en sachant que j'ai ma petite fille qui est ici ? Entourée de démon prêt à la tuer ?

— Je l'ai protégé jusque-là.

— Non Pauline, je dois la ramener et la mettre en sécurité sur ma planète.

— Son pouvoir va être convoité elle ne sera pas en sécurité non plus.

— Je sais.

Je suis perdue.

— L'autre petite fille ne peut pas rester non plus Pauline.

— Nelle stp, ne me les retire par toutes les deux.

— Pauline, ce sont des humaines.

— Nelle par pitié.

Je la regarde et elle me fait beaucoup de peine.

— Tu comptes faire quoi ?

— Je veux passer un peu de temps avec elle pour prendre ma décision.

— Je comprends pas de soucis.

Elle me dit comprendre, mais je vois qu'elle est terriblement déçue. Mais Ellen est ma fille et hors de question qu'elle reste ici. Je dois réfléchir. Et c'est ce que je ferais. J'y ai réfléchi des heures et des heures et Ellen ne doit pas vivre ici, elle va rentrer avec moi et je vais la confier à son père et je partirai avec Nelan. Ça la protégera de la malédiction le jour où elle aura des enfants. Dagon doit être papa je l'ai vu avec Nelan et c'est un père en or. Et pour la petite Lucie, je n'ai pas le choix non plus, je la prends avec moi pour lui trouver une famille. Pauline lui a donné ce prénom et pour elle je vais le conserver.

Kaiscko me raccompagne jusqu'au portail je vois bien dans ses yeux le chagrin et je n'ai qu'une envie c'est retourner chez moi. J'ai beaucoup discuté avec Pauline et c'est vrai qu'elle a raison quand elle me dit que Kaiscko ne remarque même pas qu'elle existe.

— Kaiscko je suis Nelle, la mère de Nelan, la future femme de Dagon j'espère, pas ta mère. Je suis juste rousse comme elle.

— Je sais.

— Ouvre les yeux et tu verras qu'une humaine n'attend que ça que tu lui ouvres ton cœur. Elle te fera autant d'enfants que tu le souhaites.

— Qui ?

— Tu côtoies beaucoup d'humaines ?

Il chuchote le prénom de Pauline et semble réfléchir.


— Elle était là depuis le début sous tes yeux.

— Merci.

— Je garde le talisman, la prochaine fois que je passerai te voir, je viendrais avec mon fils. J'espère que j'apprendrai une bonne nouvelle de ton côté.

Il me sourit et me prend dans ses bras.


— La mémoire de toutes les filles survivantes a bien été supprimée ?

— Oui, totalement pour les quelques humaines civiles, afin qu'elles ne disent rien sur votre monde et le mien.

— Parfait.

— Merci encore de m'avoir sauvé la vie.

— Prends soin de Nelan et des deux petites filles.

Il caresse la joue de ma fille et active le portail. Il apparaît et je me faufile à l'intérieur. Quel bonheur de rentrer chez moi !

Pour une des rares fois de ma vie, je me sens rassurée et heureuse. Mes amis et ma famille vont bien.

Kaiscko ne risque plus rien à présent. Il a trouvé l'humaine qui pourra lui permettre d'être père.

Je marche doucement dans le parc quand je vois Nelan arriver en courant dans ma direction. Je me baisse et l'embrasse sur la tête.

— Maman tu m'as manqué, mais papa c'est bien occupé de moi.

— Papa ?

— Oui.

Mon homme approche à son tour, les mains dans les poches et avec son merveilleux sourire qui lui va à ravir.

Nelan s'éloigne de moi et fonce dans les bras de Dagon et cri papa. Des larmes se mettent alors à couler sur mon visage.

Je m'avance dans leur direction et laisse Dagon m'enlacer.

— Heureux de te revoir avec ce beau sourire bébé.

Il regarde Ellen et Lucie puis me sourit.

— Tu m'expliques ? me demande Dagon.

— Nelan va jouer mon cœur stp.

Il fait descendre Nelan et le petit file jouer dans le parc.

— Prends la petite blondinette dans tes bras mon cœur stp.

Il prend Ellen dans ses bras et se mets à la bercer. On dirait qu'il a fait ça toute sa vie.

— Elle est magnifique cette petite.

— Je te présente Ellen.

Son visage se décompose et il tourne la tête vers moi. Ses yeux sont remplis de larmes.

— Elle te ressemble énormément je trouve, dis-je en lui souriant.

— Comment c'est possible ?

— Pauline l'avait fait naître et l'avait caché.

Il la serre dans ses bras puis l'embrasse. Ce n'est pas du tout le moment, mais je profite de ce moment pour les prendre en photo, j'ai besoin de garder un souvenir d'eux deux.

— Et l'autre petite fille ?

— Une humaine a accouché là-bas et elle était enceinte avant d'être kidnappée et est décédée en la mettant au monde.

— D'accord

— Pauline, l'humaine là-bas l'a appelée Lucie.

— Tu comptes faire quoi bébé ? Pour Lucie.

— Je vais devoir m'éloigner de vous pour que la malédiction s'arrête avec moi.

J'ai les larmes qui coulent sur mon visage quand il relève la tête pour me regarder. Je vois dans son regard que pour la première fois de sa vie il hésite. Au point où lui aussi pleure devant moi.

— Restez ici avec Nelan, c'est moi qui vais m'éloigner avec Ellen.

Nous échangeons les bébés et je reprends Ellen dans mes bras et m'éloigne un moment. Je lui dis mes adieux, c'est juste atroce de devoir faire ça. Je sais au fond de moi qu'elle sera bien avec Dagon et qu'il prendra soin d'elle.

Dagon s'approche alors de moi et se met accroupi.

— Ce n'est pas comme ça que j'imaginais mon avenir.

— Moi non plus bébé.

— Appelle-moi et donne-moi autant de nouvelles que possible de vous.

— Je te le promets.

Il me fait sourire quand il me prend en photo avec Ellen, et encore plus quand il demande à Nelan de se joindre à nous sur la photo.


— Et pour Lucie, tu vas faire comment ?

— Je vais faire des recherches pour retrouver son père, et voir si elle fait partie des civils ou non, et je vais essayer de lui trouver une famille.

— Très bien, je te laisse gérer alors.

— Je t'aime Dagon, et je suis désolée pour tout ça.

— Je sais, je t'aime aussi, je t'appelle chaque soir.

— Merci.

Il me prend dans ses bras et m'embrasse, j'ai l'impression que son baiser est un adieu. Je redonne ma fille à son père, j'embrasse une dernière fois Ellen et les regardent partir. Je fonds en larmes, je viens de perdre l'homme de ma vie et ma fille. Nelan revient en courant vers moi et me saute dans les bras.


— Qui sont ses bébés, maman ?

— Personne mon cœur.

— Papa est parti où ?

— Loin.

Ses yeux se remplissent de larmes et il repart en courant dans le bâtiment principal. Je fais appel à un ange pour qu'elle le surveille pendant que je passe un appel à Quentin pour avoir son autorisation pour Lucie que je la garde avec moi. Il me propose de m'aménager un appartement avec trois chambres pour la garder un peu avec nous en attendant de savoir.

Je passe ma soirée et nuit avec mon fils dans mes bras. Sa présence me fait beaucoup de bien.

Deux semaines que je suis revenue et que j'ai dû dire adieu à Dagon et Ellen. Leurs éloignements sont terriblement douloureux, mais ce n'est pas comparable avec la mort d'Aidan. Je garde au fond de moi l'espoir de le revoir un jour et ma fille aussi. Lucie est toujours avec moi pour le moment, nous commençons à nous apprivoiser toutes les deux. Et je n'ai pas du tout avancé sur son dossier.

Je suis dans le parc en train de surveiller Nelan qui joue avec Call quand j'entends cette voix.

— Bonjour mon ange.
Je me redresse d'un seul coup et lui saute au cou.

— Où est Ellen ?
— Je t'avais promis de ne plus jamais te quitter, de t'interdire de le faire, et de te suivre partout où tu iras dans le but de ne jamais être loin de toi.
— Où est Ellen ? Dagon.
— Je n'ai pas pu me résoudre à vivre sans toi.
— Quoi ?
Des larmes coulent sur mon visage.

— C'est ma fille et je l'aime, mais je t'aime tellement toi aussi, elle aura une chance de grandir dans une famille normale loin de ce monde qui même s'il est beau est dangereux. Elle n'aura aucun souvenir de nous. Moi j'aurais toujours ce souvenir de ton visage que j'aime tant et de notre fils qui a déjà commencé à m'accepter dans sa vie.

— Dagon, mais.

— Stp Nelle, plus jamais l'un sans l'autre, toi et moi c'est une évidence et c'est pour la vie.

— Je t'aime, dis-je en pleurant.

— Je t'aime plus que tout, bébé.

— Tu ne le regretteras pas ?

— Je m'étais fait à l'idée que notre bébé n'avait pas survécu et que je n'aurais pas de descendance à moi. J'aurais bien plus regretté de te perdre de ma vie. Ne parlons plus d'elle et laissons-la en sécurité où elle est.

— Si c'est vraiment ce que tu veux.

— Où est Lucie ?

— Elle dort, un ange la surveille.

— Tu as décidé quoi pour elle ?

— Je recherche toujours son père biologique.

— Très bien. On va le chercher ensemble alors.

— Et si on ne le trouve pas ?

— Je pense qu'on devrait lui trouver un nom, un vrai, et tant pis si on ne connaît pas son nom véritable.

— Tu veux dire quoi ?

— Trouvons un autre nom.

— Comme quoi ?

— Lucie Lukas, tu en penses quoi ?

— Elle ne sera jamais notre fille.

— Nelan n'a pas mon sang et pourtant je l'aime.

Je lui souris et pose ma tête dans son cou.


— Il est temps de se marier maintenant.

— Avec plaisir Mme Lukas.

# Remerciements

Merci à Alex, Estelle et Steph pour leur aide et leur soutien. Une passion peut vite s'envoler quand on ne croit pas en soi mais grâce à vous, elle continue de m'habiter.

Imprimé en Allemagne
Achevé d'imprimer en décembre 2021
Dépôt légal : décembre 2021

Pour

Le Lys Bleu Éditions
40, rue du Louvre
75001 Paris